FESTSCHRIFT FÜR KÄTE HAMBURGER

ZUM 75. GEBURTSTAG

AM 21. SEPTEMBER 1971

PROBLEME DES ERZÄHLENS IN DER WELTLITERATUR

HERAUSGEGEBEN VON

FRITZ MARTINI

ERNST KLETT VERLAG

STUTTGART

INHALT

Ein vollständiges Verzeichnis der Schriften von Käte Hamburger wurde in diese Festschrift nicht aufgenommen, weil sich eine Bibliographie schon in ihrem Buch »Philosophie der Dichter — Novalis Schiller Rilke«, erschienen im W. Kohlhammer Verlag, Stuttgart 1966, befindet.

VIII

VORWORT

Die produktive Energie und das anhaltende Gewicht einer wissenschaftlichen Leistung drücken sich nicht zuletzt darin aus, wie sie zur Diskussion, zur Antwort herausfordern — möge sich beides nun als ein dankbar aufhorchendes Empfangen und verarbeitendes Zustimmen, als eine Revision der eigenen Vorstellungen oder in der kritischen Auseinandersetzung darstellen. Dem umfangreichen Werk von Käte Hamburger ist dies, zumal seit sie von 1951 an ihre ersten, durchaus neue Fragehorizonte aufschließenden Arbeiten auf dem Gebiet der Literaturtheorie, zur systematischen Erkenntnis der Gattungs- und insbesondere der Erzählprobleme veröffentlichte, in einer kaum noch überschaubaren Fülle zuteil geworden. Sie beschritt mit der ihr eigenen Originalität des Denkens bisher unbeachtete Wege und sie legte dem Umgang mit der Dichtung und ihren strukturellen, kompositionellen und sprachlichen Ausdrucksverfahren eine systematische, logische Präzision ein, deren Argumentation und Beweiskraft sich niemand entziehen konnte. Sie nötigte die literaturwissenschaftliche Arbeit zu einer neuen Disziplin des Denkens, die sich seither auch dort, wo andere Fragen und Gegenstände als jene, die Käte Hamburgers eigenes Interessengebiet ausmachen, behandelt werden, als fruchtbar und wirksam erwiesen hat. Ihr Buch »Die Logik der Dichtung«, zuerst 1957, das anfänglich als eher fremdartig anzumuten schien, markiert einen tief sich einzeichnenden Abschnitt in der Geschichte literaturwissenschaftlicher Methodik und Problemstellung. Doch nicht nur dieses Buch gewann solche Bedeutung. Wieder und wieder gelang und gelingt es Käte Hamburger, der Forschung auf den verschiedensten Gebieten lebhafte Impulse, andere Einsichten, weitere Horizonte, neue Herausforderungen mitzuteilen: nicht allein der deutschen, vielmehr der internationalen Literaturwissenschaft, wie diese Festschrift zu ihrem 75. Geburtstage bezeugt; darüber hinaus aber auch der Ästhetik und Philosophie, von der Käte Hamburgers geistige Entwicklung seit den Studienjahren in München und Hamburg seit 1917 und während der Jahre als Assistentin am Philosophischen Seminar in Berlin bei Prof. Dr. Paul

Hofmann bis 1932 wesentlich bestimmt wurde. Von ihr her ließ sie sich zu systematischen Fragen der Literaturwissenschaft führen; die Philosophie hat sie in dem Werk jener Autoren aufgesucht, denen sich ihre Arbeit durch Jahrzehnte vorzugsweise und mit vielen wechselnden Fragestellungen zugewandt hat. Das Buch »Philosophie der Dichter« von 1966 bietet eine schmale, aber gewichtige Auswahl aus der Fülle der Studien, die 1928 mit Jean Paul eingesetzt haben. Käte Hamburger hat stets schwierige Autoren gewählt: Novalis, und Rilke, Schiller und Thomas Mann, Tolstoj und Sartre, um nur einige Namen zu nennen. Denn das Feld ist weit gespannt, auf dem sich Käte Hamburger mit souveräner Sicherheit der Kenntnisse und Erkenntnisse bewegt; es umfaßt die Geschichte der Philosophie und Literatur seit der Antike, von Aristoteles bis zur jüngsten Zeitgenossenschaft, dazu die Vielheit der neuzeitlichen europäischen Literaturen im Osten, Norden und Westen und die Mannigfaltigkeit der poetologischen Aspekte, die sich in ihnen bis zur nächsten Gegenwart eingestellt haben und einstellen. Doch ist sie stets dagegen gefeit, sich im Detail zu verlieren; sie ordnet es ein in Fragestellungen von umgreifender Geltung, gehe es nun mehr um die Erhellung von philosophischen Bewußtseins- oder von literarisch-sprachlichen Strukturproblemen, in ihnen vor allem um Strukturen und Methoden des Erzählens. Solche Universalität des Arbeitsfeldes mußte bereits aus sich selbst ein lebhaftes und breites Echo hervorrufen. Dessen Intensität wird aber dadurch begründet, daß Käte Hamburgers exakte und sachliche Denkmethode, ihre Fragestellungen und Resultate sich durch eine eminente intellektuelle Gegenwärtigkeit auszeichnen, ohne jemals auch nur an den Rand von Modisch-Aktuellem zu geraten. Gegenwärtigkeit meint hier einen hohen Grad des aktiven, kritischen Bewußtseins, eine Abneigung gegen vermeintliche Sicherheiten des Wissens und Erkennens, eine Bereitschaft, die eigenen Ergebnisse einer immer wieder neu einsetzenden kritischen Kontrolle und Revision zu unterwerfen. Ein sprechendes Beispiel dafür ist die zweite Auflage der »Logik der Dichtung«; weiterhin die Art, wie sie unter immer wieder anderen Aspekten sich mit Thomas Mann, mit Rainer Maria Rilke und mit Friedrich Schiller oder mit dem Bezugsfeld antikes und neuzeitliches europäisches Drama von »Sophokles zu Sartre« (3. Auflage 1965) beschäftigt hat und, fasziniert von der Geschichte der Theorie des Dramas, erneut jetzt beschäftigt. In solcher Mannigfaltigkeit und Gegenwärtigkeit zeichnet sich als das zusammenhaltende Element Festigkeit ab. Persönlichkeit und Werk werden von ihr her profiliert: sie bedeutet ebenso eine wahrhaft kristallne Klarheit des Denkens und der Sprache wie eine Unbeirrbarkeit der fundamentalen wissenschaftlichen und menschlichen Überzeugungen. Diese Festigkeit ist

X

nicht nur das Ergebnis einer intellektuellen Souveränität — sie ist der Kern der menschlichen Existenz. Sie hat Käte Hamburger über mehr als zwei Jahrzehnte der Enttäuschungen und Entbehrungen hinweggeholfen und sie gegen Entmutigungen in der wissenschaftlichen Arbeit und im persönlichen Leben geschützt, die ihr nicht erspart blieben; sie hat ihr die Kraft und Heiterkeit des Geistes wie des Herzens bewahrt, die jeder, der mit ihr in Berührung und Kontakt gekommen ist, als eine köstliche und seltene Gabe verehrt. Käte Hamburger hat sich eine fast jugendliche Frische und Energie des Geistes bewahren können, die, was im gegenwärtigen akademischen Leben wohl selten sein dürfte, die studentische Jugend noch jetzt zuhauf an ihre Vorlesungen fesselt, deren Serie sie seit der Stuttgarter Habilitation auf dem Gebiet der »Allgemeinen und vergleichenden Literaturwissenschaft« im Jahre 1956 nur dann unterbrochen hat, wenn sie als Gastprofessor an amerikanischen Universitäten lehrte. Die Studenten spüren in der Ausstrahlungskraft der Gelehrten, in der sachlichen und pädagogischen Intensität, mit der sie sich diesen Vorlesungen widmet, die Autorität eines Intellekts, der an sich selbst mit Selbstverständlichkeit den höchsten Anspruch zu stellen gewohnt ist und, allem Lebendigen und Jugendlichen verstehend und helfend zugetan, gleichwohl nicht um ein Gran von dem abweicht, was er als das Richtige und Gemäße erkannt hat.

Die Aufsätze der Freunde, die sich in dieser Festschrift als eine Gabe zum 75. Geburtstag von Käte Hamburger zusammengefunden haben, stellvertretend für sehr viele andere in der ganzen wissenschaftlichen Welt, kreisen fast ausschließlich um ihr eigenes zentrales Thema, um Probleme des Erzählens in der Weltliteratur. Der Rahmen ist weit angelegt: er reicht vom Mittelalter bis zur spätneuzeitlichen Literaturrevolution; von der ›hohen‹ Dichtung bis zur Trivialliteratur und bis zum Hörspiel, von der mehr geschichtlich orientierten Textanalyse bis zur linguistisch verfahrenden Poetik. Es gibt unter den hier versammelten Arbeiten keine, die nicht von den Forschungen und Erkenntnissen Käte Hamburgers wesentliche, ob nun ausgesprochene oder verdeckte Impulse empfangen hätten. So wollen denn diese Beiträge zugleich ein Gespräch mit ihr sein und diese Sammlung stellt sich dar als ein Buch der Freunde: auf die Sache konzentriert, wie es dem Rang und dem Anspruch von Käte Hamburger gemäß ist, zugleich aber mit jenem Innenton der Verehrung und Zuneigung, die der Kollegin und Freundin gebühren.

Fritz Martini

GÜNTHER SCHWEIKLE

ZUM »IWEIN« HARTMANNS VON AUE

STRUKTURALE KORRESPONDENZEN UND OPPOSITIONEN

Kunstwerke sind keine absoluten Größen; sie realisieren sich recht eigentlich erst im betrachtenden Geist. Wenn Hans Eggers meint, man habe Dichtung möglicherweise im Mittelalter anders gesehen als heute[1], so gilt dieser Satz doch grundsätzlicher: Auch moderne Interpreten sehen ein- und dasselbe Werk unter immer wieder wechselnden Perspektiven, wie schon die Forschungsgeschichte zeigt[2]. Je vielschichtiger ein Werk angelegt ist, desto breiter kann das Spektrum möglicher Interpretationen sein. Weltanschauung, Wissenshorizonte, Methodenverständnis im allgemeinen, Mittelalterbild und dessen implizierte Vorstellungsschemata im besonderen beeinflussen den Blickwinkel der Interpreten, lassen jeweils andere Konturen hervortreten, andere Schwerpunkte als bedeutsam erscheinen.

Subjektive Apriorismen können bei der Begegnung mit einem Kunstwerk nicht ausgeschaltet werden. Sie wirken auch bei der Strukturanalyse, die von der inhaltlichen Interpretation eines dichterischen Werkes nicht getrennt werden kann, auf mannigfaltige, oft unbewußte Weise mit, bedingen die Auffassung des Verhältnisses von Form und Inhalt ebenso wie ästhetische Wertungen und geistesgeschichtliche Einordnungen eines Werkes, um nur einige Momente zu nennen.

Der folgende Versuch will aus den genannten Gründen nicht den Anspruch erheben, frühere, oft im Namen des Dichters verkündete, allein richtige Interpretationen des *Iwein* letztgültig zu korrigieren; es sollen hier lediglich einige Grundlinien skizzenhaft hervorgehoben werden, die für eine Deutung des Werkes unter den gegebenen Voraussetzungen hilfreich sein können.

---

[1] Hans Eggers, Symmetrie und Proportion epischen Erzählens. Studien zur Kunstform Hartmanns von Aue, Stuttgart 1956, S. 7.

[2] Vgl. dazu die Forschungsberichte in: Hansjürgen Linke, Epische Strukturen in der Dichtung Hartmanns von Aue, München 1968, passim; Hans Eggers, Symmetrie und Proportion, S. 1 ff.

I

Der *Iwein* gilt als dasjenige Werk Hartmanns von Aue, das am genauesten einer bekannten Vorlage folgt, dem *Yvain* Chrestiens von Troyes[3]. Wenn sich aber die Erzählung Hartmanns auch auf weite Strecken genau an Chrestiens Werk anschließt, so ist dies doch nur eine Seite des Verhältnisses zwischen dem Werk Hartmanns und dem Chrestiens. Dies zeigt bereits ein Vergleich des Umfangs der beiden Werke: Hartmanns *Iwein* umfaßt 8166 Verse, der *Yvain* Chrestiens 6818[4]. Unter den 8166 Versen Hartmanns finden sich allerdings, nach den Angaben Ludwig Wolffs in der Edition von Benecke-Lachmann[5], über 2200 Verse, die inhaltlich nicht auf Chrestien zurückgehen. Anders gesagt: den 6800 Versen in Chrestiens *Yvain* entsprechen in Hartmanns *Iwein* nur knapp 6000 Verse. 2200 Verse, also über ein Viertel seines Werkes, hat Hartmann unabhängig von seinem Vorbild aus anderen Quellen ergänzt oder aus eigenem hinzugefügt.

Wenn nun Hartmann den Gang der Handlung beibehalten hat, den Text gegenüber Chrestien aber kürzte und ein Viertel neu zusetzte, so kann dies nicht ohne Auswirkung auf den Sinn des Ganzen geblieben sein: Hartmanns Zusätze können sogar aus der Absicht erfolgt sein, der Fabel durch bestimmte Akzentuierungen eine andere Deutung zu geben.

Diese Folgerung wird bereits durch die Erweiterungen Hartmanns am Anfang der Dichtung nahegelegt. Im Gegensatz zu Chrestien setzt Hartmann nicht unmittelbar mit der Erzählung ein, sondern stellt zwei Prolog-Abschnitte voran, die mit einer lehrhaften Sentenz beginnen:

> Swer an rehte güete
> wendet sîn gemüete,
> dem volget sælde und êre. (V. 1—3)

Daran schließen sich, in Umkehrung der Reihenfolge bei Chrestien, die Eingangsverse des *Yvain* an. Die folgenden Verse, die in der Wendung gipfeln,

---

[3] Vgl. zum Verhältnis Hartmann—Chrestien: Arthur Witte, Hartmann von Aue und Kristian von Troyes, in: PBB, 53, 1929, S. 65—192; Kurt Herbert Halbach, Franzosentum und Deutschtum in höfischer Dichtung des Stauferzeitalters. Hartmann von Aue und Crestien de Troyes. Iwein—Yvain, Berlin 1939 (Neue Dt. Forschungen, Bd. 225).

[4] Chrestien de Troyes, Yvain. Übersetzt und eingeleitet von Ilse Nolting-Hauff, München 1962.

[5] Hartmann von Aue, Iwein. Hrsg. von G. F. Benecke und K. Lachmann, neu bearbeitet von Ludwig Wolff, Bd. I: Text, 7. Ausg., Berlin 1968.

daß König Artus *der êren krône* . . . *truoc* (V. 10 f.), sind wiederum von Hartmann ergänzt. Dagegen übergeht er Chrestiens Ausfall gegen die falsche Liebe seiner Zeit.

Ob nun solche Verse nur eine für das Werk unverbindliche Zutat seien, wie schon behauptet wurde[6], oder ob Hartmann mit ihnen nicht vielmehr Hinweise auf sein Programm gebe, muß sich im folgenden erweisen.

Hansjürgen Linke geht bei seiner *Iwein*-Interpretation von der These aus, daß »nicht der Wortlaut einer Dichtung allein, sondern auch ihre Struktur aussagemächtig«[7] sei. Wenn dieser Satz richtig ist, dann müßte sich eine neue Sinngebung des *Iwein* durch Hartmann in bestimmten strukturellen Akzenten fassen lassen, in Strukturen, die nicht ästhetischer Selbstzweck sind, sondern die auf die Auffassungs- und Aufnahmefähigkeit eines Hörenden oder Lesenden ausgerichtet sind[8].

Es ist die Frage, ob diese Bedingung durch Aufbauschemata erfüllt wird, welche in der Strukturforschung bisher hauptsächlich ausgearbeitet worden sind. Vor allem die zahlensymbolischen Kryptostrukturen, die ihre Selbstbestätigung aus in sich stimmigen Schemata ziehen[9] und die sich deshalb nicht selten vom publikumsbezogenen »rein Inhaltlichen« eines Werkes lösen, lassen den im Mittelalter wichtigen Hörer gänzlich außer acht. Solche Strukturen lassen sich bestenfalls aus einem Manuskript in geduldigen Kalkulationen errechnen. Wenn ein noch so ideal gedachtes Publikum ins Kalkül aufgenommen wird, dann werden auch Strukturen fragwürdig, bei denen ein Werk eher als ein gleichzeitig gegenwärtiges Schema erfaßt wird, denn als ein Gefüge, das sich in zeitlichem Nacheinander entwickelt. Natürlich konnte sich ein Dichter wie etwa Hartmann in einem räumlichen Schema den Bauplan für sein Werk zurechtlegen; in einem solchen Schema konnten sich aus einer dichterischen

---

[6] Hartmann von Aue, Iwein. Der Ritter mit dem Löwen. Hrsg. von Emil Henrici, 2. Teil, Anmerkungen, Halle 1893, S. 389; vgl. dazu grundsätzlich Thomas Cramer, Sælde und êre in Hartmanns Iwein, in: Euphorion, 60, 1966, S. 30—47. Gegen die Untersuchungen von Rolf Endres, Der Prolog von Hartmanns ›Iwein‹, in: DVjs, 40, 1966, S. 509—537 und ders., Die Bedeutung von güete und die Diesseitigkeit der Artusromane Hartmanns, in: DVjs, 44, 1970, S. 595—612, läßt sich einwenden, daß für die Deutung so komplexer Begriffe allein der jeweilige Kontext maßgeblich sein kann.

[7] Epische Strukturen, S. 143.

[8] Zu Hartmanns Auditorium vgl. Iwein, V. 26 und V. 243 ff.

[9] Vgl. dazu auch Linke, Epische Strukturen, S. 13 ff. Als letzter Ausweg zur Verteidigung publikumsferner Strukturen bleibt dann Gott als Kunstrichter: Heinz Rupp, Über den Bau epischer Dichtungen des Mittelalters, in: Die Wissenschaft von deutscher Sprache und Dichtung, Festschrift für Friedrich Maurer, Stuttgart 1963, S. 368.

Eigengesetzlichkeit heraus auch Strukturen ausbilden, die nicht unbedingt für einen Hörenden bemessen waren und die selbst einem Leser nicht unmittelbar zugänglich sind. Und gewiß kann einem Hörer oder Leser eine Erzählung auch im Rückblick quasi als räumliches Kontinuum erscheinen. Aber mit all diesen Rücksichten bleibt es immer noch fraglich, ob selbst ein Publikum, das im Hören besser geübt war als ein modernes, auch nur einen Teil der in der Forschung ausgeklügelten Struktursubtilitäten — zudem als sinndeutend — wahrnehmen konnte, — auch bei intensiver Kenntnis des Werkes.

Im folgenden kommt es allein auf solche Strukturen an, die vom Hörer oder Leser erfaßt werden können und die damit zur Verdeutlichung von Hartmanns Sinngebung dienen konnten.

Fraglich wird im Hinblick auf den Hörer oder Leser auch die werkkonstituierende Relevanz der Abschnittsgrenzen. Ein Hörer kann eine Abschnittsgrenze nur registrieren, wenn der Dichter sie durch einen eindeutigen Neueinsatz in seiner Erzählung gekennzeichnet hat. Einfacher liegen die Dinge beim Leser; für ihn können graphische Markierungen genügen, die auch solche Abschnitte eindeutig hervorheben, die im Vortrag nicht leicht erkennbar wären. Auf solchen Hinweisen in den Handschriften baut Hansjürgen Linke seine Strukturuntersuchung zu Hartmanns Werken auf. Solange ein Teil der Abschnittsgrenzen aber trotz Linkes akribischem Aufwand nicht eindeutig zu bestimmen ist, aus Gründen offenbar, die in den Aufbauprinzipien des *Iwein* liegen könnten, solange sind sie, vollends als alleinige Orientierungspunkte, für eine Werkgliederung von zweifelhaftem Wert. Auch der methodisch zunächst naheliegend erscheinende Rückgriff auf die handschriftliche Überlieferung verschafft keinen ausreichend sicheren Grund für die Erforschung der »originalen Struktur von Hartmanns ›Iwein‹«[10], wenn dabei so komplexe Fragen ins Spiel kommen wie die Wertung der Handschriften oder gar, wenn der moderne Strukturanalytiker in Zweifel geraten kann, ob ein in allen Handschriften markierter Abschnitt am Ende nur auf einer »Eigenmächtigkeit schon des Archetyps«[11] beruhe, oder wenn er gegen das Zeugnis der gesamten Überlieferung glaubt, den »Ausfall einer oder mehrerer Abschnittsgrenzen«[12] vermuten zu sollen.

Wenn eine Abschnittsgrenze einem Hörer bewußt werden soll, dann ist dies nur möglich durch einen Neueinsatz der Erzählung. Wer dies zum Ausgangs-

---

[10] Linke, Epische Strukturen, S. 50.
[11] Ebd. S. 19.
[12] Ebd. S. 18.

punkt einer Untersuchung macht, kann z. B. beim *Iwein* feststellen, daß diese Grundvoraussetzung von Hartmann nicht so beachtet wird, wie es eine auf Abschnittsgrenzen basierende Strukturanalyse voraussetzt. Auch eine eher terminologische Scheidung in Werkstruktur und Vortragsstruktur[13] führt auf dieser Basis nicht näher an das Publikum heran. Es erhebt sich die Frage, ob sich die Gliederung eines epischen Stoffes allein als eine Folge von mehr oder weniger in sich geschlossenen Abschnitten (Fitten, Moventien)[14] begreifen läßt oder ob nicht für eine sinngebende Ordnung strukturale Korrespondenzen und Oppositionen, Motivresponsionen und Begriffsfiguren bedeutsamer sein können. Man darf ja wohl einem Dichter wie Hartmann zutrauen, daß er in seinem Werk Abschnittsgrenzen[15] hätte merkbar auszeichnen können, wenn er darauf den selben Wert gelegt hätte wie manche seiner späteren Interpreten.

II

Der *Iwein* Hartmanns von Aue ist, wie andere Artusromane, deutlich zweigeteilt. Bei Chrestien wird im *Erec* das Ende des ersten Teiles ausdrücklich angemerkt: *Ci fine li premerains vers* (V. 1844)[16]. Auch im Chrestienschen *Yvain* ist die Grenze zwischen Teil I und Teil II relativ deutlich markiert (bei V. 2638).

Anders in Hartmanns Werk. Der Abschied Iweins von Laudine bildet hier keine Zäsur wie bei Chrestien. Vielmehr schließen sich die folgenden Abschnitte ausdrücklich noch daran an: Das unmittelbar folgende Gespräch Hartmanns mit Frau Minne leitet über zu Iweins Turnierjahr. Auch die Übergänge zu den folgenden Szenen (Narison-Begegnung; Löwen-Errettung) sind fließend. Erst bei Vers 3883 oder 3923[17] ließe sich ein Neueinsetzen der Erzählung konstatieren.

So strittig es nun sein kann, wo in Hartmanns Roman die Grenze zwischen

---

[13] Vgl. dazu Linke, Epische Strukturen, vor allem S. 76 ff.

[14] Zu den Begriffen vgl. Eggers, Symmetrie und Proportion, S. 18.

[15] Linke, Epische Strukturen, S. 77 ff.: er registriert neun Erzähleinsätze, die aber im Vergleich zu den sonstigen Gliederungsversuchen ein allzu weitmaschiges Aufbauschema ergeben.

[16] Kristian von Troyes, Erec und Enide. Hrsg. von W. Foerster, 3. Aufl., Halle 1934; Reto Bezzola, Liebe und Abenteuer im höfischen Roman. Reinbek 1961 (rde 117/118), S. 86 ff.

[17] Linke, Epische Strukturen, S. 78, setzt die Grenze bei Vers 3883.

dem ersten und zweiten Teil gesetzt werden solle, so klar ist die strukturale Opposition grundsätzlich ausgebildet: Iweins Aufstieg zum Brunnenherrn und seine darauf folgende Verstoßung in einem ersten Teil und in einem zweiten Iweins Bewährung und Versöhnung mit der Brunnenherrin Laudine.

Auch die beiden Hauptteile des Romans sind jeweils zweigeteilt. Der erste Hauptteil läßt sich trennen in eine Vorgeschichte und in Iweins Brunnenabenteuer. Genauso deutlich lassen sich im zweiten Hauptteil zwei Bewährungsketten unterscheiden.

Die Vorgeschichte in Teil I besteht wiederum aus zwei Teilen, aus der einleitenden Artushof-Szene und der Kalogrenant-Erzählung. Ebenso läßt sich Iweins Brunnenabenteuer zweiteilen in Aufstieg und Fall.

Die Funktion dieser Zweiteilungen besteht darin, korrelative Erzähleinhheiten einander gegenüberzustellen. Es ist dabei irrelevant, ob solche Oppositionen nun auch noch in bestimmten Zahlenproportionen faßbar werden[18]. Die Gegenüberstellung der ersten Abenteuerfahrt Iweins zum Brunnen mit seinen späteren Bewährungsfahrten ist unmittelbar evident, ob nun Hörer oder Leser präzise Einschnitte wahrnehmen können oder nicht.

Dient die Gegenüberstellung der beiden Hauptteile der belehrenden Kontrastierung von Mißerfolg unter bestimmten Bedingungen und Erfolg unter geänderten Bedingungen, so dient der doppelte Kursus der Bewährungsfahrten im zweiten Teil der Steigerung der Anforderungen an den Helden, auf den ersten Blick ersichtlich bei den Riesenkämpfen, die hier jeweils das Mittelglied bilden: Im ersten Kursus hat Iwein mit einem, im zweiten mit zwei Riesen zu kämpfen.

III

Neben diesen leicht auszumachenden Zweier-Gruppierungen zur Verdeutlichung oder zur Steigerung fallen auch Dreier-Gruppierungen in der Erzählung auf: so gleich am Anfang des Werkes in der Kalogrenant-Erzählung.

Diese Erzählung Kalogrenants von einer zehn Jahre zurückliegenden, schimpflich endenden *aventiure*-Fahrt zu einem geheimnisvollen Brunnen hat zunächst einmal den Zweck, ganz bestimmte Voraussetzungen für das Abenteuer des Haupthelden zu schaffen, das ihm ›zum Schicksal werden soll‹. Für

---

[18] Vollends wenn diese z. T. nur durch Texteingriffe erreicht werden.

6

diesen Zweck hätte jedoch Kalogrenants Schilderung seiner Erlebnisse am Brunnen genügt. Kalogrenant erzählt aber ausführlich auch von den beiden Stationen auf dem Wege dorthin, von einer Burg, auf der er mit höfischem Comment aufgenommen worden sei, und von einer Wildnis und dem dort lebenden ungeschlachten, unhöfischen Hirten, der nicht einmal gewußt habe, was eine *aventiure* sei, der aber den Brunnen kannte und ihm den Weg dorthin wies[19].

Bei Chrestien steigt der Umfang dieser drei Szenen von 100 über 130 auf 180 Verse entsprechend ihrer Bedeutung für Kalogrenants Ziel. Die finale Ausrichtung der beiden Wegstationen kommt struktural in der Verzahnung der Szenen zum Ausdruck: Zwischen den drei Schauplätzen liegen nicht, wie man vermuten könnte, merkbare Abschnittsgrenzen. Den Auftakt der Schilderung des zweiten Schauplatzes bildet vielmehr die Erwähnung der Vorbereitung zum Aufbruch vom vorhergehenden Schauplatz, der Burg (bei Chrestien V. 269ff. = 9 Verse, bei Hartmann V. 383ff. = 13 Verse). Der Wechsel zwischen dem zweiten und dritten Schauplatz ist noch stärker überspielt: Er vollzieht sich bei beiden Dichtern mitten in einem Reimpaar (Chrestien V. 410, Hartmann V. 500). Beide Dichter behandeln also die Kalogrenant-Erzählung struktural als Einheit.

Bei Chrestien setzt unmittelbar nach Kalogrenants letztem Satz der Held der Geschichte, Yvain, mit Aplomb ein: »*Par mon chief!*« *dist mes sire Yvains* (V. 581). Der Sinn der Vorgeschichte kann bei ihm wohl vor allem darin gesehen werden, einen kontrastiven Hintergrund zu schaffen für den sich ohne weiteres Besinnen in dasselbe Abenteuer stürzenden Yvain, der mit dieser Reaktion auf Kalogrenants Erzählung charakteristisch in die Handlung eingeführt wird.

Hartmann übernimmt bei der Kalogrenant-Erzählung Chrestiens Handlungsschema; er erweitert aber vor allem die Schilderung der zwei Wegstationen: Die zweite hat sogar denselben Umfang wie die Brunnenszene (1. Station 130 Verse, 2. Station und Brunnenszene je 200 Verse). Es ist nun zu fragen, ob Hartmann ein vorgegebenes Muster nur aufgeschwellt habe, oder ob er mit seiner Erweiterung eine bestimmte Absicht verfolgte:

Die zwei Wegstationen symbolisieren bei Chrestien und Hartmann gegensätzliche Welten (die höfische und die unhöfische), die der Ritter auf seinem

---

[19] Zu den mythischen Vorlagen dieser und anderer Figuren des »Iwein« (Laudine, Ascalôn) vgl. Peter Wapnewski, Hartmann von Aue, Stuttgart 1962 (Sammlung Metzler, Bd. 17), S. 57f.

Weg in ein ›Zauberreich‹ durchmessen muß. Neben der kontrastiven Reihung treten aber bei Hartmann auch verbindende Motiv-Responsionen auf: Die idyllische Harmonie der Burgatmosphäre wird ebenso betont wie die nach dem ersten Eindruck (V. 403 ff.) unerwartete Friedlichkeit der Szene in der Wildnis. Auf Kalogrenants Frage: »*bistu übel ode guot?*« (V. 483) antwortet der Waldmensch: »*Swer mir niene tuot,/der sol ouch mich ze vriunde hân*« und auf Kalogrenants weitere Frage, ob ihm die Tiere nichts zuleide täten, erhält er zur Antwort: »*si lobetenz, tæt ich in niht*«, und »*ich pflige ir, und sî vürhtent mich/als ir meister unde ir herren*«. — Auch bei der Brunnenszene wird die anmutige Lieblichkeit des Ortes stark hervorgehoben. Die friedsame Stimmung der drei Schauplätze bildet eine auffällige Motiv-Responson, durch welche die *aventiure*-Stationen über die Szenenverzahnung hinaus verbunden sind.

Eine weitere Motiv-Responson entsteht durch den Begriff *aventiure*, wieder in deutlichem Unterschied zu Chrestien: Bei Chrestien sind die Reaktionen des Burgherrn und des Waldmenschen auf Kalogrenants Mitteilung, daß er *aventiure* suche, ein weiteres Mittel, den Gegensatz zwischen höfischer Sphäre und Wildnis zu charakterisieren. Für den höfischen Burgherrn ist die *aventiure* etwas Alltägliches; er erklärt beiläufig nach dem Essen, er wisse nicht, wieviel fahrende Ritter er schon beherbergt habe, die wie Kalogrenant auf Abenteuer ausgeritten seien. Der Waldmensch dagegen kennt das Wort *aventiure* nicht.

Hartmann ändert diese Konstellation gegenüber seiner Vorlage in bemerkenswerter Weise. Bei ihm wundert sich auch der Burgherr, daß Kalogrenant auf *aventiure* ausreite[20]. Er habe noch von keinem seiner Gäste dergleichen gehört. In dieser Hinsicht steht also der als höfisch geschilderte Burgherr in einer Reihe mit dem Waldmenschen.

Die Komik, die Chrestien bei der Unkenntnis des Waldmenschen ausspielt, wird bei Hartmann anders pointiert. Bei ihm wirkt weniger der unwissende Waldmensch komisch als vielmehr Kalogrenants simple *aventiure*-Definition[21].

---

[20] Zur Interpretation der Stelle vgl. Hartmann von Aue, Iwein, Text der 7. Ausg. von G. F. Benecke, K. Lachmann und L. Wolff, Übersetzung und Anmerkungen von Thomas Cramer, Berlin 1968, S. 8 und S. 179.

[21] Thomas Cramer faßt die Stelle anders auf (s. Anmerkungen zu seiner Übersetzung, S. 181, vgl. Anm. 20): »als ironische Banalisierung . . ., mit der dem Unhöfischen in komischer Vereinfachung ein ihm unzugänglicher Tatbestand klargemacht werden soll«. Ähnlich Th. C. van Stockum, Hartman von Ouwes »Iwein«. Sein Problem und seine Probleme, Amsterdam 1963, S. 8 und Walter Ohly, Die heilsgeschichtliche Struktur der Epen Hartmanns von Aue, Diss. Berlin 1958, S. 101. In dem von mir vorgetragenen Sinne wird die Stelle aufgefaßt von Humphrey Milnes, The play of opposites in ›Iwein‹, in: Germ. Life and Letters, 14, 1960/61, S. 242 und S. 255, Anm. 3.

In beiden Stationen, in der mustergültig-höfischen und in der Wildnis, erscheint bei Hartmann Kalogrenants *aventiure*-Vorhaben als etwas Ungewöhnliches, ja, der Erzähler Hartmann gibt den *aventiure*-Ritter sogar der Lächerlichkeit preis.

Aber auch am Ziel stößt Kalogrenant bei dem Herrn des scheinbar doch zu ›*aventiure*-Zwecken‹ wie geschaffenen Brunnens nicht auf größeres Verständnis. Der Brunnenritter tritt nicht etwa einfach zum Kampf an, wie man es in einer Welt erwarten würde, in welcher die von Kalogrenant dem Waldmenschen gegenüber erklärten Spielregeln der *aventiure* allgemein anerkannt sind. Vielmehr ist er empört über Kalogrenants *triuwelose* Zerstörung seines Besitzes und wirft ihm *hochvart* vor, Vorwürfe, die sich bei Chrestien nicht finden. Chrestiens Brunnenritter konstatiert lediglich den Schaden, den Kalogrenant angerichtet hat, als hinreichenden Kampfgrund. Bei Hartmann verweist der Brunnenritter nicht nur auf den materiellen Schaden, sondern hebt außerdem die schlimmen Folgen für die friedliche Tierwelt hervor. Auch Kalogrenants Verhalten nach des Brunnenritters Fehdeansage unterscheidet sich kennzeichnend bei Chrestien und Hartmann. Dort stellt sich Kalogrenant sofort zum Kampf; Hartmanns Ritter verlegt sich, nachdem er der Übermacht seines Gegners inne geworden ist, zunächst aufs Verhandeln.

Hartmanns Publikum erfuhr nun zwar den *Iwein* nicht aus der hier dargebotenen Vergleichsperspektive, abgesehen von den wohl nicht zu häufigen Literaturliebhabern seiner Zeit, die vielleicht auch Chrestiens Werk im Original kannten. Der hier angestellte Vergleich soll lediglich die von Chrestien abweichenden Akzentuierungen Hartmanns gerade bei den im buchstäblichen Sinne in das Werk einführenden Kapiteln verdeutlichen. Hartmanns Erweiterungen sind nicht Ausfluß ungehemmter Fabulierfreude. In der Kalogrenant-Erzählung reduziert er wie auch sonst eher die bildhafte Ausschmückung des Stoffes gegenüber Chrestien (z. B. den Empfang auf der Burg). Wenn nun zudem Hartmann der Vorgeschichte noch mehr Platz einräumt (ein Zehntel des *Iwein*) als Chrestien (ein Zwölftel), dann doch wohl nur deshalb, weil es ihm darauf ankam, sein Publikum durch die lange Vorgeschichte in seinem Sinne auf die *lêre* der Hauptgeschichte vorzubereiten. Es wird im nächsten Kapitel zu untersuchen sein, ob die triadische Anlage der Kalogrenant-Erzählung als formales Programm[22] für das Gesamtwerk aufgefaßt werden kann.

---

[22] Oder im Sinne eines ›epischen Doppelpunkts‹: vgl. Hugo Kuhn, Erec, in: Festschrift für Paul Kluckhohn und Hermann Schneider, Tübingen 1948, S. 136 (Wiederabdruck in: Hugo Kuhn, Dichtung und Welt im Mittelalter, Stuttgart 1959, S. 133—150, zur Stelle: S. 143).

Bei der Darstellung der Kalogrenant-Erzählung mußten dem Publikum neben der formalen Gliederung die deutlich hervorgehobenen kritischen Vorbehalte Hartmanns gegenüber dem *aventiure*-Suchen der Artusritter auffallen, die zudem mit der nicht durchweg freundlichen Zeichnung des Artushofes am Beginn des Werkes korrespondieren.

Der Artushof ist im Gegensatz zu den allgemeinen Lobpreisungen seines Glanzes und Ruhmes (V. 31 ff.) keineswegs ideal geschildert[23]. Die von Keie provozierten Streitigkeiten vor Beginn und nach Schluß der Kalogrenant-Erzählung kontrastieren deutlich mit dem paradiesischen Frieden der drei Stationen in Kalogrenants Brunnenabenteuer. Auch das schimpfliche Ende der *aventiure*-Fahrt Kalogrenants widerspricht den klischeehaften Erwartungen, die mit der Erwähnung des Artushofes zu Beginn des Werkes geweckt sein konnten. Verfolgt man aus dieser Sicht die spätere Rolle dieser Ritterrunde im *Iwein*, dann zeigt sich, daß die in der Vorgeschichte offen und latent aufklingende Kritik an dieser Institution das ganze Werk durchzieht. Während z. B. Artus und seine Ritter sofort zum Brunnenabenteuer bereit sind, zeichnet sich der Artushof, wenn sein Beistand geboten wäre, nicht gerade durch Einsatzbereitschaft aus: Hilfesuchende ziehen unverrichteter Dinge wieder ab, wenn Gawan nicht zur Stelle ist, z. B. Lunete oder Gawans Schwager. Diese Momente sind zwar in der Fabel vorgegeben, aber Hartmann verstärkt ihre kritische Seite in kennzeichnender Weise, besonders deutlich durch die Erzählung vom Königinraub.

IV

In den *Iwein*-Roman sind drei längere Erzählungen eingeschoben: in der Vorgeschichte die Kalogrenant-Erzählung, im ersten Bewährungskursus die Erzählung vom Königinraub, dem Schwager Gawans in den Mund gelegt, im zweiten Bewährungskursus eine Geschichte vom Fürsten der Jungfraueninsel, die eine der auf der ›Burg zum Schlimmen Abenteuer‹ gefangenen Frauen erzählt. Mit der Erzählung vom Raub der Gemahlin des Königs Artus hat man in der Forschung nie viel anzufangen gewußt[24]. Bei Chrestien ist diese Episode

---

[23] Vgl. dazu W. Ohly, Die heilsgeschichtliche Struktur, S. 99 ff.

[24] Vgl. Kurt Ruh, Zur Interpretation von Hartmanns Iwein, in: Philologia Deutsch. Festschrift zum 70. Geburtstag von Walter Henzen, Bern 1965, S. 42, Anm. 11 und ders., Höfische Epik des deutschen Mittelalters. Erster Teil: Von den Anfängen bis zu Hartmann von Aue, Berlin 1967, S. 155: ein »technischer Fehler«. Dagegen Wapnewski, Hartmann von Aue, S. 61 f.

nur kurz erwähnt (V. 3918—3927), bei Hartmann dagegen breit ausgesponnen (V. 4526—4715). Den beträchtlichen Unterschied zwischen den neun Versen Chrestiens und den nahezu 200 Hartmanns versuchte man etwa so zu erklären, daß Hartmann seinem mittelhochdeutschen Publikum, das in Artus-Geschichten noch nicht so bewandert gewesen sei wie das Chrestiens, quasi Nachhilfe-unterricht habe geben müssen, damit es wisse, was es mit diesem Abenteuer auf sich habe.

Die Erzählung des Königinraubs genügt jedoch nicht nur stofflichem Interesse, sondern hat auch strukturale Funktion. Sie ist so in Hartmanns Werk eingefügt, daß sie auf die Kalogrenant-Erzählung zurückweist und deren Tendenzen bestätigt.

Einer der wenigen Punkte bei den Interpretationen des *Iwein*, bei dem in der Forschung Einigkeit herrscht, ist die Anlage der Bewährungsfahrten Iweins in Teil II in einem doppelten Kursus. Beide Bewährungsfahrten sind deutlich dreigeteilt. Es ergeben sich also zwei genau parallel gebaute Triaden. Auf ein Hilfeversprechen (in der ersten Triade Lunete gegenüber, in der zweiten der jüngeren Gräfin vom Schwarzen Dorn) folgt jeweils Iweins unversehene Verstrickung in einen Riesenkampf, welcher die fristgerechte Einhaltung der zuerst übernommenen Verpflichtung gefährdet, und daran anschließend die Einlösung des eingangs gegebenen Versprechens. Jede Riesenkampfszene ist bei Hartmann nochmals dreigeteilt durch den Einschub einer Erzählung: im Mittelstück der ersten Triade die Erzählung vom Königin-raub[25], in der zweiten Triade an entsprechender Stelle die Geschichte vom Fürsten der Jungfraueninsel, der in seiner Jugend auf *aventiure* auszog.

Diese beiden Erzählungen sind struktural aufeinander bezogen und können nicht nur unter sich, sondern auch, wie schon erwähnt, mit der Kalogrenant-Erzählung in Sinnkorrespondenz gebracht werden.

Als gemeinsamer Tenor tritt auch bei diesen beiden Erzählungen eine Kritik am *aventiure*-Rittertum hervor. So wie schon in der Kalogrenant-Erzählung ein einzelner Artusritter alles andere als positiv dargestellt wird, ist in der Erzählung vom Königinraub nun ein negatives Bild von der ganzen Artusrunde entworfen. Zum Artusritterideal paßt zwar die Feststellung des hinterhältigen Herausforderers Meljaganz, König Artus habe zu seiner Ver-teidigung *der besten ein her* (V. 4599); dadurch, daß Keie diesen Satz angeberisch zuspitzt: *ich eine bin im ein her* (V. 4657), wird aber der Kontrast zu den schimpf-lichen Niederlagen der Artusritter beim Versuch, die Königin zurückzugewin-

---

[25] Vgl. Wapnewski, Hartmann von Aue, S. 62.

nen, noch offenkundiger: Keie z. B. beendet den Kampf *hangende* ... *niht anders wan als ein[en] diep* (V. 4684f.). Es sei daran erinnert, daß die ganze Erzählung ein Einschub Hartmanns ist!

Dieselbe Tendenz beherrscht auch die dritte Erzählung. Der Fürst von der Jungfraueninsel scheitert als *aventiure*-Ritter ebenfalls kläglich und bringt zudem Not und Elend über seine Untertanen. Die der letzten Erzählung zugrundeliegende Kritik schließt den Ring zur Kalogrenant-Erzählung: Der Fürst ritt ebenfalls auf *aventiure* aus und zwar, wie Hartmann ausdrücklich hinzufügt, *niuwan von sîner kintheit* (V. 6330), aus jugendlicher Unerfahrenheit, aus Unverstand.

Ein zusätzlicher Hinweis auf die Korrespondenz dieser Erzählungen ist durch die Steigerung der Folgen gegeben, die das unbedachte *aventiure*-Suchen nach sich ziehen kann. Kalogrenant hatte den schmählichen Erfolg seiner Abenteuerlust, abgesehen vom Schaden an der Brunnenszenerie, noch allein zu tragen; bei der zweiten Erzählung ist die Königin des Artushofes die Leidtragende, bei der dritten wird eine zahlreiche Frauenschar unglücklich.

Bei allen drei Erzählungen läßt Hartmann ein entlarvendes Licht auf den einseitig verabsolutierten, sinnentleerten, zur Schablone erstarrten *êre*-Begriff des Artus- und *aventiure*-Rittertums fallen. Auch König Artus ist diesem unterworfen: In der Meljaganzgeschichte hatte er zwar sein *milte*-Angebot vernünftig eingeschränkt auf das, was *betelîchen* (V. 4546) begehrt werde, aber ein Appell an seine *êre* genügte, daß er jede bessere Einsicht preisgab. Dem hält Hartmann im Zusammenhang mit der Überredung Iweins durch Gawan einen mitmenschlich bestimmten *êre*-Begriff entgegen (V. 2853 ff.).

Die beiden in die Riesenkampfszenen eingeschobenen Erzählungen korrespondieren nicht nur strukturell und inhaltlich mit der Kalogrenant-Erzählung, sie kontrastieren auch die Iwein-Handlung in Teil II. Iweins Eintreten für Hilfesuchende hebt sich von dem leichtfertigen Tatendrang der nach dem Klischee des *aventiure*-Rittertums Handelnden vorteilhaft ab.

V

Der Ausblick auf die beiden in Teil II des *Iwein* eingeschobenen Erzählungen hat zweierlei erbracht:

1. Die in der Kalogrenant-Erzählung aufklingende kritische Einstellung Hartmanns gegenüber dem Artus- und *aventiure*-Rittertum hat sich in diesen struktural gleichgeordneten Erzählungen bestätigt. —

12

2. Neben dem offenkundigen Zweierprinzip in der Großgliederung des
Werkes scheint für die Binnenstruktur eine Tendenz zu triadischen Ordnungen zu bestehen: So in der Kalogrenant-Erzählung, in der ersten und
zweiten Bewährungskette, die geschlossene Triaden bilden, oder in der offenen
Triade der drei eingeschobenen Erzählungen.

Die Vermutung eines triadischen Strukturprinzips bestätigt sich durch eine
weitere Beobachtung im Zusammenhang mit der Kalogrenant-Erzählung:
Das in ihr Mitgeteilte wird noch zweimal wiederholt. Die programmatische
Funktion des Kalogrenant-Abenteuers als Interpretationsbasis und Ausgangs-
punkt für die Iwein-Handlung wird dadurch unterstrichen. Zwar ist die drei-
malige Wiedergabe des Brunnenabenteuers bei Chrestien vorgebildet, aber
Hartmann prägt diese wiederum auf seine Weise um. Chrestien rekapituliert,
nachdem Kalogrenant seinen Bericht beendet hat, das von diesem eben
Vorgetragene nochmals in großen Umrissen in bezug auf Iweins Vorhaben.
Struktural bildet diese Rekapitulation ein Gegengewicht zum Entschluß des
Königs Artus, diese Abenteuerfahrt ebenfalls zu unternehmen.

Bei Hartmann memoriert Iwein selbst die Stationen der Fahrt, wie um sich
den Weg einzuprägen. Diese Wiederholung Iweins kann dem Hörer darüber
hinaus charakterisierende Hinweise geben: Iwein zählt nur die äußeren Tat-
bestände auf und verrät damit, daß er von der *lêre* der Kalogrenant-Erzählung
(der implizierten Kritik und der Rechtlosigkeit seines Vorhabens) nichts erfaßt
hat. Er hat nur das Abenteuer im Kopf. Die Art nun, wie der Verlauf seiner
aventiure-Fahrt, jetzt zum dritten Mal, geschildert wird, bestätigt dies: Iwein
nimmt von den Eigenarten der verschiedenen Schauplätze nichts wahr
(V. 967 ff.), er stürmt bedenkenlos auf sein Ziel zu, nur eines im Sinn, die *êre*,
die er durch den nachweisbaren Sieg über den Brunnenritter zu erringen
trachtet. Dieses ehrgeizige Streben trägt Iwein bei Hartmann sogar die Kennzeichnung *âne zuht* (V. 1056) ein, eine abträgliche Wertung, die bei Chrestien
fehlt[26].

Eine Zusammenschau der drei Darstellungen des Brunnenabenteuers legt
nahe, daß die Funktion der ausführlichen ersten Schilderung darin bestehe,
einmal Iweins Mut und Tapferkeit gegenüber einem anderen Artusritter
hervorzuheben, zum andern aber, einen kritischen Hintergrund für seine
Ehrsucht abzugeben.

Das triadische Prinzip als Motiv-Klammer findet sich ferner bei einem

---

[26] Wapnewski, Hartmann von Aue, S. 66 f., legt auf diesen Vers vielleicht ein zu starkes
Gewicht bei der Frage nach Iweins Schuld, vgl. dazu die Verse 1062 f. und 3744 ff.

13

weiteren Moment, das Iweins Handlungsweise während des Brunnenabenteuers motiviert: Keie hatte Iweins raschen Entschluß, ebenfalls die Fahrt
zum Brunnen zu wagen, mit scharfem Spott kommentiert. Diesen Spott
fürchtet Iwein; zweimal wird sein Verhalten auf der Burg Laudines damit
begründet: V. 1065 ff. wird als Grund für Iweins Bestreben, Ascalôn zu
fangen oder zu erschlagen, seine Angst vor Keies Spott erwähnt, ebenso wird
V. 1531 ff. beim Erwachen seiner Liebe zu Laudine darauf Bezug genommen.
Der letzte Hinweis auf Keies Spott könnte sogar den Verdacht evozieren, Iweins
Liebesregung sei eventuell durch seine Ehrsucht mitbedingt, denn erst eine
Verbindung mit Laudine setzte ihn ja in den Stand, den Erfolg seiner *aventiure*-
Fahrt dem Artushof zu demonstrieren. Nach diesem Triumph verläßt Iwein
auch tatsächlich Laudine, um sich weiterhin als Artusritter Ruhm zu erstreiten.

Nicht nur aufeinander bezogene Erzähleinheiten wie das Brunnenabenteuer
oder die eingeschobenen Erzählungen und Motivresponsionen wie die Angst
vor Keies Spott sind triadisch angelegt, auch Begriffswiederholungen scheinen
gelegentlich nach diesem Prinzip geordnet. So ist z. B. in einem bei Chrestien
fehlenden Einschub Hartmanns (V. 189 ff.) das zentrale Wort *herze* dreimal
gesetzt (V. 195, 197 und 201). Die Sentenzen dieses Abschnittes scheinen
zunächst nur auf Keie gemünzt, aber durch die Wiederholung des Zentral-
begriffes gewinnen sie programmatische Bedeutung und können auch den
folgenden Geschehnissen als Motto dienen.

Die Anordnung des Begriffs *herze* in diesem Abschnitt (jeweils im ersten
Vers zweier unmittelbar aufeinanderfolgender Reimpaare, dann wieder nach
einem dazwischengeschobenen Reimpaar) läßt sich in ihrer Substruktur noch
unter einem weiteren Gesichtspunkt mit den besprochenen Triaden in Verbindung bringen: Die Glieder einer Triade sind nicht immer gleichgeordnet,
sei es, daß zwei Szenen einer Reihung enger zusammengehören, so z. B. in der
Kalogrenant-Erzählung die Wegstationen Burg—Wildnis oder bei der dreimaligen Schilderung des Brunnenabenteuers die beiden auf Iwein bezogenen
Berichte, oder aber, daß zwei zusammengehörige Glieder ein drittes umrahmen
(Schachtelung), so bei der ersten und zweiten Bewährungstriade.

VI

Bei diesem ersten Überblick hat sich neben den Zweier-Gliederungen eine
ganze Reihe von triadischen, beim Vortragen oder Lesen unmittelbar eviden-
ten, das Sinngefüge erhellenden Binnenstrukturen gefunden. Es erhebt sich
die Frage, inwieweit dieses Prinzip den gesamten Aufbau des Werkes durch-

14

ziehe[27]. Im Rahmen dieser Skizze sind allerdings nur kursorische Andeutungen möglich.

Iweins Brunnenabenteuer verläuft ebenfalls in drei Phasen: 1. Kampf mit Ascalôn, 2. Iweins Gefangenschaft und Liebe zu Laudine, 3. Iweins Heirat und sein Triumph vor der Artusgesellschaft: eine dreifache Stufung, die Iweins Aufstieg vom einfachen Mitglied der Artusrunde zum Herrn des Brunnens darstellt. Der erste Teil dieser Triade ist mit der dreifachen Schilderung des Brunnenabenteuers verzahnt: ein weiterer Hinweis auf die sekundäre Bedeutung bestimmter und genau bestimmbarer Abschnitte.

Im ersten Teil des Werkes bricht Iwein zweimal aus einer Gemeinschaft aus: zunächst aus der Artusrunde, der er beim Brunnen zuvorkommen will, dann entzieht er sich seinen Pflichten als Verteidiger des Brunnens. Auch diese zweite Versuchung Iweins ist triadisch gegliedert, wie schon die erste, die Kalogrenant-Erzählung. Die drei Szenen der zweiten Versuchung sind noch durch dieselbe Darbietungsform miteinander verbunden: In drei Gesprächen (Lunete und Gawan, Gawan und Iwein, Iwein und Laudine) werden die Hörer mit den Motiven und Bedingungen für Iweins Aufbruch zum Turnierjahr bekannt gemacht.

Zwischen Iweins Abschied von Laudine und seine schließliche Fristversäumnis ist ein Gespräch Hartmanns mit Frau Minne eingeschoben, das ebenfalls aus drei jeweils mit *dô* eingeleiteten Abschnitten besteht. Sinn dieses Minnegesprächs könnte sein, den Gegensatz zwischen Iweins heftigem Liebesverlangen vor seiner Heirat und seinem raschen Abschied von der vor kurzem noch so heiß begehrten Laudine aus ironischer Distanz zu beleuchten.

Iweins Fall wird wiederum in drei Stufen vorgeführt. Die erste Stufe bildet ein Rückblick auf das abgelaufene erfolgreiche Turnierjahr, sie korrespondiert mit Iweins Kampf und Triumph in der ersten Triade seines Brunnenabenteuers. In der zweiten Stufe erinnert sich Iwein, allerdings erst nach Ablauf der gesetzten Frist, an Laudine; diese Szene entspricht Iweins Liebeserwachen im Brunnenabenteuer. Schließlich folgt in der dritten Stufe Lunetes Fluch und Iweins Verstoßung, kontrastiv zur Gewinnung Laudines im Brunnenabenteuer mit Hilfe Lunetes.

Auch der Schluß des ersten Hauptteils läßt sich triadisch gliedern: 1. Iweins Wahnsinn und Waldleben, 2. sein Kampf für Frau Narison und 3. die Errettung des Löwen. Diese drei Szenen sind ebenfalls verzahnt, und es fällt schwer,

---

[27] Vgl. dazu auch Wapnewski, Hartmann von Aue, S. 62f. und Th. Cramer, Euphorion, 60, 1966, S. 43ff.

zwischen den einzelnen Schauplätzen eindeutige Grenzen festzustellen. Auch das dürfte für die Sinnstruktur dieser Szenenfolge nicht nebensächlich sein: Nach Iweins Fall in eine vegetative Daseinsform, die der Waldmenschenstufe im Brunnenabenteuer entspricht (Kennwort: *gelîch einem môre*), gewinnt er in der zweiten Stufe wieder ritterliches Aussehen (V. 3595 f.: *als er bedahte die swarzen lîch, | dô wart er einem rîter glîch* und V. 3697: *und wart als ê ein schœne man*). Iwein bewährt sich auch dementsprechend als Kämpfer in der Narison-Episode.

Dieser zweite Teil der Schlußtriade des ersten Hauptteils korrespondiert ungefähr spiegelbildlich mit Iweins Brunnenabenteuer: Als Hauptpersonen agieren in beiden Erzählabschnitten eine Dame und deren Jungfer, die Iwein besonders zugetan ist und die ihm jeweils mit einem Zaubermittel hilft (Ring — Salbe). Das Brunnenabenteuer beginnt mit einem Kampf, die Narison-Szene endet damit. Beide Male erreicht Iwein den in die Flucht geschlagenen Gegner gerade noch vor dem rettenden Tor seiner Burg. Von den zwei Möglichkeiten, seinen Sieg zu vollenden, Tötung oder Gefangennahme (V. 1063 f.), bleibt Iwein beim ersten Kampf schließlich nur die Tötung des Gegners, beim zweiten gelingt es ihm, den Gegner gefangenzunehmen (V. 3776 f.). Man kann hier einen bewußten Kontrast zwischen dem rücksichtslosen, nur auf eigene *êre* erpichten Kämpfer (*âne zuht*) im Brunnenabenteuer und dem Streiter für die *êre* einer Dame im Narison-Geschehen sehen. Dieser Sieg für die Dame wirkt sich dann um so positiver für Iweins eigene *êre* aus, wie in den Versen 3749 ff. und 3785 ff. betont wird.

In beiden Fällen ist die Dame bereit, Iwein ihre Hand zu reichen. Die Parallelität dieser Bereitschaft ist von Hartmann in Zusatzversen zum Narison-Geschehen, die an die erste Szene anklingen, ausdrücklich hervorgehoben (V. 3810 ff. zu V. 2329 ff.). Hier hat also Iwein wieder seine alte Qualität als tapferer Ritter (Kennwort: *manheit*) zurückgewonnen, darüber hinaus aber noch eine weitere menschliche Dimension erreicht, den Bezug zum Mitmenschen (Kennwort: *gehülfige hant*, V. 3804). Diese weitere Dimension bewährt er vollends in der nächsten Szene, der Errettung des Löwen (Kennwörter: *helfen* V. 3849, *minne* V. 3873).

Dieses neue Rittertum, das nicht auf abenteuernde Selbstbestätigung ausgerichtet ist, gilt es dann in den folgenden zwei Bewährungstriaden unter Beweis zu stellen. Iwein besteht am Ende auch die Auseinandersetzung mit dem Musterritter Gawan und verläßt danach den Artuskreis, von dem er ausgezogen. Auch bei diesem Motiv findet sich sinndeutend, wie bei der Gliederung des Stoffes und bei der Setzung kennzeichnender Begriffe, die

Dreizahl: Dreimal begegnet die Wendung, daß Iwein sich vom Artushofe »weggestohlen« habe: beim Aufbruch zum Brunnenabenteuer (V. 945), nach seiner Verfluchung (V. 3227) und endlich nach dem Kampf mit Gawan (V. 7805), entsprechend den drei Brunnenbegegnungen Iweins: am Beginn des ersten Hauptteils, in der ersten Bewährungstriade als Löwenritter und drittens am Schluß der zweiten Triade, als der Löwenritter seine Identifikation als Iwein durch die Aussöhnung mit Laudine sucht. Iwein kehrt im Rahmen der Erzählung nicht mehr an den Artushof zurück. Sein Weg führt wie der Parzivals über die hermetische Scheinwelt des Artushofes hinaus. Der Brunnen symbolisiert hierbei die Schwelle, über welche er diesen Bereich verlassen kann[28].

VII

Ohne am Gang der *Iwein*-Handlung gegenüber Chrestien viel zu ändern, hat Hartmann den vorgeprägten Stoff seinen Intentionen untergeordnet, allein dadurch, daß er das Geflecht struktural er Korrespondenzen ausbaute, daß er Motiv- und Wortresponsionen in den Dienst seiner *lêre* stellte, ohne dabei das Gleichgewicht zwischen *prodesse* und *delectare* zu stören. Durch solche Strukturierungen und Akzentuierungen macht er deutlich, was er unter *rehter güete* verstanden wissen will, was das Begriffspaar *sælde und êre* meine, das Anfang und Schluß des Werkes verbindet. Von König Artus wird sicher nicht ohne Grund nur gesagt, daß er *der êren krône ... truoc*; von *sælde* ist weder an dieser Stelle noch später im Zusammenhang mit König Artus die Rede.

Der Artusritter vertritt ein Menschentum, das sich einem erstarrten elitären *êre*-Begriff unterordnet. Die Kritik Hartmanns an dieser Haltung ist unübersehbar. Er nimmt zwar König Artus in gewisser Weise dabei aus. Dieser repräsentiert ein auf ritterliche Ehre bedachtes Ideal, das indes wohl nicht von ungefähr in Passivität verharrt. Der aktive Idealritter Gawan jedoch erscheint gerade im Vergleich mit Iwein als bloße Verkörperung von Kampfkraft. Die übrigen Mitglieder der Artusrunde genügen nicht einmal entfernt diesem Maßstab. An ihnen wird der Bruch zwischen der hochgespannten Artus-Ideologie und dem enttäuschenden Versagen der Artusritter offenbar. In banalem Gegensatz zum Artus-Ideal steht der großsprecherische Hofmeister Keie, der z. B. einen Streit vom Zaun bricht, weil sich Kalogrenant beim

---

[28] Die Schwellenfunktion stammt aus den mythischen Vorstufen, in welchen Laudine zum »Geschlecht der Wassernixen« gehört haben soll, vgl. dazu Wapnewski, Hartmann von Aue, S. 58.

Erscheinen der Königin erhebt (V. 105 ff.). Zum Ruhme der Artusrunde dient es auch nicht, wenn das Publikum erfährt, daß Iwein allein deshalb vorteilhaft auffallen kann, weil er einer nicht zum Hofe gehörigen, laut Hartmann aber *rîterlîchen* (V. 1153) Jungfrau höflich begegnete. Wenn Gawan nicht am Hofe weilt, hoffen Hilfesuchende wie Lunete, der Gawan-Schwager oder die jüngere Gräfin vom Schwarzen Dorn vergeblich auf Kämpfer für ihr Recht. Die Artusrunde ist ohne Gawan nicht einmal imstande, ihren König vor den Folgen einer hinterhältigen List eines Fremden (Meljaganz) zu bewahren. Hartmann zeichnet die Artusrunde insgesamt als dünkelhafte, müßige Gesellschaft, die offenbar nur von der Tapferkeit des einen Gawan ihren Ruf nährt.

Inkonsequent scheint im Roman in diesem Zusammenhang nur die Figur Gawans als positiver Artusritter angelegt zu sein. Sie ist inkonsequent, wenn man den funktionalen Erzählstil des Werkes nicht beachtet, das heißt eine Art des Erzählens, bei der die im Werk auftretenden Figuren nur so viel Eigenleben entwickeln, als zur Erfüllung der ihnen im Rahmen der Erzählung zugewiesenen Funktion nötig ist[29].

Dieser funktionale Erzählstil wird besonders sichtbar bei der Gestalt Lunetes. Als Helferin des in Gefangenschaft geratenen Iwein verfügt sie über außergewöhnliche Fähigkeiten, selbst über einen Zauberring, der Iwein vor seinen Verfolgern verbirgt. Sowie Lunete eine andere Funktion zu erfüllen hat, ist ihre frühere Findigkeit vergessen: Sie kehrt geduldig zu ihren Verfolgern zurück, nachdem sie am Artushof keinen Kämpfer für sich gefunden hat. Auch wenn sich dies noch aus der gesellschaftlichen Bindung des mittelalterlichen Menschen erklären ließe (man vgl. dazu die Rückkehr Tristans und Isoldes an den Hof Markes), so bleibt immer noch die Frage offen, warum sie in ihrer höchsten Not von ihrem Ring keinen Gebrauch gemacht und sich vor ihren Feinden verborgen habe. Die Antwort gibt die Funktion der Figur: Lunete ist keine Gestalt, die in eigenen Sinnbezügen lebt, sie hat lediglich gewisse Funktionen zu erfüllen: Ihre todesbedrohte Gefangenschaft am Brunnen soll Iwein Gelegenheit geben, an dem Ort, an dem sein Schicksalsweg begann, seine Verfehlung zunächst an seiner Retterin aus dem Brunnenabenteuer wiedergutzumachen. Diese Funktion wird dem Publikum bei Hartmann noch deutlicher vor Augen geführt als bei Chrestien: Bei Hartmann fällt die Rolle der Verfluchung Iweins nicht einer namenlosen *pucelle sauvage* zu, sondern Lunete, die dabei ausdrücklich ihre schlecht vergoltenen Dienste beklagt. Dreimal tritt Lunete als Handelnde auf: einmal als Verfluchende,

---

[29] Vgl. dazu Kurt Ruh, Höfische Epik des deutschen Mittelalters, S. 111.

davor und danach als listenreiche Helferin. Mit der Errettung der selbst in Not geratenen Lunete schafft Iwein in der ersten Bewährungstriade die Voraussetzung dafür, daß sie am Ende des Romans nochmals ihre Mittlerrolle spielen kann, diesmal mit bleibendem Erfolg.

Wie die Figur Lunetes ist auch die Gawans ganz auf Iwein ausgerichtet. Ihm fällt die Rolle zu, das ritterliche Höchstmaß für einen auf *êre* erpichten Artushelden darzustellen. Die Freundschaft mit Iwein dient dessen Verherrlichung unter dem Aspekt der *êre*. Sowie Gawan diese Funktion erfüllt hat, tritt er in der Erzählung zurück. Er kümmert sich trotz der gerühmten Freundschaft nicht um den verfluchten Iwein; es ist Artus, der schließlich nach ihm suchen läßt (V. 3239 ff.). Bezeichnenderweise geht Iwein auch am Schluß des Romans ohne Abschied von Gawan, anders als man es eigentlich bei *gesellen* erwarten müßte, vom Artushof weg. Passend zu dem beobachteten Dreierprinzip ist Gawan an drei Stellen für Iweins Handlungen von Bedeutung: In der Vorgeschichte ist es die Sorge vor der Konkurrenz Gawans, die Iwein zu seinem heimlichen Alleingang zum Brunnenabenteuer treibt. Nach dessen erfolgreichem Abschluß führt Gawan den Jungvermählten wieder in die Artuswelt zurück. Und endlich tritt Iwein, am Schluß der Bewährungstriaden, unerkannt Gawan als dem tapfersten Artusritter im Kampf gegenüber. Der unentschiedene Ausgang zeigt, daß Iwein als Artusritter die höchste Stufe erreicht hat: In dieser Wertwelt gibt es für ihn keine Steigerung mehr. Zu ihrer Überwindung ist dann offenbar ein Sieg über deren Repräsentanten nicht notwendig, wie sich auch in Wolframs *Parzival* zeigt: Der Kampf zwischen Gawan und Parzival, die sich zunächst ebenfalls nicht erkennen, geht wie im *Iwein* unentschieden aus.

Bezeichnenderweise wird nach diesem Kampf mit keinem Wort mehr auf Gawans unheilvolle Rolle (vgl. V. 3029) nach Iweins Heirat mit Laudine eingegangen. Das hieße der Gestalt Gawans eine eigene Kontinuität im Werk geben. Er tritt jeweils nur im Rahmen einer begrenzten Funktion auf, die es dann auch mit sich bringen kann, daß er als idealer Artusheld selbst für das auch ihm offenbare Unrecht als Kämpfer antreten muß (im Erbschaftsstreit der Gräfinnen vom Schwarzen Dorn). Situationsbedingt ist wohl auch Iweins widersprüchliches Schuldbekenntnis zu werten[30]: bei der Begegnung mit Lunete (V. 4216 ff.) bejaht er seine Schuld, die er dann, wie er unerkannt vor Laudine steht (V. 5470 ff.), verneint und am Schluß bei der Begegnung mit Laudine wiederum bejaht (V. 8102 ff.).

---

[30] Vgl. dagegen Wapnewski, Hartmann von Aue, S. 69.

Die Geschichte Iweins diente nicht nur der Unterhaltung, sondern auch der Belehrung, bei Hartmann mehr als bei Chrestien[31]. Durch das Gewebe strukt-uraler Korrespondenzen und Oppositionen wird verdeutlicht, daß Iwein als ein nur auf Ehre versessener Artus- und *aventiure*-Ritter scheitert. Die *rehte güete*, die Hartmann im ersten Vers seines Werkes als Wertkategorie heraus-stellt, läßt sich im Rahmen einer solch einseitigen *aventiure*-Ideologie nicht verwirklichen: *in hete sîn selbes swert erslagen* (V. 3224), konstatiert Hartmann[32]. Verkümmerte *güete* ist der tiefere Grund für Iweins Versagen im ersten Teil des Romans. Die Fristversäumnis resultiert aus der Egozentrik des Helden[33], der nur seinem persönlichen Ehrgeiz lebt und mitmenschliche Verpflichtungen (*triuwe*) diesem unterordnet. Das ist auch der Tenor der Vorwürfe Lunetes: Laudine gab ihm *lîp unde ir lant, daz ir daz soldet bewarn* (V. 3158 f.); sie hält ihm vor, daß *nimmer ein wol vrumer man | âne triuwe werden kan* (V. 3179 f.).

Iwein trägt aber die Anlage in sich, über die ritualisierten Prätentionen des Artusrittertums hinauszugelangen. Seine spontanen menschlichen Regungen, z. B. seine Freundlichkeit gegenüber Lunete am Artushof, deuten dies an und werden dann beim Brunnenabenteuer die Voraussetzung für seine Rettung. Ebenso schlägt ihm seine Entscheidung, ohne Rücksicht auf mögliche Folgen dem Löwen zu helfen, bei den späteren ›übermenschlichen‹ Kämpfen zum Heil aus. Nur beim Schlußkampf innerhalb des höfischen Comments braucht er die Hilfe des Löwen nicht mehr, der denn auch im Gegensatz zu früheren Kämpfen hier zu spät zum Kampfe kommt[34]. Nachdem damit Iweins *sælde* offenbar geworden ist, führt ihn sein Weg konsequent über die nur der *êre* verpflichtete Artuswelt hinaus[35].

Hartmann stellt also in seinem Werk dem Artusritter als einem Ideal einer vergangenen Zeit, in der er, wie er ausdrücklich betont, nicht um den Preis, *daz ich nû niht enwære* (V. 55), hätte leben wollen, als das Ideal seiner Zeit den geläuterten Iwein entgegen, der *sælde und êre* erwirbt. Auch Laudine wandelt sich bei Hartmann in diesem Sinne, wie ihr Mitleiden mit Iweins Verstoßung beweist (V. 8121 ff.), eine Stelle, die wiederum nur bei Hartmann steht.

Die Eingangsverse Hartmanns lassen sich im Rückblick so deuten, daß Iweins Schicksal die *gewisse lêre* gebe, daß es nicht genüge, die *aventiure-êre* als

---

[31] Vgl. auch Hans Jeschke, Ist Chrétiens »Yvain« ein Unterhaltungs- oder ein Thesen-roman?, in: ZfromPh, 55, 1935, S. 673—681.

[32] Vgl. auch MF 206,9.

[33] Und ist insofern keine »Bagatelle«, wie Wapnewski, Hartmann von Aue, S. 69, meint.

[34] Zur Deutung des Löwen vgl. Linke, Epische Strukturen, S. 144 ff.

[35] Anders Th. Cramer, Euphorion, 60, 1966, S. 44.

einziges Richtmaß für ritterliches Handeln anzusehen. Gegen Gawans Verlockungen gibt Hartmann zu bedenken: *swer êre ʒe rehte haben wil, | der muoʒ deste dicker heime sîn* (V. 2852f., man beachte die Responsion zu *rehte güete*) und: *durch wen möhte ein vrumer man | gerner wirden sînen lîp | danne durch sîn biderbeʒ wîp?* (V. 2860ff.). Rittertum soll aus *rehter güete* auch der *sælde* teilhaftig sein: So lautet auch Hartmanns Schlußbitte, Gott möge ihm und seinem Publikum *sælde und êre* geben.

Daß Hartmann eine Art Anti-Artusroman geschrieben habe, mag überraschen, — letztlich aber nur denjenigen, der dem Roman mit vorgefaßten Meinungen über Artusidee und Artuswelt gegenübertritt[36]. Bei Hartmanns Artusritter-Kritik dürfte es allerdings kaum um ein ›historisches‹ Heldenideal gegangen sein. Sie zielt vielmehr auf entsprechende ideologische Auswüchse seiner Zeit, ist Zeitkritik. Hartmann wendet sich nicht nur im *Iwein* gegen sinnentleerte Stilisierungen[37], erinnert sei an sein Gedicht *Manger grüeʒet mich alsô* (MF 216, 29) oder an Verse, in denen er den Minnesängern vorhält, sie seien in falschen Vorstellungen gefangen: *daʒ iu den schaden tuot daʒ ist der wân* (MF 218, 22).

---

[36] Vgl. ähnlich W. Ohly, Die heilsgeschichtliche Struktur, S. 103f. und Karl Otto Brogsitter, Artusepik, Stuttgart 1965 (Sammlung Metzler, Bd. 38), S. 75. Die Gegenposition vertritt Kurt Ruh, Höfische Epik des deutschen Mittelalters, S. 145, gestützt auf Artusregeln (z. B. S. 144, S. 150), die aus Hartmanns Iwein weder direkt noch indirekt ableitbar sind. Hartmanns Iwein ist aber die entscheidende Instanz zur Klärung der den Sinn des Werkes betreffenden Fragen.

[37] Auf Hartmanns andere Epen kann hier nicht mehr eingegangen werden.

FRITZ MARTINI

DER TOD NEROS

SUETONIUS, ANTON ULRICH VON BRAUNSCHWEIG, SIGMUND VON BIRKEN ODER:
HISTORISCHER BERICHT, ERZÄHLERISCHE FIKTION UND
STIL DER FRÜHEN AUFKLÄRUNG

Eine[1] bewegliche rede an das Volck zu thun, ließe Er sich schreibzeug
bringen, etwas so ihme würde einfallen, aufzusetzen. Es wolte aber
wegen seiner gemühtsverwirrung so nicht recht fließen, als es wohl sein
sollen, und löschete Er ja so viel wieder aus, als wie Er schriebe, und wolte
5 sich bald in dieser rede dem Galba unterwerfen, bald alle seine begangenen
mordthaten mit der nohtwendigkeit entschuldigen, die auflagen des Volckes
und den verschwelgeten Reichthumb der vorigen Kaiser in der zukunftigen
beßerung ersetzen, und wenn man ihn ja in Rom nicht mehr leiden wolte,
damit sich befriedigen, daß Er Stathalter in Aegipten würde. Diesen letzten

---

[1] Der Text der Manuskriptfassung aus der Hand des Herzogs Anton Ulrich (hier Sigle:
A. U.), erhalten in der Herzog-August-Bibliothek in Wolfenbüttel Codex Guelferbytanus
173 Extravagantes, Seite 355—365, wurde dem Text im Buchdruck vorgezogen, da dieser
erhebliche stilistische Korrekturen durch Sigmund von Birken (hier Sigle B.) erfahren
hat. Für die freundliche Hilfe bei Beschaffung der Photokopie des Manuskripts, soweit es
hier benutzt wurde, bin ich Herrn Bibliotheksdirektor Universitätsdozent Dr. Paul Raabe
zu großem Dank verpflichtet. Die ersten drei Bände der Ersten Ausgabe (A) von »Octavia,
Römische Geschichte« erschienen 1677, 1678 und 1679 in Nürnberg im Verlag des
Kunst- und Buchhändlers Johann Hofmann, gedruckt je von Johann-Philipp Milten-
berger, Andreas Knorzen und Christof Gerhard. Die ersten drei Bände der Zweiten
Ausgabe (B), bei dem gleichen Verleger, aber wiederum bei verschiedenen Druckern (Bd. 1
Andreas Knorzen, Bd. 2 Christop Enoch Buchten, Bd. 3 Wittib und Engelbert Streck)
1685, 1687 und 1702 herausgekommen, enthalten eine unveränderte Neuaufl. der ersten
drei Bände der Ausgabe A. Die Ausgabe B, ehemals im Besitz von Prof. Dr. Günther
Müller, Bonn, jetzt Uni-Bib. Stuttgart (1 L 3010) wurde vom Verf. für alle die Zitate be-
nutzt, die nicht der Manuskriptfassung entstammen. Zur Bibliographie: Wolfgang Bender,
Herzog Anton Ulrich von Braunschweig-Wolfenbüttel. Biographie und Bibliographie,
Philobiblon, 8, 3, 1964, S. 166ff. Der Manuskripttext wird in Wortlaut, Zeichensetzung,
Rechtschreibung, soweit enzifferbar, und mit den Korrekturen, die nach allem Anschein
während der Niederschrift erfolgten, wiedergegeben. Die Handschrift deutet auf einen
schnellen Schreibfluß; darauf dürften, zusätzlich zu der zeittypischen Unbekümmertheit
in der Rechtschreibung und in der oft schwer erkennbaren, weil mit den Buchstaben ver-

10 einfall bekahme Er bei der erinnerung Aetiopiens, und muste ihme Epaphroditus trauerkleider holen, die Er in diesem prächtigen gartenhause
unter anderem hausgerahte in ⟨*gestr.:* seinen⟩ schräncken bewahren laßen.
Mit thränen zoge Er dieselbigen an, und gebothe dem Hilarius mit seiner
leibwache ihm zu folgen, wie Er aber bis an die pforten des gartens kahme,
15 stutzete Er, und fragete den Hilarius, ob Er wohl meinete, das Er sicher
würde können durchkommen bis auf das marckt, da die reden an das Volck
gehalten werden Hilarius schüttelte hiezu das haubt, und ⟨*gestr.:* hielte es
unmöglich zu sein; *am Rand verbessert:*⟩ wolte dafür nicht gutsagen*, worauf
der furchtsame Nero bewogen wurde, wieder umbzukehren ⟨*gestr.:* und
20 wolte Er; *verbessert zu:*⟩ u. gedachte ⟨*am Rand eingefügt:*⟩ entweder* den
anderen tag frühe morgens, ehe der pöbel sich so häuftig auf der gaßen
würde finden laßen, dieses sein fürhaben ins werck zu richten, oder sich
nach Ostia zu wenden, dahin Er dannoch nicht wohl ⟨*unleserlich gestr.*⟩ es
wagen durfte, bis ⟨*unleserlich gestr.*⟩ Helius Caesarinus ⟨*unleserlich gestr.*⟩
25 würde zuruckgekommen sein, und den zustand der schifsflotte würde
cröffnet haben. Theils aus betrübnis, theils den anderen tag desto munterer
zu sein, legete Er sich wieder zu bette, und mißete den Printzen Vardanes
nicht, maßen seine verwirrung also heftig war, das Er vor allzu vieles gedencken alles vergaße, so fürginge. Es folgeten aber dem exempel dieses
30 partischen printzens fast alle die anderen, die bis dahin bei dem Nero hatten
ausgehalten, dan wie sie überlegeten, in was gefahr sie sich hiebei setzeten,
und wie sie doch einem undanckbaren dieneten, der es ihnen, wenn Er
schon könte, nicht würde genießen laßen, gingen sie einer nach dem anderen
davon, so das außer seinen freigelaßenen niehmand bei ihme bliebe. Die
35 ⟨*gestr.:* nacht⟩ finsternis dienete ihnen hinwegzukommen, und da ümb

bundenen Zeichensetzung, die Unregelmäßigkeiten in der Rechtschreibung, Groß- bzw.
Kleinschreibung u. a. m. zurückzuführen sein. Eine Normalisierung würde dies verdecken und darüber hinwegtäuschen, daß der Text von Anton Ulrich selbst vielleicht
als eine noch nicht abgeschlossene erste Niederschrift, gleichsam als eine Art Vorlage für
die stilistische Bearbeitung und die Reinschrift durch S. von Birken betrachtet wurde.
Es wurden deshalb auch die auf diesen Seiten enthaltenen, nicht sehr zahlreichen
Korrekturen, soweit die vorangehende Fassung noch entziffert werden konnte, in Klammern ⟨...⟩ in dem Abdruck vermerkt. Die Abkürzung *gestr.*, vorangestellt, bezeichnet,
was gelöscht bzw. verändert wurde. Einige Korrekturen sind mit gleicher Handschrift
am Rande hinzugefügt; ebenso das Datum eines Schreibtages.

* Die hochgestellten Sterne beschließen die am Rande eingefügten handschriftlichen
Änderungen. Geringfügige Korrekturen im Text, z. B. Zeile 22: zu richten statt zuerst:
richten, wurden nicht vermerkt.

mitternacht der Nero erwachete, und Er nach dem Hilarius rieffe, der in seiner Cammer ⟨*gestr.:* pflegen zu⟩ sollen schlafen, ware niehmand der ihme antwortete. Ihme misdünckete hiebei gleich und da Er noch etliche schlavens in dem fürzimmer ermunteret, und die hinaus hatte gesand, erfuhre Er von
40 dehnen, das seine leibwache fort wahre. Er schickete gleich nach seinen freunden, die rund umb ihn her in verschiedenen gartenhaüseren ⟨*gestr.:* schliefen; *am Rand verbessert zu:*⟩ sich aufhielten*, bekahme aber keine antwort zurücke, daher Er selbst, wie Er aus dem bette kommen war, barfus umbher lieffe, und bei ihnen anklopfete. Keiner wolte aufmachen, weile Sie
45 nicht mehr vorhanden wahren, und fande Er alle thüren zugeschloßen. Er hatte gutt ruffen über den Vardanes, den Epicius Marcellus, den Vatinius, Sariolenus Vocula, Pactius Africanus und den anderen, weile niehmand vorhanden war, der ihme antworten können, und wie Er höchst erschrocken nach seinem gartenhause wieder zukehrete, befande Er, das man ihme in
50 der kurtzen Zeit, weil Er ausgewesen, alles geraubet und hinweg gestohlen hatte. Die tapezereien wahren von den wenden, das silber geschirr von den nachttischen, auch so gar seine kleider hinweg, das wie Er nach der guldenen Giftbüchse wolte sehen, umb sich dehrer in diesem verzweifelten stande zubedienen, war die auch fort ⟨*gestr.:* hinweg⟩, das so nahe ihme ginge,
55 das Er den fechter Spicillus, den Er stehen sahe, anrieffe, ihm das leben zu nehmen! Spicillus weigerte sich, seine hand an den Kaiser zulegen, und sahe Er darauf seine freigelaßenen an, sie bittend, das Sie es ⟨*gestr.:* solten⟩ mögten verrichten Phaon wolte diesem befehl nicht nachkommen, sondern riehte, Er ⟨*gestr.:* solte⟩ mögte sich zu schiffe setzen, und nach Ostia fort-
60 gehen, so Er anfänglich zwar nicht thun wolte, u. sich beschwerend, das Er weder freund noch feind hatte, wie Er sich aber etwas besonnen, lieffe Er nach der Tiber zu, alwo die bestelleten schiffe hatten gestanden, die Er den ⟨*gestr.:* aber⟩ ja so wenig mehr zur stelle fande, deswegen ⟨*gestr.:* meinete⟩ gedachte Er sich ⟨*unleserlich gestr.*⟩ zuerträncken, und ware eben
65 gesinnt, ⟨*gestr.:* sich⟩ in den flus ⟨*gestr.:* zu stürtzen als⟩ zuspringen als ihme iählingen einfiehle, das Er sich nochwohl irgendswo retten und verbergen könte, und deshalben seines Lebens noch schonen müste. Wer weis sagte Er bei sich selbst, ob nicht eine kleine abwesenheit die ⟨*gestr.:* unbändigen⟩ erzürnten Römer wird können besänftigen, und ob nicht der delphische
70 Ausspruch meine ⟨*gestr.:* alter zu gelten⟩ jahre gemeinet, so ich noch verleben sol, es komme dann, wie es wolle, so ist es Zeit genung den tod zu erwehlen, wan keine ⟨*gestr.:* alle⟩ hofnung ⟨*gestr.:* zu ende ist⟩ des lebens mehr übrig ⟨*gestr.:* ist diesem ersteren zu entgehen⟩ bleibet. Wie Er nun was

24

Er gedachte dem Phaon eröffnete, bothe der ihm seinen meierhoff an, da Er
75 verschiedentlich gewesen ware, so Nero in der angst annahme, und keinen
augenblick sich in diesen gärtens mehr sicher haltend, setzete Er sich so barfus als Er war ⟨*gestr.:* Er sich⟩ auf ein hesliches bauern pferd, so dem
gärtner zugehörete, und hatte keine andere kleidung an, als seinen nacht-
rock, worüber Er eines soldaten alten abgenützeten reitrock warfe, und umb
80 unbekant zubleiben, verhüllete Er sein haubt mit einem schweistuche.
Viere seiner leuthe, als der Phaon, Epaphroditus, Neophytus und Sporus
ritten mit ihme hinnaus, und durften diejenigen so zurücke blieben, es
nicht wißen, wo ihr weg hinginge, umb ihn nicht zu verrahten. Es war
schon in der morgen demmerung, als Nero die Servilianische gärtens ver-
85 ließe, und entstunde ein so mächtiges donnerwetter, dafür Er sich ⟨*gestr.:*
sonst⟩ jederzeit sehr pflegen zufürchten, das auch dieses seine todesangst
muste vermehren. Ein schreckliches erdbeben folgete datauf, und schiene
es das auch die Natur selbst und alle Elementen gegen den Nero wolten
zufelde ziehen. Wie Er bei das heerlager der Soldaten nahe beim Numen-
90 tanischen thore kahme, muste Er schmertzentpfindlich hören, wie die
Soldaten rieffen, Es lebe Sulpitius Galba, und sei ewig verfluchet der Lotterbube Nero, das dan in ihm scham, furcht und zorn erweckete, wiewohl Er
an diese letzte gemühtsbewegung nicht ⟨*gestr.:* nicht⟩ gedencken durfte,
⟨*gestr.:* da⟩ weil ihme alle gewalt sich zu rächen entzogen ware. Des Phaons
95 Meierhoff lage vier meilen von Rom, zwischen der Salarischen und Numentanischen heerstraßen, und wie ihnen verschiedene Leuthe auf diesem Wege
⟨*am Rand hinzugesetzt:*⟩ ehe Sie hinkahmen*, begegeneten, fragten sie den
Nero und seine geselschaft was es in der stadt gutes neues von dem Nero
gebe, und ob sie denselbigen etwan verfolgeten, Phaon der für den Nero
100 antwortete, sagete ja, daß sie nämblich den Kaiser sucheten, dazu ihnen
dan die vorbei gehende glück wünscheten, und alle große freude erwiesen,
das es so weit einmahl kommen wehre, das das Römische Volck sich ermannet, diesen bluthund und weibischen Kaiser abzustraffen. Die Götter
verleihen, sagete einer, das dieser hencker so vieler edlen Römer und Rö-
105 merinnen seine wolverdiente straffe möge entpfangen und stünde es zu
wünschen, so wolte ich, das man ihme so ⟨*am Rand vermerkt:* Der 10 Junius⟩
viele tode anthun könte als unschuldige Seelen Er hat hingeopferet. Dieser
reisende wante sich eben von ihnen, als Er dem Nero einen solchen wunsch
auf den weg gegeben, daher Er nicht sahe, was diesem beängstigten eben
110 begegenete, den wie deßen pferd für ein todtes Aas, so im wege lage, scheuete,
und sich bäumete, fiehle ihme der Schweistuch ab, damit Er sein haubt be-

decket hatte, so ein alter Soldat, der eben vorbeiginge, gewahr wurde, und
ihn erinnernd, das Er wohl ehe unter seiner leibwache gedienet hatte, ihn
als seinen Kaiser grüßete. Verrahte mich nicht, sagete Nero zu ihme, so
115 ihme dieser Soldatt verhieße, und rante Er darauf voller angst fort, bis das
Er an den Meierhoff kahme. Es wurde nicht rahtsamb befunden, das Er
öffentlich hinnein ginge, weil die leuthe im hause ihn alle wohl kanten,
deshalben stiege Er ab, und ließe sich durch einen umbweg führen, der
voller diestelen und dornen war. Weil Er barfus konte Er da nicht stehen,
120 legete also seinen rock unter die füße, und wartete also, bis das man das
haus von hinten zu mögte öffenen. Wie sich aber das eine weile verzoge,
erinnerte ihn Phaon, ob Er sich so lange in die sandkuhle, so allernechst
war, verbergen wolte, das Er gantz übelnahm, ⟨gestr.: sagend⟩ einwendend,
das Er ⟨gestr.: sich⟩ nicht begehrte lebendig unter die erden zu kriechen.
125 Weilen ihme aber sehr durstete, schöpfete Er ⟨am Rand hinzugesetzt:⟩ mit
der hand* waßer aus einem sumpfe, sagend, dieses ist nun das herliche ge-
gekochete waßer, so Nero zutrincken gewohnet ist. ⟨gestr.: Sein Kleid⟩
Epaphroditos tröstete ihn, das es bald beßer würde werden, darauf Er
nichtes antwortete, und die übrige Zeit, das Er so warten muste, damit
130 verbrachte, das Er die dornenspitzen, so in seinem rocke wahren hangen
blieben, auspflückete. Man hatte inmittels den keller geöffenet, da hinnein
muste Er auf händen und füßen kriechen, dan in den hinterhoff zugehen
war zu gefährlich, weile daselbst von des Phaons schlaven sich eben viele
einfanden, die nicht würden geschwiegen haben, wenn sie den Kaiser alda
135 gesehen. Er war so müde und abgemattet das Er ein bette verlangete, so
ihme schmutzig genug gerichtet wurde, und ob Er dabei ⟨gestr.: gleich
hierauf⟩ wohl hunger hatte so weigerte Er sich dennoch grobes land brott
zu eßen, ⟨gestr.: indem⟩ wiewohl der ⟨gestr.: hunger und⟩ durst ihn so
übermeisterte, das Er warmes waßer zu trincken sich nicht erwehren konte,
140 ⟨gestr.: mit thränen nahme Er solches zu sich und sagete, rieff voller ver-
drus gantz ungeduldig ist dieses wohl das herrliche gekochete waßer, so
Nero gewohnet gewesen zu trincken?⟩, so Er dennoch mit großem unmuth
und vergießung vieler thränen zu sich nahme. Er wolte darauf etwas alleine
sein darin man ihme wilfahrete, wiewohl Er nicht alleine bliebe, indehm
145 ihme dauchte, das aus der erden herfür alle die Seelen derjenigen kahmen,
und ihn ängsteten, die Er so unschuldig hatte hinrichten laßen. Die so Er
am meisten bedaurete, als die Kaiserin Octavia mit dem Britannicus und
der Antonia ihren geschwisteren sahe Er alleine nicht, die Er sonst wolte
umb verzeihung bitten, das Er sie ermordet hiernächst finge ihme so er-

26

150 schrecklich an zu grauen, da Er das noch anhaltende donnerwetter und
erdbeben vernahme, das Er den Sporus rieffe, zu ihme zu kommen. Dieser
ermahnete ihn, er möchte sich durch den tod der schande entreißen, so ihme
bevor stunde, das Er zwar anhörete, aber dennoch so lange es nur möglich
war, aufzuschieben gedachte. Jedennoch seine todesgedancken zu erweisen,
155 rieffe Er seine übrige drei gefärten auch hinnein, und begerete an sie,
eine grube nach der länge seines leibes auszugraben, und marmelsteine
wo sie zufinden, herbei zu bringen, wie auch waßer und holtz zu seinem
begräbnüs, das Er dan alles mit vielen thränen dergestalt bestellete, ⟨gestr.:
bei⟩ dabei sagend, O Jupiter, was für einen Künstler verlieret die weld
160 an mir! Phaon wurde darauf geruffen, hinnaus zu gehen, worauf Nero
etwas stille ⟨gestr.: ward⟩ bliebe, und bei sich seinen jetzigen elenden Zustand überlegete, da seine hofstadt nunmehr in drei oder vier freigelaßenen
bestünde, ob Er gleich kurtz vorher so viele tausend Edele umb sich gehabt
hatte, und dehnen gebiethen können. Das letzte traurspiel, welches Er
165 dem Volcke auf der Schaubühnen fürge ⟨gestr.: stellet,⟩ spielet, fiehle ihme
dabei ein, dabei Er müßen so unglückselig verstummen, und gedachte nun,
das Er ⟨gestr.: hatte⟩ gar zu warhaft seine itzige elende persohn hatte fürgestellet, indehme es nun so einträffe, das seiner verwanten und anderer
vergoßen blutt begehrte sein verderben. Bei solchen traurigen gedancken
170 erschracke Er ohne unterlas, und fuhre in einander so das kein hund bellen,
noch ein hahen krahen konte, das Er nicht gedacht hatte, es kahmen seine
häschern an, die ihn wolten fahen, und für gerichte führen. Der gantz ent-
stellete Phaon kahme darauf wieder hinnein, deme Nero bald es ansahe,
das Er ein neues anliegen hatte. Er truge brieffe in der hand, die ihme Nero
175 gleich hinweg nahme, und aus denselbigen las er, das der Aponius dem
Phaon meldete, wie nunmehr der Raht ihn für feind erklähret hatte, und er
demnach aller ohrten gesuchet würde, dem herkommen nach abgestraffet
zu werden. Wo rinnen bestehet dan diese straffe? fragte Nero mit bebender
stimme. Es wird, antwortete Phaon ein solcher übelthäter nackend aus-
180 gezogen, sein kopf an einer gabel festgemachet, und Er also mit ruhten zu
tode gepeitschet. O Weh, rieff hierauf Nero und fiehle hinter sich zurück
auf den boden, und da man ihme müßen zwei dolchen bringen, versuchete
Er sie ob sie auch scharf wahren, steckete sie aber wieder bei, sagend, Seine
stunde wahre noch nicht gekommen. hierauf lage Er in steten hertzschlagen
185 auf der erden, und wringete sich als ein wurm, und da ihme dauchte,
Sporus weinete nicht genug, streckete Er deme die hand zu, und ermahnete
ihn, sein elend doch rechtzubeklagen. Bald wante Er sich zu die anderen,

27

und bathe sie, es mögte ihm doch iehmand auf ein gutt sterbens exempel
fürgehen, zu dem ende Er ihnen auch den dolchen hinreichete, wie aber
190 niehmand lust dazu erwiese, schalte Er so wohl auf ihre, als auf seine eigene
zaghaftigkeit, sprechend, Schändlich habe ich gelebet, schändlich bezeige
ich mich auch im tode. Es ziemet dir nicht O Nero, es ziemet dir nicht,
bezeuge ein gemühte, das deiner VorEltern wehrt sei, und entreiße dich
selbst diesem elende. Diese vermahnung würde es noch nicht haben bei
195 ihme ausgemachet, wenn Er nicht das trampfen der pferde von den an-
kommenden reuteren vernommen, die ihn sucheten, dabei ihme ein versch
aus dem Homerus einfiehle, den er ⟨am Rand zugefügt:⟩ zitterend* her-
sagete. ⟨gestr.: Es kommt mir zu gehör der schnellen Pferde trampfen⟩
Es komt mir zu gehör, das trampfen schneller pferde,
205 ihr schnauben treibt den staub der aufgetriebnen Erde.
Worauf Er seinen freunden eine traurige gute nacht gabe, und ⟨gestr.: sie
bath⟩ zu guter letz sie bathe, zu verwehren, das ihme sein haubt nicht
würde abgeschlagen, und in seiner feinde gewalt kehme, sonderen vielmehr
sein leichnamb gantz verbrant würde, so sie ihme verhießen, und ermannete
210 Er sich dannach, und stieße sich den dolchen in die gurgel, weilen aber
dieser stos mit einer zittrenden hand geschahe, ware Er nicht tödlich,
deshalben muste Epaphroditus ihme helfen, das der Dolch vollends hindurch ginge. Mit dehme kahmen die Reuter von dem Icelus geführet
hinnein, und den Nero also erbärmlich liegen findend, erweckete es bei
215 ihnen noch ein mitleiden, das einer von ihnen die wunde zuzubinden,
hinzulieffe, Nero aber mit halb sterbender stimme sagte zu diesem soldaten,
Es ist zu späte, und ist dieses eure treue? worauf Er nichtes mehr sagete,
und als Phaon und die anderen mit kläglichen gebarden den Icelus ge-
bethen, des Nero letzten Willen zu erfüllen, und zu gönnen, das sein
220 körper unzerstümmelet durfte verbrant werden, willigte solches Icelus
gantz gerne, maßen seinem herren dem Sulpitius Galba damit nicht gedienet ware, in den todten Nero zu wüten, und eilete Er gleich von da,
umb kein augenblick zuversäumen, sowohl die post von des Tyrannen tode
dem Raht als des Galba freunden anzumelden, als auch eiligst nach Spanien
225 auf die post zugehen, und es seinem herren zuberichten.

sed[2] partim tergiuersantibus, partim aperte detrectantibus, uno uero etiam proclamante (Verg. Aen. 12, 646): usque adeone mori miserum est? uarie agitauit, Parthosne an Galbam supplex peteret, an atratus prodiret in publicum proque rostris quanta maxima posset miseratione ueniam praeteritorum precaretur, ac ni flexisset animos, uel Aegypti praefecturam concedi sibi oraret. inuentus est postea in scrinio eius hac de re sermo formatus; sed deterritum putant, ne prius quam in forum perueniret discerperetur.

Sic cogitatione in posterum diem dilata ad mediam fere noctem excitatus, ut comperit stationem militum recessisse, prosiluit e lecto misitque circum amicos, et quia nihil a quoquam renuntiabatur, ipse cum paucis hospitia singulorum adiit. uerum clausis omnium foribus, respondente nullo, in cubiculum rediit, unde iam et custodes diffugerant, direptis etiam stragulis, amota et pyxide ueneni; ac statim Spiculum murmillonem uel quemlibet alium percussorem, cuius manu periret, requisiit et nemine reperto: ergo ego, inquit, nec amicum habeo nec inimicum? procurritque, quasi praecipitaturus se in Tiberim. sed reuocato rursus impetu aliquid secretioris latebrae ad colligendum animum desiderauit, et offerente Phaonte liberto suburbanum suum inter Salariam et Nomentanam uiam circa quartum miliarium, ut erat nudo pede atque tunicatus, paenulam obsoleti coloris superinduit adopertoque capite et ante faciem optento sudario equum inscendit, quattuor solis comitantibus, inter quos et Sporus erat. statimque tremore terrae et fulgure aduerso pauefactus audiit e proximis castris clamorem militum et sibi aduersa et Galbae prospera ominantium, etiam ex obuiis uiatoribus quendam dicentem: hi Neronem persequuntur, alium sciscitantem: ecquid in urbe noui de Nerone? equo autem ex odore abiecti in uia cadaveris consternato, detecta facie agnitus est a quodam missicio praetoriano et salutatus. ut ad deuerticulum uentum est, dimissis equis inter fruticeta ac uepres per harundineti semitam aegre nec nisi strata sub pedibus ueste ad (a)uersum uillae parietem euasit. ibi hortante eodem Phaonte, ut interim in specum egestae harenae concederet, negauit se uiuum sub terram iturum, ac parumper commoratus, dum clandestinus ad uillam introitus pararetur, aquam ex subiecta lacuna poturus manu hausit et: haec est, inquit, Neronis decocta. dein diuolsa sentibus paenula traiectos surculos rasit, atque ita quadripes per angustias effossae cauernae receptus in proximam cellam decubuit super lectum modica culcita, uetere pallio strato, instructum; fameque et iterum siti interpellante

[2] Suetonius, Vol. 1, De vita Caesarum libri, Rec. M. Ihm, Editio Minor, Stuttgart 1967, S. 254—257.

29

panem quidem sordidum oblatum aspernatus est, aquae autem tepidae ali-
quantum bibit. tunc uno quoque hinc inde instante ut quam primum se im-
pendentibus contumeliis eriperet, scrobem coram fieri imperauit dimensus ad
corporis sui modulum, componique simul, si qua inuenirentur, frusta marmoris
et aquam simul ac ligna conferri curando mox cadaueri, flens ad singula atque
identidem dictitans: qualis artifex pereo!

Inter moras perlatos a cursore Phaonti codicillos praeripuit legitque se
hostem a senatu iudicatum et quaeri, ut puniatur more maiorum, interro-
gauitque quale id genus esset poenae; et cum comperisset nudi hominis cerui-
cem inseri furcae, corpus uirgis ad necem caedi, conterritus duos pugiones,
quos secum extulerat, arripuit temptataque utriusque acie rursus condidit,
causatus nondum adesse fatalem horam. ac modo Sporum hortabatur
ut lamentari ac plangere inciperet, modo orabat ut se aliquis ad mortem
capessendam exemplo iuuaret; interdum segnitiem suam his uerbis increpabat:
uiuo deformiter, turpiter — οὐ πρέπει Νέρωνι, οὐ πρέπει — νήφειν δεῖ ἐν τοῖς
τοιούτοις — ἄγε ἔγειρε σεαυτόν. iamque equites appropinquabant, quibus prae-
ceptum erat ut uiuum eum adtraherent. quod ut sensit, trepidanter effatus
(Hom. Il. 10, 535): ἵππων μ'[ε] ὠκυπόδων ἀμφὶ κτύπος οὔατα βάλλει

ferrum iugulo adegit iuuante Epaphrodito a libellis. semianimisque adhuc
irrumpenti centurioni et paenula ad uulnus adposita in auxilium se uenisse
simulanti non aliud respondit quam: sero et: haec est fides. atque in ea
uoce defecit, extantibus rigentibusque oculis usque ad horrorem formidinemque
uisentium. nihil prius aut magis a comitibus exegerat quam ne potestas cuiquam
capitis sui fieret, sed ut quoquo modo totus cremaretur. permisit hoc Icelus,
Galbae libertus, non multo ante uinculis exolutus, in quae primo tumultu
coniectus fuerat.

    Eine bewegliche rede an das volk zu verfassen / ließe er ihm schreibzeug
bringen. Es wolte aber / wegen seiner gemüts-verwirrung / nicht recht und
also fließen / wie es wol seyn sollen / und leschte er ja so viel aus / als er
schriebe. Dann er wolte / in dieser rede / bald dem Galba sich unter-
5 werfen / bald alle seine begangene mordthaten mit der notwendigkeit entschuldigen / die schweren auflagen und die verschwendung der Cammer
-güter auf die vorige Kaiser bringen / und solche durch künftige bäßerung
zu ersetzen / versprechen / auch wann man ihn ja in Rom nicht mehr
dulten wolte / sich damit befriedigen lassen / wann er statthalter in Egypten
10 seyn möchte.

Diesen letsten einfall bekame er / als er Ethiopiens sich erinnerte / und
muste ihm Epaphroditus trauerkleider holen: die er in diesem prächtigen
gartenhaus / unter anderm hausgeräte / in schränken bewahren lassen. Mit
thränen zoge er dieselben an / und gebote dem Hilarius / ihme mit seiner
15 leibwacht zu folgen. Wie er aber bis an die pforte des gartens kam / stutzete
er / und fragte den Hilarius / ob er wol meinte / daß er sicher würde durchkommen können / bis auf den markt / da die reden an das volk gehalten
werden. Hilarius schüttelte hierzu das haupt / und wolte nicht gut dafür
sagen: wodurch der furchtsame Nero bewogen wurde / wieder umzukehren.
20 Er gedachte / entweder des andern morgens / ehe sich der pövel häufig auf der
gassen würde finden ⟨1052⟩ lassen / dieses sein fürhaben ins werk zu richten /
oder sich nach Ostia zu wenden. Dorthin dorfte er es dannoch nicht wol
wagen / bis Helius Cäsarinus wieder zurücke gekommen / und ihm den
zustand der schiff-flotte würde eröffnet haben.
25 Theils aus betrübnis / theils des andern tags desto munterer zu seyn /
legte er sich wieder zu bette / und missete den Prinzen Vardanes nicht:
maßen seine verwirrung so häftig war / daß er unter all zu vielen gedanken
alles vergaße / was fürginge. Es folgten aber dem exempel dieses Parthi-
schen Prinzen / fast alle die andern / die bis daher bei dem Nero ausgehalten
30 hatten. Dann wann sie überlegten / in was gefahr sie sich hierbei setzeten /
und wie sie doch nur einem undankbaren dieneten / der / wann er schon
könnte / es sie doch nicht würde genießen lassen / gingen sie einer nach
dem andern davon: also daß / auser seinen freigelassenen / niemand bei ihm
bliebe. Die finsternis dienete ihnen / desto füglicher hinweg zu kommen.
35 Wie nun Nero um mitternacht erwachete / und nach dem Hilarius rieffe /
der in seiner kammer schlaffen sollen / ware niemand / der ihm antwortete.
Ihn misdünkte gleich hierbei / und da er noch etliche slaven in dem vorzimmer ermuntert / und die hinaus gesandt hatte / erfuhre er durch sie / daß
seine leibwacht hinweg wäre.
40 Er schickte sofort nach seinen freunden / die rund um ihn her in verschiedenen gartenhäusern sich aufgehalten / bekame aber keine antwort
zurücke. Daher er selbst barfuß / wie er aus dem bette gekommen / umher
lieffe / und bei ihnen anklopfte: aber keiner wolte auf- ⟨1053⟩ machen / weil
sie nicht mehr vorhanden waren / und funde er alle thüren verschlossen.
45 Er rieffe den Vardanes / dem Epicius Marcellus / den Vatinius / Sariolenus
Vocula / Pactius Africanus / und andern: aber niemand war / der ihm antwortete. Ja / wie er ganz erschrocken nach seinem gartenhause wieder-
kehrte / befande er / daß man ihm in der kurzen zeit / die er ausgewesen /

31

alles geraubet und hinweg gestohlen hatte. Die tapezereien waren von den
50 wänden / das silber-geschirr von den nachttischen / auch so gar seine
kleider hinweg: daß / wie er nach der güldenen giftbüchse suchen wolte /
um sich deren in diesem verzweifelten stande zu bedienen / auch diese
verlohren war.

Es gienge ihm solches so nahe / daß er den fechter Spicillus / den er
55 stehen sahe / anrieffe / ihm das leben zu nehmen. Weil Spicillus sich weigerte /
seine hand an den Kaiser zu legen / sahe er seine freigelassene an / sie
damit um diesen dienst ersuchend. Auch diese wolten dem befehl nicht
nachkommen / und riehte ihm Phaon / er möchte sich zu schiff setzen / und
nach Ostia fortgehen. Dieses wolte er zwar anfangs nicht thun / und be-
60 schwerte sich / daß er weder feind noch freund hätte. Wie er aber etwas
nachgesonnen / lieffe er nach der Tyber zu / allwo die bestellte schiffe gestanden waren: die er dann ja so wenig mehr zur stelle fande. Er gedachte
nun sich zu ertränken / und war eben färtig / in den fluß zu springen / als
ihm gählings einfiele / daß er sich noch wol irgendwo retten und verbergen
65 könte / und seines lebens noch schonen müste. Wer weiß / (sagte er bei sich
selbst) ⟨1054⟩ ob nicht eine kleine abwesenheit die erzörnten Römer wird
besänftigen können / und ob nicht der Delphische ausspruch meine jahre
gemeinet / die ich erleben sol? Es komme dann wie es wolle / so ist es zeit
gnug / den tod zu erwehlen / wann keine hoffnung des lebens mehr übrig
70 bleibet.

Wie er nun / diese seine gedanken / dem Phaon eröffnet / bote der ihm
seinen maierhof an / da er verschiedenlich gewesen war: welches er in der
angst annahme / und/ sich in diesen gärten keinen augenblick mehr sicher
achtend / setzete er sich / also barfuß / auf ein häßliches bauren-pferd / das
75 dem gärtner zustunde. Er hatte keine andre kleidung an / als seinen nacht-
rock: worüber er eines soldaten alten abgenüzten reitrock wurfe / und
unbekant zu bleiben / sein haubt mit einem schweistuch verhüllte. Viere
seiner leute / als der Phaon / Epaphroditus / Neophytus und Sporus / ritten
mit ihm hinaus: und dorften diejenigen / so zurücke blieben / es nicht
80 wissen / wo ihr weg hinginge / damit er nicht verrahten würde. Es ware
schon in der morgen-demmerung / als Nero die Servilianischen gärten ver-
ließe: und entstunde indem ein grausames donnerwetter / wofür er sich
jederzeit sehr zu fürchten pflegte / daher solches seine todesangst vermehren muste. Ein schreckliches Erdbeben folgte darauf / und schiene es /
85 daß auch die natur selbst und alle elemente gegen den Nero zu felde ziehen
wolten.

Als er nahe bei dem Numentanischen thor an das heerlager der soldaten kame / muste er schmerzentfindlich hören / wie die soldaten rieffen: es lebe ⟨1055⟩ Sulpitius Galba / und sei ewig verflucht der lotterbube Nero!
90 welches dann in ihm scham / furcht und zorn erweckte: wiewol er an diese letzere gemüts-bewegung nicht recht gedenken dorfte / weil ihm alle gewalt sich zu rächen entzogen war.

Des Phaons mairhof / lage vier meilen von Rom / zwischen der Salarischen und Numentanischen heerstraßen / und wie ihnen verschiedene leute
95 auf diesem weg / ehe sie dahin kamen / begegneten / fragten sie den Nero und seine gesellschaft / was es in der stadt gutes neues von dem Nero gäbe / und ob sie denselben etwan verfolgten? Phaon / der für den Nero antwortete / bejahete solches / daß sie nämlich den Kaiser sucheten: darzu ihnen dann die vorbei-gehenden glück wünscheten / und alle große freude
100 erwiesen / daß einmal das Römische volk sich ermannet hätte / diesen bluthund und weibischen Kaiser abzustraffen. Die götter verleihen / (sagte einer) daß dieser henker so vieler edlen Römer und Römerinnen seine wolverdiente straffe erlangen möge / und stünde es zu erwünschen / so wolte ich daß man ihm so viel töde anthun könte / als viel unschuldige
105 leute er hingeopfert hat.

Dieser reisende wandte sich eben von ihnen / als er dem Nero einen solchen wunsch auf den weg gegeben: daher er nicht sahe / was damals diesem beänstigten begegnete. Dann wie dessen pferd für einem todten -aase / das eben im weg lage / sich scheuete und sich bäumete / fiele ihm
110 der schweistuch ab / damit er sein haubt bedeckt hatte: da dann ein alter soldat / der eben vorbeigienge / und ehmals unter seiner leibwacht gedienet / ihn erkennte / und als seinen ⟨1056⟩ Kaiser grüßete. Verrahte mich nicht! sagte Nero zu ihm: der ihm dieses auch verhieße; und rannte er damit voll angst fort / bis er an den mairhof gelangte.

115 Es wurde nicht ratsam befunden / daß er öffentlich hinein ginge / weil die leute im haus ihn alle wol kenneten. Demnach stiege er ab / und ließe sich durch einen umweg führen / der voll disteln und dornen ware. Weil er barfuß war / konte er da nicht stehen: darum legte er seinen rock unter die füße / und wartete also bis daß das haus von hinten zu eröffnet worden.
120 Weil aber das eine weile sich verzoge / erinnerte ihn Phaon / ob er sich entzwischen in die nächste sandgrube verbergen wolte: welches er aber ganz übel nahm / vorgebend / wie er nicht begehrte lebendig unter die erde zu kriechen. Als ihn eben sehr dürstete / schöpfte er wasser mit der hand aus einem sumpfe / und sagte: dieses ist nun das herrliche gekochte

33

125 wasser / das Nero zu trinken gewohnet ist. Epaphroditus tröstete ihn / daß
es bald bäßer werden würde: worauf er nichts antwortete / und die übrige
zeit / indem er also warten muste / damit verbrachte / daß er die dorn-
spitzen / die in seinem rocke waren hangend geblieben / auspflückte.

Nachdem endlich der keller eröffnet worden / muste er auf händen und
130 füßen hinein kriechen: Dann in den hinterhof hinein zu gehen ware zu ge-
färlich / weil daselbst eben viele von des Phaons slaven sich einfunden / die
nicht würden geschwiegen haben / wann sie den Kaiser alda gesehen hätten.
Er war so müde und abgemattet / daß er ein bette verlangte: so ihm
schmutzig gnug bereitet wurde. Wiewol er ⟨1057⟩ auch dabei hunger
135 hatte / weigerte er sich doch grobes landbrod zu essen: wiewol er / da der
durst ihn so sehr meisterte / warmes wasser zu trinken sich nicht erwehren
konte / das er aber mit großem unmuht und vergießung vieler thränen zu
sich nahme. Er wolte hierauf etwas allein seyn: darinn man ihm willfahrte.
Aber er bliebe nicht allein / indem ihn dünkte / daß alle die seelen der-
140 jenigen / die er unschuldig hatte hinrichten lassen / aus der erden herfür-
kamen und ihn ängstigten. Die so er am meisten betaurete / als die Prinzessin
Octavia / mit dem Britannicus und der Antonia / ihren geschwistern / sahe
er alleine nicht: die er sonst um verzeihung würde gebeten haben.

Hiernächst finge ihm so erschrecklich an zu grauen / als er das noch an-
145 haltende donnerwetter und erdbeben vernahme / daß er dem Sporus rieffe /
zu ihm zu kommen. / Dieser ermahnte ihn / er möchte doch durch den tod
sich der schande entreissen / die ihm bevorstünde: das er zwar beachtete /
aber / so lang es nur müglich / zu verschieben gedachte. Jedoch seine
todesgedanken zu erweisen / rieffe er seine übrige drei gefärten auch
150 hinein / und begehrte an sie / eine grube nach der länge seines leibes auszugraben / und marmolsteine / wo sie zu finden / wie auch wasser und holz
zu seiner begräbnis / herbei zu bringen. Dieses alles bestellte er mit vielen
thränen / dabei sagend: O Jupiter! was für einen künstler verliert die
welt an mir!
155 Phaon wurde damit in seinen mairhof zu kommen beruffen: da der Nero
etwas still bliebe / und seinen jetzigen elenden zustand bei sich überlegte /
indem seine hofstatt nunmehr in drei oder vier freigelas- ⟨1058⟩ senen be-
stunde / da er kurz vorher so viel tausend edle um sich gehabt / denen er
gebieten können. Hierbei fiele ihm das lezte schauspiel ein / das er dem volk
160 auf der schaubühne fürgestellet / und da er so schändlich verstummen
müßen: Und gedachte er nun / wie er nur gar zu warhaftig seine jetzige
elende person fürgestellt hätte / indem es nun also einträffe / daß seiner

verwandten und anderer vergossenes blut sein verderben begehrte. Bei
solchen traurigen gedanken / erschracke er ohn unterlaß / und fuhre in
165 einander: und konte kein hund bellen / oder han krähen / daß er nicht gedacht hätte / es kämen seine häscher / die ihn fahen und für gericht führen
wolten.

Der ganz-entstellte Phaon kame bald wieder zu ihme: dem er es bald
ansahe / daß er ein neues anliegen hatte. Er trug briefe in der hand / die
170 ihm Nero gleich abnahme / und aus denselben lase / wie Aponius den
Phaon berichtete / daß nunmehr der raht ihn für feind erkläret hätte / und
er demnach aller orten gesucht würde / dem herkommen nach abgestrafft
zu werden. Worinn bestehet dann diese straffe? fragte Nero mit bebender
stimme. Es wird / (antwortete Phaon) ein solcher übelthäter nackend aus-
175 gezogen / sein kopf an einen galgen fest gemacht / und er also mit ruhten
zu tod gepeitschet. O wehe! rieffe hierauf Nero / und fiele damit zu rück
auf den boden.

Man muste ihm alsofort zween dolche bringen: die versuchte er / ob sie
auch scharf wären / steckte sie aber wieder bei / sagend / seine sterbstunde
180 wäre noch nicht gekommen. Hiemit lage er in stetem herzschlagen ⟨1059⟩
auf der erde / und wrunge sich wie ein wurm. Als ihn auch dünkte / Sporus
weinete nicht genug / streckete er dem die hand zu / und ermahnete ihn /
sein elend doch recht zu beklagen. Bald wandte er sich zu den andern / und
bate sie / es möchte ihm doch jemand mit einem guten sterb-exempel vor-
185 gehen: zu dem ende er ihnen auch die dolche hinreichete. Als aber niemand
lust darzu erwiese / schalt er so wol auf ihre / als auf seine eigene zaghaftigkeit / und sagte: schändlich habe ich gelebet / schändlich bezeige ich mich
auch im tode. Es ziemt dir nicht Nero! zeige ein gemüte / daß deiner voreltern wehrt sei / und entreiße dich selbst diesem elende.
190   Es würde diese vermahnung es noch nicht bei ihm ausgemacht haben /
wann er nicht an dem pferdgetreppel wargenommen hätte / daß die reuter
kämen / ihn zu suchen. Es fiele ihm hierbei ein vers aus dem Homerus ein /
den er zitternd hersagte:
    Es kommt mir zu gehör das trappen schneller pferde /
195   ihr schnauben wirft den staub der aufgetriebnen erde.
Hiemit gabe er seinen freunden eine traurige gute nacht / und bate sie zu
guter letze / zu verwehren / daß ihm sein haubt nicht abgeschlagen würde /
noch in seiner feinde gewalt käme / sondern daß sein leichnam ganz möchte
verbrannt werden: das sie ihm auch verhießen.
200   Also ermannete er sich endlich / und stieße ihm selbst den dolch in die

35

gurgel. Weil aber dieser stoß mit einer zitterenden hand geschahe / ware
er nicht tödlich: deshalb muste Epaphroditus ihm helfen / daß der dolch
vollends hindurch gienge. Indem kamen ⟨1060⟩ die reuter, von dem
Icelus geführet / und den Nero also erbärmlich ligen sehend / erweckte es
205 bei ihnen noch ein mitleiden / daß einer von ihnen / die wunde zu verbinden / hinzu lieffe. Nero aber / mit halb-sterbender stimm / sagte zu diesem
soldaten: es ist zu späte! und: ist das eure treue? Worauf er nichts mehr
sagte.

Phaon und die andern / baten mit kläglichen gebärden den Icelus / daß
210 des Nero lezter wille möchte erfüllet / und ihnen gegönnet werden / seinen
körper unzerstümmelt verbrennen zu dörfen. Welcher solches ganz gern
bewilligte / wol erachtend / daß seinem herrn / dem Sulpitius Galba / damit
nicht gedient wäre / wann man wider den todten Nero wütete. Also eilete
Icelus gleich von dar / um keinen augenblick zu versäumen / und die post
215 von des tyrannen tode sowol dem raht / als des Galba freunden anzumelden /
ingleichen so fort nach Hispanien auf die post zu gehen / und seinem herrn
hiervon zu berichten.

In »Octavia, Römische Geschichte« des Herzog Anton Ulrich von Braunschweig, dem Roman, der von der Forschung wieder und wieder, zusammen
mit dem vorangegangenen Roman »Die Durchleuchtige Syrerinn Aramena«,
1669—1673, als eine maßstäbliche Repräsentation des höfischen, heroisch-
politischen Liebes-, Geschichts- und Staatsromans im 17. Jahrhundert und des
Weltbildes des deutschen Barock bezeichnet wurde[3], findet sich in des Ersten

---

[3] Günther Müller, Barockromane und Barockroman, Literaturwissenschaftliches Jahrbuch
der Görres-Gesellschaft, IV, 1929, S. 1ff.; ders., Höfische Kultur der Barockzeit, S. 93ff., in:
H. Naumann und G. Müller, Höfische Kultur, Halle a. d. S. 1929; ders., Geschichte der
deutschen Seele, Freiburg i. B. 1939, S. 107ff.; ders., Deutsche Dichtung von der Renaissance
bis zum Ausgang des Barock, 2. Aufl., Darmstadt 1957, S. 237f.; Günther Weydt, Der
deutsche Roman von der Renaissance und Reformation bis zu Goethes Tod, Deutsche
Philologie im Aufriß, 2. Aufl., Berlin 1960, Bd. 2, Spalte 1266ff. Heinz Otto Burger, Dasein
heißt eine Rolle spielen. Studien zur deutschen Literaturgeschichte, München 1963, S. 100.
Erich Trunz, Entstehung und Ergebnisse der neuen Barockforschung, in: Richard Alewyn
(Hrsg.), Deutsche Barockforschung (Neue Wissenschaftliche Bibliothek, Literaturwissenschaft), Köln u. Berlin 1965, S. 456; Norbert Miller, Der empfindsame Erzähler. Untersuchungen an Romananfängen des 18. Jahrhunderts, München 1968, S. 45ff. Nach Miller

Teils Drittem Buch eine Erzählung des Todes von Kaiser Nero. Sie dürfte, unter verschiedenen Aspekten, eine nähere Betrachtung verdienen; sich mit ihr zu beschäftigen bedeutet vielleicht mehr als nur ein müßiges germanistisches Abweglein. Einen Aspekt fordert Käte Hamburgers »Logik der Dichtung« heraus: auf eine schlechthin exemplarische Weise beweist und verwirklicht Anton Ulrichs Erzählung von der Flucht Neros vor dem Tode, die zu seinem Weg in den Tod wird, was Käte Hamburger dort über die Unterschiedlichkeit des historischen Erzählens, also des Verfahrens des Historikers, und des fiktionalen Erzählens, derart des Verfahrens des Romanerzählers, mit anderen Worten also über die Differenzen zwischen dem Berichtsystem und dem Fiktionssystem entwickelt hat. Damit verbindet sich naheliegend ein zweiter Aspekt, die Frage nach der Erzählweise des Schriftstellers Anton Ulrich, die bisher angesichts des überwiegenden Interesses an der thematisch-motivlichen Gestaltung, an den weltanschaulichen und gesellschaftsgeschichtlichen Aussagen und an den umfassenden epischen Kompositionsformen des barocken Großgefüges seiner Romane vernachlässigt wurde. Eine Forschung, die sich zunächst bemühen mußte, die bestimmenden Motiv- und Formstrukturen dieser Erzählmassive zu durchschauen, ließ Fragen nach den spezifischen und individuellen Mitteln des Erzählens zurücktreten, zumal sie sich nur schwer von vorausgesetzten Generalisierungen der Bestimmung des barocken Erzählens löste. Doch noch ein anderer Aspekt drängt sich auf: danach nämlich zu fragen, ob und wie es Anton Ulrich gelingen konnte, einen Darstellungstext, den er weitgehend der Schilderung des Todes Neros durch den römischen Historiker und Biographen Gaius Suetonius Tranquillus in »De vita Caesarum« entnommen hat, seinem Roman zu integrieren. Und schließlich stellt sich notwendig die Frage ein, wie es denn überhaupt mit dem barocken Stil der Erzählweise des Herzogs beschaffen sei, ob es berechtigt ist, bei ihm schlechthin

---

wird erst in Anton Ulrichs Romanen »der barocke Roman seiner selbst ansichtig, durchdringen sich die Eigenheiten der formalen Anlage ganz mit der zugrunde gelegten Idee. Seine beiden Romane stellen sich als die späte Summe der höfischen Romankunst, an denen in der Rückschau die Eigenheiten dieser Form sich erhellen, dem späten System der Leibnizschen Philosophie an die Seite.« Erst nach der Niederschrift dieses Aufsatzes, dessen Ausgangspunkt ein 1968 gehaltener Vortrag im Germanistischen Institut der T. U. Aachen war, wurden die Arbeiten von Adolf Haslinger, Dies Bildnisz ist bezaubernd schön, in: Jahrbuch für Literaturwissenschaft, N. F. 9, 1968, S. 83 ff. und Epische Formen im höfischen Barockroman. Anton Ulrichs Romane als Modell, München 1970, zugänglich. Da Haslinger sich mit den umgreifenden Bauformen des barocken Romans beschäftigt, wird dieser Aufsatz nicht überflüssig, eher eine Bekräftigung seines Wunsches, S. 378, nach Erforschung von Detailproblemen durch Einzelstudien beschreibend-deutender Art.

den Typus des Barockromans aufzufinden und welche Position in der Stilgeschichte des deutschen Erzählens gegen Ende des 17. Jahrhunderts und in
der Wende zum 18. Jahrhundert diese Erzählweise einnimmt. Dies jedoch
fordert ein Eingehen auf jene stilistische Überarbeitung und Korrektur, die
Anton Ulrich seinem Lehrer in Jugendzeiten (1645/46) und späteren literarischen Berater Sigmund von Birken (Betulius) bei beiden seiner Romane bis
zu dessen Tode 1681 zum Geschäft machte[4]. Die Erhaltung der herzoglichen
Manuskripte, im Falle unseres Textes aus eigener Hand, später auch in der
Handschrift eines Sekretärs, bietet für den Vergleich mit dem von Birken
besorgten Druck günstige Möglichkeiten. Unerläßlich ist, zur Kontrolle von
Anton Ulrichs Erzählverfahren den Text des Suetonius und die Manuskriptfassung des Romans vorzulegen. Doch wurde ebenso unvermeidlich, daneben
die Druckfassung zu stellen, da nur sie ein Bild der Bearbeitung des Textes
durch Sigmund von Birken mit den dabei nötigen Detailbeobachtungen
darbieten kann[5].

---

[4] Über die Mitarbeit Birkens an Anton Ulrichs erstem Roman orientiert ausführlich Blake
Lee Spahr, Anton Ulrich and Aramena. The Genesis and Development of a Baroque Novel,
University of California Press 1966. Vgl. ferner Blake L. Spahr, The Archives of the Pegne-
sischer Blumenorden. A Survey and Reference Guide, Univ. of California Publications in
Modern Philology, Vol. 57, Berkeley and Los Angeles 1960. Herr Prof. B. L. Spahr hatte
die nicht genug hochzuschätzende Freundlichkeit, mir eine neue eigene Abschrift seiner
Kopie der Tagebücher Birkens zu geben, für die hier ihm nachdrücklichster Dank gesagt
sein soll. Nach diesen Aufzeichnungen erhielt Birken am 10. Januar 1675 den Anfang der
»Octavia«, bereits am 14. Januar den Schluß des 1. Buches. Daß er den Text bearbeitete, zeigt
u. a. ein Eintrag vom 28. April: »An Octavia 10 Bl. ümgeschrieben«. Am 3. Januar 1676
notiert Birken den Empfang des Beschlusses des 2. Buches, am 8. November heißt es: »Die
revision der Octavia beendet«. Im Jahr 1677 setzen sich die Korrekturen fort, am 13. Januar
notiert Birken den Abgang eines Briefes an den Herzog »mit Octavien Titel u. letzten Bogen«.
Am 17. Februar findet sich die Bemerkung: »Die Errata zur Octavia zusammengeschrieben
u. damit diese Welt-arbeit geendet. Gott laß mir keine mehr aufbürden«. Gleichwohl erhält
Birken am 7. April die »30 ersten Blätter von Octavia 4 Buch«; er setzt seine Tätigkeit der
Revision und Korrektur für den Roman auch im Jahr 1678 fort. Im Januar 1679 brechen die
Aufzeichnungen ab. Daß Birken diese Arbeit als eine Last erfuhr, geht auch aus einem Brief
an ihn von Catharina Regina von Greiffenberg vom 12. März 1676 hervor, dessen Kenntnis
ich ebenfalls Herrn Prof. Spahr verdanke. Es heißt da: »... doch zweyfelt mir hierinnen
nicht An dem Sieg Prangenden (der dem Herzog 1659 als Mitglied der Fruchtbringenden
Gesellschaft verliehene Dichtername — d. Verf.), nur dieses gefällt mir nicht daß Er den
gutten Silvano (Dichtername Birkens im Pegnesischen Schäferorden — d. Verf.) so mit dem
Abschreiben blagt.« Zum Verhältnis zwischen Anton Ulrich und Birken jetzt auch Haslinger, a. a. O., S. 30f., S. 360ff.
[5] Unser Textauszug ist jetzt leicht zugänglich bei Albrecht Schöne, Das Zeitalter des
Barock. Texte und Zeugnisse, Die Deutsche Literatur, Band III, München 1963, S. 387ff.

Vergleicht man den Text Anton Ulrichs mit seiner lateinischen Vorlage, so wird sogleich ein recht unterschiedlicher Umfang erkennbar. Der Historiker rafft zu knappem Bericht des faktischen Ablaufes zusammen; ihm geht es um das Faktum als Ganzes, dem dessen einzelne Stationen oder Phasen untergeordnet werden. Bei dem Erzähler hingegen erhalten sie weit mehr Eigengewicht und Eigeninteresse; es geht ihm um die epische Entfaltung eines sich aus ihnen begründenden Zusammenhanges. Zwar bietet bereits Suetonius einen Vorrat an Detail an, doch wird es eingelegt in einen einlinig auf Nero konzentrierten und knapp zum Resultat hin zielenden Vorgangsbericht. Es ist an der, soweit ich sehe, einzigen Stelle, an der von der Übernahme des Berichtes des Suetonius durch Anton Ulrich in der Forschungsliteratur Notiz genommen wird, dessen geschickte Ergänzung, ohne aus dem Ton zu fallen, gerühmt worden, so daß aus leiser Andeutung in der Quelle sich ein volles Bild entfalte[6]. Anton Ulrich, so heißt es, habe, bei genauem Anschluß an sie, nur Einzelzüge in sie eingetragen, um das Ganze lebensvoller erscheinen zu lassen. Dies nun ist allzu einfach, im Geist des im 19. Jahrhundert geschätzten ›realistischen‹ Verlebendigens gesehen. Es geht bei der Verarbeitung des Suetonius-Textes in dem Roman um weit mehr: zunächst um die exemplarische Verwandlung eines historischen Faktenberichts von Neros Tode, der die Objektivität des realen Vorganges beansprucht, in die »Mimesis handelnder Menschen«, die, nach Käte Hamburgers Darlegung, erst die epische Dichtung zur epischen Dichtung macht[7]. Die formale Transposition schließt allerdings zugleich Erzählinhaltliches und Erzählfunktionales ein: es kommt Anton Ulrich, indem er seine Quelle verändert, darauf an, das erzählte Geschehen, bis in die Sprache seiner Gebärden hinein, sichtbar, spannend und glaubwürdig zu machen und die statische Berichtform des Suetonius in einen bewegten, sich entwickelnden Zusammenhang zu verwandeln, der einerseits die Situationswechsel in der Lage des römischen Kaisers kräftig akzentuiert, andererseits eine dicht motivierte innere Einheit des ganzen Ablaufs verdeutlicht, die das Faktische zu einer psychologischen und derart kausal durchschaubaren Ablaufnotwendigkeit zusammenschließt. Verfolgt man im Detail — dies ist hier unerläßlich — wie Anton Ulrich, was ihm der römische Biograph überlieferte, in das Fiktionssystem des Romans verwandelt hat, wie er aus dem historischen Nero, dem Objekt des Suetonius, einen fiktiven Nero, also ein

---

[6] Ferdinand Sonnenburg, Herzog Anton Ulrich von Braunschweig als Dichter, Berlin 1896, S. 65 ff.

[7] Käte Hamburger, Die Logik der Dichtung, 2. Aufl., Stuttgart 1968, S. 77.

erzähltes Subjekt in der fiktiven Ich-Originität, eine jetzt und hier handelnde und damit auch notwendigerweise jetzt und hier erlebende Person, gemacht hat[8], ohne doch von dem historisch Faktischen abzuweichen, so ist man versucht zu meinen, er habe die »Logik der Dichtung« gleichsam vorausgelesen und sei bei unserer Kollegin in die poetologische Schule gegangen.

Denn Anton Ulrich versetzt den historischen Bericht in eine »gegenwärtige Situation«[9], in ein »Fiktionsfeld«[10], wo nun ein Heute, Gestern oder Morgen auf das fiktive Hier und Jetzt der Gestalten sich bezieht. Gewiß geht es auch um Ergänzungen im dinglichen Detail, in der Benennung von mitagierenden Personen. Eine kaiserliche Umwelt wird, wie sie der Leser im 17. Jahrhundert erwartete, mit einigen vermehrten Stichworten und Requisiten angedeutet. Wenn es bei Suetonius heißt, Nero wollte »atratus« vor dem Volk Roms erscheinen, so läßt sich der Nero des Anton Ulrich von Epaphroditus Trauerkleider aus dem anderen Hausgerät in den Schränken des prächtigen Gartenhauses herausholen. Von Markt und Gassen ist die Rede, um ein erzähltes Bühnenlokal bemerklich zu machen, von der Schiffsflotte in Ostia, mit der sich Nero zu retten hofft, von Sklaven im Vorzimmer; und als der Kaiser, von fast allen verlassen, sich in der Nacht beraubt findet, geht es nicht nur um sein »cubiculum«, die Schlafdecken und die Giftbüchse, sondern Anton Ulrich nennt die Gobelins an den Wänden, die kaiserlichen Kleider, das Silbergeschirr auf den Nachttischen und er läßt die Giftbüchse aus Gold sein. Solche Details als Spiegelungen des barock-höfischen Luxus haben mehr als eine nur illustrative Bedeutung; ihr Glanz läßt den Fall in das Elend, unter Disteln und Dornen, barfuß, dann auf Händen und Füßen in den Keller, zuletzt in die notdürftig gerüstete Grube um so sinnfälliger werden. Vermehrtes Detail erhält derart eine akzentuierende Ausdrucksfunktion. So wird denn auch das Pferd, auf dem der von Angst gejagte Kaiser flüchtet, zu einem häßlichen Bauernpferd aus der Habe des niedrigen Gärtners und die »paenula obsoleti coloris« erscheint genauer als ein alter abgenützter Reitrock. Die von Anton Ulrich berichteten Namen der Begleiter Neros prägen ein, wie wenige ihm von vor kurzem noch tausend gehorsamen Edlen übriggeblieben sind. Mit der Verdeutlichung des Räumlichen vermehrt sich gegenüber Suetonius die Zahl der beteiligten Personen; sie machen, wie etwa die Leute und Sklaven auf Phaons Meierhof, dem Leser bewußt, in welcher Gefahr sich der verhaßte und

---

[8] Ebd., S. 94f., S. 123.
[9] Ebd., S. 64.
[10] Ebd., S. 70.

gehetzte Kaiser auf diesen von ihm feindlichen Menschen wimmelnden Schauplätzen befindet und welche Demütigungen er auf sich nehmen muß. Der Raum wird belebter Raum. Anton Ulrich setzt eigene Sinnbezüge auch dort ein, wo des Suetonius abstrahierender Berichtstil einmal einen detailrealistischen Anflug erhält. So löst er die Textangabe »inter fruticeta ac vepres per harundineti semitam« durch die Formel »diestelen und dornen« ab, die dem bei Suetonius natürlich auch fehlenden krähenden Hahn und bellenden Hund korrespondiert.

Dennoch: dies ist nicht eben viel und hat auch nicht viel zu der epischen Erweiterung des Textes beigetragen. Es gilt durchweg für Anton Ulrichs Erzählen, daß es auf ein illustratives, mit Detail gefülltes Darstellen von Umwelt und Lokalitäten verzichtet; die Schauplätze, auf denen sich die Aktion abspielt — die kaiserliche Fluchtbehausung in den Servilianischen Gärten, der Weg zu Phaons Meierhof, der Aufenthalt im Wüsten hinter dessen Hinterwand, schließlich der Keller — entsprechen Bühnen, die einen sinnbildlichen Ausdruck erhalten und die Phasengliederung von Neros Todesweg markieren. Was als spärliches Requisit auf ihnen erwähnt wird, bekommt den Charakter von Signalen, die den Sturz von der Höhe ins Elend anzeigen. Wesentlich ist in diesem Erzählen nicht das dingliche Detail, sondern die Aktion, die sich zwischen Menschen und im Menschen selbst abspielt[11]. Unter diesem Aspekt wird eine andere Erweiterung des Textes relevanter. Anton Ulrich flicht Charakterisierungen des Verhaltens und des inneren Zustandes Neros, der von der Gemütsverwirrung und Furchtsamkeit bis zur verzweifelt-zitternden Todesentscheidung ansteigt, ein, die deutlich Wertungen aussprechen, auf welche Suetonius verzichtet. Diese Wertungen werden noch dadurch verstärkt, daß er sie zusätzlich von anderen aussprechen läßt, und derart mit der Perspektive des Erzählers die Perspektiven erzählter Figuren kombiniert. Neben der direkten Wertung, die sich im Erzählfluß einstellt, neben weiterhin jener direkten Wertung, die er den Soldaten im Lager und den Nero auf dem Fluchtwege begegnenden Leuten in den Mund legt, erscheint endlich jene indirekte Wertung, die sich einstellen muß, wenn Neros Begleiter ihn wieder und wieder vergeblich auffordern, durch freiwilligen Tod seinem Elend und seiner Schande ein Ende zu bereiten. Suetonius beschränkte sich auf das, was ihm als Faktisches bekannt war; Anton Ulrich legt seinem Erzählen eine Wertung ein, deren Grund in einer Vorbildlichkeit von positivem mensch-

---

[11] Vgl. auch Haslinger, Epische Formen im höfischen Barockroman S. 83f., S. 335. Er betont wiederholt, daß sich in Anton Ulrichs Romanen Aktion und Gegenaktion in einem »zwischenmenschlichen Kombinationssystem« aufbauen. Das Räumliche wird nur als Lokal menschlicher Begegnungen und Beziehungen dargestellt.

lichem Wertverhalten liegt, zu der Nero durchaus das negative Gegenbild darstellt. Nero ist geradezu die Perversion aller jener gesellschaftlich-ethischen Tugenden, die dem wahren Herrscher und sittlichen Menschen, dessen Heldenhaftigkeit und ›Constantia‹, zugehören sollen. Seine Figur wird derart, an einer Norm gemessen, typisiert — allerdings auf der Grundlage eines spezifisch konkreten und individuellen historischen Charakterbildes, das Suetonius vorgezeichnet hat.

Zu der Anreicherung mit Detail, dem sinnbildliche Funktion zukommt, zu der sprachlichen Einführung von Wertungen, die sich am Normativen und derart Typisierten orientieren, ohne sich gegen das Historisch-Individuelle abzuschließen, kommt weiterhin Anton Ulrichs erfolgreiches Bemühen, den Bericht des Suetonius im raschen Wechsel kurzer Spannungsszenen anschaulicher und ›gegenwärtiger‹ zu machen. Das Manuskript Anton Ulrichs mit seiner durchlaufenden, offenbar rasch niedergeschriebenen Textführung verdeckt allerdings, wie hier das Erzählte in Szenen, bzw. Ablaufphasen gegliedert ist; erst Birken hat dies in der Druckfassung, die den Text in 15 kurze Abschnitte aufteilt, herausgearbeitet. Das Ziel solcher Vergegenwärtigung liegt auf der Hand: was erzählt wird, soll einen Schein des Wirklichen erzeugen und der Leser soll, was ihm vorgeführt wird, sich anschaulich vorstellen und als einen Motivationszusammenhang erkennen können. »Und der Schein des Lebens wird in der Kunst allein durch die Person als einer lebenden, denkenden, fühlenden, sprechenden Ichperson erzeugt.«[12] Anton Ulrich gibt dem Ablauf der Vorgänge wie dem Charakter und dessen innerer Verfassung eine größere epische Fülle und Breite als seine römische Vorlage. Er konzentriert aber zugleich, indem er die einzelnen Phasen des Ablaufes eng miteinander verknüpft und aus ihrer Abfolge, wie aus den inneren Zuständen Neros, deren zunehmende Steigerung motiviert. Das Erzählte erhält dadurch mehr Dichte und eine äußere wie innere Dynamik.

Solcher Intention dient, nun schon intensiver an der Herstellung des fiktionalen Erzähltextes beteiligt, wie Anton Ulrich, was Suetonius knappsachlich als Faktisches berichtet, in bewegte szenische Vorgänge umsetzt. Der Historiker berichtet mit dürr-abstrakten Worten nach dem Hören-Sagen, daß Furcht den Kaiser verhindert habe, auf dem Markt die vorbereitete Rede zu halten. Anton Ulrich verwandelt dies zu in zeitlicher Abfolge rasch wechselnden bewegten Phasen, die der Leser miterleben soll; er führt vor, wie sich Nero zu seinem pathetischen Auftritt vorbereitet, wie er dann vor dem eigenen

---

[12] Die Logik der Dichtung, S. 56.

Wagnis an der Gartenpforte erschrickt und sich, ohne eigene Entschlußkraft, an Hilarius um Rat wendet, wie er zögert, umkehrt, verschiebt, verworren schwankt, dessen unsicher, was er tun soll. Anton Ulrich zeigt ihn in seiner schauspielerischen Gestik — in der er sich gleichsam verdoppelt, indem er sich dem Leser bzw. Zuschauer als dies Ich und als die Rolle, in der sich dies Ich vorspielt, präsentiert[13] — und in seiner furchtsamen Schwäche. In wenigen Sätzen entsteht mittels mimischer Bewegtheit ein Porträt Neros — in der Tat mittels der »Mimesis des handelnden Menschen«, des denkenden, fühlenden, sich erinnernden Menschen im Jetzt und Hier seines Lebens und Erlebens, in seiner Ich-Originität, also in der Subjektivität seines Subjektseins. Käte Hamburger setzt hinzu: des Menschen als dritte Person. »Die epische Fiktion ist der einzige sowohl sprach- wie erkenntnistheoretische Ort, wo von der dritten Person nicht oder nicht nur als Objekten, sondern auch als Subjekten gesprochen, d. h. die Subjektivität einer dritten Person *als* einer dritten dargestellt werden kann.«[14] Sichtbarer Vorgang und innerer Vorgang kommen zur Identität. Der gegenwärtige Augenblick weist zugleich in der Bewegung der drängenden Zeit auf eine gefürchtete und noch erhoffte Zukunft voraus. Ähnlich verfährt Anton Ulrich kurz darauf von neuem. Bei Suetonius merkt der aufwachende Kaiser, daß seine Leibwache verschwunden ist, er springt aus dem Bett, schickt nach seinen Freunden und, als dies vergeblich, geht er selbst zu deren umliegenden Häusern, findet jedoch die Türen verschlossen und kehrt zu seinem »cubiculum« zurück, das er ausgeraubt findet. Anton Ulrich baut dies dramatisch-mimisch aus. Der aufwachende Nero ruft nach Hilarius, der, eben noch sein vertrauter Ratgeber, ihn nächtens verlassen hat. Er weckt die Sklaven im Vorzimmer und erfährt, daß die Leibwache verschwunden sei. Er schickt die Sklaven zu seinen Freunden. Als die Antwort ausbleibt, läuft er selbst in hastiger Eile, barfuß, laut rufend, von Tür zu Tür, um sich endlich, zu seinem Ruhezimmer zurückkehrend, nicht nur aller Freunde und Wächter, auch aller seiner Besitztümer beraubt zu finden. So ergibt sich eine Steigerung von Vorgangsphase zu Vorgangsphase, die zu doppelter Katastrophe führt: zu dem Bewußtsein, von allen im Stich gelassen zu sein, und zu dem Verlust der Giftbüchse, die für ihn die Chance eines relativ leichten freiwilligen Todes bedeutete. Wiederum »vergegenwärtigt« sich seine äußere und innere Situation in einer bewegten mimisch-gestischen Aktion. Dies gilt ebenso für die jetzt rasch folgende Szene, die einen halben Satz des

---

[13] Vgl. ebd., S. 79.
[14] Ebd., S. 115.

Suetonius zu einem Aktionsablauf ausbaut, der die innere Verwirrung Neros zwischen Todesangst und Lebenshoffnung und seine paradoxe Erfahrung, weder einen Freund noch einen Feind zu haben, der bereit ist, an ihm zum Mörder zu werden, sinnfällig anschaulich macht. Bei Suetonius bedeutet dieser zitierte Ausruf des Kaisers deklamatorischen Lebensabschied, bevor er im allerdings rasch erlöschenden und zurückpendelnden Affekt der Verzweiflung ansetzt, sich in den Tiber zu stürzen. Anton Ulrich nimmt dem Zitat diese ponderierte Stellung und legt es in indirekter, berichteter Rede in seinen breiten Satzfluß ein. Suetonius pointiert die exzentrische Situation, wie sie als Faktisches ihm bekannt war. Anton Ulrich legt das Interesse auf die Entfaltung des inneren Ablaufes in Neros Bewußtsein, in dem Lebenstrieb und Todes- bereitschaft unaufhörlich einander widersprechen und derart die Verwirrung seines Handelns hervorbringen.

Käte Hamburger hat gezeigt, wie das Auftreten der Verben des inneren Vorgangs ein Signal des fiktionalen Erzählens ist[15]. Bedürfte es dazu noch eines Beweises, der Text von Anton Ulrich kann ihn in Fülle liefern[16]. Der Historiker stellt, was in der Person, von der er berichtet, als Denken, Wollen und Fühlen vorgeht oder vorging, nur indirekt, aus überlieferten Bezeugungen abgeleitet dar. So mußte sich Suetonius, als er von der geplanten kaiserlichen Rede auf dem Markt berichtete, darauf berufen, daß ihr Konzept in der Lade, »in scrinio« Neros später gefunden worden sei. Anton Ulrich, der Nero in seiner Subjektivität, seiner Ich-Originalität, damit in seiner Existenz darstellt[17], bedurfte solcher Dokumentation seiner Glaubwürdigkeit nicht. Er läßt, Neros Selbstgespräch referierend, bereits eine frühe Form des inneren Monologes auftauchen. Dieser löst sich aus dem Augenblick, weist in das Vergangene zurück und auf eine mögliche, von Nero erhoffte Zukunftschance voraus. Neben die für ihn undurchsichtige Wirklichkeit, die Nero umstellt und die auch der mehrdeutig verchiffrierte Delphische Ausspruch bestätigt, wird die innere illusionäre Deutung dieser Wirklichkeit durch Nero gestellt, die seine Aktionen begründet. Diese Textstelle bestätigt, was Käte Hamburger von der Bedeutung des Verbums ›sagen‹ als ein Verbum des inneren Vorgangs fest- gestellt hat[18]. Das distanziert-geraffte erzählerische Berichten Anton Ulrichs

---

[15] Ebd., S. 72.

[16] Verben vom Typus ›einen Einfall bekommen‹, ›gedenken‹, ›nachsinnen‹, ›überlegen‹, ›erinnern‹, ›sich erachten‹, ›sich erschrecken‹, ›dünken‹, ›scheinen‹, usw. beherrschen geradezu den semantischen Verbgebrauch.

[17] Ebd., S. 73.

[18] Ebd., S. 73.

44

geht hier zum Ansatz des personalen Erzählens aus dem Bewußtsein der erzählten Figur über. Suetonius berichtet nur von Augenblick zu Augenblick, in der empirischen Reihenfolge des Faktischen; Anton Ulrich stellt hingegen einen inneren Zusammenhang, eine Verkettung im Bewußtsein des um sein Leben und gegen den Tod sich wehrenden Kaisers dar. Bereits zu Beginn des Textauszuges begegnet das entscheidende Stichwort: Neros »gemühtsverwirrung« wird allen seinen folgenden Handlungen, bis zu seinem unvollkommenen Selbstmord mit zitternder Hand, den Charakter geben. Der Vergleich mit Suetonius' Verfahren macht erkennbar, wie Anton Ulrich gerade die Textstellen akzentuiert, in denen er diese innere Verfassung des Kaisers, die keine Zeugen hat, darstellt und wie er beständig den äußeren Vorgang in den inneren Vorgang übergehen läßt. Wenn an einer Stelle Nero »was Er gedachte«, dem Phaon eröffnet, ist dies nicht als ein Zeugenbeleg gemeint, sondern es gehört zu der Art, wie Anton Ulrich erzählend den begründenden Zusammenhang zwischen den Phasen des Todesweges Neros herstellt, die Fakten zu einem einheitlichen inneren Ablauf verwandelt und in ihm das psychologische Porträt des hilflos seinem Tode entgegenflüchtenden Kaisers zeichnet. Diese Existenz zwischen Leben und Tod deutet auf barocke Antithetik; aber während ihr ein Statisch-Objektives eigen ist, löst hier das psychologische Porträt sie in die Subjektivität der sich beständig selbst widersprechenden, hin und her flatternden und schwankenden Bewegtheit auf, zu Übergängen, die in ihrem schnellen Wechsel eine Simultaneität des Gegensätzlichen in der mentalen Verfassung Neros bezeichnen. Objektive Wirklichkeit und deren subjektive Deutung brechen auseinander und führen zur permanenten Ironie des Widerspruchs; wenn z. B. Nero in dem Augenblick, in dem er die Zuflucht zu dem Meierhof Phaons wählt, der sein Grab wird, sich des von ihm mißdeuteten Delphischen Ausspruchs erinnert, an ihn sich mit der Hoffnung klammernd, noch »Zeit genung« zu haben, »den tod zu erwehlen«.

Als ein kleines Meisterstück erzählerischer Ausgestaltung erscheint die Darstellung des Fluchtrittes des Kaisers. Suetonius faßt sie in einen gedrängten Satz, in den zwei Redezitate aus dem Mund von Begegnenden eingelegt sind, zusammen. Anton Ulrich gliedert sie in eine Folge kurzer Szenen. Sie steigern mit hochtreibender Spannung und im Wechsel von der Außenperspektive zur Innenperspektive, mit Worten Käte Hamburgers zum Wahrnehmungsfeld und Erlebnisfeld Neros[19], den Eindruck der Gefahr, in der sich dieser befindet,

---

[19] Ebd , S. 79.

um sie dann in unerwarteter Wendung nochmals retardierend abzuwenden. Die erste Andeutung solcher Gefährdung liegt in der nur bei ihm auftauchenden Zeitangabe, der »morgen-demmerung«, die alles im Zwielicht zwischen Verborgenheit und möglicher Entdeckung läßt. Suetonius berichtet im schlichten Nebeneinander von Gewitter und Erdbeben. Anton Ulrich läßt diese im Barock so geläufigen Metaphern des Verhängnisses und Gerichts einander in zwei Phasen folgen; sie bewirken derart eine fast dramatische Steigerung von Neros Todesangst. Er versieht sie zudem mit Affektattributen, die solche Wirkung auf ihn illustrieren. Kosmische Vorgänge werden hier, auf im Barock übliche Weise, auf menschliche Vorgänge und Zustände bezogen. Aber Anton Ulrich läßt offen, was realer Bezug, was vielleicht auch nur Zufall oder affektive menschliche Deutung sein kann: »und schiene es das auch die Natur selbst und alle Elementen gegen den Nero wolten zufelde ziehen«. Wer aber spricht hier? Sicher empfindet Nero derart, aber zugleich kommentiert hier der sonst sich zurückhaltende Erzähler und zwar so, daß er zugleich eine sich aufdrängende Vermutung des Lesers ausspricht. Ob es hier um eine objektive transreale Verbindung von Naturvorgang und Neros Geschick geht, wird offengelassen; Anton Ulrich legt das Gewicht in die innere Deutung (»und schiene es«), in das »Wahrnehmungsfeld und Erlebnisfeld« also, an dem Nero, der Erzähler selbst und die Leser teilhaben. Die dritte Phase, jetzt nach dem Donnerwetter und dem Erdbeben akustisch durch die Stimmen der Soldaten im nahen Lager akzentuiert, führt zu neuer Klimax: zu der inneren Erregung des »schmertzentpfindlichen« Nero in der Mischung von »scham, furcht und zorn« und jener ohnmächtigen Schwäche, welche die psychologische Komplexität seines Zustandes vortrefflich erfaßt. Jede dieser drei Phasen bezieht, mit zunehmender Ausführlichkeit, das äußere Geschehen auf die innere Verfassung des Flüchtenden.

Erst jetzt orientiert Anton Ulrich seinen Leser über die Lage und die Entfernung des Fluchtziels. Erzählkünstlerische Gründe haben zu dieser Verzögerung der bei Suetonius vorausgeschickten Information veranlaßt. Die Länge und die starke Verkehrsbesetzung dieser Straße begründen die neuen Begegnungsszenen. Anton Ulrich übernimmt die von Suetonius berichteten Redezitate, aber er setzt sie in erzählerische Vergegenwärtigung in der Fluktuation zwischen indirekter und direkter Rede um. Die Flüchtenden müssen sich als Verfolger ihrer selbst maskieren und der Kaiser wird gezwungen, die Haßausbrüche und Flüche des römischen Volkes, für die er während seiner Herrschaftszeit mit überheblichstem Hochmut völlig taub gewesen war, wehrlos gedemütigt anzuhören. Das Volk gewinnt derart präsente

46

Sprache bei Anton Ulrich, es wird zum Mitspieler und Nero wird mit der Wirklichkeit konfrontiert, die er verschuldet hat[20]. Anton Ulrich füllt derart die Szene, er begründet und verdichtet den Zusammenhang und setzt ihm starke Spannungsakzente auf. Die Situation spitzt sich dramatisch zu: ein alter ehemaliger Leibwächter erkennt seinen Kaiser und grüßt ihn. An diesem Höhepunkt, dessen nochmals glücklichen Ausgang Anton Ulrich vorher begründet, setzt er eine direkte Rede Neros ein, die in ihrem Lakonismus mehr als alles bisher seine äußere und innere Erniedrigung verdeutlicht. Der Lakonismus bezeichnet einen hochpathetischen Augenblick der erbarmungswürdigen Angst, den ein Mehr an Worten nur abgeschwächt hätte. So hat Anton Ulrich den kargen Bericht der Quelle in eine spannungsträchtige Kette sich steigernder Szenen verwandelt, die vom äußeren Geschehnisablauf zu der inneren Verfassung Neros hinweisen, ohne daß diese, da sich alles in der Aktion versinnlicht, einer direkten psychologischen Beschreibung bedürfte.

Auch in der Szene des versteckten Wartens hinter dem Meierhof Phaons, in einem sprechenden locus horridus, sorgt der Erzähler immer wieder für Deutlichkeit der inneren Begründungszusammenhänge. Er führt »die leuthe« in dem Haus, die Sklaven auf dem Hinterhof ein, die Nero zwingen, sich auf kümmerlichste Weise vor ihnen zu verbergen. Der Kaiser muß hungernd und dürstend barfuß zwischen »diestelen und dornen« auf die Öffnung des Kellers warten, in den er sich zu retten hofft. Man kann nicht umhin, sich jener Verse von Andreas Gryphius in »Catherina von Georgien« zu erinnern: »Wir haben von der Cron nur Dornen zu Gewinn! ... Der Purpur ist entzwey / der Zepter gantz zustücket; Als man uns von dem Thron in Staub und Stock gedrücket!«[21] Suetonius hat bereits dem herzoglichen Erzähler jene Gesprächsanekdote überliefert, die wie eine symbolische Vorausnahme des Kommenden erscheint und Neros Auflehnung gegen den nahen Tod so knapp wie suggestiv vergegenwärtigt: seine Weigerung, sich in der Sandkuhle zu verstecken,

---

[20] Es drängt sich die Frage auf, ob Haslingers Satz »Die sozial außerhalb der aristokratischen Schicht stehenden Menschen bleiben nicht nur gesichtslos und amorph, sie sind grundsätzlich unwertig« (a. a. O., S. 327) durchweg zutrifft.

[21] Andreas Gryphius, Catharina von Georgien, IV, 356 ff., Werke, hrsg. H. Palm, Neudruck Hildesheim 1961, Bd. 2, S. 228. Vgl. auch die Ode von Gryphius, Werke, Bd. 3, S. 207: »Jetzt gehen sie / sie gehen / kind und mann / Mit bloßen füßen. Und stoßen offt ein fels und disteln an. Daß man auch flissen / Auf jeden tritt die purpur tropffen siht ... « Zur Sinnbildlichkeit der Dornen und Disteln, die sich auf den Zustand des Lebens nach dem Sündenfall, auf Leiden und Tod des in seiner Sünde von Gott verfluchten Menschen bezieht: Walter D. Jöns, Das ›Sinnenbild‹. Studien zur allegorischen Bildlichkeit bei Andreas Gryphius, Stuttgart 1966, S. 124 f.

»lebendig unter die erden zu kriechen«. Er muß dann kurz danach auf »händen und füßen« in den Keller kriechen, in dem er sich selbst sein Grab bereiten wird. Eine ähnliche Symbolik möchte man in der schon von der Quelle überlieferten Geste des Auspflückens der Dornenspitzen aus seinem schäbigen Mantel sehen. Anton Ulrich nutzte alle erzählerischen Möglichkeiten, die der Bericht des Suetonius enthielt, um aus Schauplatz, Gestik und Gesprächsbericht die Elendssituation des gestürzten Kaisers zu verbildlichen. Hinter der Rolle des Caesaren wird mehr und mehr der arme, von Angst und Verzweiflung gehetzte Mensch sichtbar und Nero verwandelt sich in die Figur des Märtyrers. In der Geste des Trunks aus dem Sumpf, in seinem Schweigen nach Phaons Trostversuch verrät sich, wie seine Gegenwehr dahinschwindet.

Es wurde deutlich: Anton Ulrich transponiert, was Suetonius als Faktisches überliefert, in psychologische Zustände und Affekte Neros, also in anschaulich dramatische Szenen, die seine Situation und seine mentale Verfassung spiegeln. Dies kulminiert in zwei Einlagen, die Anton Ulrichs eigener Erfindung entstammen. Sie zeigen jedesmal Nero zeugenlos mit sich allein. Es geht in ihnen nicht mehr allein um Aktion oder Gespräch, also um den handelnden und wollenden Menschen, sondern um den fühlenden Menschen in der Subjektivität seines Subjektseins. Nero vermeint, die Seelen der von ihm Gemordeten »aus der erden« in die Kellerkammer aufsteigen zu sehen. Er verlangt nach der Reue- und Bußetat der christlichen Bitte um eine Verzeihung. Er wird damit in ein Zeitalter des christlichen Denkens, in das 17. Jahrhundert, versetzt. Die historische Figur verwandelt sich in eine in diesem Jahrhundert erzählte Figur[22]. Aber gerade jene, an denen er sich am meisten versündigt zu haben sich bewußt ist, sind nicht unter den Erschienenen. Der Leser der »Römischen Octavia« weiß warum[23]. So ist Nero noch in der Reue der selbst Betrogene, wie er andererseits auch, zunächst dem eigenen Tode, noch immer versucht, sich selbst um ihn wie auf andere Weise seine wenigen Gefährten zu betrügen. Trotz ihrer Mahnungen, trotz Grauen, Schande und Angst, die Himmel, Erde und Unterwelt auf ihn loslassen, sucht er noch immer, seinen Tod, so lange es nur möglich ist, aufzuschieben. Indem Anton Ulrich, über Suetonius hinausgehend, szenisch vergegenwärtigt, wie Nero im Pathos vieler »thränen« seine Todesbereitschaft lediglich vorspielt, begründet er den Übergang zu jenem von dem römischen Historiker unverknüpft zitierten Ausruf, dem er eine

---

[22] Die Logik der Dichtung, S. 113.

[23] Zu dieser Aufhebung der historischen Faktizität des Todes im fiktionalen Erzählvorgang: Hanna Wippermann, Herzog Anton Ulrichs von Braunschweig Octavia. Römische Geschichte. Zeitanfang und Zeitrhythmus, Diss. Bonn 1948, S. 156.

ironische Wendung gibt. Denn nicht sich selbst beklagt hier der Künstler
Nero, er beklagt vielmehr die Welt, die in ihm, dem verhaßten Tyrannen, den
großen Künstler, den er im Selbstbetrug zu sein prätendiert, verlieren soll —
so als hätte das maßlose Selbstgefühl des Ästheten jede Spur von ethischer
Selbsterkenntnis aufgezehrt.

Erneut schaltet Anton Ulrich einen Augenblick des Allein-Seins Neros mit
sich selbst ein. Nero erkennt seinen Sturz vom Glanz seiner imperatorischen
Allmacht in dies Elend; er erkennt seinen ›tragischen‹ Fall in die Tiefe und
sich selbst in der letzten Rolle, die er vor den Römern in blinder Eitelkeit
agierte, in der Rolle des sterbenden Oedipus. Damals, im Spiegel des »traur-
spiels«, griff zuerst, ihm noch unbewußt, ein Gefühl nach ihm, daß er hier
seine Wirklichkeit, sich selbst spiele, so daß er mitten in der Deklamation
abbrechen mußte; in maßlos beschämter Eitelkeit und unter verächtlichem
Gelächter des Volkes. »Ich komm / ich komm / geschick! Ach weh! wohin
sol ich? / zur straff? zur ruhe gehn? O tochter! ich muß sterben: // dann vatter /
mutter / weib / begehren mein verderben.«[24] Dieser Vers war, wie Anton
Ulrich in dem unserem Auszug vorangegangenen Romantext erzählt, zum
Zündwort des allgemeinen Aufstandes geworden. Das Spiel war Wirklichkeit
geworden, es war Wirklichkeit schon im Vollzug seines Spiels selbst. Von dem
Augenblick dieser schauspielerischen Katastrophe Neros an, die im Spielende
das Lebensende, in der Entlarvung des Rollenspiels den eigenen nahenden
Tod vorausahnen läßt, schildert ihn Anton Ulrich nicht mehr primär als den
Tyrannen, sondern als einen zusammenbrechenden Menschen. Die Grenzen
zwischen Schein und Sein sind für Nero unerkennbar geworden. Es potenziert
sich in diesem Roman, was nach der Vor-Ansprache zum Edlen Leser, die
vermutlich Sigmund von Birken Anton Ulrichs »Syrerinn Aramena« voran-
geschickt hat[25], für den Roman überhaupt gilt: daß er als Spiegel der Welt das

---

[24] Octavia I, 3, S. 1023. Zur Frage der Verfasserschaft des Oedipus-Spiels jetzt Haslinger,
a. a. O., S. 230, Anm. 270.

[25] »Die Welt / ist eine Spiel-büne / da immer ein Traur- und Freud-gemischtes Schauspiel
vorgestellet wird: nur daß / von zeit zu zeit / andere Personen auftreten. Was ist / (predigt
der allerweiseste Staatsfürst /) das geschehen ist? eben das / so hernach geschehen wird.
Geschihet auch etwas / davon man sagen möchte: Sihe das ist neu! dann es ist zuvor auch
geschehen / in den zeiten / die vor uns gewesen sind. Es geschihet nichts neues unter der
Sonne. Ist dannenhero eine grosse torheit / daß man (wie er fortpredigt) nicht gedenket / wann
man auf diesen Staat-Schauplatz seine person zu spielen auftritt / wie es zuvor einem andern
gerathen ist.«

Zur Geschichte der Schauspielmetapher: Ernst Robert Curtius, Europäische Literatur und
lateinisches Mittelalter, 4. Aufl., Bern 1963, S. 148 ff.; ferner Wilfried Barner, Barockrhetorik.

theatrum mundi, die Spielbühne der Welt, auf ihr das Spiel des Spieles, das
»Theater im Theater der Welt« vorführt, das erst mit dem Tod endet[26]. Das
Spiel, obwohl nur Schein, enthüllt eben deshalb das Scheinhafte der Wirklich-
keit. Was Nero zwecks seiner eigenen Glorie als Trauerspiel und als seine
Rolle in ihm inszenierte, ist seine eigene wahre Geschichte, welche die Ge-
schichte eines falschen Rollenspiels bis hin zum letzten Todesaugenblick ist.

Die beiden eben betrachteten Einschübe Anton Ulrichs ordnen sich mit
dramatisch-pathetischer Steigerung zusammen; beide sind bestimmt, was hier
erzählt wird, durch den zurückgreifenden Bezug über eine weite Strecke hin
mit dem Ganzen des bisher durchschrittenen und sich fortsetzenden Romans
zu integrieren[27]. Die von der Quelle her sich nahelegende Selbständigkeit
dieser Erzählung von Neros Tod nötigte ihren Erzähler zu solchen Verklam-
merungen, um sie nicht im Ganzen des Romans zu isolieren. Beide Einschübe
betten, was Anton Ulrich dem Suetonius entnahm, in den größeren epischen
Zusammenhang ein; beide zeigen, wie Nero sich seinem Gewissen, seiner

Untersuchungen zu ihren geschichtlichen Grundlagen, Tübingen 1970, S. 86 ff., der auch
darauf hinweist, wie sich der höfische Roman »bis zum Exzeß malerischer und theatralischer
Darstellungsweisen« bedient (S. 102): »Doch wie der Erzähler als Arrangeur des Geschehens
an die Stelle Gottes tritt, wie der Autor sich zum ›deus alter‹ erhebt, zeigen am eindrück-
lichsten die Romane des Herzogs Anton Ulrich von Braunschweig. Aus olympischer Perspektive und mit imperatorischer Geste lenkt und ordnet er die ungeheuren Massen von
›dramatis personae‹. Und jede einzelne Figur, vom Sklaven bis zum Kaiser, erhält — mit
fein bemessener Abstufung — ihren spezifischen Spielraum, um ihren Part im Ganzen des
›theatrum mundi‹ zu agieren.« (S. 103) In diesem Zusammenhang gewinnt auch der Kleider-
tausch des Nero einen über das Faktum der Vorlage hinausweisenden sinnbildlichen Ausdruck; während der Griff nach den Trauerkleidern den Rollencharakter betont, den er auf
dem Markt als der Bußfertige vorspielen will, bezeichnet das Bauernpferd und der abgenützte
Reitrock nicht nur eine Maske, sondern ein Sinnzeichen seines elend-jämmerlichen Sturzes.
Vgl. Andreas Gryphius: »Nemt kleid und mantel hin! wenn sich das schauspiel endet / Wird
der geborgte Schmuck / wohin er soll / gesendet.« (A. Gryphius, Großmüthiger Rechts-
Gelehrter oder sterbender Ämilius Papinianus, a. a. O., S. 611)
    Zum Motiv des Kleidertausches: Heinz Otto Burger, Dasein heißt eine Rolle spielen.
Zwölf Studien zur Literaturgeschichte. Literatur als Kunst, München 1963; Fritz Martini,
Christian Weise, Masaniello. Lehrstück und Trauerspiel der Geschichte, Festschrift für Erik
Lunding, Orbis litterarum 1970, S. 171 ff. und Barner, a. a. O., S. 111 ff.
    [26] Wolfgang Bender, Verwirrung und Entwirrung in der Octavia. Römische Geschichte
des Herzogs Anton Ulrich von Braunschweig, Diss. Köln 1964, S. 107.
    [27] Vgl. dazu Haslinger, der ebenso die funktionale Verklammerung dieses Spiels mit der
Romanstruktur nachweist (a. a. O., S. 230 f.). »Die Handlungsvorgänge auf der Bühne
ebenso wie die Personen und ihre Identitätsspiegelungen reflektieren Strukturen des fiktiven
Romangeschehens und seiner menschlichen Beziehungen.« (a. a. O., S. 233)

Erkenntnis des nahen Verhängnisses nicht mehr entziehen kann. Er kann, in dieser Kellerhöhle gefangen[28], nicht mehr seinen Verfolgern, nicht jenen, die er mordete, nicht seinem eigenen Tode entrinnen. Es bedarf jetzt nur der Nachricht Phaons, um ihn zu Boden zu werfen. Die gleichgültige, ja lästige Figur des »cursor« Phaons hat Anton Ulrich gestrichen, da Nero ja vor allen verborgen bleiben sollte; er hat hingegen die bange Atmosphäre durch die Erscheinung des »ganz entstelleten« Phaon erhöht. Nochmals baut Anton Ulrich, was Suetonius karg berichtet (der Griff nach den Dolchen, Neros erneutes Zurückschrecken mit dem Ausspruch »nondum adesse fatalem horam«) zu großer dramatisch-mimischer Szene aus, zu einer Szene der Todesangst, feigen Erniedrigung bis zum sich windenden Wurm und der Selbstanklage und Selbstermahnung. Anton Ulrich fügt hinzu, auch sie wäre wohl nur eine leere Deklamation des sich selbst und die Welt betrügenden kaiserlichen Schauspielers, des Ästheten, der selbst noch seine todbringenden Verfolger, wenn auch mit zitternder Stimme, mit einem Homer-Zitat empfängt, wären nicht eben diese jetzt angekommen. Entspannung liegt über den letzten Sätzen, die schildern, wie Nero sich endlich, wenn auch nur zitternd und mit halbem Erfolg, den Tod gibt. Und liegt nicht etwas wie eine Versöhnung darin, wie sein Anblick das »mitleiden« seiner Verfolger weckt und einer unter ihnen ihm sogar zu helfen sucht? Bei Suetonius wird dieser Hilfeakt als mörderische Nachhilfe berichtet: »paenula ad vulnus adposita in auxilium se venisse simulanti«. Anton Ulrich läßt hingegen Neros letztes Wort andeuten, als fühle er sich nicht gänzlich verlassen. Ist dies richtig, so mündet Anton Ulrichs Umbau der Quelle in einen von ihm arrangierten, zum Rührenden gehobenen Schlußaugenblick, über dem nicht mehr nur Rache, sondern auch ein christliches Erbarmen liegt. Dies wird dadurch nahegelegt, daß er, sonst stets auf die erzählerische Wirkung des Mimisch-Gestischen bedacht, hier ausläßt, was ihm Suetonius anbietet, der die Todesqual schildert: »atque in ea voce defecit, extantibus oculis usque ad horrorum formidinemque uisentium«. Nichts davon in dem Roman; es scheint, als decke Anton Ulrich über den letzten Augenblick des Tyrannen einen mildernden Schleier[29].

---

[28] Zur Bedeutung der Höhle als Ort des Schreckens in der mystischen Bildlichkeit: Manfred Windfuhr, Die barocke Bildlichkeit und ihre Kritiker. Stilhaltungen in der deutschen Literatur des 17. und 18. Jahrhunderts, Stuttgart 1966, S. 208.

[29] Antonie Claire Jungkunz, Die Menschendarstellung im deutschen höfischen Roman des Barock, in: Germanische Studien, Heft 90, Berlin 1937 weist bereits auf eine sentimentalisierte Gestaltung der Todesszenen bei Anton Ulrich hin und stellt fest, er lasse seine Hauptpersonen »unbarock« sterben (S. 208ff.). Hanna Wippermann hält hingegen an einer rein

Wir können eine erste Bilanz ziehen. Anton Ulrich verändert den Text seiner Quelle, so genau er ihr im Faktischen folgt, durch erzählerische Anreicherungen, die sich in den Dingrequisiten, im Verdeutlichen der Schauplätze, in der Vermehrung des mitagierenden Personals, in der Einlage zusätzlicher Episoden, in dramatisch spannungsvollen, dicht motiviert verknüpften Szenen mit kräftigen Steigerungspointen und in der Vergegenwärtigung des Gestisch-Mimischen darstellen. Er verwandelt den Bericht des Historikers in die Romanfiktion, in die anschauliche Vergegenwärtigung der handelnden, sprechenden, wollenden und fühlenden Subjektperson. Er löst die Eingrenzung auf den Faktenbericht in seiner Vorlage durch kausale Verknüpfungen und psychologische Begründungen ab, die dem Ablauf eine erzählerische Einheit mit straff und beschleunigt finaler Führung geben. Er stellt in den Interessenmittelpunkt den inneren Ablauf in der Person des Nero, ein in sich übereinstimmendes psychologisches Porträt des Kaisers und nähert sich derart der Darstellung entwickelter Subjektivität, in der sich Erlebnis, Innenzustand und Selbstreflexion vereinigen. Das äußere Geschehen führt hinüber in das innere Wahrnehmungs- und Erlebnisfeld der erzählten Mittelpunktsfigur. Anton Ulrich zeichnet in Nero nicht nur normativ wertend den Typus des Tyrannen[30], der sich an sein Leben klammert und dennoch unausweichlich in den Tod gezwungen wird und der Reue und dem Gericht verfällt; er gibt Nero vielmehr spezifische Züge, die ihn zu einem individuellen Menschen machen. Die Geschichte Neros wird zu der inneren Geschichte dieses Menschen.

Wie nun hat es Anton Ulrich vermocht, diese Episode innerhalb des Massivs seines Romans trotz der engen Anlehnung an den Bericht des Suetonius dem

---

barocken Erzählweise Anton Ulrichs fest (a. a. O., S. 7) und will nur für die letzten Bücher des Romans zugeben, daß in ihnen eine Gestaltung von Personen als Einzelpersonen mit ihren Empfindungen, Überlegungen, Gedanken, Plänen, Zielsetzungen sich vorfindet. Dem entspricht ihre Auffassung der Todesszene, die sie zutreffend als den handlungsmäßigen Höhepunkt des ersten Bandes des Romans bezeichnet. »Nero starb barock, in einer Antinomie von Prahlerei und Erbärmlichkeit, durchaus als Bösewicht.« (S. 9) Karin Hofter, Vereinzelung und Verflechtung in Anton Ulrichs Octavia, Diss. Bonn 1954, stellt dagegen, daß Anton Ulrich in seinen Romanen über die bösen Figuren keine moralische Verurteilung ausspricht und in ihrem Tod nur den Hinfall an die Endlichkeit zeigt. »Auch Nero und Vitellius kann man das Mitleid nicht versagen. Ihr Sterben ist so kläglich, so menschlich hinfällig, daß niemand wagt, darüber zu frohlocken.« (S. 163) »Der Tod macht das bloß Natürliche, Private, Hinfällige der bösen Existenz offenbar.« (S. 164)

[30] Vgl. dazu die Darstellung Neros in D. C. von Lohensteins Trauerspielen »Agrippina« und »Epicharis«, in: K. G. Just (Hrsg.), Römische Trauerspiele, Bibliothek des literarischen Vereins 293, Stuttgart 1955. Zur Nero-Figur: K. G. Just, S. XIII ff.

ganzen epischen Gefüge zu integrieren? Geht es in ihr nur um eine relativ isolierte Einzelzelle in dem Roman, dessen erzählte Welt weitgehend ja eine von dem Erzähler erfundene und konstruierte Welt ist? Geht es lediglich um eine Übernahme von faktischem Material, das den Roman historisch-dokumentarisch absichern soll, vielleicht schon um eine frühe Spielart der Montage? Oder darf man annehmen, in der Einarbeitung des historischen Berichts in die Fiktion käme bereits ein rationalistischer Zug zum Ausdruck, der die belegte Wahrheit höher wertet als die Erfindung — zumindest dort, wo diese Wahrheit sich anbietet? Der Satz der Madame de Scudery, »Le sujet doit estre historique plustost qu'inventé, car l'histoire assure la vraisemblance«, dürfte Anton Ulrich, der mit der französischen Schriftstellerin Briefe wechselte und ihr Werk kannte, nicht unbekannt geblieben sein[31]. Oder lag ihm daran, im Griff nach dem Bericht des Suetonius sich gerade der konkret individuellen Figur des Nero in diesen wichtigen Stunden seines Todes zu versichern und sie derart von einem nur typisierten Figurenschema fernzuhalten? Dies wäre um so bedeutungsvoller, da ja dieser Tod Neros der Abschluß- und Wendepunkt eines sich lang ausdehnenden Romanteils ist.

Unsere Textstelle hat innerhalb der drei Bücher des ersten Teils ein beträchtliches Gewicht. »Rom schwebte nun zwischen furcht und hoffnung / des unerträglichen jochs einmal entledigt zu werden / welches die grausamkeit des Nero ihm aufgebürdet:« — so setzt der erste Satz des Ersten Buches des Ersten Teils ein[32]. Er führt derart zu dem hin, was endlich, nachdem der Leser nicht weniger als 1051 Seiten Romantext geduldig hinter sich gebracht hat, in unserer Textstelle einen »Handlungsreifepunkt«[33] und, im Ganzen des Romans, zugleich einen Handlungswendepunkt bedeutet[34]. Auch erzähltechnisch sind der Beginn des Romans, der erste Tag, und die Erzählung von Neros Tod aufeinander bezogen. Anton Ulrich erzählt durchweg sehr gerafft von Tag zu Tag[35]; nur diese beiden Erzählstrecken erhalten eine bei ihm ungewöhnliche

---

[31] Dazu Carola Paulsen, Die Durchleuchtige Syrerinn Aramena des Herzogs Anton Ulrich von Braunschweig und ›La Cléopatre‹ des Gautier Coste de la Calprenède. Ein Vergleich, Diss. Bonn 1956 S. 13.

[32] Octavia I, 1, S. 2,

[33] Wippermann, a. a. O., S. 102.

[34] Dazu auch Haslinger: »Die Erzählspannung ist eines der fundamentalen Baugesetze dieser epischen Großdichtungen. Ihre Gesamtstruktur umfaßt als großer vielfältig aufspringender Bogen das ganze Werk von Beginn bis Ende der Erzählzeit.« (a. a. O. S. 66)

[35] Von den 98 Tagen, die sich zwischen dem Beginn des Romans, datiert auf den 22. 3. 68, und dem Tode Neros am 9. 6. 68 erstrecken, werden auf den 1080 Seiten des Ersten Teils 45 Tage erzählt. Vgl. Wippermann, a. a. O., S. 99.

Erzähldauer. Der erste Tag beansprucht 16 Seiten, die Geschichte von Neros Tod 9 Seiten; sie bezeichnet derart einen bisher in dem Roman zweiten, ausführlich durcherzählten »Höhepunktstag«. Sie wird zum handlungsmäßigen Höhepunkt des Ersten Teils des Romans[36]. In diesem Höhepunkt findet die Erzählmasse, die zwischen ihn und den ersten Tag, den Romanbeginn gelegt ist, einen vorläufigen Abschluß — vorläufig, da gleich nach des Kaisers Tode ein falscher Nero, eben, da er begraben wurde, in seiner Maske seine Rolle weiterspielt[37]. Diese Erzählmasse bedarf des Raumes von 1051 Seiten, sie entfaltet sich in einer Vielzahl von Einzelgeschichten und Einzelpersonen, für die jedoch, obgleich selbst nur sparsam auftretend, Nero den beständigen inneren Bezugspunkt bedeutet. »Gleichwie aber Nero den grösten anteil an ihren gedanken hatte.«[38] Zu der kritischen Perspektive des Erzählers auf den Kaiser, dies »ungeheuer der natur«[39], den »wütrich«, den »zu dulten / keinem ehrlichen Römer zustehen wolte«, tritt die ihn spiegelnde Perspektive jener zahlreichen Figuren, deren Kette von Verschwörungen, Nero zu stürzen, den Inhalt der drei Bücher des Ersten Teils ausmacht. Diese Verschwörungen, die von ihnen bewirkten Attentate auf Nero mißlingen wieder und wieder: teils durch Zufälle, teils durch Verrat, nicht zuletzt infolge der Uneinigkeit der Verschwörer, die, unter sich in Parteiungen und Eigeninteressen zersplittert, sehr verschiedene Zwecke anstreben und sich um so mehr untereinander ver-uneinigen, je mehr sich Neros endgültiger Sturz nähert. Das gemeinsame Ziel löst sich in der Wirrnis der persönlichen, mit allen Listen und Täuschungen operierenden Ambitionen und Begehrungen auf, und es gelingt nicht, sie mit dem öffentlichen Anliegen, Rom von seinem Tyrannen zu befreien, zur Deckung zu bringen[40]. Was alle Verschwörer und Verschwörungen trotz der Häufung ihrer Pläne, Mühen und Listen nicht erreichen, geschieht jetzt, in Neros Ende, sieben Tage nach seiner mit allem Prunk gefeierten Hochzeit, mit überstürzter Geschwindigkeit wie von selbst, so als sei nun die Stunde des Jüngsten Gerichts über Nero hereingebrochen. Nicht die Verschwörer bringen

---

[36] Wippermann, a. a. O., S. 108.

[37] Octavia I, 3, S. 1090.

[38] Octavia I, 1, S. 228. Vgl. dazu Karin Hofter: »So bestimmt z. B. Nero mit allem seinem Tun: seinen Ausritten, seinen Spielen, seinen Gastmählern, seinen Reden, seinen Gesten, seinem Ärger, seinem Leichtsinn, seinen schlechten und guten Launen das Handeln der Verschwörer und vieler anderer Personen.« (a. a. O., S. 58) Obwohl er als Person im »äußerst ohnmächtigen, hinfälligen und bedürftigen Zustand« gezeigt wird.

[39] Octavia I, 2, S. 400.

[40] Dazu Karin Hofter, a. a. O., S. 131f.

Nero um sein Leben, er muß es selbst tun, selbst das Gericht über sich vollziehen.

Es ist bemerkenswert, daß Anton Ulrich bis zum Anbruch des Todestages
Neros erzählerisch sehr frei von seiner Quelle und mit einer sorgfältig durch-
dachten psychologischen Ausgestaltung des Bildes des Kaisers verfährt. Erst
in unserer Textstelle geht er zu dem engen Anschluß an diese historische Quelle
über. Je mehr sich die Erzählung ihr nähert, um so mehr tritt der Tyrann Nero
zurück, um so mehr der problematische Charakter aber in den Blickpunkt.
Gewiß war auch früher hier und da von seinen Zuständen der Angst, des bösen
Gewissens, seinen Schreckensvisionen, seiner Lebensgier und Feigheit
gesprochen worden[41]. »Dann sein leben war ihm viel zu angenehm / daß er
nicht / zu dessen erhaltung / auch um des geringsten verdachts willen / alles
hätte aufopfern sollen.«[42] Als nun endlich die Stunde reif ist, das Volk, »so
von langer zeit her unwillig und schwürig gewesen«[43], sich offen widersetzt,
die Priester den 73jährigen Sulpitius Galba als Kaiser prophezeien und derart
die für Nero verhängnisvolle Aufklärung über das Delphische Orakel vorbereiten[44], als endlich die Truppen den Gehorsam verweigern, da wendet sich
die Empörung nicht primär gegen den blutgefleckten Tyrannen, sondern mehr
gegen die törichten Befehle des Schauspiel- und Kunstnarren Nero[45]. Der
Aufstand wird durch dessen feiges, angstvolles Verhalten leicht gemacht.
»Der muht entfiele dem Nero gleich / als sich nur der anfang dieses aufstands
spüren ließe: und sagte ihm der sinn zu / daß es nicht wol ablauffen würde.«[46]
Er verfällt einer geistigen Verwirrung, so daß die Ratsherren »wieder von ihm
gingen / ehe er es ihnen erlaubte / weil sie ihn nun gar für närrisch zu halten
begunten. Er wuste / auch fast für angst nicht mehr / was er thäte.[47]« Anton
Ulrich zeichnet den Nero dieser letzten Tage als einen Mann voll Angst,
Schwäche, Selbstmitleid, er zeichnet seine gekränkte Eitelkeit[48], seine narziß-
hafte Verliebtheit in sich selbst, seine Rat-, Hilf- und Wehrlosigkeit. Er zeigt
einen Mann, der durch sein eigenes unsinniges, einsichts- und willenloses

[41] Z. B. Octavia I, 2, S. 483; S. 623.
[42] Octavia I, 3, S. 680.
[43] Octavia I, 3, S. 1024.
[44] Octavia I, 3, S. 1026. Zur Bedeutung von Orakel und Prophezeiung in Anton Ulrichs
Romanen: Haslinger, a. a. O., S. 221 ff.
[45] Octavia I, 3, S. 1024.
[46] Octavia I, 3, S. 1026.
[47] Octavia I, 3, S. 1029.
[48] Octavia I, 3, S. 1039, vgl. auch S. 1034.

Verhalten seine Katastrophe herbeizieht. Er hat derart das Bild sorgfältig vorbereitet, das er nun dem Text des Suetonius für die letzten Stunden entnehmen konnte und das bruch- und nahtlos dem bisherigen fiktionalen Text anzupassen möglich war[49]. Griff er zu dieser Quelle, um sich angesichts der erbärmlich-schrecklichen Todesgeschichte eines Kaisers, der in allem versagte, was der Herzog Anton Ulrich und die höfische Gesellschaft, aus der heraus er sprach, von einem kraftvollen, gerechten und vernünftigen Fürsten erwartete, auf die historische Realität berufen zu können? Hätte Anton Ulrich nur wie ein poeta doctus auf die Dokumentation des historischen Wahrheitsgehaltes dessen, was er erzählte, Wert gelegt, so wäre doch wohl ein Beleghinweis in seinem Romantext zu erwarten. Daß er darauf verzichtete, weist auf ein Abweichen von einem sonst im Drama, wie bei A. Gryphius, und im Roman geläufigen Verfahren, Erfundenes mit historisch Belegtem zu kombinieren[50]. Was er bei Suetonius suchte und fand, war nicht allein die historisch überlieferte Realität als Stütze und Beglaubigung seines Erzählens, sondern war das Exemplarische dieser Realität — exemplarisch für die Verfassung der Welt, die er als die Welt seines Romans auf vielen tausend Seiten ausbreitete.

Gleich am Beginn unseres Textauszuges setzt Anton Ulrich das Wort von Neros »gemühtsverwirrung« ein. Er wiederholt kurz danach: seine Verwirrung war »also heftig … das Er vor all zu vieles gedencken alles vergaße, so fürginge«. Dieser Nero ist nicht Herr seiner Gedanken, er durchschaut nicht, was um ihn herum vorgeht. Solche Gemütsverwirrung bestimmt sein Handeln, Denken und Fühlen in den kurzen Stunden, die ihm noch bleiben. Er wird entschlußlos, er hastet von Ort zu Ort, er sieht sich immer wieder hilflos vor Unerwartetem, er wechselt seine Vorhaben in dem Augenblick, in dem er sie faßte oder zu fassen vorgibt, er läßt sich treiben und er muß mehr und mehr die Hoffnungen und Illusionen fahren lassen, mit denen er sich die Wirklichkeit zu verbergen sucht, bis endlich, verlassen und umstellt, immer noch widerstrebend und auf einen Ausweg hoffend, er sich auch jetzt noch nicht die tödliche Wunde beibringt. Wolfgang Bender hat dargelegt, daß die ›Verwirrung‹ und ›Täu-

---

[49] Carola Paulsen hat an der »Aramena« den »Ganzheitscharakter des Romans«, der »jedes Glied organisch in den Dienst des Ganzen« stellt und jedem Teil eine notwendige Funktion gibt, hervorgehoben und dies als Erweis eines Eposcharakters des Romans gewertet (a. a. O., S. 186). Solche Ganzheit trifft zumindest für die ersten drei Bücher der »Octavia« zu.

[50] Dazu jetzt Franz Günter Sieveke, Philipp von Zesens »Assenat«. Doctrina und Eruditio im Dienste des »Exemplificare«, in: Jahrbuch der Deutschen Schillergesellschaft, 13, 1969, S. 115ff.

schung‹ eine beherrschende Formstruktur in Anton Ulrichs Riesenroman darstellt[51], auf die sich die einzelnen konstitutiven Formelemente durchweg beziehen; daß Motive und Formen wie die Verkleidung, der Personentausch, das »betriegliche« Verhalten des Menschen gleichsam die »einfachen Formen« sind, die nicht weiter reduzierbar, dem Roman inneliegen und aus sich die einzelnen, sehr komplizierten Handlungsfäden sich entwickeln lassen. In der Tat ist die »Octavia« überfüllt von rätselhaften Situationen und Verwicklungen, die weder für die agierenden Personen noch für den Leser auf sehr lange Strecken hin durchschaubar und auflösbar werden. Anton Ulrich baut aus ihren labyrinthisch verwirrenden Verkettungen seinen Roman auf. Dies war Leibniz bewußt, als er, schon oft zitiert, seinem herzoglichen Freunde am 26. 4. 1713 schrieb: »Es ist ohne dem eine von der Roman-Macher besten Künsten, alles in Verwirrung fallen zu laßen, und dann unverhofft heraus zu wickeln.«[52]

Die Verwirrung und Täuschung ist ein bestimmender Aspekt dieser geschichtlich-irdischen Welt, sie bezeichnet zugleich das dem Menschen in ihr eigene, von ihm gewählte oder ihm aufgenötigte Verhalten. Nero ist dafür exemplarisch — nicht im Sinne der barocken imitatio, sondern als Sinnbild, das in der Verfassung eines einzelnen Menschen einen Zustand des Ganzen anschaubar macht. Der kaiserliche Tyrann hat alle Ordnungen in seinem Reich, alle natürlichen Verhältnisse zu den Mitgliedern seiner nächsten und weiteren Familie, zu seiner Umgebung in Hof und Staat, so frevelhaft, unvernünftig wie willkürlich zerrüttet. Er hat als Kaiser wie als der sich im eitlen Übermaß überschätzende Künstler, je nach Launen oder bösem Ziel seine Rollen und Masken betrügerisch und sich selbst verblendend gewechselt. Er hat sich in ihnen schließlich selbst verwirrt, verstrickt und betrogen und er erliegt so den Täuschungen und Selbsttäuschungen wie sein Doppelbild Oedipus. In der

---

[51] W. Bender, a. a. O., S. 14 ff. Ähnlich Karin Hofter, a. a. O., S. 78 ff.; ferner auch Reinhard Fink, Die Staatsromane des Herzogs Anton Ulrich von Braunschweig, in: Zeitschrift für Deutsche Geisteswissenschaft, 4, 1941/42, S. 44 ff., besonders S. 58; H. G. Haile, Octavia. Römische Geschichte — Anton Ulrich's Use of the Episode, in: The Journal of English and Germanic Philology, 57, 1958, S. 611 ff.; schließlich Haslinger: »Die Täuschung ist als Erscheinungsform der voluntas autoris entweder auf Romanperson oder Leser oder auf beide gleichermaßen bezogen. Sie bildet primär eine Form der erzählerischen Spannung, kann aber auch eine Aussage über die Sinnstruktur der gestalteten Fiktionswelt bedeuten.« (a. a. O., S. 226)

[52] Leibnizens Briefwechsel mit dem Herzog Anton Ulrich von Braunschweig-Wolfenbüttel, mitgeteilt von Ernst Bodemann, in: Zeitschrift des Historischen Vereins für Niedersachsen, 1888, S. 233. Zum Verhältnis zwischen Anton Ulrich und Leibniz ferner Haslinger, a. a. O., S. 380 ff.

Geschichte seines Todes kehrt dies alles in wenige Stunden gepreßt nochmals wieder. Nero flüchtet sich in die Trauerkleider, um in solchem Kostüm dem römischen Volk auf dem Markt sein Schauspiel der Reue und Buße vorzuspielen, noch einmal auf jene Akklamation hoffend, die er so oft erzwang, er flüchtet sich hinter die Maske des alten Reitrocks und des Schweißtuches, er flüchtet sich in die Illusionen seiner Hoffnung und er spielt seinen wenigen Begleitern bis zum letzten Augenblick eine Todesbereitschaft vor, zu der er sich nicht aufrafft. Ähnliches begegnet in nicht zählbaren Variationen bei vielen anderen Figuren des Romans: sie vertauschen ihr Geschlecht, ihre Namen und Herkunft, sie verbergen ihre Identität in wechselnden Masken, bedacht, aus welchen Antrieben, Motiven und Zwängen auch immer, eine fingierte Wirklichkeit an die Stelle der wahrhaften Wirklichkeit zu setzen. W. Bender hat das ›Sich-Verstellen‹ geradezu als Lieblingsvokabel des Erzählers Anton Ulrich bezeichnen können[53]. Nero gehört exemplarisch repräsentativ in die lange Reihe der sich als »betrieglich« erweisenden Figuren in der »Octavia«, die sich im Schein erhalten wollen. So spiegelt sich in ihm potenziert ein allgemeiner Zustand[54]. Anton Ulrich gibt der psychologisch individuellen Figur eine Sinnbildfunktion, ohne sie jedoch sich in dieser auflösen oder sie im Typus erstarren zu lassen. Nero treibt sein Betrugsspiel gegenüber seinen wenigen Begleitern, gegenüber sich selbst und gegenüber seinem eigenen unausweichlichen Tode bis zum allerletzten Augenblick. Es liegt eine schon von Suetonius an Anton Ulrich überlieferte, eigene Pointe darin, das der Treuloseste aller Menschen in seinem letzten Wort von der Treue spricht. »Es ist zu späte, und ist dieses eure treue? worauf Er nichtes mehr sagete.« Betrügt hier Nero sich nochmals selbst, wenn er an die Wahrhaftigkeit der Mitleidsgeste des Soldaten glaubt? Oder liegt die Bitterkeit der Erkenntnis in diesem Wort, daß er auch von dem, den er für getreu hielt, von Phaon betrügerisch in die Todesfalle gelockt wurde? Anton Ulrich spricht so wenig wie Suetonius von dem naheliegenden Verdacht des Verrats Phaons an seinem

---

[53] W. Bender, a. a. O., S. 23.

[54] Vgl. Paul Hankamer, Deutsche Gegenreformation und deutsches Barock, Stuttgart 1935. »Jene bindende Wahlverwandtschaft der dargestellten Menschen untereinander, die ihre ideelle Ursprungseinheit beweist, ist noch beim Bösewicht da. Nero, der Tyrann, ist in seiner sittlichen Wesenheit noch aus dem Daseinsprinzip dieser Gesellschaft erfaßt; daß diese Menschen das Leben als Schauspiel nehmen und das persönliche Dasein als Rolle, die jedem zugewiesen wird und die sie durchzuführen haben in vorgesehener Form, dieses hier wesenhafte Gesetz schimmert bei Nero in seinem theatralischen ichsüchtigen Schauspielbedürfnis durch, und sein empfindsam wechselvolles Verhalten in seinen Rollen ist wie eine verkehrende Parodie der liebevollen Helden und Heldinnen.« (S. 448)

Kaiser. Es ist zumindest auffallend, daß die Nachricht vom Urteil des Senats und die kurz danach anreitenden Verfolger ohne Umschweif den Weg zu diesem entlegenen Versteck Neros finden, das Phaon für ihn ausgesucht hat. Die Wirklichkeit, in der diese Menschen leben, ist eine Trugwelt. Nero hat sie lange inszeniert, er ist jetzt ihr Opfer. Wenn die wahre Wirklichkeit sich enthüllt, wird der Mensch in eine Gemütsverwirrung gestürzt, blind, halt- und hilflos im Fluß der Ereignisse, die ihn kläglich-wehrlos enden lassen. Anton Ulrich hat mit dem Blick des genuinen Erzählers erkannt, wie im Bericht des Historikers diese Grundstruktur der von ihm geschaffenen Romanwelt latent enthalten war. Er hat ihn so ausgestaltet, daß diese Geschichte — nur eine winzige Einheit in der Erzählmasse des Romans — sie exemplarisch darstellen konnte. Sie ist aus den gleichen Bausteinen wie dies ganze Erzählmassiv zusammengesetzt und ihm derart integriert.

Erzählerische Fiktion und historischer Bericht bedeuteten hier nicht Widersprüche, die eine Verschmelzung im Roman verboten hätten. Der Roman stellte die geschichtliche Welt, derart das menschliche Dasein innerhalb der Geschichte dar; er konnte das Fiktive wie das historisch Dokumentierte in sich aufnehmen, wenn beides unter dem obwaltenden Aspekt der Deutung dieser Wirklichkeit übereinstimmte[55]. Diese Wirklichkeit hatte jedoch ein zweifaches Gesicht: sie ist irdische Geschichte und sie ist Heilsgeschichte. Das Wesen der irdischen Geschichte, innerhalb deren die politisch-höfische Gesellschaft agiert, ist Verwirrung und Vergänglichkeit. In ihr verselbständigt sich ein Chaos der Affekte, die sich zerstörend gegen sich selbst wenden. Dies zeigte der Bericht des Suetonius. Anton Ulrich konnte ihn in seinen Roman als Wahrheitsbeleg seines historischen Erzählens und wie eine Bestätigung solcher Deutung der Geschichte als Verfallenheit des irdischen Menschen an das Chaotische seiner Triebe und Affekte einarbeiten. Doch lag darin nicht dessen einzige Ausdrucksfunktion. Der Todesweg dieses dem selbstverschuldeten Chaos verfallenen Tyrannen, dieses im Scheinhaften des Irdischen verstrickten armseligen Menschen wird zum Gegenbild des anderen Aspekts der Geschichte und des Menschen sub specie aeternitatis, jenes Aspekts, der das Leben als Heilsgeschichte, als Beweis einer transzendenten Wahrheit deutet[56].

---

[55] Kurt Adel, Novellen des Herzogs Anton Ulrich, ZfdtPh. 78, 1959, S. 349 ff. spricht, was sich nach unserer Darlegung widerlegt, noch bei diesem Roman von einem »Zwitterding zwischen Wissenschaft und Poesie«.

[56] Haslinger bezeichnet das Grundthema der beiden Romane Anton Ulrichs als »der hymnische Hinweis auf die undurchschaubare, aber gerechte göttliche Ordnung allen irdischen Geschehens« (a. a. O., S. 313).

Die Ethik des ihrer bewußten, von ihr gelenkten Menschen ist in Neros Willkür und Verwirrung, in seinen Täuschungen und Selbsttäuschungen, in seiner unbeherrschten, willensohnmächtigen Ausgeliefertheit an seine Leidenschaften und Triebe in ihr Gegenteil verkehrt. Seine Figur ist der Beweis der Sinnlosigkeit einer nur ins Irdische verstrickten Existenz — ein von der faktischen Geschichte selbst gelieferter Beweis[57]. In ihm legt sich das Sinngefüge des ganzen Romans dar.

Dieser Tod des Tyrannen, ein mehr als kläglicher Tod, widerspricht allen Konventionen, die sich mit der Vorstellung eines Herrschers und Kaisers verbanden. Nero, der Künstler, der Schauspieler tragischer Helden, führt, aller Masken beraubt, ein erbärmlich unheroisches Sterben vor und er enthüllt so nicht allein die sich in der Geschichte immer wiederholende Vergänglichkeit von Glanz und Größe, sondern schlechthin die Hinfälligkeit des Menschen. Der extreme Gegensatz von Höhe kaiserlicher Allmacht, die mit unbegrenzter Willkür über Leben oder Tod verfügte, und von Sturz in Haß und Verachtung, in Elend, Schmutz, Hunger, Durst, Keller, Kerker und Gruft ist eine Illustration jenes jähen Schicksalumschwunges, der für die Erfahrung des 17. Jahrhunderts allem Geschichtlichen als sein Verhängnis eingelegt war. Er wird um so eindrucksvoller, da er sich aus Neros psychologischer Verfassung heraus mit unwiderstehlicher Zwangsläufigkeit in kurzem Zeitverlauf vollzieht. Es drängen sich in knapp geraffter Abfolge von Phase zu Phase die Ereignisse und Umschwünge. Dieses »Zeitraffereffekts« bediente sich auch das Drama des Barocks, um die Umwälzungen der irdischen Dinge kraß zur Erscheinung zu bringen[58]; Anton Ulrich brauchte nur dramatisierend-szenisch nach den Prinzipien des fiktionalen Erzählens auszugestalten, was ihm die Quelle anbot. Neros Sturz, der den Kaiser nötigt, sich selbst vor Sklaven zu verstecken, da sie jetzt Macht über sein Leben und seinen Tod besitzen, war ein Sinnbild nicht nur des Daseins in der Geschichte, vielmehr überhaupt des menschlichen

---

[57] Das positive Gegenbild zu Nero ist der männliche Hauptheld des Romans Tyridates, der heldenhafte Tapferkeit mit allen sittlichen Tugenden und der Liebe zu Kunst und Wissenschaft vereinigt. Es ist charakteristisch, daß diese Figur, Spiegelung zugleich eines literarischen Topos und eines europäischen, politisch-ethisch aristokratischen Gesellschaftsideals, Spiegelung aber auch der eigenen Neigungen Anton Ulrichs als Fürst und Künstler, was ihn gegenbildlich auch mit Nero als Dramatiker, Regisseur und Schauspieler verbindet, gänzlich im Fiktionsfeld bleibt. Zu Tyridates vgl. Haslinger, a. a. O., S. 308.

[58] Gerhard Kaiser, Leo Armenius Oder Fürsten-Mord, in: Gerhard Kaiser (Hrsg.), Die Dramen des Andreas Gryphius. Eine Sammlung von Einzelinterpretationen, Stuttgart 1968, S. 12.

Elends. Es erhöhte seine ethische Relevanz, daß Nero selbst schuldig war und sich zunehmend dessen bewußt wurde. Er selbst ist der Grund seines Unglücks, nicht ein objektives, über sein Individuelles hinwegschreitendes Verhängnis. Anton Ulrich führt in ihm die Selbstzerstörung eines den Leidenschaften verfallenen Menschen vor, die, ihn hin- und herreißend, die Einheit seiner Person aufspalten, Begehren, Willen, Fühlen und Handeln auseinanderfallen lassen. Im Sturz des Kaisers stellt sich die Qual des von Leidenschaften, von Gewissensangst und von Todesangst gejagten und zerriebenen Menschen dar. Es geht in ihm nicht nur um den Tyrannen, den das gerechte Gericht trifft; es geht um den armseligen Menschen, der an sich selbst das Gericht vollstrecken muß. Sein Weg in den Tod ist auch der Weg eines Märtyrers. Anton Ulrich gibt selbst das Stichwort. »Mitlerweile er nun solche marter entfunde.«[59] Er hat den letzten Stunden des Kaisers Zeichen des Martyriums, sogar mit sprachlichen Anklängen an die Geschichte von Christi Passion, eingelegt[60]. Man darf auch hier, wie angesichts der Tragödie von Gryphius, von einem »Anti-Martyrium des Tyrannen« als von einem »falschen Martyrium der Leidenschaft« sprechen. So figuriert denn Nero ähnlich in diesem Roman »als der jrrdisch gesinnte Mensch, als Sinnbild der Unbeständigkeit und als Gegenbild der himmlischen Liebe, als Anti-Märtyrer der Leidenschaft und als der bestrafte Tyrann«[61] und — so müssen wir hinzufügen, als der durch seine eigene Schuld sich zerstörende Mensch.

Wir wiesen schon darauf hin: es löst sich in solcher Repräsentation des Typisch-Exemplarischen die spezifisch individuelle Person nicht auf. Der von Anton Ulrich erzählte Nero ist mehr als der nur faktisch-historische Nero; aber er ist nicht nur das Objekt einer Demonstration, die in ihm ein jederzeitlich Allgemeines zum zwingenden Pathos des Ausdrucks bringt. Wir verfolgten es schon: Anton Ulrich erzählt Nero als ein denkendes, fühlendes Subjekt, als einen individualisierten Menschen in einer durch Besonderheiten des Details bezeichneten individuellen Situation. Sie ist durch die Kette der Verschuldungen vorbereitet, die sich durch jene 1051 Romanseiten zieht, die unserer Textstelle vorangehen. Der Kaiser ist, wie er hier erzählt wird, vornehmlich auch der Künstler, in dem, was als ›Wahn‹ im vergeblich-verwerflichen Sinne nur ins Irdische, Leiblich-Sinnliche und dessen eitle Leidenschaf-

<hr>

[59] Octavia I, 3, S. 1027.

[60] Walter Jöns zeigt, wie die Disteln und Dornen bei Andreas Gryphius den Leidensweg des Märtyrers versinnbildlichen, a. a. O., S. 119 ff.

[61] Hans Jürgen Schings, Catharina von Georgien Oder Bewehrete Beständigkeit, in: G. Kaiser (Hrsg.), Dramen des Andreas Gryphius, S. 58.

ten verstrickt[62], sich zu einer potenzierten Illusionsbedürftigkeit und -bereitschaft differenziert. Nero wird zum Opfer dieser Illusionen; sie haben teil daran, daß »seine verwirrung also heftig war / das Er vor all zu vieles gedencken alles vergaße / so für ginge«. Anton Ulrich unterlegt solcher Wahnverlorenheit nicht nur als Grund den Abfall zum irdisch Hinfälligen gegenüber dem Postulat des religiös-ethischen Bewußtseins; vielmehr, er macht zu deren Grund, schon rational und kausal akzentuiert, seine angstvolle Gemütsverwirrung, seine psychologische Verfassung. Sie beraubt ihn seiner Vernunft, sie treibt ihn in das Gewirr seiner Selbsttäuschungen, die noch im Kellerkerker des Phaon nicht enden wollen. Ein so verwirrter Mensch muß seine Zwecke verfehlen — in genauer Gegenbildlichkeit zu jenen, die in dem Roman durch Beständigkeit, Festigkeit des Willen, des Denkens und Fühlens, durch Selbstbeherrschung, Gelassenheit und durch ihre Treue zu anderen und zu sich selbst ihre Zwecke und Ziele erreichen. Dieser Nero ist nicht lediglich ein Prototyp des objektiv Bösen oder eine Repräsentation des schlechthin negativen Typus; er ist nicht lediglich der Schauplatz objektiver Affekte, die sich in ihm wie selbständige, von seiner Individualität unabhängige Eigenschaften bekämpfen.

Anton Ulrichs Darstellung macht die verbreitete These zweifelhaft, der höfisch-historisch-politische Roman des 17. Jahrhunderts, für den doch die »Octavia« nach der opinio communis der Forschung maßstäblich sein soll, kenne nur die typisierten Figuren, deren Verhalten konstant und typisch, in feste Eigenschaften aufgliederbar und auf sie begrenzt sei[63]. Anton Ulrichs Erzählung vom Tod Neros vollzieht vielmehr einen deutlichen Schritt zur Darstellung einer individuell aufgefaßten, psychologisch in ihrer Subjektivität interpretierten Figur[64]. Diese Interpretation liegt bereits in der Vielzahl der

---

[62] Dazu Hans Jürgen Schings, a. a. O., S. 62; zur Wahn-Thematik ferner Richard Alewyn, Der Roman des Barock, in: Hans Steffen (Hrsg.), Formkräfte der deutschen Dichtung vom Barock bis zur Gegenwart, Göttingen 1963, S. 21 ff.

[63] Wolfgang Kayser, Entstehung und Krise des modernen Romans, Stuttgart 1965, S. 8 ff.

[64] Dieser Einsatz einer »psychologischen Darstellungskunst« ist gewiß von der Forschung nicht unbemerkt geblieben. F. Sonnenburg, a. a. O., sprach bereits davon, wie Anton Ulrich seine Menschen aus ihrer seelischen Anlage heraus handeln ließe. F. L. Cholevius, Die bedeutendsten deutschen Romane des 17. Jahrhunderts, Leipzig 1866, bemerkte, daß in Nero nicht nur der Regent, sondern ein persönlicher Charakter dargestellt werde (S. 287). Das Interesse Anton Ulrichs an »Regungen des Menschenherzens« habe dazu geführt, »daß die Charaktere nicht mehr allein aus sittlichen Elementen zusammengesetzt sind, sondern sich auch durch andere Eigentümlichkeiten der menschlichen Natur individualisieren« (S. 289). Während C. A. Jungkunz den höfisch-barocken Roman für nicht fähig hielt, »innere seelische Vorgänge

Begründungssätze, die Anton Ulrich in den Text von Suetonius eingeführt hat und die die Tendenz zu einem rationalisierten Kausaldenken aus den Innenvorgängen der erzählten Figur heraus markieren. Wo so immanent-kausal erzählt wird, verlieren die barocken Kategorien wie »Verhängnis«, wie »Providentia« oder »Fortuna« an Geltung. Zwar sind sie im Ganzen des Romans noch gegenwärtig, wie denn auch an einer späteren Stelle Neros Leben eine segensvolle Schickung Gottes genannt wird[65], aber sie treten als dominierende Kräfte des Geschehens zugunsten dessen Begründung aus der Psychologie der erzählten Figuren zurück. Es wurde gezeigt, wie in dieser Textstelle äußeres Geschehen beständig in innere Vorgänge übergeführt wird. Nero ist nicht als ein Typus, sondern als eine Person dargestellt, die sich aus sich selbst begründet. Dies wird auch dort bemerkbar, wo nach barocker Darstellungsweise sein Todesweg mit Zeichen des nahen Verhängnisses umstellt wird: das Gewitter und Erdbeben als Sprache des kosmisch-überirdischen Gerichts, die verrätselte Delphische Prophetie, die Vorausnahme seines Geschicks in der Oedipus-Rolle, die Erscheinung der von ihm Gemordeten. Anton Ulrich verlagert auch hier, was von außen zu kommen scheint, in Neros eigene Aktion und inneren Vorgang. Denn er selbst hat das Del-

---

auch verinnerlicht darzustellen«, da er keine Charakterentwicklung seiner Helden gäbe (a. a. O., S. 148), fand Elisabeth Erbeling, Frauengestalten in der Octavia des Anton Ulrich von Braunschweig, in: Germanische Studien, Heft 218, Berlin 1939, in diesen Romanen eine vorausweisende Wendung zur Innerlichkeit der Seelenschilderung (S. 133). Richard Newald Geschichte der deutschen Literatur, München 1951, Bd. 5 (Vom Späthumanismus zur Empfindsamkeit 1570—1790), S. 365, findet bei Anton Ulrich zwar psychologische Probleme, die feineren Regungen der Seele zugunsten der objektiven stoisch-christlichen Moral ausgeschaltet, betont jedoch, es gebe neben der »Octavia« kein Werk im 17. Jahrhundert, das sich so auf Charakterisierung verstehe, so abzustufen wisse und solche Einblicke in das Seelenleben gewähre. Während Clemens Lugowski, Die märchenhafte Enträtselung der Wirklichkeit im heroisch-galanten Roman, jetzt in: Deutsche Barockforschung, S. 372ff., Anton Ulrichs Erzählen weitgehend in eine Abhängigkeit von Calprenède rückte, arbeitet Carola Paulsen heraus, daß Anton Ulrich dem französischen Erzähler nicht nur überlegen sei, sondern auch seine Figuren nicht nur exemplarisch im Vorbildsinne, sondern »wirklich« und deshalb als »echt« gestaltet habe, weil ihr Handeln einer personalen Mitte entwächst und ein gut Teil ihres Lebens sich in ihrem Inneren vollziehe, innerhalb einer individuellen Personalität (a. a. O., S. 158). Günther Müller, Geschichte der deutschen Seele, Freiburg i. B. 1939, S. 112ff.: »Der Mensch stellt sich dar in seinem Tun, er ist in diesem Tun unlöslich darin, und es ist nicht nur so, als ob irgendein Mensch mit irgendeiner Tat beliebig verkoppelt werden könnte.« (S. 118)

[65] »Dieses ist wol ein sonderbarer beruff Gottes / der mehr zu bewundern / als zu ergründen stehet. Solcher gestalt ... muste der böse Nero / ein werkzeug zu vielem guten seyn.« (Bd. 2, I, 5, S. 517f.)

phische Orakel eingeholt[66], er hat selbst die Rolle des blinden Oedipus gewählt[67], erst seine Gewitterfurcht und seine Todesangst machen Gewitter
und Erdbeben zu unheilvollen Zeichen, und seiner furchterfüllten Einbildung
entstammt die halluzinatorische Vision seiner Opfer. An die Stelle einer objektiven Koinzidenz tritt eine psychologisch-kausale Interpretation, der man den
Aspekt auf einen individuellen Charakter nicht abstreiten kann, wie ihn Suetonius vorgezeichnet hatte. Anton Ulrich hat in der Geschichte vom Tod
Neros die Grenzen, die der barocke Roman der Figurengestaltung zog,
geweitet. Er hat, damit zusammenhängend, ebenso die sprachlich-stilistischen
Darstellungsformen, die dem barocken Roman eigen sind, verändert: in einem
so beträchtlichen Umfang, daß zweifelhaft wird, ob überhaupt man berechtigt
ist, die »Octavia«, wie immer wieder geschehen ist, als die gültigste Repräsentation des hochbarocken höfischen Romans, und deren Erzählweise als eine
stiltypisch reine Barockkunst zu verstehen und zu werten. Die Frage drängt
sich auf, ob die Position nicht neu bestimmt werden muß, die dieser Roman
in der Stilgeschichte des deutschen Erzählens um die Wende des 17. zum
18. Jahrhunderts innehat. Dies läßt sich nicht mehr allein von der Manuskriptfassung Anton Ulrichs her, die seinen originären Erzählstil zeigt, beantworten,
sondern notwendig wird der Einbezug der Druckfassung, also jener definitiven
Form des Textes, an der Sigmund von Birken einen nicht geringen Anteil hat.
Dies wurde von der früheren Forschung, bis zu Blake L. Spahrs sehr erhellen-
der Analyse solcher Zusammenarbeit zwischen dem Herzog und dem Literaten
bei der »Syrerinn Aramena«[68], nicht beachtet.

Zwar mag es methodisch als bedenklich erscheinen, diese Stil- und Positions-
bestimmung anhand eines Textpartikels zu unternehmen, der angesichts des
rund 6000 Seiten umfassenden Romanmassivs winzig sich ausnimmt. Jedoch
die Dichte der erzählerischen Integration, die besondere Bedeutung, die dieser
Erzählung von Neros Tod innerhalb der drei Bücher des Ersten Teils des
Romans zukommt und das schon wiederholt gewürdigte, gemessene und
gelassene Gleichmaß des Erzählstils, das ihn durchwaltet, sprechen dafür, daß
der hier ausgewählte Text nicht als Sonderform aus ihm herausspringt,
sondern den bestimmenden Stilintentionen des ganzen Romans entspricht. So
läßt sich, mit gebotener Vorsicht, pars pro toto setzen.

Es ist wahrscheinlich, daß die Zusammenarbeit zwischen dem Herzog und

---

[66] Octavia I, 3, S. 793.
[67] Octavia I, 3, S. 977.
[68] Vgl. die bereits genannten Veröffentlichungen von Blake L. Spahr.

dem wegen seiner stilkünstlerischen Fähigkeiten renommierten gelehrten
Literaten dadurch erleichtert wurde, daß Anton Ulrich bereits während der
Abfassung der drei Bücher des Ersten Teils der »Octavia«, also in den Jahren
kurz nach der Publikation seiner »Syrerinn Aramena« (1669/73), ja schon
während deren Abfassung mit den Grundsätzen und Regeln für die »frei«
fließende »Prosa oder Redekunst« bekannt gewesen sein muß[69], die Birken in
seiner »Teutsche Rede-bind und Dichtkunst oder kurze Anweisung zur
Teutschen Poesy mit Geistlichen Exempeln«, Nürnberg 1679, publiziert
hat[70]. Wenn zutrifft, was Birken in seiner Vorrede bemerkt: »Ich schriebe / fast
vor 30 Jahren / auf gnädiges Ansinnen eines hohen Cavalliers / ein halb-
huntert Lehrsätze von dieser Wissenschaft: welche als nur in einem paar
Bögen bestehend / ohne mein Wissen / vielfältig abgeschrieben«, so rückt
diese Datierung ziemlich nahe seinem Aufenthalt bei dem Herzog Ernst
August und seiner Erzieherschaft bei dessen Sohn Anton Ulrich in Wolfenbüttel, in der er Schottel assistierte. Auf Schottel und die Einwirkungen durch
die »Fruchtbringende Gesellschaft« hat schon Günther Müller, nach ihm
Richard Newald angesichts des »gepflegten, frischen, keineswegs konventionellen Sprachstils« Anton Ulrichs verwiesen[71]. »Der Sprachstil des Herzogs
nämlich, der sich von Zesen ebenso abhebt wie von Buchholtz und Hohberg,
ist im Zusammenhang der Bemühungen um ein reines, eigengesetzliches
Deutsch zu verstehen, wie sie in der ›Fruchtbringenden Gesellschaft‹ lebendig
waren und wie sie dem Herzog durch Schottel nahegebracht wurden.«[72] Es
muß offenbleiben, ob Birken jene Grundsätze für »die neuen Geschicht-
Gedichte / welche ingemein Romanzi oder Romains genet werden«, erst den
Romanen Anton Ulrichs entnahm — »die unvergleichliche Aramena / ein
Wundergeburt eines Durchleuchtigsten Teutschen Helden / welche in Mänge
und Mängung der Geschichten / und deren Wieder-entwickelung / alle dergleichen Schriften / auch die Sofonisbe / hinter sich lasset: deren auch nun

---

[69] A. Haslinger, Epische Formen, a. a. O., S. 30.

[70] Teutsche / Rede-bind und Dichtkunst / oder / kurze Anweisung zur Teutschen Poesy /
mit Geistlichen Exempeln: / verfasset / durch / Ein Mitglied der höchstlöblichen Frucht-
/ bringenden Gesellschaft / Den Erwachsenen. / Samt dem Schauspiel Psyche und Einem
Hirten-Gedichte. / Nürnberg / Verlegt durch Christof Riegel / Gedruckt bey Christof
Gerhard A. C. M DC LXXIX.

[71] R. Newald, a. a. O., Bd. 5, S. 362.

[72] G. Müller, Geschichte der deutschen Seele, S. 110. Clemens Heselhaus, Anton Ulrichs
Aramena. Studien zur dichterischen Struktur des deutsch-barocken ›Geschichtgedicht‹, in:
Beiträge zur Deutschen Philologie, Heft 9, Würzburg-Aumühle 1939, S. 27, denkt auch an
Einflüsse aus Leibnitz' Sprachdenken.

Octavia preislich nachfolget«[73] — oder ob Anton Ulrich schon früher als Romanerzähler sich von ihm hatte anregen lassen. Die Übereinstimmung zwischen Anton Ulrichs Verfahren und den Forderungen an den wahren rechten Poeten, die Birken im X. Capitel seiner Poetik vorbringt, ist offensichtlich. »Er muß belesen seyn / in allen Welt-geschichten / und die Personen kennen / die vor ihm gewesen sind. Er muß / als ein Mahler / durch den Pinsel des Verstandes / mit Wortfarben ausbilden können / alle Dinge nach ihrem Wesen und Gestalt / alle Personen beiderlei Geschlechts / mit ihren Gebärden / und Sitten / und alle deren Handlungen / also / daß es gegenwärtig erscheine. Er muß die Person an sich nehmen / die oder von deren er redet und handelt: und ihm einbilden / als wann er gegenwärtig alles sähe / und als ob er alles selber thäte. Er muß aber weit ein mehrers / als der Mahler / thun können / und auch die innerlichen Sachen / die Gemütsregungen / Tugenden und Lastere / also beschreiben / daß man sie gleichsam vor Augen sähe. Er muß nicht allein berichten / sondern auch neue Sachen erdichten.«[74] Eine Gemeinsamkeit in der Auffassung des Romans und von dessen Stil war gegeben. Wenn auch zutrifft, daß die letzte Prägung von Anton Ulrichs »rational-gedanklicher Prosa« und seines rhetorischen Stilprinzips als »rationale Strukturierung durch rhetorische Gedankenfiguren«[75] auf Birkens Stilkorrekturen zurückgeht, so ist doch gewiß, daß der herzogliche Erzähler sich zu ihr aus eigener Stilintention entschied und sich so beträchtlich von dem Erzählstil entfernt hat, der sonst im Roman des Barock, als einer höfischen Gattung mit höfischem Thema für ein höfisches Publikum und mit einem erhöhten literarischen Anspruch, gewählt worden ist.

Anton Ulrich spart völlig aus, was der barocken Erzählprosa in einer rhetorisch-dekorativen Prägung die poetische ›elocutio‹, den ›stilus ornatus‹, also eine erhöhte und der Verspoesie analoge kunsthafte Stilisierung mitgeteilt hat[76]. Es fehlen bei ihm breitgelagerte malerische Beschreibungen, in denen die Dichter mit der Bildkunst wetteiferten, es fehlen die prunkvollen

---

[73] Birken, S. 304.

[74] Birken, S. 186. Dazu Wolfgang Lockemann, Die Entstehung des Erzählproblems. Untersuchungen zur deutschen Dichtungstheorie im 17. und 18. Jahrhundert. Meisenheim am Glan, Deutsche Studien, Bd. 3, 1963, S. 60 ff.

[75] A. Haslinger, a. a. O., S. 358 ff.

[76] Vgl. dazu die eindringliche Darstellung von Manfred Windfuhr, Die barocke Bildlichkeit und ihre Kritiker. Stilhaltungen in der deutschen Literatur des 17. und 18. Jahrhunderts, Stuttgart 1966, und Ludwig Fischer, Gebundene Rede. Dichtung und Rhetorik in der literarischen Theorie des Barock in Deutschland, Studien zur dt. Literatur, Bd. 10, Tübingen 1968, S. 52 ff.

und scharfsinnig-geistreich kombinierenden Gleichnisse und Metaphern, die neuartig überraschen und verblüffen. Er vermeidet ungewöhnliche Wort- und Bildzusammensetzungen, die dekorativen Sprach-, Wort- und Klangspiele. Es begegnet in seiner Erzählprosa kein Superlativismus oder Maximalismus des Stils in der Wahl der Vokabeln oder in der Form von Häufungen der Metaphern, der »Wortblumen«, also nicht jener üppige Kunststil, der die Effekte des sprachlichen Materials und Aufwandes auf Kosten eines einheitlichen Textzusammenhanges übersteigert. Es findet sich in der Prosa von Anton Ulrich weder die barocke Tendenz zur illustrativen und häufenden Aufschwellung noch die Tendenz zu Ballungen und Pressungen, damit zu sprachlichen Überbeschwerungen. Er vermeidet die in anderer Erzählprosa oft wiederkehrende aufgesetzte Emblematik. Man vermißt auch in der Syntax die Tendenz zu pathetischen und rhetorisch effektvollen Akzenten, sei es nun in mächtigen Satzschwüngen oder in knapp pointierten Satzantithesen. Es läßt sich in unserem Text kein Satz auffinden, in dem die Beschreibung sich verselbständigt aus der Bewegung des Vorgangs herauslöst. Vielmehr ist das sparsame Beschreiben in dessen Fluß, in die Bewegtheit der erzählten Sache eingelegt. So bleiben denn auch barock-rhetorische Stilelemente wie der alliterierende Parallelismus der Doppelformeln unauffällig in den gleichmäßigen Fluß des Ganzen eingebettet (»freund noch feind« A. U. Z. 61; »die stelen und dornen« A. U. Z. 119; »hund bellen ... hahen krahen« A. U. Z. 170—171). Kurz: Anton Ulrich legt sich eine auffallende Sprach- und Stilaskese gegenüber allen jenen Prinzipien der poetischen Eloquenz auf, die sonst für die barocke Dichtung in gebundener wie in ungebundener Rede, also auch für den Roman, verbindlich und musterhaft waren. Es geht ihm ersichtlich nicht um starke Effektwirkungen auf den Leser mittels eines großen Stil- und Sprachvolumens und mittels ausdrucksstarkem Herausarbeiten des Sinngehalts des Erzählten, sondern es geht ihm um den am Empirischen und Rationalen orientierten Mitvollzug dessen, was da erzählt wird, durch diesen Leser. Was erzählt wird, basiert auf der historischen Tatsächlichkeit des menschlichen Verhaltens, wie sie Suetonius überliefert hat. Die Darstellung bestimmt sich von ihm her, von der wirklichen Welt her, nicht an abstrahierten und ideellen Typen und Normen und gewinnt so mehr Lebenswahrheit.

Dies ist um so bemerkenswerter als seine Sprache — die Sprache eines literarisch und künstlerisch sehr gebildeten Fürsten, der sich auch als Lyriker und als Verfasser von Spielen betätigte — durchaus eine Kunstintention zeigt. Sie muß, wenn sie sich so weit von der zeitgenössischen und gattungszugehörigen barocken Kunstsprachlichkeit entfernt, auf anderen erzählerischen Impulsen, auf einem anderen Verhältnis zu dem erzählten Gegenstande und zur Sprache selbst beruhen. Diese Eigentümlichkeit von Anton Ulrichs Prosa ist gewiß schon wiederholt bemerkt worden: jedoch ohne aus Widersprüchlichkeiten gelöst zu sein. Günther Müller sprach unter dem Aspekt bruchloser Einheit von Inhalt und Form von stiltypisch reiner Barockkunst; Erich Trunz rechnet Anton Ulrichs Romane zum »Barock im engeren Sinne, zu den von stilistischer Problematik unberührten Werken parallel mit Jesuitendrama, Kirchenlied«[77]. Manfred Windfuhr nennt ihn in einer Reihe mit Gryphius, Lohenstein, Grimmelshausen und Stieler als Repräsentanten des zeitlichen Höhepunkts der Barockliteratur[78]. Andere hingegen, schon in der Frühzeit der Barock- und Anton-Ulrich-Forschung, haben von seiner »schlichten Prosa« gesprochen; sie mache den Fortschritt der Zeit durch eine größere Leichtigkeit und Klarheit erkennbar und sei wiederum zur »Natur« zurückgekehrt[79], was in der Sprache des 19. Jahrhunderts nichts anderes als einen zu Mittellagen ausgeglichenen ›Realismus‹ bedeutet. So glaubte man bei Anton Ulrich einen neuzeitlichen Stil, den Stil dieses 19. Jahrhunderts vorbereitet zu finden und eine ›Modernität‹ zu erkennen[80], die sich von allem entfernte, was man damals als den sogenannten Schwulststil des Barock ablehnte. Es wurde dabei übersehen, wie Anton Ulrichs Stil mit den Kunstregeln der Rhetorik verknüpft ist. Dies hat neuerdings Adolf Haslinger stark betont[81]. Wenn allerdings, wie es in der Barockforschung bis jüngst oft geschah, das Rhetorische nur auf einen Stil der metaphorischen Fülle und Steigerung, auf den ›stilus ornatus‹ begrenzt wird, hat sich Anton Ulrich in der Tat von der Rhetorik entfernt[82]. Er hat sich auch von ihr entfernt, wenn man das Augenmerk zu sehr auf die intentionale Funktion des Rhetorischen richtet, durch die Macht und die Kunst

---

[77] Erich Trunz, Deutsche Barockforschung, a. a. O., S. 456.

[78] M. Windfuhr, a. a O., S. 378.

[79] F. L. Cholevius, a. a. O., S. 290.

[80] Ferdinand Sonnenburg, a. a. O., S. 56.

[81] A. Haslinger, a. a. O., S. 358 ff.

[82] So Hanna Wippermann, Herzog Anton Ulrich von Braunschweig ›Octavia‹. Zeitumfang und Zeitrhythmus. Es wird hier zwar Anordnung, Stoff, Erzählmotivik und Durchführung des Romans als durchaus barock bezeichnet, doch entgegengestellt: »Was aber schon hier hinüberweist in andere Schaffensweisen, ist die Sparsamkeit im Gebrauche rhetorischer Mittel ... und dann die trotz der Weiträumigkeit durchscheinende Strenge und Folgerichtigkeit der Handlungsführung, welche über alle Sonderbildungen dominiert.« (a. a. O., S. 119) Vgl. hingegen die Stilanalyse der »Asiatischen Banise« bei Wolfgang Pfeiffer-Belli, Die asiatische Banise. Studien zur Geschichte des höfisch-historischen Romans in Deutschland, in: Germanische Studien, Heft 220, Berlin 1940, S. 106 ff.

der Sprache auf den Leser bzw. Zuhörer eine nachdrücklich beeinflussende und bewegende Wirkung auszuüben. Anton Ulrich verzichtet auf eine zusätzliche stilistisch-sprachliche Inszenierung der Geschichte Neros, obwohl der Vorgang, der Tod eines Tyrannen, nach barockem Usus eine Häufung von Greuel- und Marterszenen mit der ihnen zugehörigen Affektmetaphorik nahegelegt hätte. Er überläßt gleichsam diese Inszenierung Nero selbst, diesem Schauspieler bis an den Rand des Todes, indem er sich nur an das hält, was Suetonius überlieferte, ohne es durch zusätzliche sprachliche Suggestions- und Reizmittel zu überhöhen. Die Figur des Nero ist aus sich selbst heraus genugsam auf das Theatralische angelegt. Bis zu dem unvermeidlichen Todesaugenblick spielt Nero sich in Rede und Gestik den wenigen ihm verbliebenen Partnern vor und betrachtet er sie selbst als seine Mitspieler, von denen er ihrerseits Rollen, sogar Todesrollen erwartet. Sie sollen ihn in seiner ›tragischen‹ Rolle unterstützen. Anton Ulrich also überläßt die Wirkung der erzählten Sache. Er nimmt davon Abstand, sie mit dem »Tumorstil« der poetischen ›elocutio‹ aufzuladen. Man hat diese »gehaltenere« Ausdrucksweise, die eine »überschwenglichere Sprache« vermeidet, individuell und soziologisch interpretiert. »Er ist kein Ekstatiker, sondern ein Fürst, für den vornehme Gemessenheit in allem oberstes Gesetz ist.«[83] Doch ist dies wenig einleuchtend, zumal wenn nicht einbezogen wird, daß erst die Mithilfe Birkens zur vollen Ausgestaltung dieser Schreibweise geführt hat. Wie man denn auch gern Anton Ulrich als eine syntaktische Eigentümlichkeit den zweigeteilten Satz zuschrieb[84], der sich jedoch, wie das Manuskript zeigt, in dieser pointierten Gliederung und in dieser Häufigkeit erst im Text von Birken einstellt.

Der Satzbau in Anton Ulrichs Manuskriptfassung zeigt ein bewegliches Spiel zwischen relativ kürzeren und gelängten Sätzen. Es bedarf ein wenig der zählenden Statistik. 33 unter den 51 Sätzen, aus denen Anton Ulrich die Geschichte Neros zusammensetzt, zeigen weniger als 50 Wörter; 18 Sätze zeigen hingegen über 50 Wörter (wobei Komposita als je ein Wort gerechnet werden). Der kürzeste Satz besteht aus 10 Wörtern, der längste Satz, in dem die Geschichte Neros abgeschlossen und zu der weiteren Handlung übergeleitet wird, bedarf nicht weniger als 144 Wörter. 17 der kürzeren Sätze enthalten zwischen 26 und 39 Wörter, 7 der längeren Sätze zwischen 51 und 59 Wörter. Der Rest zeigt die folgende Verteilung: auf 3 Sätze fallen 63 bis

---

[83] Claire Jungkunz, a. a. O., S. 60.
[84] C. Heselhaus, Anton Ulrichs Aramena, S. 30 f.; Norbert Miller, Der empfindsame Erzähler, S. 60 f.

66 Wörter, auf 2 Sätze 73 bis 78 Wörter, auf 3 Sätze 80 bis 83 Wörter, auf 2 Sätze endlich 93 bis 96 Wörter. Eine Tendenz zum gelängten Satz mit beträchtlicher Füllung ist deutlich. Der kürzere und der gelängte Satz zeigen durchweg ein gleiches Bauverfahren. Es überwiegt der Hauptsatz als der epische Gewichtsträger; die langen Sätze sind vorwiegend parataktisch, mittels der einlinigen additiven Reihung von kleineren Hauptsätzen gebaut, die im genauen zeitlichen Nacheinander ein Bündel von verschiedenen Aktionen vorführen. Die lockere Fügung, die wiederholt bei dieser Additionstechnik den Satz verschachtelt, überfüllt und etwas verunklärt, deutet so wie einige Korrekturen im Manuskript darauf, daß bei der Niederschrift der Satz nicht bereits vorgeplant, sondern selbst erst im Entstehen war. Dies dürfte Anton Ulrichs Schreibweise dem Duktus des mündlichen Erzählens annähern. Die Abwechslung zwischen dem relativ kürzeren und dem gelängten Satz folgt dem Bedürfnis, jeweils den Satz und die in ihm dargestellten Vorgangs-phasen zu einer Übereinstimmung zu bringen. Der Satz gehorcht nicht einem vorgeformten, gleichsam fertigen rhetorischen Bauprinzip, sondern er paßt sich jeweils der erzählten Sache an. Wird in ihm eine Mehrheit von Aktionen zusammengefaßt, so wird an die Subjektperson, von der die Aktion ausgeht, eine Mehrzahl von Verben angehängt. Unterstützt von vielen Zeitadverbien, arbeitet dieser Satzbau vor allem das temporale Element, den konkreten zeitlichen Ablauf heraus, dem sich die konsekutiven und konditionalen bzw. adversativen Nebensätze einfügen. Das Geschehen wird zusammen mit seinen Anlässen und Begründungen vorgeführt. Es bildet sich derart ein dichtes Netz von Überleitungen von Phase zu Phase. Indem der Satz aufzählt und aus-einanderlegt, deutet er auf eine analytisch strukturierte Denk- und Erzählweise, die, so wie die Konditional- und Konsekutivsätze, einem rationalistisch gliedernden Weltverständnis entspricht. Darauf deutet ebenso der Gebrauch der deiktischen Pronomina, die zugleich zu einer größeren Verknüpfung der Satzteile und Sätze verhelfen, allerdings auch auf lateinische Sprachmuster verweisen. Die temporale Ordnung verbindet sich mit der rationalistischen Ordnung zu Deutlichkeit und Kontinuität des Vorgangs. Innerhalb der Satz-synthese werden die einzelnen erzählten Momente und Umstände des Vor-gangs, die ihn auslösenden Planungen, Absichten und Ziele gereiht und mit-einander verbunden; es ergibt sich ein gleichmäßig bewegter Ablauf, dem nur an relativ wenigen Stellen durch sprachlich-syntaktische Verkürzungen stär-kere Bewegungsakzente eingelegt werden. Der Verflüssigung der Sätze dienen offenbar auch die Adverbien, die, an sich wenig aussagekräftig, eher die Konturen verwischend, das Satzgefüge auffüllen (»wohl«, »aber«, »ja«,

»fast«, »nochwohl«, »schon«, »etwan«, »nämblich«, »einmal« u. a. m.). Anton
Ulrich zielt, so wenig er pathetisch-rhetorische Satzeffekte herausmodelliert,
vielmehr den Satzbau in Reihungen und Schachtelungen etwas spannungslos
dahinlaufen läßt, wiederholt auf eine Verstärkung der Satzanfänge (z. B. »Mit
thränen . . .« A. U. Z. 13; »Theils aus betrübnis, theils den anderen tag . . .«
A. U. Z. 26). Der Affekt, der mentale Zustand, in dem sich Nero befindet und
der sein Verhalten begründet, wird durch die Anfangsstellung und die sich aus
ihr ergebende Inversion dem Leser mit gewissem Nachdruck bewußtgemacht.
Denn es kommt Anton Ulrich darauf an, dessen Aufmerksamkeit auf die
inneren Vorgänge in Nero zu lenken. Kennzeichnend dafür ist, wie der Satzbau
von der Subjektperson her bestimmt wird.

Nicht die Dinge in der äußeren Welt, auch nicht das Geschehen in ihr
dominieren in diesem Erzählen und seiner syntaktischen Ausformung, sondern
es ist die Subjektperson, die den Ausgangspunkt des Geschehenden und damit
ebenso der Satzführung bildet. Sie erhält eine dominierende Position. Der
Blick des Erzählers heftet sich auf die Person Neros und zu ihm führt er
beständig die Aufmerksamkeit des Lesers hin. Es wurde schon bei der Analyse
des fiktionalen Erzählgefüges davon gesprochen, wie in diesem Text die Verba
des inneren Vorgangs den semantischen Verbgebrauch bestimmen. Es entspricht der Akzentuierung der Subjektperson, daß es sich in auffälliger
Vielzahl um reflexive Verben handelt, die den Rückbezug auf sie vermannig-
faltigen. Es können nicht weniger als 35 reflexive Verben, einige unter ihnen
in mehrfacher Verwendung, in diesem kurzen Text gezählt werden; zu ihnen
gesellen sich 47 Verben, die mit einem akkusativischen oder dativischen
Personalpronomen aktiv oder passiv verknüpft sind, das sich in fast allen
Fällen auf Nero selbst oder auf die ihn unmittelbar betreffenden Vorgänge
um ihn herum bezieht. Es überwiegt bei weitem der Gebrauch des transitiven
Verbums und dessen kontextlicher Bezug auf die äußere und innere Situation
des Nero; hingegen treten intransitive Verben, die ein vom Kontext unab-
hängigeres Geschehen mit einer gewissen Intensität markieren, zurück. Anton
Ulrich setzt expressiv aufgeladene Verben, die ein kraftvoll-dynamischer
Akzent heraushebt, nicht ein. Die sehr wenigen Fälle, in denen ein Präfix
eine Ausdruckssteigerung anzudeuten scheint (»abgemattet« A.U.Z. 135;
»übermeisterte« A.U.Z. 139), dürften kaum dieser Gruppe zuzuzählen sein.
Dies gilt für den gesamten Wortgebrauch: es weicht entschieden von dem
pathetischen und dekorativen, sprachliche Beschwerungen und Überfüllungen
bevorzugenden Usus des barocken Romans ab, daß Anton Ulrich sich ebenso
gegenüber dem Gebrauch von Komposita zurückhält. Um so mehr scheint in

71

unserem Text den beiden Komposita »gemühtsverwirrung« (A.U.Z. 3) und »schmertzentpfindlich« (A.U.Z. 90) eine stilistische Funktion zuzukommen. Durch die Kompression der beiden Glieder werden die Wortbedeutung und der affektive Gehalt verstärkt und derart Signale für Neros inneren Zustand gegeben. Daß mit der »gemühtsverwirrung« mehr als nur ein individueller Zustand bezeichnet wird, wurde bereits gezeigt: sie bezieht sich auf den Zustand dieser geschichtlich-politischen Gesellschaft, deren Negativität Nero repräsentiert, darüber hinaus überhaupt auf die Verfassung des nur auf das Irdische gerichteten und in dessen Begehrungen und Triebe verstrickten Menschen. Sie koinzidiert schließlich mit der Struktur des für den ganzen Roman gewählten Erzählverfahrens. Das Kompositum »gemühtsverwirrung«, stark betont in seiner sinntragenden Funktion, da in ihm alles Folgende seinen Grund findet, bringt die Person in eine Abhängigkeit von einem über ihr Individuelles hinausreichenden Zustand. Die innere Verfassung Neros wird im substantivierten Kompositum objektiviert; sein »gemüht« wird, als Genitivobjekt, abhängig gemacht von dem Zustand der »verwirrung«, dem der im Irdischen nur triebhaft lebende Mensch verfällt. Anton Ulrich pointiert so die Macht des objektiven Zustandes, der sich der Subjektivität Neros, eben seinen »gemühts« bemächtigt hat und ihn in seinen Entschlüssen und Aktionen ohnmächtig macht. Diese Objektivierung entspricht barockem Stil und Denken. Aber Anton Ulrich weicht insofern von ihm ab als er dies Objektive nicht zusätzlich metaphorisiert und emblematisch amplifiziert. An die Stelle einer sich verselbständigenden Metapher tritt rational gefaßt eine psychologische Begründung. Der Mensch Nero wird Repräsentant eines mentalen Zustandes so wie er sich, als personales Subjekt, als der Ausgangs- und Mittelpunkt des Geschehens darstellt.

Durch den ganzen Text hindurch ist Nero zugleich das Subjekt und das Objekt von allem, was vorgeht. Das Geschehen geht von ihm aus und es zielt auf ihn hin. Es erhält seinen Zusammenhang von ihm, es geht von seiner Person zu den anderen hin und es kehrt von ihnen wieder zu ihm zurück. In welchem Umfange Anton Ulrich vom Menschen aus einem zwischenmenschlichen Kombinationsgeflecht heraus erzählt, hat, nach Hinweisen von Günther Müller, Adolf Haslinger deutlich gemacht[85]. Damit klärt sich die bedeutende Funktion, die der Stellung des Subjektpronomens in unserem Text zukommt. Der Mensch steht, als Subjekt wie als Objekt, im Satzvordergrund. Es gibt nur wenige Sätze, die nicht Nero zum Subjekt haben, dessen Reichweite

---

[85] A. Haslinger, a. a. O., S. 360.

inhaltlich und syntaktisch noch dadurch erweitert wird, daß sich wiederholt mehrere Verba an es anhängen. Der dominierende Verbalgebrauch bei Anton Ulrich — unterschiedlich zu D.C. von Lohensteins statisch objektivierendem Nominalstil, der die nominalen Satzteile sinntragend werden läßt — zeigt, wie er den Erzählakzent auf das innere und äußere Geschehen, also auf die epische Handlung legt. In den einzelnen Phasen dieses Geschehens werden der Ablauf und der innere Zustand entwickelt, deren Resultat endlich der Tod Neros ist. Adolf Haslinger hat als bestimmende Wort- und Gedankenfiguren in Anton Ulrichs Erzählverfahren die Reihung mit ihrem Widerspiel zwischen der Analyse und der Synthese, ferner den syntaktischen Parallelismus, in beidem als »das bestimmende Grundprinzip der Gestaltung« eine rhetorische Grundhaltung beschrieben. Unser Text bestätigt es. Der zweite Satz bietet sogleich ein Beispiel. In die parataktische Reihung dessen, was Nero tut und beabsichtigt, legen sich rasch am Anfang zwei Antithesen ein (»so nicht … als es wohl …« A.U.Z. 3; chiastisch »so viel wieder aus, als wie Er …« A.U.Z. 4). Dies mündet dann mittels anaphorischer Syndese (»bald … bald …« A.U.Z. 5) in die analytische Diärese der verschiedenen Absichten, die Nero im widersprüchlichen Wechsel im gleichen Augenblick faßt und gegenseitig austauscht und die seine gemütsverwirrte Selbsttäuschung und Entschlußlosigkeit, seine ganze Hilflosigkeit spiegeln. Der Satz entfaltet in auseinanderlegender und parallelisierender Reihung des Widersprüchlichen und mit einer Steigerung, die am Schlusse wieder durch eine Antithese markiert wird (»und wenn man ihn ja in Rom nicht mehr leiden wolte, damit sich befriedigen, daß Er Statthalter in Aegipten würde« A.U.Z. 8—9). Als aus Rom Verbannter doch in Aegypten regieren zu können — dies ist die unterste Stufe, zu der Nero in diesem Augenblick, in dem er bereits alles verloren hat, bereit ist, was nichts als die hilflose Verblendung bezeichnet, mit der er sich über die Realität seiner Lage hinwegtäuscht. Die gleiche Grundfigur wiederholt sich mehrfach; z. B. A.U.Z. 17—26. Anton Ulrich koordiniert in diesem umfänglichen Satz parataktisch und je in einem in sich gegenwendigen Satzgang die verschiedenen so rasch aufsteigenden wie wiederum preisgegebenen Absichten Neros (»entweder … oder«). Gleiche Verfahren bezeugen die Sätze A.U.Z. 26—29 und A.U.Z. 29—34. Im letzteren wird das Faktum, daß Neros Gefolgsleute ihn verlassen, kurz mitgeteilt; um so mehr Raum wird der Begründung, den Überlegungen und den Motiven, die sie dazu veranlassen, gegönnt. Ihre Untreue ist nur ein Zeugnis davon, wie untreu Nero selbst ist und daß sie sich an den nicht gebunden fühlen, der sich selbst an nichts bindet. Die konkrete zeitliche Ordnung des Ablaufes an diesen beiden Tagen und in der zwischen

ihnen liegenden Nacht und dessen Ordnung durch Konditional- und Konse-
kutivverknüpfungen organisieren, was der Text erzählt, zu einem rational
durchschaubaren Zusammenhang. Der Satz als Ganzes übernimmt diese
Organisation. So bewegt sich Nero wiederum in dem Satz A.U.Z. 58—67
zwischen eng aneinandergedrängten Widersprüchen. Er lehnt Phaons Rat ab,
der seinerseits den Befehl, ihn zu töten, verweigert, folgt dann doch Phaons
Rat, findet jedoch nicht mehr die erwarteten Schiffe vor und entschließt sich
zum Tod im Wasser, um dann mit plötzlichem Einfall, sich an leere Hoffnungen klammernd, doch sein Leben aufzusparen, indem er sich selbst eine
mögliche rettende Zukunft verspricht. Der Satz schildert das Ausmaß dieser
»gemühtsverwirrung« in der Drängung der Widersprüche. Er analysiert sie in
ihren raschen Wechselphasen und faßt sie zu einer syntaktischen Ganzheit
zusammen. In solcher Vereinigung von Analyse und Synthese spiegelt sich in
der Zelle, dem Partikel eines einzelnen Satzes die gesamte Baustruktur von
Anton Ulrichs Romanmassiv.

Von hier aus klärt sich, warum Anton Ulrich von dem ›stilus ornatus‹ und
der poetischen ›elocutio‹, wie sie analog der Verspoesie auch für den barocken
Roman galten, abgerückt ist. Im ›stilus ornatus‹ erhält das einzelne Wort, oft
in asyndetischer Häufung oder als seltenes Compositum wie als verselbstän-
digte Bildlichkeit und Metapher, ein sinntragendes, also emblematisches oder
dekoratives Eigengewicht. Es führt gleichsam ein artifizielles und statisches
Sonderdasein oberhalb der erzählten Sache[86]. Anton Ulrich erlaubt ihm
solche Verselbständigungen nicht. Er bettet es in den epischen Satzfluß ein,
der dem Primat der Handlung bei ihm entspricht, also dem Primat der epischen
Aktion. Er bezieht Sprache und Stil auf die erzählte Sache, den äußeren und
noch mehr den inneren Vorgang, den er darstellend vermitteln will. An die
Stelle der barocken ›connexio verbalis‹ tritt eine konkret auf die erzählte
Sache, ihren zeitlichen Ablauf und ihre begründenden und erkennbaren
Zusammenhänge gerichtete ›connexio realis‹. Dem Verzicht auf die Verselb-
ständigung des einzelnen Wortes oder Wortschmucks korrespondiert der
Verzicht auf ein emblematisch oder dekorativ ausstaffierendes und illustrieren-
des Beschreiben und Reflektieren, das den Vorgang zum Stillstand bringt und
sich ihm gleichsam querlegt. Anton Ulrich konzentriert seine Erzählsprache
auf die Vergegenwärtigung der wechselnden Phasen des Vorgänglichen. Er

---

[86] Dazu Gerhard Fricke, Die Sprachauffassung in der grammatischen Theorie des 16. und
17. Jahrhunderts, in: Vollendung und Aufbruch. Reden und Aufsätze zur deutschen Dichtung, Berlin 1943, S. 72ff.; bes. S. 81f.

rafft die erzählte Zeit und gibt ihr so eine größere innere Gespanntheit. Es wird bei ihm auch dort, wo eine pathetisch und reflexiv ausdeutende Situations-beschreibung sich anbieten könnte, wie bei dem beklemmenden Warten des von aller Macht und Herrlichkeit entblößten Nero hinter dem Maierhof des Phaon (A.U.Z. 119—131), nichts beschrieben und so aus dem jetzt an sich schon verlangsamten Zeitfluß herausgebrochen; vielmehr füllt Anton Ulrich diese Situation mit einer Reihe von kleinen Aktionen, mit Redewechsel und Gestik aus, die sich zu einem inneren Zusammenhang verbinden, ihn aus der erzählten Sache selbst sichtbar werden lassen. So wird denn stets das einzelne Wortglied der Einheit und dem Fluß des Satzes eingeordnet. Dies gilt auch für die kurzen Redezitate, die er dem Suetonius entnommen hat. Anton Ulrich hütet sich, sie zu größeren Reden aufzuschwellen. Er läßt ihrem Lakonismus seine ›Echtheit‹. So spricht denn auch Neros Schweigen (A.U.Z. 128—131), Ausdruck einer Ohnmacht, in der er aus der Uneigentlichkeit seiner schau-spielerischen Gebärdung in dieser elenden Lage gleichsam in die Eigentlichkeit seines Selbst einkehrt, deutlich genug durch den Kontext seiner verzweifelten Situation. In Anton Ulrichs Prosa, wie sie unser Text zeigt, werden nicht aufgeladene Vokabeln und Bilder, nicht aufgesetzte sprachliche Mittel zum Spannungs- und Reizträger; vielmehr wird das Interesse aus dem Artifiziellen von Stil und Sprache herausgelöst und in die erzählte Sache selbst hinein-gelegt. Dies bestimmt die von Anton Ulrich gewählte Stillage.

Sie vermeidet alles Überflüssige, jene »Circumstantien, welche nichts importiren / und zur Haupt-Sache gar nichts thun«[87], um einer Überschaubar-keit, Deutlichkeit und ›Natürlichkeit‹ willen, welche die Erzählweise mimetisch mit der erzählten Sache übereinstimmen läßt. Die Erzählweise nähert sich einem ›realistischen‹ Verfahren, dem es mit Rationalität um die Vergegen-wärtigung der Sache geht. Darstellerische Ballungspunkte sind die Zitate, in denen Nero selbst vernehmbar wird. Sie durchbrechen in direkter Rede und in der Form des Ausrufsatzes die sonst vorherrschenden distanziert-objektiven Aussagesätze, innerhalb deren auch der indirekte Redebericht bleibt. Doch auch diese Zitate bleiben, eben als belegte Zitate, in der ›connexio realis‹ und sind nicht von Anton Ulrich als Mittel der Klimax eingesetzt. Je höher eine Stillage gewählt wird, um so mehr vergrößern und isolieren sich die Eigen-gewichte des Wortmaterials und der rhetorischen Figuren, damit die Antriebe, sie um ihrer selbst willen wirksam zu machen. Werden hingegen Wortmaterial und rhetorische Figuren gedämpft und rational der erzählten Sache zugeordnet,

---

[87] Zitiert nach Windfuhr, a. a. O., S. 383.

fügen sie sich um so leichter dem Sinngefüge und epischen Flusse des Satzes und über ihn hinaus des Erzählablaufes ein. Anton Ulrich erzählt in einer mittleren Stil- und Sprachlage, die sich zwar von dem ›niederen Stil‹ deutlich abhebt, aber, nach den Anweisungen von C. Stieler auch »keine so ausgesuchte Worte, noch hohe Gleichnisse« wählt[88]. Vielleicht wurde dies durch die Spezies des »Geschichtgedicht« nahegelegt, vor allem, wenn es sich, wie in unserem Text, auf einen geschichtlichen Bericht stützte. Es muß offenbleiben, wieweit sich auf das »Geschichtgedicht« in der Ausbildung, wie sie ihm Anton Ulrich gegeben hat, Buchners Hinweis beziehen läßt, seine Sprache solle »so beschaffen« sein, »daß sie neben dem Volcke hergehe / und als von menschlicher Zunge fürgebracht wäre / dahingegen der Poet weit ausstreicht / sich als ein Adler in die höhe schwingt / die gemeine Art zu reden weit hinter sich läßt«[89]. Es mochte zudem Anton Ulrich in seiner Stilwahl geholfen haben, daß in der barocken Poetik dem Roman keine bestimmte Stillage zugewiesen wurde und daß sie ihrerseits auch an keine bestimmte Gattung oder Spezies gebunden war[90]. Noch näher aber liegt, anzunehmen, daß Anton Ulrich sich überhaupt aus der barocken Poetik der Stillagen, die seit der Jahrhundertmitte und in der Nürnberger Poetik, mit der der Herzog durch Birken gewiß vertraut war, an Interesse verlor[91], ablöste und sein Stil der Ausdruck eines neuen, veränderten Verhältnisses zur erzählten Sache und zur Sprache ist, das in die frühe Aufklärung hinweist und ihn derart vom Stilusus des barocken Romans distanziert.

Über die Umstände und Bedeutung der Mitarbeit Sigmund von Birkens an den Druckfassungen der Romane von Anton Ulrich hat Blake L. Spahr, mit einer gründlichen Analyse an der »Syrerinn Aramena«, ausführlich orientiert und damit vielfach ältere Forschungen berichtigt. Birken »read and revised the entire manuscript of Anton Ulrich's novel Die Durchleuchtige Syrerinn Aramena, and a large part of the manuscript of his other novel, Die Römische Octavia; made significant changes in both works; was directly responsible for the formulation of Anton Ulrich's literary style«[92]. Der vermutlich umfang-

---

[88] Caspar Stieler, zitiert nach Windfuhr, a. a. O., S. 126.

[89] August Buchner, zitiert nach Windfuhr, a. a. O., S. 127.

[90] Dazu L. Fischer, a. a. O., S. 148. Als eine Ausnahme nennt Fischer (S. 175) die »Vollständige Deutsche Poesie ...«, Leipzig 1688, von A. Ch. Rotth, der den »Romains« analog dem Epos den hohen Stil zuweist.

[91] Ebd. S. 174.

[92] Blake L. Spahr, The Archives, a. a. O., S. 63. Vgl. zum Verhältnis zwischen Anton Ulrich und Birken weiterhin ders., Anton Ulrich and Aramena, a. a. O., S. 52ff.

reiche Briefaustausch zwischen dem Herzog und Birken ist nicht erhalten; B. L. Spahr konnte bisher trotz intensiven Suchens keine Spuren von ihm finden[93]. So mangelt es an Zeugnissen, welche die Frage beantworten, was Anton Ulrich bewog, Birken diese Verantwortung zu übergeben. Birken hatte einen guten Namen als gelehrter und gewandter Stilist; ihm waren mehrfach Aufträge zuteil geworden, Texte mit veralteter oder unzureichender Sprache und Form auf die Höhe der neuen literarischen Ansprüche zu bringen[94]. Er war auch als stilistischer Korrektor für Anton Ulrichs Vater tätig gewesen. Aber es ging hier doch um mehr: um die kritisch feilende Mithilfe bei einem Autor, der selbst über eine literarische Bildung und über Kenntnis der zeitgenössischen deutschen und französischen, italienischen und niederländischen Literatur verfügte. Was Birken zu dieser Arbeit bewog und wie er sich gegenüber dem Herzog verhielt, wird aus Spahrs Forschungen hinreichend deutlich; anders sieht es von der Seite Anton Ulrichs aus. War nur ein Mangel an Zeit, die schon die Niederschrift dieser Monumentalromane erheblich strapazierte, der Grund, Birkens Hilfe zu beanspruchen? Dies scheint eine Note an Birken zu bestätigen. »NB. Es wird sich der H. von Birken belieben laßen dieses lied aufzusetzen weilen ich ietz so wenig zeit dazu habe da ich es selbst nicht abwerken kan.«[95] Spielten auch Zweifel an seiner eigenen Sprach- und Stilsicherheit mit, die ratsam machten, sich eines Literaten zu bedienen, der auf der Höhe des Geschmacks, wenn nicht schon in der Avantgarde war? Oder legte der Herzog, zu ausschließlich mit dem Erzählinhalt beschäftigt, nur wenig Wert auf eine Kultur des Stils und Vermittlungen zum Leser, so daß er diese Sorge seinem Helfer überließ? Schloß sein Verhältnis zur Sprache deren Reflexion als eine artistische oder zumindest handwerkliche Aufgabe aus und betrachtete er sie nur als ein Vehikel der mitzuteilende Inhalte, sodaß er ihre einheitliche Gestaltung im syntaktischen Material und ihre definitive Form als sekundäre Angelegenheit seinem literarischen Mitarbeiter überließ? Sicher läßt sich nur sagen, daß ihm der Gedanke an eine individuelle künstlerische Stil- und Sprachgestaltung fern gelegen haben muß. So ergab sich eine Zusammenarbeit zwischen dem Fürsten und dem bürgerlichen Literaten, die

---

[93] Ders., The Archives, a. a. O., S. 63 und mündliche Auskunft.

[94] Wilhelm Hausenstein, Der Nürnberger Poet Sigmund von Birken in seinen historischen Schriften, in: Mitteilungen des Vereins für Geschichte der Stadt Nürnberg, 18, 1908, S. 197 ff.; ferner August Schmidt, Sigmund von Birken genannt Betulius 1626—1681. Festschrift zur 250jährigen Jubelfeier des Pegnesischen Blumenordens, hrsg. im Auftrage des Ordens von Th. Bischoff und A. Schmidt, Nürnberg 1894, S. 481 ff.

[95] Blake L. Spahr, The Archives, a. a. O., S. 65.

das Schema einer Trennung zwischen höfischer und gelehrt-bürgerlicher Kultur unsicher werden läßt, damit auch diese beiden Romane von einer spezifischen Bezogenheit der höfischen Kultur auf eine repräsentativ höfische Rhetorik distanziert[96]. Sie stellen sich in einer Sprache dar, die eine Gemeinsamkeit zwischen dem Höfischen und dem Gelehrt-Bürgerlichen dokumentiert und derart über die Esoterik nur höfischer Stilbehandlung hinausweist. Die bisher dominierende Zuweisung der beiden Romane Ulrichs bedarf also einer Korrektur.

Wie bei der »Aramena« greift auch in der »Octavia«, wie unsere Textprobe zeigt, Birken nicht in den Textinhalt ein; er ist ausschließlich Anton Ulrichs Leistung. Birken beschränkt sich hier wie dort auf eine formale Bearbeitung, auf »the handiwork of polishing«[97]. Schon auf den ersten Blick kennzeichnet Birkens Textredaktion, wie er Anton Ulrichs absatzlos durchlaufende Manuskriptfassung in kurze Absätze aufgliedert. Der Text des Herzogs kam ihm darin entgegen. Nur in relativ wenigen Fällen mußte Birken dessen Satzketten auflösen (A.U.Z. 54 zu B.Z. 54; A.U.Z. 182 zu B.Z. 177; A.U.Z. 209 zu B.Z. 199; A.U.Z. 216 zu B.Z. 209). Birken erreichte derart eine weit deutlichere Überschaubarkeit und Gliederung der einzelnen Vorgangsphasen. Er dachte offenbar, auch für den Druck verantwortlich, mehr als der Herzog an ein Darbietungsarrangement für den Leser. Er faßt jeweils die einzelnen Stationen, aus denen sich Neros Weg in den Tod zusammensetzt, in ihrem zeitlichen und ihrem inneren Verlauf zu einem geschlossenen Absatzganzen zusammen. Der Absatz setzt zumeist mit einer Spannungserregung ein; er klingt in fallender Kurve mit einer Ungewißheit aus, die dem nun Erfolgenden entgegenspannt. Nur in drei Fällen schließt der Absatz mit der Steigerungspointe einer kurzen direkten Rede (B.Z. 154; B.Z. 187—189; B.Z. 207, womit auch B.Z. 176 vergleichbar sein dürfte). Es ist vielleicht kein Zufall, daß gegen Schluß der Geschichte diese Steigerungspointen in direkter Rede schon im Text von Anton Ulrich zunehmen.

Der Verdeutlichung dient ferner, daß am Absatzbeginn Zeit- und Ortsangaben auftreten. Sie markieren, daß die Absätze jeweils Signale eines Szenen- und Auftrittswechsels sind. Nero ist bald mit sich allein, bald erfolgen Auftritte mehrerer und wechselnder Personen, bis sich, als Icelus und seine Reiter den Todeskeller betreten haben, eine Art Ensembleszene ergibt, die alle

---

[96] Hingegen Erich Trunz, Aus der Welt des Barock, Stuttgart 1957, S. 30: »Auch der Roman ist gesellschaftlich, höfisch und rhetorisch von Opitz bis zu Anton Ulrich von Braunschweig.«

[97] Blake L. Spahr: Anton Ulrich and Aramena, a. a. O., S. 79.

78

Beteiligten um den Sterbenden versammelt. Diese Absatzgliederung verdeutlicht noch die Orientierung von Anton Ulrichs Erzählverfahren an den Bauprinzipien des Dramas. Schon der erste Absatz erzählt von einem geplanten Auftritt, ausstaffiert und emblematisch betont durch die Trauerkleider, vor der Öffentlichkeit auf dem Markt, für den Nero seine Rede zu präparieren sucht. Obwohl die zeitgenössische Romantheorie, wie Birken selbst in der Vorrede zur »Aramena«, den neuen Roman am Epos maß[98], wird erzählpraktisch nicht nur bei Anton Ulrich, ähnlich bei Zesen und Lohenstein eine Bezugnahme auf das Drama erkennbar. Das Schauspiel, mit dem Nero seine Begleiter und sich selbst um die Notwendigkeit seines Todes und damit die eigentliche Wirklichkeit zu betrügen versucht, wird in einer Form erzählt, die selbst dem Schauspiel nahe ist.

Solche Absatzgliederung, die jeweils in der Vorgangseinheit auch eine erzählerische Einheit herstellte, veranlaßte Birken, in Anton Ulrichs Satzbau, Wortstellung und gelegentlich auch Wortgebrauch vornehmlich dort einzugreifen, wo der Satz einen Absatz einleitete oder beendete. Eingriffe am Eingang der Absätze sind allerdings geringfügig; sie vermehren sich bei den Absatzschlüssen. Birken, der für rhythmische und klangliche Wirkungen auch in der Prosa, nicht nur in der Verspoesie, ein sensibles Ohr hatte, bemühte sich um rhythmische Balancierungen der Absatzschlüsse. Nur einige Beispiele: A.U.Z. 9 »daß Er Stathalter in Aegipten würde« wird B.Z. 9—10 zu »wann er statthalter in Egypten seyn möchte« umgebildet. Anstelle des stumpfen A.U.Z. 40 »fort wahre« setzt B.Z. 39 »hinweg wäre«. Das ähnlich klanglose A.U.Z. 54 »war die auch fort« verändert B.Z. 52—53 zu »auch diese verlohren war«. Es bedurfte wiederholt nur kleiner Umstellungen. So wechselt Birken A.U.Z. 88—89 »das auch die Natur selbst und alle Elementen gegen den Nero wolten zufelde ziehen« zu der ausgewogenen rhythmischen Kadenz aus B.Z. 85—86 »daß auch die natur selbst und alle elemente gegen den Nero zu felde ziehen wolten«. Zwar gibt es bereits in Anton Ulrichs Niederschrift ähnliche Satzschlüsse, die sogar metrische Skandierungen möglich machen (zum Beispiel A.U.Z. 72—73 »wan keine hofnung des lebens mehr übrig bleibet« oder A.U.Z. 94 »weil ihme alle gewalt sich zu rächen entzogen ware«). Birken verstärkt und poliert nur, was in Anton Ulrichs Text schon angelegt ist. So ändert er dessen klangloses Satzende A.U.Z. 148—149 »die Er sonst wolte umb verzeihung bitten, das Er sie ermordet« zu B.Z. 143 »die er sonst um verzeihung würde gebeten haben«. Auch im laufenden Text geht es ihm

---

[98] L. Fischer, a. a. O., S. 27 f.

offenbar um klangliche Harmonisierungen: so, wenn er A.U.Z. 1 »an das Volck zu thun« zu B.Z. 1 »an das volk zu verfassen« alliterierend ändert, wenn er A.U.Z. 23—24 »dahin Er dannoch nicht wohl es wagen durfte« zu B.Z. 22—23 »Dorthin dorfte er es dannoch nicht wol wagen« umformt oder A.U.Z. 34—35 »Die finsternis dienete ihnen hinwegzukommen« zu B.Z. 34 »Die finsternis dienete ihnen / desto füglicher hinweg zu kommen« ergänzt. So geringfügig solche Änderungen erscheinen mögen, sie tragen zur größeren klanglich-rhythmischen Ordnung dieser Prosa bei.

Der Gliederung zu kürzeren, überschaubaren Absätzen entspricht Birkens Verfahren im Verkürzen und Straffen der Sätze Anton Ulrichs. Sein Text erweckt den Eindruck, er habe dessen Erzählweise zu größerer Verknappung bearbeitet — ein allerdings trügerischer Eindruck, da die Zahl der Wörter, die beide benötigen, nicht oder kaum merklich differiert. (Als Beispiele: Der 1. Absatz bei Birken zählt 101 gegen 102 Wörter auf der gleichen Erzählstrecke bei Anton Ulrich; in dem 2. Absatz ist die Anzahl gleich, bei dem 3. Absatz zeigt Birkens Text sogar eine Zunahme zu 168 gegen 160 bei Anton Ulrich, während sich bei dem 4. Absatz das Verhältnis umkehrt, nämlich 140 zu 149; in dem 5. Absatz stellt sich fast eine Gleichzahl, 197 zu 195, ein.) Das Hauptgewicht von Birkens Redaktion liegt im Verkürzen und syntaktischen wie stilistischen Klären der Satzeinheiten. Der Text Birkens zählt — zum Vergleich sei an die oben mitgeteilte Satzstatistik bei Anton Ulrich erinnert — 81 Sätze, von denen nur zwei Sätze mehr als 50 Wörter umfassen, hingegen 42 Sätze unter 50 Wörtern aufweisen. Innerhalb dieser Sätze herrscht eine Gruppe von 15 Sätzen mit zwischen 26 und 39 Wörtern vor; der kürzeste Satz bei Birken zeigt nur 5 Wörter, der längste 63 Wörter. Erst Birken führt die pointierte Zweiteilung des Satzes in 34 Fällen ein, die noch nicht markiert bei Anton Ulrich auftritt, aber sonst in der Romanprosa der Zeit, wie etwa bei Lohenstein, geläufig ist. Daneben treten schließlich 3 dreigeteilte Sätze. Auch in ihnen zielt Birken auf Kürze: der längste zweigeteilte Satz bedarf nur 53 Wörter, der kürzeste nur 10 Wörter. 16 der zweigeteilten Sätze zeigen analog den einfachen Sätzen die Zahl zwischen 26 bis 39. Die drei dreigeteilten Sätze bewegen sich zwischen der unteren Grenze von 18 und der oberen Grenze von 60 Wörtern. Darin ist die für Birken in diesem Text vorwaltende Satzlänge gegeben. Es herrscht ein Prinzip der syntaktischen Übersichtlichkeit und Klarheit, das mittels der syntaktischen Organisation ebenso auf die erzählte Sache wie auf den Leser bezogen ist. Darin äußert sich eine rationalistische Tendenz und die deutliche Umschaltung vom einzelnen Wort zum Satz als dem einheitbildenden Sinnträger. Er ist das architektonische Element, das den Großbau des epischen Flusses in viele kleine, je in sich geschlossene Bauteile aufgliedert. Birkens syntaktische Eingriffe verstärken die Prägnanz der dominanten rhetorischen Gedankenfiguren, die sich bereits im Text von Anton Ulrich abzeichnen, und die Adolf Haslinger als Reihung im Widerspiel von Analyse und Synthese, als Antithetik und als syntaktischen Parallelismus vorzugsweise am Text der »Aramena« nachgewiesen hat[99].

Dem zweigeteilten und dreigeteilten Satz, den also erst Birken dem Text einlegte, kommt eine eigene Bedeutung zu. Der Doppelpunkt, der zu zwei oder drei Sätzen innerhalb einer Satzeinheit aufteilt, hat allerdings nur eine geringe Funktion, wo es sich lediglich um Relativanschlüsse handelt. Stilistisch gewichtiger ist der häufige Fall, daß zwei Hauptsätze, mit gleichem oder verschiedenem Subjekt, zugleich als zwei Vorgangsphasen getrennt und doch miteinander in der umfassenden Satzeinheit konsekutiv, adversativ oder temporal verknüpft werden. Der Doppelpunkt bezeichnet dann den Augenblick, zu dem der erste Teilsatz geführt hat, und den Augenblick, in dem, als dessen Folge, der zweite Teilsatz mit einem neuen, mitunter unerwarteten Vorgang beginnt. Eine typische Figur liegt darin, daß der erste Teilsatz verbal endet, worauf sich der zweite Teilsatz mit konjunktionalem Anschluß einleitet (z. B. »sagen: wodurch...« B.Z. 19; »anklopfte: aber...« B.Z. 43; »erweckte: wiewol...« B.Z. 90; »sucheten: darzu...« B.Z. 98; »gegeben: daher...« B.Z. 107; »stehen: darum...« B.Z. 118; »kriechen: Dann ... B.Z. 130; »essen: wiewol ...« B.Z. 135 u. a. m.). Birken nutzt den zweiteiligen Satz nicht nur, um Anton Ulrichs parataktische Kettensätze in knappere Einheiten aufzugliedern, er nutzt ihn auch und besonders, um eine dichte Zeit- und Konsekutivfolge, fast eine Art von Simultaneität in der Wechselreihe der Vorgänge zu erreichen. Der zwei- und dreigeteilte Satz erhält eine bestimmende Funktion in der erzählerischen Strukturierung der Zeit: »Verrahte mich nicht! sagte Nero zu ihm: der ihm dieses auch verhieße; und rannte er damit voll angst fort / bis er an den mairhof gelangte« B.Z. 112—114. Die direkte Rede Neros, die indirekt berichtete Versicherung des Soldaten, die parataktisch angeschlossene Reaktion des Kaisers werden als separate Momentvorgänge in den syntaktisch organisierten Zusammenhang eines gedrängten Ablaufes gebracht. Der zwei- und dreigeteilte Satz verleiht der Erzählweise eine dramatische Pointierung; sie gibt ihr spannungskräftigere Konturen als es Anton Ulrichs parataktisch schwerfälliger und wiederholt verschachtelnd spannungsloser Satzbau vermochte. Birken gab die epische Weiträumigkeit in der syntaktischen

---

[99] A. Haslinger, a. a. O., S. 359 f.

Führung nicht preis, aber er gliederte sie in kleinere, mehr spannungsgefüllte Einzelräume auf.

Sein stilistisches Geschick zeigt sich darin, wie er Anton Ulrichs Prosa mehr Beweglichkeit, Konsistenz und Durchsichtigkeit gab. Er klärt durch mehr hypotaktische Fügungen die Bezüge, er rückt zu weit voneinandergestellte grammatische Beziehungswörter in näheren Zusammenhang; beides wurde bereits von Blake L. Spahr für die Bearbeitung der »Aramena« gezeigt. Er streicht in einigen Fällen, was als überflüssig erschien (z. B. den nichtssagenden Nebensatz A.U.Z. 2 »etwas so ihme würde einfallen«). Er verwandelt einen ähnlich umständlichen Nebensatz in ein Attribut (B.Z. 121 »nächste sand-grube« statt A.U.Z. 122—123 »so allernechst war«; B.Z. 71 »diese seine gedanken« statt A.U.Z. 73—74 »was er gedachte«). Er bildet Latinismen in Nebensätze um (A.U.Z. 10 »bei der erinnerung« zu B.Z. 11 »als er ... sich erinnerte«, was zugleich bedeutet, daß gegen das distanzierende Nomen eine nähere personale Beziehung mittels des reflexiven Verbums ausgetauscht wird). Birken ändert die schon altertümliche Folge von Hilfsverb und Haupt-verb bei Anton Ulrich durch Nachstellung des Hilfsverbs (A.U.Z. 37 »sollen schlafen« zu B.Z. 36 »schlaffen sollen«; A.U.Z. 53 »wolte sehen« zu B.Z. 51 »suchen wolte«; A.U.Z. 86 »pflegen zufürchten« zu B.Z. 83 »zu fürchten pflegte«), ersetzt veraltete Wendungen (A.U.Z. 39—40 »von dehnen« zu B.Z. 38 »durch sie«), verwandelt das bei Anton Ulrich häufige Anschlußpronomen »so« durch Relativpronomina, beseitigt ausdrucksschwache Wörter (A.U.Z. 40 »gleich« zu B.Z. 40 »sofort«; A.U.Z. 23 »dahin« zu B.Z. 22 »dorthin« u. a. m.), kürzt bei unnötigen Längen (A.U.Z. 20—21 »den anderen tag frühe morgens« zu B.Z. 20 »des andern morgens«) und beseitigt sprachliche Nachlässigkeiten (A.U.Z. 1 »rede ... zu thun« zu B.Z. 1 »rede ... zu verfassen«; A.U.Z. 100 »sagete ja« zu B.Z. 98 »bejahete«; A.U.Z. 122 »so lange« zu B.Z. 121 »ent-zwischen«). Das Bestreben zeichnet sich ab, den Stil etwas höher zu legen und das Wortmaterial anzuheben (A.U.Z. 116 »kahme« zu B.Z. 114 »gelangte«; A.U.Z. 139 »übermeisterte« zu B.Z. 136 »so sehr meisterte«; A.U.Z. 184 »stunde« verdeutlichend zu B.Z. 179 »sterbstunde«). Der Verdeutlichung dient wohl auch B.Z. 6 »schweren auflagen« statt A.U.Z. 6 »auflagen« und die Veränderung des etwas altertümlich wirkenden A.U.Z. 7 »verschwelgeten Reichthumb« zu B.Z. 6—7 »die verschwendung der Cammer-güter«, was allerdings auch eine kleine Sinnverschiebung im Kontext mit sich bringt. Andere Änderungen sollen offenbar ähnlich veraltetes Wortmaterial oder weniger geläufige Wortformen eliminieren (A.U.Z. 107 »Seelen« zu B.Z. 105 »leute«; A.U.Z. 46 »Er hatte gutt ruffen über den« zu B.Z. 45 »Er rieffe«;

A.U.Z. 145 »dauchte« zu B.Z. 139 »dünkte«; A.U.Z. 185 »wringete« zu
B.Z. 181 »wrunge«; A.U.Z. 195 »trampfen der pferde« zu B.Z. 191 »pferdgetreppel«). Als ein Mißgriff möchte erscheinen, wenn Birken B.Z. 188 die
bei Anton Ulrich zitatgetreu verdoppelte affektive Selbstanklage Neros »Es
ziemet dir nicht« A.U.Z. 192 vereinfacht und derart das Rhetorisch-Theatra-
lische der Stimmlage und Stimmgeste des Kaisers herabdämpft. Auffällig ist,
daß er A.U.Z. 85 »mächtiges« zu B.Z. 82 »grausames donnerwetter« verändert.
Die Wortwahl Anton Ulrichs bezeichnet mehr die Stärke des Gewitters, also
das Pathetische des kosmischen Vorgangs, während Birkens »grausam«
qualitativ charakterisiert, einen metaphorischen und affektiven Ausdruck ins
Spiel bringt, der im barocken Sprachgebrauch längst zur Formel verblaßt
war. Eine ähnliche Verschiebung liegt in der Ablösung des A.U.Z. 166
»unglückselig« durch B.Z. 160 »schändlich« vor. Anton Ulrich dachte bei
seiner Wortwahl wohl daran, daß dies Versagen Neros in der Oedipus-Rolle
eine vom Geschick herbeigeführte Präfiguration seines nahen Todes sei,
während Birken mehr die Wirkung im Auge hat, die dies Versagen auf Neros
schauspielerisches Selbstbewußtsein und auf sein öffentliches Ansehen aus-
übte. Verbesserungswürdig erschien ihm des Herzogs etwas pedantisch-
gekünsteltes Wortspiel (A.U.Z. 205 »treibt« zu B.Z. 195 »wirft«) in der
Übersetzung des Homer-Zitats.

Gewiß, dies sind Kleinigkeiten, aber sie haben, summiert, dem Erzählstil
der »Octavia« eine Prägung gegeben, die fragen läßt, ob es sich denn in ihr
wirklich noch um einen Stil von rein barocker Bildung handle, wie es seit
Günther Müller zur opinio communis der Forschung geworden ist. Zwar hat
sich diese Prosa, wie Adolf Haslinger nachgewiesen hat[100], nicht von den
Bauprinzipien der Rhetorik entfernt; weder in der Manuskriptfassung Anton
Ulrichs noch in der Druckfassung durch Birken. Den Grad »rhetorischer
Bewußtheit«, das disziplinierte geistgeformte Sprechen und den »denkerischen
Stil«, wie es Clemens Heselhaus formuliert[101], wird man allerdings mehr Birken
als Anton Ulrichs Text zuschreiben müssen. Der Nürnberger Stilist hat dieser
»bewußten und repräsentativen Prosa«[102] den letzten Schliff gegeben[103].

---

[100] A. Haslinger, a. a. O., S. 337f.

[101] C. Heselhaus, a. a. O., S. 30. Dazu B. L. Spahr, Anton Ulrich and Aramena, S. 75.

[102] A. Haslinger, a. a. O., S. 332.

[103] B. L. Spahr, a. a. O., S. 79, faßt das Ergebnis der Redaktion der »Aramena« durch
Birken wie folgt zusammen: »The final revision, characterized principally by stylistic econo-
my, ties in the losse ends, tightens the sentence structure, eliminates extraneous details, and
reduces complexities. The result is a greater structural and narrative tension. One sentence

»Bewußte« Prosa meint wohl aber auch, daß ihre stilistische Gestaltung von jener Analogie zur Stilkunst der Verspoesie emanzipiert wurde, die durchweg in den Poetiken des Barock, soweit sie überhaupt der erzählenden Prosa eine Erwähnung gegönnt haben, zum Grundsatz wurde[104]. Der Stil der »Octavia« ist nicht nach jenen Prinzipien der Rhetorik geformt, die sich am ›stilus ornatus‹, an der poetischen ›elocutio‹ und am ›genus altissimum‹ orientieren.

Anton Ulrich und Birken setzen ihnen einen Stil entgegen, der auf die ›connexio realis‹ zielt und von einer Sach- und Rationalbezogenheit bestimmt wird. Sie folgt den Prinzipien der Wahrscheinlichkeit, der Natürlichkeit und Simplizität; sie bewirkt einen einheitlich fließenden Zusammenhang in Syntax und Vokabular. Es geht bei Anton Ulrich und bei Birken um eine Rhetorik klassizistischer Prägung, die aus dem Stilbereich des Barock hinaus und auf den der frühen Aufklärung verweist. Die in dieser Studie nachgewiesene Priorität der Sache, das heißt der bewegten Handlung, und von deren rationaler Begründung und Durchschaubarkeit war — entgegen der dekorativ-scharfsinnigen und artistisch verselbständigten Sprachgestaltung des Hochbarock — ein Grundpostulat des von der frühen Aufklärung verfochtenen Stils. Dies Postulat verlangte nach der Qualität der ›perspicuitas‹, der Deutlichkeit, und des ›aptum‹ als einer Angemessenheit der Sprache an den gewählten Gegenstand und die gewählte Gattungsform. Es umfaßte ferner das ›iudicium‹ als Prinzip der Vernunft statt des Feuers der Phantasie[105]. Dies alles zielt auf eine ›Mimesis‹, die vergegenwärtigt, nicht ausmalt, und derart eine Natürlichkeit anstrebt, die die Darstellung mit dem, was sich in der Empirie anbietet, übereinstimmen läßt. Wenn zutrifft, daß »von keinem Ansatzpunkt her ... die Beschreibung das eigentliche Ziel der barocken Darstellung sein« kann[106] und es »dem Barockdichter ... nicht um ein mimetisches Verhältnis zur Natur und Wirklichkeit geht«[107], dann hebt sich das

---

carries over into the next, just as one sentence part, through subordination, leads to its resolution in the next sentence part. Birken is chiefly responsible for this stylistic improvement, whereas Anton Ulrich has also a part in the completion and unification of the original.« (S. 79).

[104] Manfred Windfuhr, a. a. O., S. 80, weiterhin S. 139 ff.: »Die anspruchsvollen Romane folgen den Tendenzen der Versdichtung.« Das zeigt sich in ausgedehnten Umschreibungen, Affektausbrüchen, langen reflektierenden und metaphorischen Gesprächen, eingelegten Versen, sich überbietenden Bildern, im Einflechten von Exempeln, dem Aufwand der ›elocutio‹, etc. Allerdings verweist Windfuhr (S. 141) auch auf »gelegentliche Ruhepausen des Bildstils zwischen hochgeschmückten Passagen in Lohensteins »Arminius«.

[105] Ebd., S. 401.

[106] Ebd., S. 82.

[107] Ebd., S. 115.

mimetische Erzählen von Anton Ulrich und Birken entschieden vom Barock ab. Ihr rhetorisches Erzählverfahren ordnet sich der Mimesis ein und beansprucht keinen poetisch-artistischen Eigenwert. Es trifft für beide zu, was Manfred Windfuhr von der Zurückhaltung der Klassizisten in Bild- und Schmuckfragen innerhalb des rhetorischen Systems sagt; es trifft für sie zu, was er als ein klassizistisches Vermeiden von Bildlichkeit und Schmuckstil, von Stilraritäten, Formeln und Wortneubildungen nachweist[108]. Es entspricht ferner der Abwendung vom Barock zu einem neuen Stil, daß für diesen der Satz mittlerer Länge, wie er für Birkens Textbearbeitung charakteristisch ist, zum Usus wurde; ein Satz, der ebenso eine Vielzahl der Unterordnungen im gelängten Satz wie die Abruptheit des lakonischen Kurzsatzes vermeidet und sich durch einen rhythmisch gleichmäßigen Fluß und eine Ausbalancierung der Satzeinheiten kennzeichnet[109]. Der Wolfenbütteler Herzog war so wie die sprachlichen Anregungen und Einflüsse, die er aus der Fruchtbringenden Gesellschaft und vor allem von Schottel empfangen haben wird, beheimatet im nördlichen Deutschland und im Protestantismus, also in jenen geistigen Bezirken, in denen die Klassizisten vorwiegend aufzufinden sind[110]. Er fand von diesem Klassizismus aus den Übergang zu einem neuen Erzählstil, wie ihn dann die Aufklärung theoretisch und praktisch entwickelt hat. Seine Romane zeigen, daß auch der »höfische« Stil in diesem Jahrhundert nicht etwas schlechthin Einheitliches darstellt, sondern differenziert werden muß[111]. Die von der Forschung angenommene Gleichung von höfischem Verfasser, höfischem Leben, höfischer Gattungsform und höfisch-literarischem Stil bedarf angesichts des Erzählstils der »Octavia« einer Überprüfung. Die Identität der Dreiheit Gattung, Standesbereich von Autor und Leser und Stilhöhe wird hier zweifelhaft. Wieweit bei Anton Ulrich auch ein französischer Stileinfluß mitspielt, bedarf anhand der in Wolfenbüttel erhaltenen verschiedenen Manuskripte, wozu auch Übersetzungen aus dem Französischen gehören, einer eigenen Untersuchung[112]. Dieser Einfluß kann praktisch schon wirksam

---

[108] Ebd., S. 402ff. Zur klassizistischen Rhetorik ferner Wilfried Barner, a. a. O., S. 77.

[109] Ebd., S. 386.

[110] Ebd., S. 410.

[111] Ebd., S. 156: »Das Stilideal der barocken Höfe ist nicht die natürliche Rede- und Lebensweise, sondern im Gegenteil die künstlich-tropische.« (S. 156ff.)

[112] Clemens Lugowski, Die märchenhafte Enträtselung der Wirklichkeit im heroischgalanten Roman, S. 372ff., akzentuiert entgegen Günther Müllers These, daß die »Aramena« den »Geist und Stil des deutschen Barock« repräsentiere (Deutsche Dichtung von der Renaissance bis zum Ausgang des Barock, Handbuch der Literaturwissenschaft, S. 246ff.) einen starken Einfluß von Calprenède, so daß »von schlechthin derselben Stilerscheinung

gewesen sein, mag er sich in der Theorie der Poetik auch erst seit D. G. Morhofs »Unterricht von der Teutschen Sprache und Poesie« abzeichnen[113]. Bei Birken können die Anschauungen der Nürnberger Poetik mitgespielt haben, die sich von den traditionellen Stilvorschriften entfernten und, wie Harsdörffer, allerdings von Schauspielen sprechend, mehr auf »die psychologisch richtige Darstellung durch die Sprache«, auf »den Ausdruck des Wesens der Personen« als auf »eine Zuordnung von festen Stilebenen zu den Gattungen« das Augenmerk lenkten[114]. In den Jahren, in denen seit etwa 1675 Anton Ulrich mit der Niederschrift der drei Bücher des Ersten Teils seiner »Octavia« beschäftigt war, ist nach dem consensus der Forschung der Höhepunkt der Barockliteratur erreicht. Es ist bemerkenswert, wie die Erzählweise in diesem Roman sich bereits von deren vorherrschendem Stil emanzipiert und sich J. Ch. Gottscheds antibarocker These in der »Ausführlichen Redekunst« nähert, die besagt, daß auch die Erhabenen in dieser Welt naturlich reden und tausend Dinge bei ihren gemeinen Namen nennen, denn, so fährt Gottsched fort, es scheine eine gezwungene Hoheit zu sein, wenn jemand lauter ungemeine und auserlesene Redensarten brauchen will [115]. Man wird nicht mehr uneingeschränkt daran festhalten können, daß Anton Ulrichs Romane den Geist und Stil des deutschen Barocks repräsentieren, sondern einräumen müssen, daß sich hier bereits der Erzählstil durchsetzt, der zum Stil der Aufklärung im 18. Jahrhundert geworden ist.

---

gesprochen werden müsse«. (S. 372) Zu Anton Ulrichs Interesse am französischen klassizistischen Theater vgl. Heinz Otto Burger, Dasein heißt eine Rolle spielen, S. 100. Hingegen betont Carola Paulsen, Die Durchleuchtige Syrerinn Aramena des Herzog Anton Ulrich von Braunschweig und La Cléopatre des Gautier Coste de la Calprenède, das Eigenständige und Neuartige seines Erzählens. Zu dieser Frage auch Norbert Miller, Der empfindsame Erzähler, S. 355, Anmerkung 59.

[113] Manfred Windfuhr, a. a. O., S. 409.

[114] Ludwig Fischer, a. a. O., S. 145 und S. 174f.

[115] Johann Christoph Gottsched, Ausführliche Redekunst, 4. Aufl., Leipzig 1750, S. 267f.

LIESELOTTE BLUMENTHAL

DER ERSTE EMPFÄNGER DES ERSTEN HOREN-STÜCKS

ZU EINEM UNBEKANNTEN BRIEF SCHILLERS

Nicht jede Veröffentlichung einer ungedruckten Handschrift ist eine Sensation. Aber man soll es auch nicht erwarten. Nicht jede archäologische Entdeckung gilt einer unbeschädigten Vase, sondern oft nur einer Scherbe, die man anderen, schon bekannten Bruchstücken anfügen kann, und im Glücksfall erhält man dann die entscheidende Erkenntnis über die Form des Gefäßes oder den Inhalt der Darstellung.

Auch ein unerwartet zum Vorschein gekommener Brief Schillers hat selten einen so bedeutenden Inhalt, daß er in den Auktionskatalogen als »wunderschöner« Brief angezeigt werden könnte. Schiller war kein leidenschaftlicher Briefschreiber, aber ein hervorragender Gesprächspartner. Das schließt nicht aus, daß er großartige Briefe schreiben konnte; aber seine eigentliche Domäne war der mündliche Gedankenaustausch. Seine Briefe an Körner, Humboldt und Goethe, die dieser These zu widersprechen scheinen, waren immer die Fortsetzung der mündlichen Gespräche und sollten die Zeit bis zur nächsten Gegenwart überbrücken. Ließ sich diese nicht verwirklichen oder war man am selben Ort, versiegte Schillers Bedürfnis, sich schriftlich auszusprechen.

Seine Briefe an Körner sind das eindrucksvollste Zeugnis, wie sich die Gewohnheit der täglichen Unterhaltung in ausführlichen, manchmal überlangen Schreiben fortsetzte, die dann durch das Ausbleiben eines längeren Wiedersehens zu kürzeren Mitteilungen absanken. Körner hat sich unablässig bemüht, das schriftliche Gespräch durchzuhalten; es ist ihm nicht gelungen.

Wilhelm von Humboldts jahrelanges und weites Entferntsein bewirkte nicht nur durch die schwierigen und unsicheren Postverhältnisse, daß Schiller kaum noch schrieb. Das Gefühl der Verbundenheit blieb, und die Erinnerung an das Glück der gemeinsamen Jenaer Zeit ersehnte eine Wiederholung in naher Zukunft. Aber dem Dichter war es nicht gegeben, den Freund schriftlich an den Absichten und Schwierigkeiten seiner entstehenden Werke teilnehmen zu lassen. Er brauchte den Gegenwärtigen, den sofort Antwortenden, während

Humboldt lange Reiseberichte verfaßte, um dem Zurückgebliebenen den Widerschein der unbekannten Welt zu geben.

Im Briefwechsel mit Goethe schließlich läßt sich der Rhythmus von Systole und Diastole deutlich beobachten. Jedes Zusammensein klang in den Briefen weiter, aber nicht als Erinnerung, sondern es wurden neue Gedanken geäußert, und durch die Botenfrau, die die Post zweimal in der Woche zwischen Jena und Weimar hin- und hertrug, trat äußerlich in dem Austausch keine Stockung ein. Aber wenn der Freund zu lange von Jena fernblieb und gar Hofgeschäfte der Grund waren, vermochte Schiller das Warten und Vertröstetwerden kaum zu ertragen, und seine immer noch regelmäßigen Nachrichten beschränkten sich auf Tatsachen. Nach seiner Übersiedlung nach Weimar hat er mit Goethe, von besonderen Fällen abgesehen, nur noch Billette gewechselt.

Nur diesen drei Menschen hat Schiller Gesprächsbriefe geschrieben, an alle anderen waren es Mitteilungen. Diese radikale Unterscheidung ist natürlich nur theoretisch zu treffen, denn wie oft findet sich auch in Briefen an andere ein Nachklang oder die Fortsetzung eines Gesprächs; aber es sind meist isolierte Briefe. Wohl hat der Dichter herzlich und innerlich beteiligt an seine Familie, an andere Freunde und auch an Fremde geschrieben; aber für ihn war das nur ein unzulänglicher Ersatz. Auch von den Zeitgenossen wird immer wieder hervorgehoben, daß sich die Unwiderstehlichkeit von Schillers Wesen und die Eigentümlichkeit seines Geistes am reinsten im persönlichen Umgang offenbart haben.

Die meisten von Schiller geschriebenen Briefe waren Geschäftsbriefe im weitesten Sinne des Wortes. Sie ergaben sich aus dem täglichen Leben, vor allem aus der Arbeit, und waren an den Gegenstand gebunden. Solche Briefwechsel konnten sich durch Jahre hinziehen und zu einem persönlichen Verhältnis führen; aber oft waren sie nur von kurzer Dauer und hörten auf, wenn sich die Sache, um die es ging, erledigt hatte.

Einzelne unbekannte Briefe, die in unserer Zeit auftauchen, gehören in den meisten Fällen zu solchen Korrespondenzen. Sie zeigen den nüchternen, von Arbeit überhäuften und von Terminen bedrängten Schriftsteller und stimmen nicht zu dem über alle menschliche Misere erhabenen Dichter, zu dem ihn das 19. Jahrhundert idealisiert hat. Diese Alltagsschreiben geben vor allem über Schillers jeweilige Beschäftigung, über seine Pläne und Urteile und über seine Beziehungen zu Menschen Aufschluß, verraten aber nur selten etwas von seinem persönlichen Leben und seinen Dichtungen. Der einzelne Brief ist nur eine Scherbe; aber wenn es gelingt, ihn an der richtigen Stelle einzusetzen, wird er zum wesentlichen Teil eines Ganzen. Man darf von ihm nicht zu viel, aber auch nicht zu wenig erwarten.

Der vorliegende Brief Schillers stammt aus schweizerischem Privatbesitz[1]. Auf einem Blatt (11,5 × 18,6 cm) von leicht vergilbtem, dünnem, geripptem Papier, dessen Wasserzeichen nur den kleinen Teil eines Buchstabens zeigt, ist die Vorderseite von Schiller beschrieben. Auf der Rückseite sind Spuren des ehemaligen Briefverschlusses und die Notiz von fremder Hand: »Schiller, Jena, 23 Jan. 95.« Der Text lautet:

Jena den 23. Jan. 95.

Für die gütige Erfüllung meiner Bitte nehmen Sie, verehrter Freund, meinen beßten Dank an.

Ihrem Verlangen gemäß übersende ich Ihnen hier Ein Exemplar der Horen, welches künftig regelmäßig und zeitig an Sie geschickt werden wird.

Hochachtungsvoll der
Ihrige
Schiller

Glücklicherweise ist der Brief datiert: Schiller hat ihn am 23. Januar 1795 in Jena geschrieben. Aber sonst enthält der Text wenig Eindeutiges; der Inhalt kann nur richtig interpretiert werden, wenn man den Adressaten weiß. Er ist unbekannt, und es gilt, ihn ausfindig zu machen. Leider kann er nicht aus Schillers Kalendereintragungen ermittelt werden, da der Herausgeber erst Mitte Juli anfing, seinen ausgedehnten *Horen*-Briefwechsel aufzuzeichnen.

Was läßt sich dem Text entnehmen? Anscheinend hatte Schiller in einem früheren Brief eine Bitte geäußert, deren Erfüllung ihm von dem Unbekannten schriftlich zugesagt wurde. Dafür wird ihm jetzt gedankt. Der Inhalt der Bitte war den beiden Beteiligten klar und brauchte nicht wiederholt zu werden. Wir sind aber nicht imstande, von den zahllosen Möglichkeiten eine als die gemeinte zu bestimmen. Immerhin läßt die Zusendung des *Horen*-Stücks, mit dem der Empfänger vielleicht belohnt werden sollte, die Vermutung auftauchen, daß zwischen den beiden Teilen des Briefes ein Zusammenhang besteht. Das kann falsch sein, denn die Mitteilung über die *Horen* steht in einem neuen Absatz und könnte sich auf ein anderes Thema in dem Schreiben des Unbekannten beziehen. Es wäre möglich, daß dieser die *Ankündigung*, die im

---

[1] Nachlaß Caesar von Arx, Nieder-Erlinsbach. — Ich danke den Erben sehr herzlich für die liebenswürdige Selbstverständlichkeit, mit der sie mir die Veröffentlichung ihres Schiller-briefes erlaubt haben.

Dezember 1794 in verschiedenen norddeutschen und süddeutschen Zeitungen und Zeitschriften erschienen war, gelesen hatte und nun die neue Monatsschrift regelmäßig zu beziehen wünschte. Da Schiller ihm in einer anderen Angelegenheit geschrieben hatte und er antworten mußte, war es einfacher, seine Absicht dem Herausgeber als dem Verleger mitzuteilen. Cotta hat dem 12. *Horen*-Heft von 1795 ein Subskribentenverzeichnis beigefügt: Es enthält 325 Namen[2]. Wir hätten dann eine reiche Auswahl für die Suche nach dem Unbekannten.

Doch wie es auch um die Deutung bestellt sein mag, unmißverständlich ist Schillers Versicherung, daß dem Empfänger die künftigen *Horen*-Stücke »regelmäßig und zeitig« zugehen sollen. Danach könnte man meinen, daß dieses Heft erst spät verschickt wurde, aber eine Prüfung der Termine ergibt die Überraschung, daß der Unbekannte das erste *Horen*-Exemplar erhielt, das Schiller überhaupt versandt hat.

Am 15. Januar 1795 hatte Cotta dem Herausgeber der neuen Zeitschrift mitgeteilt, daß er »in der Anlage« die verabredeten Exemplare des ersten *Horen*-Stücks nach Jena schicke. Es waren die Freiexemplare für Schiller, Goethe, Humboldt, Fichte, Körner und Woltmann, die die Mitglieder des Redaktionsausschusses bildeten, dazu ein Exemplar für den Rezensenten der *Allgemeinen Literatur-Zeitung*, drei weitere für Buchhandlungen, und schließlich hatte der Verleger noch sechs Freistücke hinzugefügt: »Es könte doch möglich seyn, daß Sie mehrere auf Schreibpap[ier], eben für einige MitArbeiter gebrauchten.«[3] Da beide Partner früher ausprobiert hatten, welcher Posttag und welches Beförderungsmittel am günstigsten sei, und zu dem Ergebnis einer Expeditionszeit von acht bis zehn Tagen gekommen waren, kann angenommen werden, daß Cottas Paket zwischen dem 23. und 25. Januar in Jena eintraf.

Schon am 20. Januar hatte Schiller dem Herzog von Augustenburg geschrieben, daß er ihm eine »Schrift« überreiche, die einige der Briefe *Ueber die ästhetische Erziehung des Menschen* enthalte, und ihn um sein Urteil gebeten. Die Vorstufe dieses Werkes, die Originalbriefe, die der Prinz 1793 erhalten hatte, war dem Brand des Kopenhagener Schlosses zum Opfer gefallen, und der Verfasser hatte sich bereit erklärt, eine neue Abschrift zu liefern. Doch dabei

---

[2] Paul Raabe, Einführung in die photomechanisch hergestellte Neuausgabe der Horen, Berlin 1959, S. 13—14. — Ein Exemplar mit dem Subskribentenverzeichnis, das selten zu sein scheint, befindet sich im Schiller-Nationalmuseum in Marbach (Neckar).

[3] Cotta an Schiller vom 15. Januar 1795 (Schiller-Nationalausgabe Bd. 35, S. 129—130. — Die Schiller-Nationalausgabe wird im folgenden mit der Sigle NA zitiert.).

»drangen sich« ihm »so viele Unvollkommenheiten« auf, daß er sich nicht mehr zu der ersten Gestalt bekennen konnte[4]. Aus den geplanten Verbesserungen wurde eine neue Fassung, und sie erschien in der Zeitschrift in Fortsetzungen. Aus Schillers nächstem Brief an den Herzog[5] geht hervor, daß er ihm wirklich das erste *Horen*-Stück und nicht etwa nur die zu einer »Schrift« gebundenen Aushängebogen der Briefe geschickt hat. Da sich als Ankunftstermin von Cottas Sendung der 23. Januar bestimmen läßt, mag Schiller zwar dem Augustenburger schon am 20. Januar geschrieben haben, doch die Sendung konnte auf keinen Fall zur Post gebracht werden.

Am 25. Januar, einem Sonntag, wurden der Inhalt von Cottas Paket versandfertig gemacht und die Begleitschreiben verfaßt. Überliefert sind die Briefe an Goethe, Körner, Friedrich Jacobi und Garve. Doch auch Humboldt, Fichte und Woltmann dürften das ihnen zustehende Exemplar bald erhalten haben, und ebenso wurden wohl die ortsansässigen Buchhandlungen und die *Literatur-Zeitung* schnell beliefert, wenn auch nicht gerade am Sonntag. Goethe erhielt vermutlich drei Exemplare, die ihm im Vertrag zugesichert waren; doch wenn er noch mehr brauchen sollte, standen sie ihm »zu Dienst«. Für Heinrich Meyer legte Schiller ebenfalls ein Heft bei. Diese beiden Freunde waren vom 11. bis 23. Januar in Jena gewesen, hatten aber die Ankunft des *Horen*-Pakets nicht mehr miterlebt. Das geht aus dem Anfang von Schillers Brief an Goethe hervor: »Wären Sie einen Tag länger bey uns geblieben, so hätten wir den Advent der Horen zusammen feyern können. Gestern kamen sie.«[6] Nach der Datierung des Briefes wäre das große Ereignis am Sonnabend, dem 24. Januar, gewesen, und Goethe und Meyer hätten die Rückfahrt nach Weimar am Freitagnachmittag angetreten. Das kann aber nicht gewesen sein. Die Abreise mußte schon am frühen Morgen geschehen, weil an diesem Tag noch die Freitagsgesellschaft in Goethes Haus tagen sollte[7] und eine baldige Heimkehr notwendig machte. Das Tübinger Paket traf dann im Laufe des Tages ein, denn die Sendung an den Unbekannten ist vom 23. Januar datiert. Der Brief an Goethe wurde also trotz seines Datums schon am Sonnabend, dem 24. Januar, geschrieben. Niemand würde wohl ohne den neuen Brief vermuten, daß Schiller das erste Exemplar der sehnlich erwarteten *Horen* nicht an Goethe, sondern an

---

[4] Schiller an Friedrich Christian von Augustenburg vom 20. Januar 1795 (NA 27, S. 124—125).

[5] Schiller an Friedrich Christian von Augustenburg vom 4. März 1795 (NA 27, S. 157).

[6] Schiller an Goethe, datiert vom 25. Januar 1795 (NA 27, S. 127—128).

[7] Goethe an Voigt vom 16. Januar 1795 (Goethes Briefwechsel mit Christian Gottlob Voigt, Hrsg. von Hans Tümmler, Bd. 1, Weimar 1949, S. 160).

einen Fremden geschickt hat. Ob der Datumsirrtum auch noch bei einem anderen Brief unterlaufen ist, ließ sich nicht feststellen.

Der Brief an den Unbekannten hat im Briefkopf die Ortsbezeichnung »Jena«. Vielleicht kann man daraus schließen, daß der Adressat nicht auch dort wohnte, denn in solchen Fällen pflegte man nur den Tag oder das Datum anzugeben oder »Vom Hause« hinzuzufügen. Aber dies ist kein unbedingt gültiges Merkmal, und man darf auf keinen Fall schließen, daß bei dem Fehlen der Ortsangabe Briefschreiber und Empfänger Einheimische waren.

Ebenso problematisch ist, nach dem Ton eines Briefes den Empfänger erraten zu wollen, denn wer kann schon wagen, sich auf sein Stilgefühl unbedingt zu verlassen! Wohl scheinen Schillers Briefe an Goethe unverwechselbar zu sein, doch kurzen, unpersönlichen Mitteilungen ist nicht zu entnehmen, wie das Verhältnis der Briefschreiber zueinander war. Immerhin möchte man meinen, daß in dem zur Diskussion stehenden Brief die höfliche Anrede »verehrter Freund« und die konventionelle Schlußformel »Hochachtungsvoll der Ihrige« auf einen dem Dichter bekannten, aber nicht nahestehenden Empfänger schließen lassen. Vergleicht man diesen Brief mit anderen aus den Jahren 1794 und 1795, fallen die sehr differenzierten Anreden auf. Aus der Fülle seien nur zwei entgegengesetzte genannt. Mit »lieber Freund« wurden zum Beispiel Fichte und Gottlieb Hufeland angesprochen, Kant und Herder dagegen mit »Ew. Wohlgebohren« und »Hochwürden«. Die dem Unbekannten gegenüber gewählte Form dürfte dazwischen liegen und ähnelt am meisten etwa den Briefen an den Historiker Archenholtz in Hamburg, den Lyriker Matthisson in Wörlitz und den Herausgeber der *Allgemeinen Literatur-Zeitung* Schütz in Jena. Der unbekannte Empfänger ist Rudolph Zacharias Becker gewesen.

Der Gothaer Verleger und Schriftsteller Rudolph Zacharias Becker (1752 bis 1822) war in Erfurt geboren[8]. Von 1774 an studierte er in Jena und betätigte sich später, wie so viele andere, als Hofmeister. Seine erste Stelle hatte er im Harz und kam dann in das Haus des Kammerpräsidenten von Dacheröden in Erfurt. 1782 wurde er als Lehrer an das Philanthropin in Dessau berufen und gründete dort die *Dessauische Zeitung für die Jugend und ihre Freunde*, ein Wochenblatt, das für den Philanthropinismus werben sollte. Im Dezember 1783 siedelte er nach Gotha über und setzte dort sein Unternehmen unter dem Titel fort: *Deutsche Zeitung für die Jugend und ihre Freunde (oder moralische Schilderungen der Menschen, Sitten und Staaten unsrer Zeit)*. Von 1796 an erschien sie als *National-*

---

[8] Da in den meisten Nachschlagewerken 1751 oder 1759 als Geburtsjahr angegeben wird, sei hier vermerkt, daß Becker nach dem Kirchenbucheintrag am 9. April 1752 geboren wurde.

zeitung der Deutschen. Außerdem gab Becker 1791 noch eine Zeitung *Der Anzeiger* heraus, der sich vom folgenden Jahr an *Kaiserlich privilegirter Reichs-Anzeiger* nennen durfte. Den gebundenen Halbjahresbänden ist der bombastische Titel vorgesetzt: *Der Reichs-Anzeiger oder Allgemeines Intelligenz-Blatt zum Behuf der Justiz, der Polizey und der bürgerlichen Gewerbe im Teutschen Reiche, wie auch zur öffentlichen Unterhaltung der Leser über gemeinnützige Gegenstände aller Art. Mit Römisch-Kaiserl. allergnädigster Genehmigung und Freyheit.* Daneben fand der rührige Mann noch Zeit zu schriftstellern. Weite Verbreitung und viele Auflagen erhielten sein *Noth- und Hülfs-Büchlein*[9] und sein *Mildheimisches Lieder-Buch*[10], durch die er in den unteren Schichten des Volkes aufklärend wirken wollte. Zum besseren Vertrieb seiner Zeitungen und Bücher gründete er 1795 die Beckersche Buchhandlung. Für seine Verdienste wurde er 1786 zum fürstlich schwarzburgischen Rat, 1802 zum Hofrat ernannt[11].

Über seine Bekanntschaft mit Schiller hat Zacharias Becker 1806 nur mitgeteilt, daß er »in frühern Jahren seines nähern Umgangs genossen und ihn als Menschen sehr achtungswürdig gefunden«[12] habe. Das dürfte 1788 in Rudolstadt gewesen sein, als Schiller den Sommer in Volkstädt und in der Residenzstadt verlebte und fast ausschließlich mit den Familien Lengefeld und Beulwitz verkehrte. Becker war wohl durch Caroline von Dacheröden, Wilhelm von Humboldts spätere Frau, mit ihnen bekannt geworden und hatte ihr uneingeschränktes Wohlwollen erworben. Im August 1788 besuchte er einige Tage Beulwitz und seine Frau Caroline. Die Einladung verdankte er wohl seiner Freundschaft mit Schillers späterer Schwägerin, die ihm viele Jahre hindurch, wie ihre Briefe zeigen, in gleicher Herzlichkeit verbunden blieb. In dieser Rudolstädter Zeit machte auf den in finanzieller Hinsicht wenig erfolgreichen Dramatiker gewaltigen Eindruck, daß von Beckers *Noth- und Hülfs-Büchlein,*

---

[9] Noth- und Hülfs-Büchlein oder lehrreiche Freuden- und Trauer-Geschichte der Einwohner zu Mildheim, Gotha 1786.

[10] Mildheimisches Lieder-Buch von 518 lustigen und ernsthaften Gesängen über alle Dinge in der Welt und alle Umstände des menschlichen Lebens, die man besingen kann. Gesammelt für Freunde erlaubter Fröhlichkeit und ächter Tugend, die den Kopf nicht hängt, Gotha 1799.

[11] Vgl. Marianne Kohl, Die Nationalzeitung der Deutschen 1784—1830. Leben und Werk des Publizisten R. Z. Becker. Diss. Heidelberg 1936 und die dort angegebene Literatur. — Beckers Verhältnis zu Schiller wird mit keinem Wort erwähnt.

[12] R. Z. Becker: Bericht von dem Fortgange eines dem verewigten Dichter Friedrich von Schiller durch die teutschen Schaubühnen zu stiftenden Denkmahls der National-Dankbarkeit. — In: [Carl Christian Ernst von Benzel-Sternau:] Schillers Feier. Seinen Manen durch seinen Geist, Gotha 1806, S. 53.

1786 erschienen, die erste Auflage von 3000 Exemplaren und die zweite von 5000 bereits vergriffen waren und die dritte vorbereitet wurde. Erstaunlich ist Schillers Urteil über die Person des Schriftstellers: »... ich muß gestehen,« schrieb er an Körner, »daß ich auch eine sehr gute Meinung von ihm habe, so sehr auch meine Art zu empfinden und zu denken von der seinigen mag verschieden seyn. Er ist ein stiller denkender und dabey edler Mensch, und wie ich ihn beurtheile sehr von Vorurtheilen frey.«[13] Uns will scheinen, als sei in dieser frühen, klaren Erkenntnis nicht nur eine mehr oder weniger richtige Charakteristik enthalten, sondern auch die Entwicklung des gegenseitigen Verhältnisses davon bestimmt worden. Für Schiller war Zacharias Becker kein Geistesverwandter, aber er konnte ihm vertrauen und seine Hilfe erbitten.

Daß das Trennende zunächst weniger wirksam als das Verbindende war, kann man seiner Bitte an die Schwestern Lengefeld entnehmen, sie möchten Becker bereden, nach Erfurt zu kommen, wenn er auch da sei: »Es freute mich doch, ihn wieder zu sehen, und er wäre uns eine gute Stütze in der großen Gesellschaft. Wenn ihr ihm Nachricht gebt, kommt er gewiß.«[14] Das war im Februar 1790. Schiller war nur zwei Tage in Erfurt, und am Tag nach der Abreise fand seine Hochzeit mit Charlotte statt.

Mit Bedauern stellt man darum fest, daß von dem gelegentlichen Briefwechsel kaum etwas überliefert ist. Nur zwei Briefe Schillers an Becker waren bisher bekannt, und von Becker an Schiller scheint noch keiner zum Vorschein gekommen zu sein.

Schillers erster Brief, den wir kennen, galt einer heiklen Sache. Der Dichter nahm damals lebhaftesten Anteil an den Revolutionsereignissen in Frankreich. Es braucht hier nicht dargestellt zu werden, wie die gegensätzlichsten Meinungen überall in Deutschland ihre Parteigänger fanden. Schiller, der sich zeit seines Lebens schnell begeistern konnte und dann von Plänen und Unternehmungsdrang überströmte, meinte, ein deutscher Schriftsteller müsse sich in den französischen Streit um den Prozeß gegen Ludwig XVI. einmischen, und fühlte sich berufen, »ein Memoire darüber zu schreiben«[15]. Körner sollte

---

[13] Schiller an Körner vom 1. September 1788 (Schillers Briefe, Hrsg. von Fritz Jonas, Kritische Gesamtausgabe, Bd. 2, Stuttgart / Leipzig / Berlin / Wien 1893, S. 110. Im folgenden wird diese Ausgabe nur mit dem Namen ihres Herausgebers zitiert. — Der Text ist nach der Handschrift wiedergegeben).

[14] Schiller an Charlotte von Lengefeld und Caroline von Beulwitz vom [14. Februar 1790] (Jonas 3, S. 53).

[15] Schiller an Körner vom 21. Dezember 1792 (Jonas 3, S. 233).

ihm einen guten Übersetzer vermitteln, denn die Schrift war hauptsächlich für die Franzosen bestimmt. Bevor aber noch des Freundes Antwort eintraf, ließ Schiller durch Caroline von Beulwitz bei Zacharias Becker anfragen, ob er bereit sei, die Übersetzung zu machen. Für ihn sprach, daß er nicht nur Französisch konnte und »auch als französischer Schriftsteller bekannt«[16] war, sondern daß man sicher sein konnte, daß er das »Geheimnis« bewahren werde. Wenig später schrieb Schiller ihm selbst: »Sie würden mich gar sehr verbinden, mein hochgeschätzter Freund, wenn Sie die Bitte, die ich Ihnen durch meine Schwägerinn thun ließ, erfüllen wollten. Ich möchte diese Arbeit nicht gern andern Händen anvertraun, als den Ihrigen, sowohl der Ausführung als der Verschwiegenheit wegen, die wenigstens vor der Hand dabei nöthig ist.«[17] Der Leipziger Verleger Göschen werde dem Übersetzer acht Taler für den Bogen zahlen, und der Verfasser hoffte, »eine Anzahl Exemplarien« durch den Weimarer Herzog nach Paris schaffen zu können. Eine Antwort Beckers ist, wie gesagt, nicht bekannt; aber bevor der Plan ausgeführt werden konnte, war er durch die Hinrichtung des Königs überholt.

Schillers zweiter noch vorhandener Brief an Becker trägt das Datum »Von Jena, den 21 Dez. 1794« und soll, obwohl er gedruckt ist, im vollen Wortlaut wiedergegeben werden:

Darf ich Sie um die Gefälligkeit ersuchen, mein verehrter Freund, beyliegender Anzeige oder einem Auszuge derselben ein Plätzchen in Ihrer deutschen Zeitung oder in dem R[eichs]Anzeiger einzuräumen? Sie werden dadurch unsre Societät und mich insbesondere sehr verpflichten und uns zu jedem Gegendienste bereitwillig finden.

Alle Kosten, die damit verknüpft sind, trägt die Verlagshandlung der Horen, wenn Sie nicht lieber für die gegenwärtige Anzeige des Avertissement und für die Anzeige jedes künftig herauskommenden Stücks in Ihren Zeitungen ein Exemplar der Monathschrift von uns annehmen wollen.

Hochachtungsvoll der Ihrige.

Schiller.[18]

Die Beziehung dieses Schreibens zu dem neu aufgetauchten Brief ist offensichtlich, und was bisher dunkel war oder höchstens als Vermutung gelten

---

[16] Caroline von Beulwitz an Rudolph Zacharias Becker vom 30. Dezember 1792 (H: Schiller-Nationalmuseum in Marbach (Neckar)).

[17] Schiller an Rudolph Zacharias Becker (Jonas 3, S. 234; das Zitat wird nach der Handschrift wiedergegeben). Schillers undatierter Brief wird immer ebenfalls auf den 30. Dezember 1792 datiert. Da aber Caroline von Beulwitz auch aus Jena schrieb und Schillers Anfangssatz voraussetzt, daß Becker ihren Brief früher erhalten hatte, dürften beide Schreiben nicht am selben Tag verfaßt und versandt worden sein.

[18] Schiller an Rudolph Zacharias Becker vom 21. Dezember 1794 (NA 27, S. 106—107).

konnte, findet jetzt eine Erklärung. Auch der Inhalt von Beckers dazwischen-liegender Antwort läßt sich erschließen.

Schon vor dem Erscheinen der *Horen* hatte Schiller das Publikum mit Inhalt und Absicht seiner Zeitschrift bekannt gemacht, damit sie sich nicht mühsam durchsetzen mußte, sondern mit Spannung erwartet werden sollte. In einer umfangreichen *Ankündigung* — datiert vom 10. Dezember 1794: *Die Horen, eine Monathschrift, von einer Gesellschaft verfaßt und herausgegeben von Schiller*[19] — entwickelte er sein Programm und veröffentlichte am Schluß eine Liste von 25 Mitarbeitern; hochberühmte Namen waren darunter. Der Herausgeber und der Verleger verschickten diesen Text an zahlreiche Zeitungen und Zeit-schriften. Schiller schrieb an Zacharias Becker, der als Besitzer von zwei Tages-zeitungen Leser in ganz Deutschland mit Neuigkeiten versorgte. Die Bitte, von der in dem neuen Brief die Rede ist, bestand also darin, die *Ankündigung* ganz oder teilweise in der *Deutschen Zeitung* oder im *Reichs-Anzeiger* zu ver-öffentlichen. Doch auch die Regelung, statt der Bezahlung der Druckkosten des »Avertissement« und künftiger *Horen*-Anzeigen ein Exemplar der Monats-schrift zu erhalten, geht auf Schillers Anregung zurück. Der bekannte Brief vom 21. Dezember 1794 erläutert den unbekannten vom 23. Januar 1795 voll-ständig; es bleibt keine Unklarheit übrig. Zwischen beiden liegt Beckers Ant-wortbrief, in dem er sich mit Schillers Vorschlägen einverstanden erklärt haben muß.

Aber warum erhielt Becker das erste *Horen*-Stück eher als Goethe? Vielleicht wollte Schiller seinen Dank für den schon in den ersten Januartagen erschie-nenen ungekürzten Druck der *Ankündigung* durch die möglichst baldige Zu-sendung des ersten *Horen*-Exemplars bezeigen. Die Briefe in die Richtung Weimar—Erfurt—Frankfurt (Main) mußten aber in Jena am Freitag beim Postmeister abgegeben werden, wenn sie am Sonnabendnachmittag mit der reitenden Post in Gotha ankommen sollten. Ob diese nüchterne Feststellung als Erklärung ausreicht, bleibe dahingestellt.

Die mehrfach genannte *Ankündigung* der *Horen*, auf die Schiller solchen Wert legte, war am 5. Januar 1795 in Nr 3 des *Reichs-Anzeigers*, Spalte 25—28 ver-öffentlicht worden, außerdem noch Cottas Mitteilung über Erscheinen, Preis und Art des Bezugs der Monatsschrift. Daß Becker so großzügig verfuhr, ge-schah wohl nicht nur dem Dichter zu Gefallen, sondern auch aus der Über-zeugung, daß Schillers Ziel dasselbe sei wie sein eigenes: beizutragen, daß das Menschengeschlecht auf dem Wege zur Humanität immer weiter fortschreite.

---

[19] Wiedergabe des Textes in NA 22, S. 106—109.

Schiller berichtete Cotta am 30. Januar über die Vereinbarung: »Der Letztere [= Rath Becker in Gotha], der auch das ganze Avertissement hat einrücken laßen, fodert keine InsertionsGebühren sondern ein Exemplar des Journals, davon ich ihm auch das 1ste Stück schon zugesandt habe.«[20] Wir wissen, daß es am 23. Januar geschehen war. Der Verleger wurde außerdem gebeten, jeden Monat eine Inhaltsanzeige des neuen *Horen*-Hefts in den *Reichs-Anzeiger* einrücken zu lassen. Das Freiexemplar für Becker wurde an Schiller mitgeschickt, und dieser leitete es weiter. In seinem Kalender ist nur gelegentlich eine solche Sendung vermerkt, aber es ist anzunehmen, daß sie regelmäßig, wenn auch nicht immer »zeitig« erfolgt ist. Das gilt für 1795, doch auch in der Liste für 1796, die eine Aufstellung über ständige Empfänger von *Horen*-Freistücken enthält, wird Becker aufgeführt; das 12. Heft dieses Jahrgangs wurde ihm am 23. Januar 1797 zugeschickt. Dagegen fehlt sein Name in dem Verzeichnis für 1797, und es läßt sich auch bis zu Schillers Tod keinerlei Beziehung mehr nachweisen. Becker seinerseits hat 1795 alle *Horen*-Hefte im *Reichs-Anzeiger* angezeigt, 1796 als letztes das 9. Stück am 3. November. Cotta scheint dann keine weiteren Inhaltsanzeigen mehr geschickt zu haben.

Was war geschehen? In seinem Übereifer für die *Horen* hatte Schiller im September 1794 mit Hofrat Schütz, dem Herausgeber der Jenaer *Allgemeinen Literatur-Zeitung*, ein ungewöhnliches Abkommen geschlossen. Statt der einen üblichen, jährlichen Rezension, mit der Zeitschriften von ihm bedacht wurden, sollte jedes Stück der *Horen* noch in der Woche seines Erscheinens, also zwölfmal im Jahr, rezensiert werden. Gegen Schützens Einwand, daß dann »alle Verleger von Journalen eine gleiche Begünstigung fodern, und über Partheylichkeit schreyen«[21] würden, machte Schiller geltend, daß Cotta alle Kosten tragen werde. Diese Übereinkunft trat allerdings nicht in Kraft, sondern man einigte sich im Dezember auf eine vierteljährliche Beurteilung. Aber die Rezension des ersten *Horen*-Heftes erschien doch bereits am 31. Januar 1795, das heißt im Monat seines Erscheinens, und bewirkte eine »Anfrage« im *Reichs-Anzeiger*. Sie richtete sich gegen die *Literatur-Zeitung* und beanstandete, daß »ein Journalheft von 6 Bogen auf 5 Quartseiten, und dagegen manches wichtigere Werck auf so viel Zeilen, und ganze Jahrgänge großer und guter Journale gar niemals rezensirt«[22] würden. Schütz und Schiller kassierten daraufhin sofort ihren Vertrag über die *Horen*-Rezensionen, doch im März erschien eine neue Leser-

---

[20] Schiller an Cotta vom 30. Januar 1795 (NA 27, S. 133).
[21] Schiller an Cotta vom 2. Oktober 1794 (NA 27, S. 58).
[22] Kaiserlich privilegirter Reichs-Anzeiger 1795, Nr. 49, 27. Februar, Sp. 471.

zuschrift im *Reichs-Anzeiger*. Jemand, der sich mit V. unterzeichnete, berief sich auf das Gerücht, daß man bei der *Literatur-Zeitung* Rezensionen kaufen könne. Vorsichtig nannte er dies neue Verfahren eine »kluge Einrichtung«, aber er gab doch zu bedenken, daß »sehr leicht einiges Mißtrauen in die Unpartheylichkeit dieses gelehrten Tribunals entstehen könnte«. Darum schlug er vor, daß »diese erkauften Recensionen« irgendwie gekennzeichnet werden sollten. Das war alles ganz allgemein und sachlich gesagt, doch der letzte Satz ließ die Katze aus dem Sack: »Welcher Journalist würde z. B. nicht wünschen, daß seine einzelnen Monatsstücke so frühzeitig und so ausführlich recensirt würden, wie die Horen?«[23] Eine briefliche Äußerung Schillers oder Goethes ist auf diesen Angriff nicht bekannt geworden. Aber das Strafgericht der *Xenien* verschonte nun auch Beckers Zeitung nicht:

Reichsanzeiger.
Edles Organ, durch welches das deutsche Reich mit sich selbst spricht.
Geistreich, wie es hinein schallet, so schallt es heraus.[24]

Ein sublim vernichtendes Urteil, das noch stärker wirkt, wenn man weiß, daß in der ersten Handschrift statt »Geistreich« »Abgeschmackt« gestanden hatte. Becker reagierte darauf im Namen der früheren Einsender mit dem Antwortdistichon:

Schallen heraus, wie hinein, ist des Dinges Natur.
Tön't es nur immer was nützt, kein hämischer Satyr aus ihnen![25]

Schon am selben Tag hat Schiller diesen »Angriff« gelesen — Schütz schickte ihm die Zeitung — und schrieb im ersten Zorn an Goethe: »Sie können sich nichts erbärmlichers denken. Die Xenien werden hämisch gescholten.«[26] Beckers Distichon war die erste gedruckte Replik auf die *Xenien*, deren attisches Salz den betroffenen Lesern gallenbitter schmeckte. Schiller reagierte nun selbst wie einer von ihnen. Dabei war dies erst der Anfang, und er sollte noch viel Erbärmlicheres zu hören bekommen. Goethe hatte im Augenblick andere, objektive Sorgen wegen Ilmenau. So regte er sich über den *Reichs-Anzeiger* nicht auf, und obwohl er selbst gerade Distichen von dem Prinzen August von Gotha erhalten hatte, meinte er gelassen: »Gotha ist . . . in großer Bewegung

---

[23] Kaiserlich privilegirter Reichs-Anzeiger 1795, Nr. 69, 24. März, Sp. 661.
[24] Musen-Almanach für das Jahr 1797, herausgegeben von Schiller, Tübingen, in der J. G. Cottaischen Buchhandlung, S. 262.
[25] Kaiserlich privilegirter Reichs-Anzeiger 1796, Nr. 251, 28. Oktober, Sp. 6285.
[26] Schiller an Goethe vom 28. Oktober 1796 (NA 28, S. 322).

über unsere Verwegenheit.«[27] Cotta kommentierte: »H[er]r Rat Becker hat
gar zu schön im R[eichs]A[nzeiger] geantwortet, wenn alle so antworteten,
so hätte man allein hierinnen Stoff für 400 neue Xenien auf 98.«[28] Zu einer
neuen *Xenien*-Veröffentlichung ist es nicht gekommen, aber trotz der vielen
unerfreulichen Ausfälle gegen die Dioskuren verharrte Schiller in seinem Groll
gegen Zacharias Becker. So schrieb er an Goethe, als sogar Wieland sich in
einem Aufsatz im *Neuen Teutschen Merkur* gegen die *Xenien* gewandt hatte:
»Ohne Zweifel haben Sie jetzt auch die Wielandische Oration gegen die Xenien
gelesen. Was sagen Sie dazu? Es fehlt nichts, als daß sie im Reichsanzeiger
stünde.«[29] Dies ist Schillers letzte überlieferte Äußerung über Becker, und man
darf danach wohl annehmen, daß er ihm die Veröffentlichungen im *Reichs-
Anzeiger* nicht verziehen hat. Diese hartnäckige Feindseligkeit überrascht bei
der sonstigen Großzügigkeit des Dichters, zumal er schon seit der ersten Zeit
ihrer Bekanntschaft wußte, daß sie beide in ihrer »Art zu empfinden und zu
denken« immer verschieden sein würden. Vielleicht kann man den tieferen
Grund in Schillers Enttäuschung finden, daß der »edle« Mensch, für den er
Becker früher gehalten hatte, so »erbärmlich« geworden war.

Die Quellenlage ergab, daß die bisher geschilderten Vorgänge nur von
Schillers Seite aus gesehen und dargestellt werden konnten. Beckers Persönlichkeit in seinem Verhältnis zu Schiller wird erst nach des Dichters Tod deutlich.
Auch dies Bild ist unvollständig und einseitig. Man gewinnt es aus seinem Briefwechsel mit Charlotte Schiller, der unzulänglich ediert ist und dessen notwendige Ergänzungen, die Korrespondenzen mit Caroline und Wilhelm von
Wolzogen und den deutschen Theaterdirektoren, fehlen.

Kurz nach Schillers Tod griff Zacharias Becker eine Anregung aus Süd-
deutschland, dem Dichter ein Nationaldenkmal zu errichten, sofort auf und
veröffentlichte seine Vorschläge für die Verwirklichung im *Reichs-Anzeiger*,
in der *National-Zeitung* und in einer eigenen Schrift. Am 10. November 1805
sollten alle deutschen Theater ein Schillersches Stück aufführen und die Er-
träge nach Abzug der Unkosten bei dem Leipziger Bankhaus Frege und Comp.
deponieren. Davon sollte dann ein »Monument« in Schillers Geburtsstadt
Marbach errichtet werden. An etwaige Schwierigkeiten glaubte er nicht, denn
hier bestand doch der seltene Fall, daß ein Dichter *allgemeine* Anerkennung
gefunden hatte: »Keine politische, religiöse oder gelehrte Partey, keiner der
vielen teutschen Staaten kann die dem Manne der Nation schuldige Dankbar-

---

[27] Goethe an Schiller vom 29. Oktober 1796 (NA 36, Nr. 312).
[28] Cotta an Schiller vom 13. Dezember 1796 (NA 36, Nr. 344).
[29] Schiller an Goethe vom 7. Februar 1797 (Jonas 5, S. 157).

keit an andere verweisen, denen er näher angehörte.«[30] Aber es gab nicht so viele deutsche Theater, wie man vermutet hatte, und die allgemeine Zustimmung zu dem Denkmalsplan blieb aus. Großen Beifall erhielt dagegen ein neuer Plan Beckers, die künftigen Geldspenden zum Ankauf eines Landgutes für Schillers Familie zu verwenden, das unveräußerlicher Besitz seiner Nachkommen werden sollte. Der Krieg verhinderte jedoch, daß die Theateraufführungen und Gedächtnisfeiern an dem gewünschten Tag veranstaltet werden konnten; sie fanden zum Teil erst nach mehreren Jahren statt[31]. Der Ankauf des Gutes mußte auf bessere Zeiten verschoben werden, und schließlich wurden weder dieser Plan noch der des Denkmals ausgeführt. Immerhin erhielt die Familie Schiller im Laufe der Jahre viele und zum Teil große Beträge. Eine Aufstellung darüber fehlt, aber man weiß, daß die Summe, die bis Ende Mai 1806 bei Frege eingegangen war, fast 5000 Reichstaler betrug; gegen Ende des Jahres meinte Charlotte Schiller, daß wohl 6000 vorhanden seien. Auch in den folgenden Jahren hörten die Spenden nicht auf. Wenn Charlotte 1809 Beckers »immerwährende gütige Fürsorge«[32] lobte, meinte sie in diesem Fall die 6297 Wiener Gulden und 50 Dukaten, die die von Becker und Iffland veranlaßte Wiener Aufführung der »Phädra« eingebracht hatte. Beckers Bemühungen für Schillers Familie haben nie aufgehört, so daß sogar Charlotte Schiller, die ihm anfänglich mit wortreicher Reserviertheit begegnet war, eines Tages die aufrichtige Anerkennung aussprach: »Es bedarf keiner schriftlichen Beweise, was für Sie in mir fortbleibt, und Ihr eigenes Bewußtsein ist Ihnen ein schöner Lohn. Aber mir vergönnen Sie zu sagen, daß ich Ihnen, so lang ich lebe, dankbar und ergeben bin.«[33]

Der Widerspruch, den man in dieser tätigen Freundschaft Beckers zu seinem Verhalten während des *Xenien*-Streits sehen könnte, ist nur scheinbar. Hatte doch Schiller schon in seinem frühen Urteil von 1788 nicht nur ihre Verschiedenheiten hervorgehoben, sondern auch betont, daß Zacharias Becker ein »edler Mensch, und . . . sehr von Vorurtheilen frey« sei.

---

[30] R. Z. Becker, Bericht von dem Fortgange eines dem verewigten Dichter Friedrich von Schiller durch die teutschen Schaubühnen zu stiftenden Denkmahls der National-Dankbarkeit, S. 59.

[31] Vgl. Norbert Oellers, Schiller. Geschichte seiner Wirkung bis zu Goethes Tod. 1805 bis 1832, Bonn 1967, S. 76—77, wo eine Übersicht über die Veranstaltungen der deutschen Bühnen gegeben wird, die Beckers Aufruf befolgten.

[32] Charlotte von Schiller an Rudolph Zacharias Becker vom 16. Januar 1809 (Charlotte von Schiller und ihre Freunde. [Hrsg. von Ludwig Urlichs.] Bd. 1, Stuttgart 1860, S. 322).

[33] Charlotte von Schiller an Rudolph Zacharias Becker vom 19. Oktober 1810 (Charlotte von Schiller und ihre Freunde, Bd. 1, S. 325).

Oskar Seidlin

AUCH EINE LOGIK DER DICHTUNG

ZU BRENTANOS SPÄTFASSUNG SEINES MÄRCHENS VOM
FANFERLIESCHEN SCHÖNEFÜSSCHEN

> Erschafft mich die Welt oder ich sie?
> (»Godwi«, Widmung zum zweiten Teil, II, 218[1])

Als im September 1812 Achim von Arnim den Brüdern Grimm berichtete (III, 1066 f.), Clemens Brentano arbeite jetzt wieder an seinen Märchen — ein Bericht, nicht ganz frei übrigens von Besorgnis und Vorbehalten, weil ihm »die Art eitler Koketterie, mit einer gewissen Fertigkeit in allerlei poetischen Worten zu prunken« kein »großes Behagen« bereite —, erhielt er von Jacob eine Antwort, die uns, als von dem treuen Bewahrer alten Volksgutes kommend, kaum erstaunen wird: »Über Clemens' Kindermärchen sollte ich an sich nicht urteilen, da ich nie etwas davon gehört oder gelesen habe; ich vermute nur, daß sie mir nicht gefallen werden ... Sein Buch scheint mir daher im voraus eine Befleckung der Kinderwahrheit ... Es giebt böse Formen, und dies verdammt mir ... Clemens' Märchenbearbeitungen, in welchen er sonst Neues und Eigentümliches gesagt haben wird, wie ich nicht leugne, sondern nur beklage.« (29. X. 1812.) Eine solch hellsichtige Kritik, die der Vertrautheit mit dem Gegenstande nicht bedurfte, um ein treffendes Urteil zu fällen, kann uns nicht überraschen, da Jacob Grimm seinen Freund Clemens und seine »Bearbeitungen« der Volkslieder in »Des Knaben Wunderhorn« gut genug kannte, um zu wissen, daß es ohne Eigentümliches (und wir wollen das Wort in seinem genauen Sinne verstehen) nicht abgehen werde, woran auch immer der Freund seine Hand anlegen möge. Überraschend aber sind so harte Ausdrücke wie »Befleckung«, »verdammen«, »böse Form«, die aus anderen, aus tieferen Gründen kommen als denen der Unstimmigkeit und des Streites über die Angemessenheit oder Unangemessenheit bestimmter Arbeitsmethoden. Ein Ethisches wird hier aufgerufen, moralische, menschliche Werte werden vor Gericht gestellt, und es wird die Frage um eine literarische Bemühung

---

[1] Zitiert wird nach der vierbändigen Hanser-Ausgabe »Clemens Brentanos Werke«, München 1963/68, mustergültig ediert und kommentiert von Friedhelm Kemp (der 1. Band gemeinschaftlich mit Wolfgang Frühwald und Bernhard Gajek). Da der Anmerkungsapparat auch die einschlägige Brief-Literatur in guter Auswahl bietet, wird auch sie dieser Ausgabe entnommen.

nicht ausgerichtet auf passend oder unpassend, auf richtig oder falsch, sondern auf sündhaft oder unschuldig, auf befleckt oder rein, auf verdammt oder erlöst.

Damit hatte Jacob Grimm, ohne es ahnen zu können und sich berufend auf einen nur bescheidenen Ausschnitt Brentanoscher Hervorbringungen, den Finger auf des Dichters Lebensnot und -wunde gelegt, auf jene »böse Form« seiner Existenz, die er selbst bald in so hohem Maße als befleckt und sündhaft empfinden sollte, daß nur die strengste Hinwendung zum Religiösen, der Verzicht auf alles Neue und Eigen-tümliche, das hemmungslos wie eine Sturzflut aus ihm als Dichtendem hervorgebrochen war, die Rettung vor ewiger Verdammnis bieten konnte. Seine Konversion sollte ihn erlösen von allem Neuen und Eigen-tümlichen, bis er nur noch ein Medium geworden wäre, durch das sich die fromme »Kinderwahrheit« aussprechen würde: die Visionen der stigmatisierten Nonne, »Das bittere Leiden unsers Herrn Jesu Christi«, »Das Leben der heiligen Jungfrau Maria«[2].

Es entbehrt nicht einer gewissen Ironie, daß nun gerade die Märchen, die Jacob Grimm von dem Schicksalsfluch des Dichters gebrandmarkt sah, den alten Brentano, der allem Bösen abgeschworen hatte, zu beschäftigen nicht aufhörten, daß er sich ihnen in seinen letzten Jahren, nachdem er seine gesamte poetische Produktion und Existenz längst als eitel verworfen hatte, wieder zuwandte. Das heißt nicht, daß nicht auch sie dem großen Bannstrahl verfallen waren, daß ihn nicht, wenn immer sie wieder in sein Blickfeld rückten, der »Ekel« ergriffen hätte — dieses Wort erscheint mehr als einmal, wenn er von ihnen spricht —, daß er vor einer veritablen Szene zurückgeschreckt wäre, als sein Freund Johann Friedrich Böhmer um die Jahreswende 1826/27 ohne seine Erlaubnis ausgewählte Proben der »Rheinmärchen« anonym in der Frankfurter Zeitschrift »Iris« veröffentlichen ließ. Aber etwa zehn Jahre später machte er sich daran, zwei seiner »Italienischen Märchen« gründlich zu überarbeiten, ja die sehr erweiterte »große« Fassung von »Gockel, Hinkel und Gackeleia« gab er sogar zum Druck frei (1838)[3], eines der ganz wenigen nicht

---

[2] Damit soll keineswegs Leben und Dichten Brentanos in zwei Hälften: vor und nach der Rückkehr zur katholischen Kirche zerrissen werden. Zumindest seit Karl Viëtors Aufsatz »Der alte Brentano«, in: DVjS 2, 1924, S. 556 ff., ist erkannt worden, daß die religiösen und literarischen Probleme des Dichters Grundfragen seiner Gesamtexistenz sind, am klarsten ausgesprochen als »ästhetische Existenz mit dem Willen zum Religiösen« von Walther Rehm in seiner Einleitung zu »Clemens Brentanos Romanfragment ›Der schiffbrüchige Galeerensklave vom toten Meer‹«, Berlin 1949, S. 54. Inwieweit auch Brentanos »Nachschriften« der Visionen der Anna Katharina Emmerick »Dichtungen« sind, hat u. a. Joseph Adam deutlich gemacht (Clemens Brentanos Emmerick-Erlebnis, Freiburg i. Br. 1956).

[3] Die »Lebens- und Werkchronik« (I, 1268 ff.) gibt als Erscheinungstermin »Herbst 1837«

religiösen Stücke, die er seit den Tagen seiner Bekehrung an das Licht der Öffentlichkeit hat treten lassen.

Wir können nur darüber spekulieren, was es gewesen sein mag, das ihn ein Jahrfünft vor seinem Tode zu den Märchen zurückführte. Vielleicht ist es wirklich das neue und letzte große Liebeserlebnis, der Kampf um Emilie Linder[4], der die Tore zum Reich der ebenso überwältigenden wie suspekten Phantasie, die er sich als Gottesdiener verboten hatte, wieder öffnete. Daß es grade die Märchen waren, mag als eine rührende Geste gelten, mit der der aufschreiende und in einem neuen Sünden-Frühling versinkende Knecht sich wie mit einem Schutzwall umgab. Die Gattung als solche, für unschuldige Kinder gemeintes Fabulieren, konnte vielleicht dem Dichtungsstachel sein Gift nehmen und Clemens bei allem sündigen Ab- und Rückfall Treue bewahren lassen zu dem Bekenntnis, mit dem er in seinem schönsten Gedicht die enorme Erweiterung seines »Gockel«-Märchens beendet hatte und mit dem er, rückblickend auf sein verwildertes Leben, Gnade erhoffte für sein ruchloses Dichtertum:

> Was reif in diesen Zeilen steht,
> Was lächelnd winkt und sinnend fleht,
> Das soll kein Kind betrüben. (III, 929)

Vielleicht ist es auch kein Zufall, daß er sich gerade den »Italienischen Märchen« wieder zuwandte, denen gegenüber er sich nur als Übersetzer fühlen konnte, obwohl freilich die zwei Stücke, die er jetzt wieder aufgriff, die »Gokkel«-Geschichte und die vom Fanferlieschen Schönefüßchen die beiden sind, die sich von der nur zu »übersetzenden« Vorlage, Giambattista Basiles »Lo Cunto de li Cunti«, bis zur Unkenntlichkeit unterscheiden.

Wenn wir nun im Folgenden den Versuch machen, die späte Bearbeitung des Märchens vom Fanferlieschen Schönefüßchen mit der frühen Fassung[5] zu vergleichen, dann keineswegs in der Absicht, einen charakteristischen und be-

---

an (S. 1276), doch wohl irrtümlich, da sich an allen anderen Stellen, etwa I, 1015, die Eintragung 1838 findet.

[4] So Wolfgang Frühwald, Das verlorene Paradies. Zur Deutung von Clemens Brentanos ›Herzlicher Zueignung‹ des Märchens ›Gockel, Hinkel und Gackeleia‹, in: Literaturwissenschaftliches Jahrbuch, N. F. 3, 1962, S. 178.

[5] Es ist schwer auszumachen, auf welchen Zeitpunkt die Arbeit an der ersten Fassung unsres Märchens anzusetzen ist. Die früheste Beschäftigung mit den »Italienischen Märchen« geht auf den Herbst 1805 zurück (I, 1270). Der Anfang des Märchens ist sicher vor dem 11. März 1811 geschrieben (vgl. Fn. 16). Damit erweist sich die Vermutung des Herausgebers (III, 1094), Luise Hensel habe als Vorbild für das Fanferlieschen gedient, als sehr unwahrscheinlich, da Brentano Luise Hensel erst im Oktober 1816 kennengelernt hat.

sonderen Altersstil Brentanos herausdestillieren zu wollen, den Bruch zwischen
dem Dichter und dem Konvertiten aufzureißen, einen Bruch, den ja, als un-
versöhnliches Auseinanderklaffen der beiden Lebenshälften, die jüngere Brentano-Forschung mit Recht in Abrede stellt. Es steht nur zu hoffen, daß ein
Blick auf ein Altersprodukt Brentanos Licht werfen kann auf das, was zu allen
Zeiten sein »Eigentümliches« war, auf die Quellen, aus denen früh wie spät
seine Dichtungsweise und sein Dichtungswesen sich speisten, jene Untiefen,
von denen noch jüngst behauptet wurde, daß gerade der Märchenerzähler
Brentano in seiner unbekümmerten Spontaneität sie nicht zur Schau stelle[6].
Kein Neues also wird vorgebracht werden, schon gar nicht die Behauptung,
daß der alte Dichter mit seinen Umarbeitungen der von Jacob Grimm beschworenen »Kinderwahrheit« näher gekommen sei — nichts Unkindlicheres und
Künstlicheres als die Märchen Brentanos, deren eigentliche Impulse einem
Kind ebenso fremd wie unverständlich sein müssen[7] —, sondern nur die Hoffnung, daß das immer schon Waltende in der Altersreflektion sich bewußter
und richtungsklarer erhelle.

Beim ersten Blick fällt auf, daß die Erweiterung des Märchens auf den
genau zweieinhalbfachen Umfang hauptsächlich dem Anfang des Erzählten
zugute kommt. Es konnte Brentano bei erneuter Durchsicht nicht entgehen,
daß sein Märchen vom Fanferlieschen Schönefüßchen alles andere war als ein
Märchen vom Fanferlieschen Schönefüßchen. Was es in seiner ursprünglichen
Form erzählt hatte, war die Geschichte des bösen Königs Jerum aus dem Reiche Skandalia, der, statt in seiner Hauptstadt Besserdich zu regieren, sich an
dem von der Bevölkerung festlich begangenen Todestage seines Vaters, des
guten Fürsten Laudamus, jedesmal auf sein Jagdschloß Munkelwust zurückzog,
dort übel hauste, zahllose junge Edelfräulein heiratete, nur um sie nach kür-
zester Ehe aus Gier nach ihrem Besitz vor dem schauerlichen Standbild des
Pumpelirio Holzebock zu ermorden, ohne ihnen auch nur ein christliches Begräbnis zu gönnen. Die letzte in dieser Reihe unglücklicher Opfer ist Ursula
von Bärwalde, die freilich im kritischen Moment durch die Intervention einer
befreundeten Vogelsfamilie vor dem mörderischen Ritual bewahrt bleibt, für

---

[6] »Alles ist Stoff und nichts ist Untiefe«, so Marianne Thalmann, Das Märchen und die
Moderne, Stuttgart 1961, S. 61.

[7] Friedrich Gundolf (Über Clemens Brentano, Zeitschrift für Deutschkunde, 42, 1928,
später auch in: Romantiker I, Berlin 1930) erklärt zwar (S. 99), die Märchen seien nicht »*für*
kindliches Verständnis, sondern *aus* kindlicher Phantasie« geschrieben, die auch »die unkind-
lichen Stoffe« verarbeitet. Das scheint mir in hohem Grade zweifelhaft. Die Stoffe sind
durchaus nicht unkindlich, wohl aber das, was die Brentanosche Phantasie aus ihnen macht.

tot in einen Turm eingemauert wird, in dem dann ein Volk zahlloser gefiederter Bundesgenossen sie am Leben erhält, ihr bei Geburt und Erziehung des Söhnleins Ursulus auf das geschickteste beisteht, bis der Knabe nach Jahren als Küchenbub in das Jerumsschloß eingeschwärzt werden kann. Von da aus steigt er sehr bald zum Lieblingspagen seines ahnungslosen Vaters Jerum auf, führt den verstockten König allmählich auf den Weg der Einsicht und Reue, vereitelt die Ränke von Jerums bösem neuen Weib Würgipumpa, kämpft heldenhaft gegen den blutrünstigen Dämon Pumpelirio Holzebock und kehrt als neuer Herrscher nach dem Tode seines entsühnten Vaters und der Befreiung der Mutter aus ihrem Turm nach Besserdich zurück, nicht ohne vorher die Tochter der Vogelsfamilie, die natürlich alle in Tiere verwandelte Menschen sind, geheiratet zu haben.

»Aber wer auf aller Welt ist denn nur diese seltsame Jungfer Fanferlieschen?« (III, 938), so sind wir geneigt, mit dem in der Umarbeitung eingeführten Erzähler zu fragen. In der ursprünglichen Fassung haben wir wenig genug über sie erfahren[8]. Nur auf den ersten zehn Seiten der alten Version wurde sie uns als die weise und wohltätige Beraterin des guten verstorbenen Königs Laudamus vorgestellt, jetzt im Alter ein ständiger Dorn im Fleische des verkommenen Jerum, der sie an den Stadtrand seiner Residenz verbannt hat, wo sie nun, von der Bevölkerung hochverehrt, ein Erziehungsinstitut für allerlei Getier, darunter auch die junge Bärin Ursula von Bärwalde, unterhält, die natürlich nichts anderes sind als von ihr in Tiere verwandelte junge Edelfräulein und -herren, denen der böse Jerum, um sich an ihrem Besitz zu bereichern, nach dem Leben trachtete. Dann, als der Schauplatz des Märchens sich nach Munkelwust verlagert, bleibt sie nur als der gute Geist gegenwärtig, an den Ursula in ihrer Not denkt, als das quälende schlechte Gewissen, das sich Jerums immer wieder bemächtigt, bis sie dann am Schluß, von einer letzten Tücke Würgipumpas bedroht, noch einmal auf dem Schauplatz erscheint, nur um schließlich, nachdem Ursulus den teuflischen Anschlag der bösen Königin zuschanden gemacht hat, beim Einzug des jungen Herrscher- und Liebespaares in Besserdich für immer »durch die Lüfte davon« zu fliegen (III, 438).

Schon um des Gleichgewichtes willen, so könnte man meinen, mußte Fanfer-

---

[8] Dabei ist freilich zu bedenken, daß in Basiles Vorlage »Il Dragone« eine Fanferlieschen entsprechende Figur kaum zu finden ist. Es gibt da nur eine (namenlose) Zauberin und Hexe, die zwar den bösen König vertreibt, aber in so negativem Licht gesehen ist, daß die Bevölkerung die Rückkehr des (geläuterten) Königs mit Jubel begrüßt. Nur die Handlung um den grausamen König, die tückische Königin, die eingemauerte Prinzessin und die Heldentaten ihres Sohnes findet sich in »Il Dragone«, wenn freilich auch mit starken Abweichungen, vorgebildet.

lieschens Geschichte also eine Erweiterung erfahren, obwohl wir dieser äußerlich erzähltechnischen Erwägung schon deshalb kein entscheidendes Gewicht beimessen werden, weil ja kaum je ein Autor das Gleichgewicht einer Geschichte so empfindlich gestört hat, wie es Brentano bei der späten Neufassung des »Gockel«-Märchens durch die Hinzudichtung der »Herzlichen Zueignung« und das angehängte »Tagebuch der Ahnfrau« fertig gebracht hat. Nicht also an einer besseren Balance des Erzählstoffes konnte ihm gelegen sein, wenn er jetzt bei der Umarbeitung die ganze Lebensgeschichte Fanferlieschens aufrollte, angefangen von der Auffindung des Kästchens, in dem das Baby nebst der Schürze Femoralia und den Goldpantöffelchen Sandalia verborgen ist, bis hin zu ihrer feierlichen Absetzung des Königs Jerum, nachdem er am Vorabend der großen Prozession zum ehrenden Angedenken an Laudamus die Stadt verlassen und noch schnell beim Vorbeireiten an Fanferlieschens zoologischem Institut der lieben Bärin Ursula das Ohrläppchen mit einem Pfeil durchschossen hat. Da nun die ganze Lebensspanne Fanferlieschens ausgebreitet wird, müssen auch Vorgeschichte und Regierungszeit des Königs Laudamus nachgeholt werden, der an demselben Tag das Licht der Welt erblickt, an dem die Königin-Mutter das Kästchen mit Fanferlieschen findet. Und auch die Königin-Mutter erscheint im Vordergrund der Erzählbühne, von der Geburt des Söhnleins Laudamus an bis zu ihrem seligen Abscheiden, an welchem Tag Laudamus, unterstützt von Fanferlieschen, die Regierungsgeschäfte übernimmt.

Damit aber haben sich gegenüber der Urfassung nicht nur die Gewichte zugunsten Fanferlieschens verlagert, sondern unser Märchen hat eine ganz neue Perspektive erhalten, eine Perspektive im ganz wörtlichen Sinne. Denn es ist ja nicht so, daß das Märchen jetzt einfach um eine oder gar zwei Generationen früher einsetzt. Es beginnt genau so, wie es ursprünglich begann: »Es war einmal . . . ein König, der hieß Jerum« (III, 386 u. 931), und in beiden Fällen ist die erste Szene, der wir beiwohnen, die gleiche: der Ausritt des bösen Königs von Besserdich nach Munkelwust am Vorabend des Trauerfestes. Die ganze ausführliche Vorgeschichte also, die Regierungszeit der Königin-Mutter, die Auffindung der Schachtel mit Fanferlieschen, die Geburt und Lebenszeit des Königs Laudamus — all dies wird nachgeholt, hervorgeholt aus einer versunkenen Zeitschicht, in die wir an der Hand des Erzählers hinuntersteigen müssen, bis wir wieder zu der eigentlichen Erzählebene zurückkehren können, auf der sich die wüsten Untaten Jerums, das bittere Schicksal der Bärin Ursula und die glückliche Endlösung abspielen sollen.

Dieser bewußte und bewußt gemachte Zeitperspektivismus, der jedem echten Märchen gewiß fremd wäre, bewirkt nun, daß der am Anfang verdeckte Ursprung deutlich wird, daß wir uns in eine Vor-Zeit zurücktasten, die hinter der Vergangenheit des »Es war einmal« west. Daß wir uns damit an einem Zentralpunkt romantischen Denkens befinden, kann und muß hier nicht dargelegt werden[9]; wohl aber ist darauf zu verweisen, daß Brentanos Märchen in ihrer Gesamtheit darauf angelegt sind, zu jener Urschicht, die hinter dem »Es war einmal« liegt, zurückzuführen, und daß eben gerade die Spätfassungen vom »Gockel« und vom »Fanferlieschen« diese Zeitstrukturierung in den Mittelpunkt rücken. Kein Zufall, daß dem »Gockel«-Märchen bei der großen Umarbeitung ein »Tagebuch der Ahnfrau« angehängt wird, daß Brentano ihm eine Zueignung voranstellt, die an das »liebste Großmütterchen« gerichtet ist und deren Inhalt darin besteht, daß der Dichter sich zurückversetzt in seine Vor-Zeit, die Kinderjahre und das Land Vaduz, das Reich der Präexistenz, wo das wahre Leben noch zu Hause ist, bevor es in die Geschichte — in des Wortes doppeltem Sinne — hinausgestoßen wird. Das ist nicht nur die Bauform des Märchens, sondern das *ist* das Märchen: »ein Dasein, das auf einer so vollständigen und in allen Teilen durchsichtigen Vergangenheit ruht«[10]. Es geht zurück zum »Weltei«, das im »Gockel«-Märchen eben nicht einfach ein närrischer Einfall à la Brentano ist, sondern gerade jene »Untiefe«, die das Märchen trotz des Widerspruchs uneinsichtiger Leser zum Märchen macht.

Zurück zum Weltei — oder um im Umkreis unserer Geschichte zu bleiben: hinunter zu den Müttern, ja genauer genommen zu den Großmüttern und Ahnfrauen — das geht von den »Rheinmärchen« über die Erzählung vom braven Kasperl bis zur »Herzlichen Zueignung« —, die das Leben, das sich entfalten will und soll, in sich tragen. In ihnen wohnt die »Geschichte«, ehe sie noch aus Vaduz in die Welt tritt, an ihnen hängt, als an den großen Mütterlichen, alles Schicksal, und dies nicht nur für Kasperl und Annerl, sondern für unser Märchen gleichermaßen. Denn daß Jerums Großmutter, bis zu der wir jetzt in der Überarbeitung heruntersteigen, so löblich und fürsorglich war, macht, daß ihrem Sohn Laudamus zugerufen werden wird. Weil dessen Frau statt einer Sandalia Femoralia leider eine Skandalia Immoralia war, macht, daß ihr Sohn ein Jerum sein wird, weil sie mit diesem Schreckensausruf verstarb, als man den Neugeborenen in ihre Arme legte. Und alle Not wird aus der sündhaften und mörderischen Welt geräumt werden, weil das fromme Bärenfräu-

---

[9] Vgl. u. a. Wilhelm Emrich, Begriff und Symbolik der ›Urgeschichte‹ in der romantischen Dichtung, jetzt in W. E., Protest und Verheißung, Frankfurt/Bonn 1960, S. 25 ff.

[10] So, wenn auch in ganz anderem Zusammenhang, Emil Staiger, Die reißende Zeit, in: Die Zeit als Einbildungskraft des Dichters, Zürich/Leipzig 1939, S. 87, auch heute noch, nach mehr als 30 Jahren, zu dem Besten gehörend, was über Brentano ausgesagt wurde.

lein Ursula ihr Söhnchen so erzogen hat, daß er gegen alles Verruchte und lügnerisch Ausschweifende zum Kampf antreten kann.

Damit ist freilich nur unterstrichen, was in dem Märchen von vornherein angelegt war: denn das Land, in dem Fanferlieschen neben dem guten König Laudamus so segensreich regierte — wir mögen es getrost Vaduz oder das Paradies nennen — stand seit je unter dem Zeichen der Mutter, nicht erst in jenen bösen Zeiten des Königs Jerum, da das ältliche Fräulein, abgedrängt an den Stadtrand, in ihrem »Erziehungsinstitut« die bedrohten Kinder um sich sammelte und am Leben erhielt, sondern von allem Anfang an, als man in der Schachtel mit dem Baby das Wunderschürzchen Femoralia fand, aus dem Fanferlieschen, zu Jahren gekommen, alles herausschütteln konnte, was sie mit Namen benannte, ein wahres Wunderhorn, um bei Brentanoschen Metaphern zu bleiben, der große Mutterschoß, in dem alle Dinge der Welt neben- und miteinander ruhten, bis das Wehen der Schürze — oder sollten wir gar sagen: *die* Wehen der Schürze[11]? — sie gebar. Und neben der Schürze gibt es die Goldpantöffelchen, mit denen Fanferlieschen in wichtigen Augenblicken klappert, damit alles Zerstreute, wie von einer Glocke gerufen, sich um sie sammeln kann, aus welchem Grunde denn wohl auch das Land, das alle Vereinzelten zu einer Volkseinheit versammelt, den Namen Sandalia trägt, bis es durch König Jerum zu Skandalia gemacht wird. Ist es bei all dem wirklich erlaubt zu erklären: »man darf bei dieser flächenhaften oder linearen Kunst nach keinem Hintergrund, nach keinem Hintergedanken fragen«[12]. Wie wenn das ganze Märchen nichts anderes wäre als die Frage nach einem Hintergrund, nach dem Gedanken hinter allem Seienden?

Nun ist das Heruntersteigen in die Vor-Zeit, das die neue Version zu bieten hat, nicht das einzige Beispiel, das in der Überarbeitung darauf hinzielt, Hinter-Gründe aufzudecken. Ein unbedeutender Zusatz sei erwähnt, weil auch an ihm dieselbe Tendenz sich abzeichnet. Dem kundigen Leser des Märchens wird nicht entgehen, daß die Geschichte von Ursula in ihrem Ausgestoßensein, ihre langjährige Einsamkeit, die mit der tätigen Hilfe der Waldtiere der Erziehung des im Leid geborenen Söhnchens gewidmet ist, eine Variante der Genovefa-Legende darstellt. In der neuen Fassung nun deckt Brentano diesen

---

[11] Etymologisch sind »Schoß« und »Schürze« in der deutschen Sprache eng miteinander verbunden, da »Schoß« ursprünglich den Saum des Kleidungsstückes bezeichnete, der dann auf den Körperteil, den er bedeckte, übertragen wurde. (Vgl. die Artikel über »Schoß« und »Schürze« im Grimmschen Wörterbuch.)

[12] Claude David, Clemens Brentano, in: Hans Steffen (Hrsg.), Die deutsche Romantik, Göttingen 1967, S. 165.

verborgenen Ur-sprung auf. Wir hören jetzt, daß Ursula ihrem Kind »oft im Turme die Geschichte von der heiligen Genovefa erzählt« (III, 1036), und dieses Zurück zur Quelle, das Durchsichtigwerden der Geschichte auf ihren eignen Ursprung hin, erweist sich wieder als lebensträchtig. Denn als Küchenjunge formt nun Ursulus das Bild von Genovefa und Schmerzenreich als Zuckerguß auf einem Kuchen, und dieses Bild — wohlverstanden wieder ein Mutter-Bild — rührt den König, als ihm die Torte kredenzt wird, so sehr, daß er den in der Küche versteckten Sohn vor seinen Thron befiehlt, ihn als Pagen in seinem nächsten Umkreis behält und damit die Wendung des Märchens zu seinem glücklichen Ende möglich macht.

Viel entscheidender freilich als diese Neben-Sächlichkeit ist die Tatsache, daß in der neuen Version das Erzählte in seiner Gesamtheit gleichsam zu seinem eignen Ursprung zurückkehrt. Der Erzähler nämlich führt sich selbst in seine Geschichte ein, er »macht« sie vor unseren Augen für uns, die wir mit zahlreichen »seht«, »nun seht aber einmal«, »nun, gebt acht«, »du redest und siehst nicht, was vorgeht«; »siehst du denn nicht, wie . . .« und ähnlichen Aufmunterungen angesprochen werden (III, 934f.)[13]. Der Dichter, in dem doch die Geschichte ihren Ursprung hat, ist selbst Erdichtetes, Stoff und Teil erzählter Welt; er ist das Ei, aber auch das, was dem Ei, entschlüpft, der Erschaffer aber auch Stück des Geschaffenen, so daß die Möglichkeit gegeben ist, daß das Geschaffene sich selbst reflektiert und der Schöpfer im Geschaffenen untergeht. Wir müßten nicht bei der Romantik, bei Brentano zu Gaste sein, um eine solche Erzählhaltung überraschend zu finden; denn was sie bewirkt ist ein Musterbeispiel romantischer Ironie[14], jenes tiefsinnigen Spieles, das wir bei unserm

[13] Ganz unannehmbar ist die Erklärung Ilse Mahls in ihrer dürftigen Arbeit »Der Prosastil in den Märchen Clemens Brentanos«, Germanische Studien Nr. 110, Berlin 1931, daß mit diesen Mitteln »ein sehr eindringlicher Erzählerton angeschlagen wird« (S. 80).

[14] Es ist hier nicht der Ort, auf die Zusammenhänge von Brentanos Dichtung mit der romantischen Poetologie und Erlebnisweise im allgemeinen einzugehen. Wichtiges darüber bei Paul Böckmann, Die romantische Poesie Brentanos und ihre Grundlagen bei Friedrich Schlegel und Tieck, in: Jahrbuch des Freien Deutschen Hochstifts 1934/35, S. 56ff.; dort auch Ausführliches über die romantische Ironie (S. 74ff.) über Brentanos »Wortspiele« (S. 148ff.) und den Begriff der Arabeske (S. 67, 74, 76f.). Brentano selbst hat seine Dichtweise verschiedene Male arabesk genannt, und als wildwuchernde und wirre Arabesken ist sie im abschätzigen Sinne von der früheren Brentano-Forschung charakterisiert worden. In seinem ungemein erkenntnisreichen Buch »Die Arabeske«, München/Paderborn 1966, hat Karl K. Polheim kürzlich die Arabeske als einen der entscheidenden Formbegriffe in Friedrich Schlegels ästhetischem Vokabular nachgewiesen. Was er (S. 24) als die letzte und umfassendste Definition des Arabesken bei Schlegel darbietet, deckt sich Wort für Wort mit dem, was ich in diesem Aufsatz über Brentano deutlich machen möchte.

Dichter hinlänglich kennen, sei es nun, daß der Erzähler als Mitspieler in die Erzählung hineingezogen wird wie im »Kasperl und Annerl« oder daß er am Schluß als Zuhörer unter der lauschenden Kinderschar sitzt, der er doch eben das Märchen vom »Gockel« vorfabuliert hat oder daß er die Lebens- und Leidensgeschichte der schönen Lore Lay mit dem dreimaligen Ruf »Lore Lay« enden läßt, »als wären es meiner drei«[15]. Es kann sich also hier nur darum handeln, an der Überarbeitung aufzuzeigen, mit welcher Radikalität sich die Frage stellt, die wir als Motto unserm Deutungsversuch vorangesetzt haben: »Erschafft mich die Welt, oder ich sie?«

Das geht hier so weit, daß der Erzähler, der doch seine Geschichte erfindet, als Erzählfigur andere Erzählfiguren zu fragen hat, was sie über die Geschichte, über Leben und Charakter Fanferlieschens wissen. Und als er von den Gewährsleuten, die in ihm einen Spitzel auf der Jagd nach Finsterlingen und Jesuiten vermuten, abgewiesen wird, tröstet er sich mit der resignierten Feststellung: ». . . was brauch ich . . . zu fragen in einer Sache, von der kein Mensch nichts weiß, und über die der König Jerum so dumm und ergrimmt lügt« (wieso eigentlich, da doch kein Mensch etwas von der Sache weiß?); »muß ich mehr von der Wahrheit wissen als alle anderen Leute?« (III, 938f.) — worauf er in der nächsten Zeile prompt beginnt, die Lebensgeschichte Fanferlieschens von der Auffindung des Kästchens bis zu dem gegenwärtigen Moment wahrheitsgetreu zu erzählen. Und selbst hier haben wir es mit einem Fall des nachträglichen »Heraufholens« zu tun. Denn schon ein Weilchen bevor sich der Erzähler — vergeblich aber dann auch wieder nicht vergeblich — bei den zwei »lieben Herren Nebenmenschen« nach Fräulein Fanferlieschen erkundigt hat, weil er doch offenkundig nichts über sie weiß (wobei das ›nichts‹ natürlich alles ist), hat er sich an uns gewendet mit Frage und Zuspruch: »wer auf aller Welt mag sie nur sein? Geduld! Das wollen wir alles bald herausspekulieren, macht nur die Augen ein wenig zu und guckt mit mir ins innerliche Schlüsselloch; da seht ihr ja alles, was sie getan hat, was sie jetzt tut, künftig tun wird, und auch was ihr niemals zu tun in ihren klugen Kopf gekommen ist« (III, 933f.). Das Brentanosche *Weltei* enthält also, nur den geschlossenen Augen sichtbar, nicht bloß die Welten, die sich entfaltet haben, entfalten und entfalten werden, sondern darüber hinaus noch jene, die sich nicht entfalten werden. Es ist das Eine, in dem das All schläft — plus alle Alls, die es gar nicht gibt.

---

[15] Dasselbe auch in Brentanos Gedicht »Auf dem Rhein« (I, 98). Diese Einführung des Sängers am Schluß des Liedes hat Brentano natürlich vom Volkslied übernommen; aber daß und wie er dieses Formprinzip aufgreift, ist kein Zufall.

Wenn es uns jetzt im Kopfe wirbelt, dann ist das ganz in der Ordnung; denn wir haben den Punkt erreicht, wo das Eine das Vielfältige und das Vielfältige das Eine ist. Dies aber, auf den Bereich familiärer Beziehungen angewandt, heißt, daß wir uns dem Phänomen des Geschwisterlichen, im Idealfalle des Zwillingsgeschwisterlichen, gegenüberfinden. Denn Geschwister sind dem einen Mutterschoße, der sie hielt und entläßt, entsprungen und sind darum »im Grunde« eins, aber sie sind gleichzeitig eigenständige und getrennte Wesen. Es ist nun schön zu beobachten, wie sich das Schwesterliche allmählich in unser Märchen einschleicht, bis es schließlich in der Spätfassung als voll ausgebildetes Thema erscheint. Fräulein Ursula von Bärwalde: in welch andere Richtung deutet sie als in die des Schwesterlichen, da dies ja der Name der Grafschaft ist, in der Bettinas Wohnsitz Wiepersdorf nach ihrer Eheschließung mit Arnim lag, so daß also schon in diesem frühen Ansatz, wenn auch durchaus unsichtbar, der Erzähler, Clemens Brentano als Bruder, in der Geschichte zugegen ist. Freilich — und wir sind hier noch in der alten Fassung — dieses geheime Schwesterbild wird erst »nachträglich« in die Geschichte hineingeholt; denn ursprünglich war es die Zicge (das Fräulein von Ziegesar), deren Ohrläppchen der böse Jerum bei seinem Ausritt mit seinem Pfeil durchbohrt hatte und die ihm schon in den guten Tagen des Königs Laudamus als Ehegattin zugedacht war, bis dann plötzlich und ganz unvermittelt ihre Rolle von Ursula von Bärwalde übernommen wird[16].

Voll entwickelt wird das Geschwistermotiv aber erst in der Umarbeitung; denn jetzt, mit der Heraufholung der Vorgeschichte, erscheint Fanferlieschen als die »Milchschwester« (III, 939) des Prinzen Laudamus, ja wir können sie getrost die Milchzwillingsschwester nennen, da die beiden doch am gleichen Tage das Licht der Welt erblicken, von der Königin-Mutter selbst genährt, wie uns ausdrücklich versichert wird, aber eben doch nur Pseudo-Schwester, getrennt und unverwandt bei aller Verwandtschaft. Ich glaube, wir gehen nicht zu weit, wenn wir hier in diesem hintergründigen Märchen, wie vorsichtig auch immer, sogar ein Motiv angedeutet finden, das Brentano an andrer Stelle,

---

[16] Diese Substituierung der in der frühesten Fassung erscheinenden Ziege (Ziegesar) durch Ursula von Bärwalde mag einen Hinweis auf die Entstehungsgeschichte des Märchens geben. Am 11. März 1811 war Bettina durch ihre Heirat mit Arnim Herrin von Wiepersdorf im Distrikt Bärwalde geworden. Erst nach diesem Datum ist wohl die Vertauschung von Ziege und Bärin geschehen. Es ist aber aufschlußreich, daß sich Brentano nicht die Mühe gemacht hat, in den Anfangsteilen den neuen Namen einzusetzen, obwohl dies nur ganz weniger Korrekturen bedurft hätte. Vielleicht also wollte er wirklich das Schwesterbild erst »nachträglich« in die Geschichte hereinholen.

in den »Romanzen vom Rosenkranz«, zentral beschäftigt hat: das Inzest-Motiv. Inzest ist der Versuch, ebenso beseligend wie sündhaft, im eignen Blutstrom zu verharren, die Auseinanderfaltung des Einen ins Vielfältige wieder rückgängig zu machen und damit den Ursprung als Ur-Sprung zu leugnen. Unser Märchen ist von dieser Versuchung nicht frei, denn Prinz Laudamus liebt seine Milchschwester Fanferlieschen über alles, und keinen anderen Wunsch hat er, als sie zu seiner Königin zu machen. Aber da wir in einem Märchen sind, ist die Gefahr, »bei sich« zu bleiben, in jener Selbstheit, die gleichzeitig Paradies und Sünde bedeutet, nicht sehr ernst zu nehmen. Prinz Laudamus wird in die Welt ziehen, um seine Frau zu finden, eine böse Frau freilich, weil sie, die Skandalia Immoralia heißt, sich als Sandalia Femoralia ausgibt, und mit ihr wird das Unglück beginnen. Das Paradies geht verloren, aber es bleibt erhalten als das Schwesterbild, das eben gerade, weil es sich nicht als Frau in Besitz nehmen ließ, als gütiger Geist über der »Geschichte« wacht. Es könnte sein, daß Brentano in diesem »flächigen« Märchen viel mehr erzählt, als es den Anschein hat, nicht weniger als seine eigene Lebens- und Leidensgeschichte, die Lebens- und Leidensgeschichte des Künstlers, der mit sich selbst Inzucht treibt und nur durch ein Wesen gerettet werden kann, das von »Jenseits« kommt, ein Kindlein, aufgefunden in einem bescheidenen Schächtelchen und am Schluß, wenn es sein Menschenleben erfüllt hat, wieder verschwindet »durch die Lüfte davon«.

Nun aber hat Brentano für die Umarbeitung des Märchens eine weitere Schwesterfigur hinzugedichtet, oder um es vorsichtiger auszudrücken: eine Parallelfigur zum Fanferlieschen, auf den ersten Blick nicht mehr als eine der vielbeschrienen und vielverrufenen »närrischen« Erfindungen, die seine Phantasie wie willkürliche Blasen hervorgetrieben haben soll. Da gibt es neben Fanferlieschen eine zweite »betagte, betugte« Jungfer, oder besser »ein altes Weib« (III, 959), das sich im letzten Moment einstellt, als sich der große Trauerzug am Todestage des guten Königs Laudamus mit Fanferlieschen an der Spitze gerade in Bewegung setzt. »Die letzte Person aber dieses herzzerreißenden Leichenzugs war, wie immer bei allen Leichenbegängnissen, ein altes Weib mit einer blauen Schürze, ohne welche keine Prozession möglich ist. Wer sie eigentlich ist, hat man noch nie herausbringen können!« (ebd.) Wirklich nicht? Jemand, der bei jedem Leichenbegängnis dabei sein muß und ihn beschließt, so wie Fanferlieschen ihn eröffnet, angetan mit einer Schürze ganz so wie Fanferlieschen, wenn freilich auch von einer anderen Farbe, wegen dieser Schürze in bittrem Grimm auf Fanferlieschen, die dem Hutzelweib eine neue versprochen hatte, ohne dies Versprechen einzulösen, unter Absingung eines zornigen Liedes die Stadt verlassend, und zwar genau um Mitternacht, in der Minute, da der Tag stirbt (»Leb Sie wohl, es schlägt grad Zwölfe, / Mit dem alten Schurz ich mich behelfe!« [III, 973]), das einzige Menschenwesen, das um Ursulas Versteck weiß und darum eine ständige Gefahr, wenn es ihr einfiele, das Geheimnis des Überlebens auszuplaudern, wohnhaft bei dem Schäfer, dessen Aufgabe es sein wird, die vielen von Jerum ermordeten Ehefrauen schön und christlich zu begraben, schließlich versöhnt durch die Vögel, die ihr auf Ursulas Bitten eine nagelneue blaue Schürze schenken, mit der sie sich bei jedem Leichenbegängnis stolz wird sehen lassen können und von da ab bis zum glücklichen Ausgang die treueste Bundesgenossin Ursulas. Können wir es wirklich nicht »herausbringen«? Sie ist immer da, wo zu Grabe getragen wird; während Fanferlieschen die Eröffnende ist, ist sie die Beschließende, und wenn sie sich mit Fanferlieschen überwirft, dann wegen ihrer Schürze, die so wenig nach Fanferlieschens Sinn ist, daß sie sich ihrer nicht ent-sinnen kann und mag. Von Fanferlieschens Schürze aber wissen wir, daß sie aus ihr alle Dinge der Welt herausschütteln kann, wenn sie nur den Namen ausspricht. Wie wenn die Schürze der anderen die Gegen-Schürze wäre, in der alle Dinge der Welt wieder eingesammelt werden? Dann freilich stünden sich die beiden sinnvoll gegenüber, die eine, aus der alles kommt, die andere, die bei jedem Heimgang die Hand im Spiele hat, Mütter und Schwestern sie beide, und die Bildsprache würde es uns verraten, auch wenn das alte Weib nicht ausdrücklich von sich sagte: »wer ich bin, das wissen die Toten« (III, 996).

Um diesen Gedanken der Zusammengehörigkeit des Einen mit dem Vielen und des Vielen mit dem Einen lassen sich, so will es mir scheinen, alle »bizarren« Spielereien, mit denen Brentano die Neufassung des Märchens auffüllt, gruppieren. Es gibt, wenn wir an Zeitlichkeit denken, ein Instrument, in dem jeder Moment »für sich« da ist, aber für sich im Sinne von: alle zusammen. Es ist die Uhr, und gewiß kein Zufall, daß Brentano den Gedanken der Uhr so oft umspielt hat, am ausführlichsten in seiner frühen »Wunderbaren Geschichte von Bogs dem Uhrmacher«. Nun, eine solche wunderbare Uhrengeschichte gibt es in der Spätfassung unseres Märchens auch, und da es ja, wie wir gesehen haben, immer darauf angelegt ist, den Ursprung durchsichtig zu machen, wird uns denn auch nicht verheimlicht, daß Fanferlieschen die Verfertigung dieses genialischen Instruments »von einem verrückt gewordenen Uhrmacher Namens *Bogs* gelernt hatte« (III, 940). Eine solche Uhr schenkt Fanferlieschen dem jungen Laudamus, bevor er sich auf seine ausgedehnte Kavalierstour begibt, und mit ihrer Hilfe können sich die beiden über alle Räume hinweg verständigen. Die Handhabung und Erklärung dieser Kommunikationsmöglichkeit ist logisch absolut zwingend. Wenn es vier Uhr ist, dann zeigen bekanntlich alle Uhren der Welt auf die Ziffer vier. Warum also sollte es, wenn man für die 24 Stunden die Buchstaben des Alphabets einsetzt, nicht möglich sein, ein Wort und ganze Sätze auf der Uhr zu buchstabieren; und da ja jede einzelne Uhr dasselbe anzeigt wie alle Uhren, kann Laudamus selbstverständlich auf seiner Uhr nachbuchstabieren, was Fanferlieschen auf ihrer vorbuchstabiert hat (und umgekehrt). Es ist eine absolut geniale Erfindung eines ganz und gar nicht verrückten Uhrmachers, sofern man bereit ist vorauszusetzen, daß jede Uhr eben nicht ihr eigenes Uhrwerk hat, sondern daß alle Uhren in ihrem Ursprung korrespondieren durch ein All-Uhrwerk, ein Uhr-Ei, das »hinter allem« steht. In solchem Glauben — und es ist nicht nur ein Märchenglauben, sondern der Glaube an das Märchen — ist das sture Rücken des Zeigers von einem Strichlein auf dem Zifferblatt zum nächsten nicht nur das leer automatische Ablaufen der Zeit, sondern die Verweisung auf einen Ur-Sinn, der hinter allem Zeitablauf steht und der im dialektischen Umschlag gerade in dem Un-Sinn des Märchens sein Geheimnis offenbart.

Wie die Uhr so der Kalender, auch er ein Gegenstand, von dem der unaufhaltsame Fluß der Zeit abgelesen werden kann, der Weg von einem Tage zum nächsten, zusammengehalten aber in Ganzheiten, dem Kreis der Woche, des Monats und des Jahres. Schon in den »Rheinmärchen«, dem Märchen von dem Hause Starenberg, hatte Cisio Janus, der personifizierte Volkskalender[17], eine entscheidende, wenn auch schwer durchsichtige Rolle gespielt, und wir hatten von ihm vernommen: »er sah aus wie einer, der alle Tage anders ist und doch immer einerlei, wie einer, der ewig fortfährt und am Ende wieder von vorne anfängt« (III, 147). Jetzt in der Neufassung des Märchens vom Fanferlieschen hören wir, daß das Liebste, was die guten Vögel Ursula in ihren Turm brachten, »ein Katechismus, ein Gebetbuch, ein Evangelienbuch und ein Kalender« war (III, 1018), so wie auch schon früher »in Fanferlieschens Erziehungsanstalt ... der Kalender der Mittelpunkt alles übrigen Wissens« gewesen ist (III, 1027). Und es wird uns auch gesagt, warum der Kalender ein solcher Mittelpunkt sein konnte. In ihm findet Ursulus neben der Aufreihung der Tage, der verrinnenden Zeit und Zeitlichkeit, Bilder und Geschichten der Heiligen und Festtage, das Geistliche Jahr also, die Verweisung auf das Ewige, das Immer-Einerlei in dem täglich anderen, und darüber hinaus »Sonne und Mond und der Gestirne Auf- und Untergang« (ebd.), den Kosmos in seiner unendlichen Bewegung, die ja wieder nichts anderes ist als Ursprung und Quelle der vorder-

---

[17] Vgl. zu dieser kuriosen Figur die Anmerkung III, 1078f.

gründigen Tageszeiten, die der Kalender registriert. Und neben dieses Lehrbuch, das begreiflicherweise »Mittelpunkt alles übrigen Wissens« ist, tritt der »Orbis Piktus, worin alles, was da lebt, was da schwebt, im Himmel und auf Erden, und sogar die Seele, fein getüpfelt abgebildet ist« (III, 1026). Dies ist, sichtbar gemacht in den Einzelbildern des Weltenrunds, in der Tat »das Ganze«, von dem Brentano in einem Brief an Rahel Varnhagen einmal gesagt hat, daß nur in ihm der Himmel liege (I, 1320).

Diese Kuriositäten, die man so gern als Ausgeburten einer wildwuchernden und planlosen Phantasie abtut, sind »Seltenheiten mit Andenkenswert«[18], ja mehr noch als dies: sie sind Chiffren, durch die sich Vergangenheiten über allen Zeitverlauf hin lebendig erhalten, zurückverweisend auf den Ursprung, der in verrätselten Bildern weiterwirkt und damit ein hinter allem Wirrwarr und aller Konfusion des Lebens durchsichtiges Dasein schafft. Zu diesen Kuriositäten gehören die Wappenschilder, die Heraldik im weitesten Sinne, für die Brentano eine wahre Leidenschaft hat und mit der er uns manchmal amüsant und manchmal penetrant zu unterhalten nicht aufhört. Da sind die Wappentiere Katz und Ratte, die in dem Märchen von dem Müller Radlauf, der Ouvertüre zu den »Rheinmärchen«, eine entscheidende Rolle spielen; da sind die komplizierten und schwer durchschaubaren Hausembleme der Alektryo-Familie im »Gockel«; da sind in unserem Märchen — und dies vor allem wieder in der Neufassung — die zahllosen Wappenschilder der jungen Adelszöglinge, die Fanferlieschen in ihrem Institut versammelt hat. Sie alle verweisen auf die Kontinuität einer Dynastie, die durch das Wappenschild bis auf ihren Ursprung zurückverfolgt wird, bis zu dem Punkt, wo der Name der Familie beginnt und sie aussprechbar und ansprechbar geworden ist. Nun ist festzuhalten — und das wird für die kommende Erörterung von Brentanos Sprache ausschlaggebend sein —, daß Name und Bild, so wie es im Wappen erscheint, identisch sind. Diese jungen Adelsfräulein und -herren heißen nicht nur so, wie das Bild es andeutet, sondern sie *sind* das, was das Bild darstellt oder können sich zumindest im Notfalle jederzeit in dieses Bild verwandeln. Gewiß, daß ein Mensch sich in ein Tier verwandelt (oder umgekehrt), ist ein Märchenzug, so alt wie das Märchen selbst. Aber das Entscheidende bei Brentano ist eben, daß der Mensch sich in das Tier verwandelt, das in seinem Namen steckt und dessen Bild auf seinem Familienwappen abgebildet ist. Ursula von Bärwalde heißt so, wie sie heißt, weil in ihrem Wappen der Bär herrscht (wir können es

---

[18] Dietrich Pregel, Das Kuriose in den Märchen Clemens Brentanos, in: Wirkendes Wort X, 1960/61, S. 290.

auch umkehren: in ihrem Wappen herrscht der Bär, weil sie so heißt, wie sie heißt), und sie wird sich darum eben auch in ein Bärenfräulein verwandeln, und so wie sie alle anderen Zöglinge Fanferlieschens. »... da bemerkte ich etwas Seltsames. Jedes Kind[19] hatte sich in das Tier seines Namens verwandelt, und dasselbe Tierbild war aus seinem Wappen verschwunden; statt dessen aber stand das Bild des Kindes, wie es vor der Verwandlung ausgesehen, wunderschön im Wappen abgemalt.« (III, 966.) Und nun folgt die schier endlose Reihe von Verwandlungen der Standesjugend, die Fanferlieschens zoologischen Garten ausmachen wird, in das Wappentier ihres Namens: die Riedesel in Esel, die Ochsenstirna in Ochsen, die Rindsmaul in Rinder, die Hirschau in Hirsche, die Rehberg in Rehe und nicht weniger als zwanzig weitere.

So wird die Brücke geschlagen zwischen Namen, Mensch und Tier, die auswechselbar sind, weil im Ursprung dasselbe. Aber damit ist die letzte Untiefe noch nicht ausgelotet. Denn bei der eigentlichen Hauptperson unseres Märchens, bei Ursula von Bärwalde, gehen Identifikation und Verweisung noch weiter. Sie ist ja nicht nur die Bärin, als die sie im Wappen erscheint, sondern gleichzeitig die Tochter der Gestirnkonstellation des Bären. Wenn wir genau lesen, wird sich zeigen, daß die Identifikation wirklich vollkommen ist; denn in Ursulas Fall ist das »Tierbild« im Wappen gar nicht das Tierbild, sondern das Sternenbild: »wo sonst das Sternbild des kleinen Bären im Wappen von Bärwalde gestanden, stand nun das Bild der Prinzessin, und Ursula war die kleine Bärin geworden« (ebd.). Und so wie es am Himmel wie auf Erden einen kleinen Bären (oder eine kleine Bärin) gibt, so gibt es am Himmel wie auf Erden eine große Bärenkonstellation, die verstorbenen Eltern Ursulas, zu denen sie in ihrer höchsten Not hinaufblickt, weil sie da oben am Firmament leuchten (III, 991), aber die dann auch wieder als »Bilder auf Wachstuch gemalt« (III, 1017) — es sind sogar »Brustbilder«, so wird uns versichert — von den Vögeln in Ursulas Turm gebracht werden, damit sie damit die kahlen Wände schmücken kann. Darum wird es uns denn auch nicht erstaunen, daß die Geburt des kleinen Ursulus sich auf seltsame Weise vollzieht, so schon in der ursprünglichen Fassung (III, 413f.), aber voll ausgeführt erst in der Umarbeitung. Hier die Beschreibung, wie Ursulas Söhnchen »auf die Welt« kommt: »Es war ihr aber im Traume: als trete ihre Mutter zu ihr und schaue mit ihr in

---

[19] Gewiß kein Zufall, daß Brentano hier von den Zöglingen Fanferlieschens als »Kinder« spricht. Das können sie schwerlich sein, da Ursula immerhin alt genug ist, um kurz nach dieser Szene Jerums Frau zu werden. Aber da das Wappenbild Ursprung und Herkunft festhält, verwandeln sich unter der Hand die jungen Damen und Herren, wenn sie nun den Platz mit den Wappentieren tauschen, in Kinder.

das Sternbild, und da zuckten auf einmal die Sterne zusammen, und es falle ein Stern herunter in ihren Schoß ... da lächelte ihre Mutter und legte ihr ein liebes Kind in die Arme, und segnete sie und verschwand. Jetzt wurde Ursula plötzlich von einem lauten fröhlichen Storchgeklapper erweckt, und wer kann ihre Seligkeit aussprechen: ein schönes Knäbchen lag an ihrer Brust.« (III, 1020.) Traumgeboren, sterngeboren, aus dem Mutterschoß geboren — und natürlich hat die Großmutter, die große Mutter, ihre Hand im Spiel —, so kommt der neue Mensch, der Märchenheld auf die Welt, verwandt mit allem, was das Wappenbild, die Ursprungschiffre, festhält: Mensch und Tier und Gestirn — das Ganze.

Wir sind nun mit dem Hinweis auf Brentanos Liebe und besonderen Gebrauch der Heraldik in eine Sphäre eingetreten, auf der, ausgeprägter als bei jedem anderen Dichter, sein ganzes Schaffen beruht: das Bewußtsein und die Handhabung des Namengebens und das heißt: der Sprache. Es versteht sich, daß wir in dem begrenzten Rahmen unseres Themas diesem Zentralanliegen nur flüchtige Aufmerksamkeit schenken können, dies um so mehr, als es dabei um die Wurzel geht, aus der Brentanos gesamte Poesie und nicht nur die Umarbeitung des einen Märchens, mit der wir uns befassen, herauswächst. Es kann in der Tat mit Recht behauptet werden: »Das Brentanosche Märchen geht blitzblank aus einer Wortwerkstätte hervor«[20], wobei freilich hinzuzufügen wäre, daß sich eine solche Feststellung nicht nur auf seine Märchen, sondern auf sein gesamtes Werk beziehen läßt. Keiner, jedenfalls keiner bis zu den Dichtern einer viel späteren Generation, hat das Wort so beim Wort genommen wie er, als die eigentliche Substanz, aus der Dichtung gemacht wird — nicht nur ein Artefakt, dem eine bestimmte Bedeutung innewohnt, sondern ein Seiendes, das mit all seinen Qualitäten, von denen die Bedeutung nur eine und vielleicht sogar eine untergeordnete ist, mit Klang und Rhythmus und Nebenton, mit allen möglichen und oft genug unmöglichen Assoziationsfeldern ins Bewußtsein gehoben und gehört wird. Ursula von Bärwalde und all die anderen zahllosen Namen sind nicht nur Namen, sondern sie sind die Dinge, die sie benennen. Eine Schürze heißt nicht nur Femoralia — und so heißt sie freilich[21] —, sondern sie *ist* eine Femoralia, nämlich eine Schürze, so wie ein Paar

---

[20] Marianne Thalmann, Zeichensprache der Romantik, Heidelberg 1967, S. 99.

[21] Das ist ein im Lateinischen nicht gebräuchliches Wort für »Schürze«. Brentano hat sich hier, sicher bewußt, einen etymologischen Scherz geleistet. Im Deutschen steht das Kleidungsstück (Schoß) für den Körperteil, den es bedeckt (vgl. Fn. 11). Jetzt im Lateinischen dreht Brentano den etymologischen Tatbestand um: er leitet von dem Namen des Körperteils (*femor* = Oberschenkel, Unterleib) die Bezeichnung für das ihn bedeckende Kleidungsstück ab.

Pantöffelchen Sandalia heißen, weil sie Goldsandalen sind und dann schließlich einem ganzen Land den Namen geben, da es ja unter dem Pantoffel der Pantoffel steht — oder um es im Brentanoschen Wortlaut wiederzugeben: »unter dem Schürzen- und Pantoffelregiment« (III, 964) —, bis es eines Tages Skandalia heißen wird, nachdem es unter Jerum zum Skandal geworden ist.

Es scheint mir ganz unzulässig, oder in jedem Falle zu kurz gegriffen, diese Sprachbehandlung als Wortwitzeleien oder gar als »Kalauer«[22] abtun zu wollen, als eine »Art eitler Koketterie, mit einer gewissen Fertigkeit in allerlei poetischen Worten zu prunken«, als die selbst der engste Freund, Achim von Arnim, sie verstanden hat, »sinnloser Leerlauf, krankhafte Entartung der Sprache«[23]. In seiner Haltung der Sprache gegenüber ist Brentano, wenn diese Analogie zu religiös-philosophischem Denken erlaubt ist, ein strenger scholastischer »Realist« im Sinne Anselms von Canterbury und des heiligen Thomas: die *nomina* sind nicht nur Namen, die eine dahinterliegende *essentia* »bezeichnen«, sondern sie sind die »Realien« selber. Wenn der bis zur Leere magistrale Ausspruch des modernen amerikanischen Dichters Archibald MacLeish: »A poem should not mean but be« sich wenigstens annäherungsweise je erfüllt hat, dann im Falle Brentanos. So gesehen, wäre Fanferlieschen nicht einfach eine gütige Fee und Zauberin, mit denen die Märchen aller Zeiten und Zonen in großer Dichte bevölkert sind, sondern sie stellte nicht weniger dar als den Geist, die Logik der Dichtung selbst: was sie beim Namen nennt, das steht, aus der Schürze geschüttelt, als geschaffenes Ding vor ihr. Und das ist nicht weniger als der Sinn des Dichtens überhaupt.

Freilich, das Glück des Märchens, in dem die ausgesprochenen Dinge fertig aus der Schürze fallen, ist die Qual des Dichters, der in der Welt gegebener »Realien«, das heißt einer strukturierten und von ihm nicht geschaffenen Sprache leben muß. Seine Not schlägt sich in dem Motto nieder, das wir unserer Deutungsbemühung vorangestellt haben und das an dieser Stelle unserer Untersuchung abzuwandeln wäre zu der Formel: »Erschafft die Sprache mich oder ich sie?« Er muß sie erfinden, aber erfinden innerhalb einer Sprachwelt, die bereits vorfindlich ist. Hier, so glaube ich, liegt der Grund für Brentanos Sprachbizarrerien, die sich überschlagenden Wortspiele und -spielereien, die Reimexzesse, die Neubildungen, Neukombinationen, Wortanalogien, Wort-Assonanzen und -Dissonanzen, die man gern als bis an die Grenze des Patho-

---

[22] Gundolf, a. a. O, S. 8.

[23] David, a. a. O, S. 166. Kurz darauf (S. 178) lesen wir freilich: »das reine Märchen, in dem ... die Sprache gleichsam sich selbst genießt«. Das kommt dem wahren Sachverhalt beträchtlich näher.

logischen gehende Narreteien abtut. Er ist — und wie könnte es anders sein? —
im wahren und übertragenen Sinne besessen von der Sprache, aber er steht als
Dichter gleichzeitig vor der Aufgabe, sie in Besitz zu nehmen, das Vorgeformte
als Rohmaterial zu behandeln, das ihm zu formen aufgegeben ist. Nichts
scheint mir falscher als diesen Prozeß auf den Nenner »Entstellung«[24] bringen zu wollen, da es sich in Wirklichkeit doch um Her-stellung handelt, um
das Machen der Worte, die für den Dichter die Substanz seiner Schöpfung
sind. Und es ist weniger als die halbe Wahrheit zu behaupten: »Brentano greift
die Sprache nicht selbsttätig an. Sie ist kein ›Gegenstand‹ für ihn, kein Stoff
des überschauenden, planenden und beziehenden Geistes ... er verfügt nicht
über die Sprache, sondern die Sprache verfügt über ihn.«[25]

Es gibt in der Neufassung unseres Märchens eine Episode, die beinah pro-
grammatisch das Dilemma und die Größe des Dichters schlechthin vor Augen
führt. Fanferlieschen braucht für den Trauerzug eine ganz bestimmte Blume,
»eine gewisse Art von gemachten Blumen« (III, 951) — es ist durchaus nicht
zufällig, daß Brentano hier von »gemachten Blumen«, also von Kunst-Blumen
spricht —, aber ihr will und will der Name nicht einfallen, und da — in der
Dichtung jedenfalls — der Name das Ding ist, »schüttelte sie lange vergeblich« (ebd.). Der Prozeß der Namensfindung spielt sich nun in einem dreimal
unterbrochenen Gedicht von 155 Zeilen ab, in denen Fanferlieschen eine Un-
menge von Realia durchläuft: Blumen, Menschen, Grabstätte, Tiere, Wetter-
zustände, das Kreuz mit dem angenagelten Christus, die Heilige Jungfrau,
Hölle, Himmel, Reise auf stürmischer See, die Frankfurter Messe mit all ihren
Buden und dem darin Käuflichen, die Chaussee nach Wiesbaden, zahllose
Spielsachen, Finanzprobleme, Schnupftabak, Nürnberger Apothekerladen,
bis sie schließlich in Zeile 146 das Wort *knittern* erreicht. Und nun geht es so
weiter:

---

[24] Das ist die Zauberformel, mit der, bis zum Überdruß wiederholt, Hans Magnus Enzens-
berger in »Brentanos Poetik«, München 1961, das Spracherlebnis und die Sprachpraxis
Brentanos einfangen will. Nur einige Beispiele: »die maßlos entstellte und zum Fetisch
gewordene Sprache« (S. 117); »die entstellenden Möglichkeiten, die ein solches Verfahren
in sich birgt ... liegen auf der Hand« (S. 118); »jenes gebrochene Sprachverhältnis ... das
wir Entstellung genannt« (S. 125); »Das Verfahren der Entstellung macht der alten Poetik
vollends den Garaus« (S. 139).

[25] Staiger, a. a. O, S. 40. Dabei ist freilich zu betonen, daß Staiger in dem später folgenden
Teil »Der Widerstand« (S. 81 ff.) dieser nur halben Wahrheit das Gegenbild gegenüberstellt
und damit das treffende Gleichgewicht schafft. Darum auch sind Enzensbergers Einwände
gegen Staiger (a. a. O, S. 122) gegenstandslos, weil er die später vorgetragene dialektische
Gegenposition nicht zur Kenntnis nimmt.

Knittern, reimt sichs drauf mit Flittern,
Ja, da hab ichs — *Flitterblumen*[26]
Nennen es die alten Muhmen,
Die damit und sieben Sachen
Jene schönen Kronen machen.
Schürzchen *Femoralia!*
Für die *Funeralia*
Schüttle mir hübsch klein und groß
Flitterkronen aus dem Schoß. (III, 956)

Was sich hier abspielt, ist ein Sturmlauf durch die weitest entlegenen Dinge der Welt, um auf das Wort zu stoßen, das man gesucht hat und das »auf dem Grunde« verborgen liegt. Aber verborgen wie es auch sein mag, es wird auffindbar nur dadurch, daß man sich auf den Wogen der Dinge zu ihm tragen läßt. Damit wird die Paradoxie des Dichters deutlich: er nimmt von dem Wort Besitz, aber er kann es nur dadurch, daß er sich durch eine ganze auseinandergefaltete Wortwelt jagen läßt, die, weil alles mit allem zusammenhängt, schließlich auf das Eine, das im Hintergrund versteckt liegt, hinführt.

Wir stehen hier — auf der tiefsten Ebene unserer Untersuchung, auf der Ebene der Sprach- und Dichtkonzeption — an dem Punkte, den wir bei unseren vorangegangenen Erörterungen als den entscheidenden des Brentanoschen Märchens — und nicht nur des Märchens — erkannt zu haben glaubten: wie nämlich aus der Vielheit der Weg gefunden werden könne zu der Einheit, in der alle Vielheit schon enthalten ist. Das, so glaube ich, ist der ganz und gar nicht »flächige« Sinn der Brentanoschen Wortspiele. Was sie uns deutlich machen, ist das verzaubernde und erschreckende Phänomen, daß die verschiedenen Worte »im Grunde« eins sind oder umgekehrt: daß das eine in seiner Auffächerung die verschiedenen aus sich entläßt. Worum es in seiner wilden Sprachkombinatorik von allem mit allem immer wieder geht, ist der Versuch, die Wörter durchsichtig zu machen auf ihren Ursprung hin, bis zu dem Wort-Ei durchzustoßen, in dem das All und das Eine zusammen gegenwärtig sind.

Nur ein paar Beispiele aus der Spätfassung des »Fanferlieschens« mögen es verdeutlichen. Da ist das von Brentano oft bis an die Grenze des Erträglichen getriebene Phänomen der Zweideutigkeit des Wortes — und Zweideutigkeit sei hier durchaus in seinem Doppelsinn verstanden. Einer der Höhepunkte unseres Märchens ist der Moment, da Jerum nach Fanferlieschens Eröffnung

---

[26] Um früher Ausgeführtes noch einmal zu unterstreichen: es ist von entscheidender Bedeutung, daß Ding (Blume) und Name (...blume) zusammenfallen.

seiner Untaten vom Volk seiner Krone für verlustig erklärt wird. »Da rief alles Volk: ›Abgesetzt!‹« (III, 969), in welchem Augenblick die alte Frau mit der blauen Schürze, einen schweren Korb auf ihrem Kopfe, erscheint. »Da sie nun alles rufen hörte: ›Abgesetzt!‹, meinte sie, das gelte ihr; man wolle, daß sie ihre Last absetzen solle« — was sie denn auch unverzüglich tut. Was hier vorgeführt wird ist die Geschwisterhaftigkeit der Sprache: daß nämlich ein Wort in seiner Bedeutung zwei Wörter sind oder vielleicht genauer noch, daß ein Wort, zuerst benutzt in einem übertragenen Sinne, auf seinen Ursprung, auf seine »eigentliche« Bedeutung hin durchsichtig gemacht wird.

Aber ein anderes noch wird an diesem einen Beispiel deutlich, auch dies ein Phänomen, das sich bei Brentano immer wieder zeigen wird: eine Wortform hat zwei verschiedene grammatische Funktionen; denn das »Abgesetzt« ist im ersten Fall ein Vergangenheitspartizip (Jerum ist abgesetzt), gleichzeitig aber, wie das alte Weib es hört, ein Imperativ, so daß sich also die Syntax der Sprache als ebenso »zweideutig« erweist wie ihre Semantik. Klarer noch läßt sich diese Zwitterhaftigkeit einem Gedicht unseres Märchens ablesen, das sich freilich bereits in der ursprünglichen Fassung findet:

> So viel Ringe, so viel Bräute,
> So viel Bräute, so viel Messer,
> So viel Messer, so viel Herzen,
> So viel Herzen, so viel Wunden ... (III, 398 und 985)

Man kann diese Zeilen, syntaktisch richtig, aber inhaltsmäßig falsch verstehen als eine unverbundene Reihung von Aufzählungen oder Ausrufen, während es sich der Bedeutung nach natürlich um eine Syllepse handelt: ebensoviel Ringe wie Bräute, ebensoviel Bräute wie Messer usw[27].

Aber es ist selbstverständlich nicht nur die Bedeutungs- und Syntax-Duplizität, durch die Brentano die Verschwisterung der Sprache ins Bewußtsein hebt. Häufiger noch sind es die Lautqualitäten eines Wortes, sein Gleichklang, durch den Weitabliegendes so zusammengerückt wird, daß es in Eins zusammenfällt. Wenn von dem Unterrichtsprogramm in Fanferlieschens Tier-Institut gehandelt wird, dann ist es nur zu verständlich, daß aus dem philosophischen Studium ein »viehlosophisches« (III, 937) wird, während sich die Eleven, unter denen sich ja so viel Geflügel befindet, nicht nur züchtig, sondern »hühnerzüchtig« zu verhalten haben. Und da wir ja in einem Märchen sind, für welche

---

[27] So auch in dem schönen Altersgedicht »Wenn der lahme Weber träumt, er webe« (I, 611). Enzensbergers Analyse dieses Gedichts (a. a. O, S. 43 ff.) trägt weder zum Verständnis dieser syntaktischen Ambivalenz noch zu dem des ganzen Gedichts Wesentliches bei.

Gattung es seit den Brüdern Grimm eine ganz bestimmte Kennmarke gibt, so kann Fanferlieschen ins Wochenblättchen einrücken lassen, daß in ihrem Institut »nie gediente, adrette Haus- und Kindermädchen« (III, 977) zu erfragen seien, wobei denn noch zu bemerken ist, daß in der Sprache die Ver-ein-heit-lichung oder Auseinanderfaltung ihrer Wörter oder Wortwendungen auch dann sich noch vollzieht, wenn man die Komponenten auswechselt und umdreht[28].

Man mag solche Kunststückchen als »reine Willkür« abtun[29], nur daß man dann verkennt, daß es, zuerst einmal, Kunst-Stückchen sind. Es ist ein Kunst-Stück, und wie ich glaube, ein sehr tiefsinniges, wenn Brentano Metaphern, die in der Sprache als gängige und gedankenlos ausgehändigte Münzen zirkulieren, nach ihrem ursprünglichen Sinn befragt, ihre Quelle aus der Verschüttetheit heraufholt und damit den »Mutterschoß« bloßlegt. Wenn gleich zu Beginn des Märchens (III, 931) der böse Jerum mit seinem Gefolge aus Besserdich ausreitet und »voll Hoffahrt so recht auf dem höchsten Pferde« sitzt, dann kehrt das Wort-Bild: auf hohem Pferde sitzen wirklich zu sich und seinem Ursprung zurück, eine Wieder-herstellung, die nur einer, dem jede Sprachempfindlichkeit mangelt, als »Entstellung« bezeichnen kann. Ja, wir brauchen in der Spätfassung des Märchens — und all die gegebenen Beispiele stammen aus der Spätfassung — nur den allerersten Satz zu lesen, um uns über Brentanos Spracherlebnis und -intentionen klarzuwerden. »Es war einmal und niemals wieder ein König, der hieß Jerum.« (ebd.) »Es war einmal« — so fängt jedes wohlgesittete Märchen an, auch eine gute Anzahl der Brentano-schen[30]. Aber diese Formel, festgefrorenes Sprachgebilde, wird plötzlich lebendig und fragt sich: was steckt hinter meiner Fassade, was ist mein Ursprung? Und da wird es sich — wir können sein Erstaunen miterleben — klar darüber, daß »einmal« zweierlei bedeuten kann: zuerst, so wie es in der Formel gemeint ist, einfach eine Rückverweisung in die Vergangenheit, in wel-

---

[28] Vielleicht ist einer solchen Umkehrung (Haus- und Kindermädchen statt Grimms Kinder- und Hausmärchen) auch der Name Fanferlieschen zu verdanken. Die Vermutung des Herausgebers, der Name sei entstanden aus einer Amalgamierung des (französischen) Feennamens Fanfreluche mit dem Vornamen der Hensel (III, 1094) ist wenig überzeugend (vgl. Fn. 5). Möglich aber ist, daß sich Brentano bei dem Titel seiner Vorlage »Il Dragone« der Name des klassischen Drachens Fafner suggeriert hat und daß er durch Umstellung zu der Form Fanfer ... kam.

[29] David, a. a. O, S. 164.

[30] Es ist bemerkenswert, daß sich dieser formelhafte Anfang nur in den »Italienischen Märchen«, und nicht in allen, findet. Da er hier, im Gegensatz zu den »Rheinmärchen«, nach Vorlagen arbeitet, übernimmt er das konventionell Festgelegte.

chem Falle der Akzent auf dem *war* liegt; dann aber auch, wenn die Betonung sich verschiebt: *ein* Mal, ein einziges Mal, und diese Sinnverzweigung produziert nun ihre eigene Unterstreichung: *und niemals wieder*. Was hier geschieht, grenzt ans Unheimliche, weil wir hinabsteigen in jene Tiefen, wo der Wahnsinn lauert, ein Wahnsinn, der geboren ist aus höchster Bewußtwerdung. Ein Wort hat sich durchschaut, das Einfachste erkennt sich als ein Zwiefaches. Wie kann man noch sprechen — ja, kann man überhaupt noch sprechen? —, wenn von Anfang an (wir haben, wohlverstanden, den ersten Satz unseres Märchens zitiert) die Sprache sich als Kobold erweist, wenn eine Sprachformel, eine Sprachformulierung, so sicher wie das Amen in der Kirche, sich dem Abgrund zu öffnet? Vielleicht liegt hier die letzte Ursache von Brentanos Lebensnot und -leid. Dem Zauberer, dem Herrn über die Geister, dem die Sprache solches antut, bleiben nur die Worte und der brennende Gnadendurst Prosperos:

> I'll drown my book ...
> And my ending is despair
> Unless I be reliev'd by prayer
> Which pierces so that it assaults
> Mercy itself, and frees all faults.

Wenn Prospero hier als Prospero spricht, so könnte er mit denselben Worten als Brentano sprechen und die herzzerreißende Lebens- und Leidensgeschichte eines deutschen Dichters erzählen.

Wir haben in unserem letzten Absatz die Diskussion so geführt, als habe die Sprache eine Eigenmacht, die über den Dichter hereinbricht, in welchem Falle Staigers vielstrapazierte Feststellung, Brentano »verfügt nicht über die Sprache, sondern die Sprache verfügt über ihn« zurecht bestünde. Dabei aber wird übersehen, daß der Dichter es ist, der diese Bewußtseinserhellung an der Sprache vollzieht, daß die Sprache sein Material ist, aus dessen Durchleuchtung und Manipulierung er sein Sprachspiel macht. Gerade eben dieses Doppelte: das Hingerissensein von der Sprache und das raffinierte Kalkül, mit dem der Dichter Sprache bewußt macht, sie zusammen ergeben die Dichtung, ein Doppeltes, ja Entgegengesetztes, das im Kunstwerk zu einer Einheit zusammenschießt. Wenn Nietzsche von Brentano gesagt hat, er sei der deutsche Dichter, der am meisten Musik im Leibe habe, dann hat er sicher an diese Einheit gedacht, und ich müßte mich sehr täuschen, wenn er nicht eine ganz bestimmte Musik im Sinne gehabt hätte: die Wagnersche, in der Intoxikation aus raffiniertester Berechnung gemacht wird und die Berechnung umschlägt in den Rausch. Ganz so verbindet sich in Brentanos Märchen das harmlos unschuldige Spiel, der

ungehemmt bezauberte Tanz der Worte — »das soll kein Kind betrüben« —
mit der ertüfteltsten Mache, die dieses Spiel in Szene setzt[31].

Und wie er es inszeniert! Nur Unverstand könnte glauben, daß die endlosen,
sprühenden, reimenden Wortkaskaden sich »automatisch« ergeben, gewissermaßen über den Kopf des Dichters hinweg. Freilich, Brentano konnte Verse
machen auf Teufel komm raus, so als wären sie fertig und brauchten nur aus
der Feder zu fließen. Aber fertig waren sie, weil seine Fähigkeit, sie zu verfer-
tigen, grenzenlos war. Es gibt einen Ausspruch von ihm, der jeden Glauben
an die Leicht-fertigkeit seiner Reimerei Lügen straft: »Ich möchte alles in
Prosa niederschreiben, wenn es nur ein anderer in Verse brächte: das Verse-
machen ist eine Hundearbeit. Es will sich nur keiner eingestehen, wie man sich
dabei abrackert.«[32] Selbst wenn dieser Ausspruch, der uns nur aus zweiter
Hand übermittelt ist, nicht authentisch sein sollte — ich bin durchaus geneigt,
ihn für authentisch zu halten —, kann jemand im Ernst daran zweifeln, daß
eines der vielen neuen Gedichte, mit denen er die Spätfassung des Märchens
vom Fanferlieschen bereichert hat, eine andere Bezeichnung verdient als die
einer »Hundearbeit«? Es ist, soweit mir bekannt, das reimendste Gedicht der
deutschen Sprache. Es besteht aus 51 Zeilen, und diese 51 Zeilen weisen einen
einzigen Reim auf: den Reim auf »-ant« (III, 1033f.). Ursulus stellt sich der
Köchin vor (sie kommt übrigens aus »Oberursel in der Wetterau«, wie sollte
sie auch nicht, da sie ja als Küchen-Chefin und Schutzgeist über Ursulus steht?),
in deren Bereich die Vögel ihn hineingeschmuggelt haben. Und er erzählt ihr,
was er, wenn sie ihn in der Küche beschäftigt, alles für sie tun wird. Man würde
es schier für unmöglich halten, daß es in der deutschen Sprache so viele Tätig-

---

[31] Da dieser Aufsatz der lieben Freundin Käte Hamburger gewidmet ist, die uns mit
vielen klugen Arbeiten gelehrt hat, das Werk Thomas Manns besser zu verstehen, sei der
Hinweis nicht übergangen, daß Brentano im Leben und Werk des »deutschen Tonsetzers
Adrian Leverkühn« eine entscheidende Rolle spielt. Sein erstes großes Kompositionswerk
ist die Vertonung von 13 Brentano-Gedichten. Was Serenus Zeitblom an vielen Stellen über
die Musik seines Freundes zu sagen hat (»Längst war er kein Anfänger mehr im Studium der
Musik, ihres seltsam kabbalistischen, zugleich spielerischen und strengen, ingeniösen und
tiefsinnigen Handwerks« oder Leverkühns musikalische »Naivitäten oder Scheinnaivitäten«),
deckt sich genau mit dem innersten Wesenszug Brentanos, der, weil von Thomas Mann tiefer
verstanden als von manchem zünftigen Brentano-Kenner, mit Recht für Leverkühns Musik
Pate steht. Ursprünglich war das »Brentano-Kapitel« im »Doktor Faustus« noch beträchtlich
ausführlicher gehalten. In der »Entstehung des Doktor Faustus« erzählt Thomas Mann, daß
er erst im letzten Moment »das Schwelgen in Brentano-Liedern eingedämmt« habe (Gesammelte Werke, Frankfurt 1960, XI, 282).

[32] Emma von Niendorf, Aus der Gegenwart, Berlin 1844, S. 12, zit. bei Frühwald, a. a. O.,
S. 174.

keiten gibt, die auf einen -*ant*-Reim gebracht werden können: Hilfe bei der Arbeit, Verfertigung köstlicher Gerichte, Sorge für ihr körperliches Wohl einschließlich von Putz- und Toilettenfragen, aber — und hier nimmt das Gedicht eine Wendung ins Ernste — nicht minder Sorge um ihr seelisch-religiöses Wohl.

Wir erwarten in dieser Sturzflut von -*ant*-Reimen das Wort: verwandt. Es erscheint — und zwar in einer Zeile, auf die, so scheint es uns, wenn wir sie erreichen, die ganze Reimerei von Anfang an abzielte. »Der Mensch ist auch mit Gott verwandt.« Alles was wir in unserer Ausführung über die Neufassung des Märchens vom Fanferlieschen deutlich machen wollten, scheint hier in der einen Zeile von Ursulus' Reimplapperei zusammengefaßt: Verweis auf den Ursprung und Heraufholen der Quelle, geschwisterliche Zusammengehörigkeit des Einen und Letzten mit der Vielfalt des Geschaffenen, der Brückenschlag von dem, was auf Erden unten, zu dem was im Himmel oben ist. Und weil hier in diesem Vers die Zugeordnetheit von dem Einen und dem All festgehalten wird, kann nun in den folgenden Zeilen vom Gebet, von dem frommen Wort gesprochen werden, das alle Phänomene der Welt, die in dem Schoße, in dem Schürzchen auf ihr In-dic-Welt-Treten harren, »einbeschließt«. Denn als seiner wertvollsten Fertigkeit, mit der Ursulus der Köchin dienen will, rühmt er sich seiner Gebetsgabe, durch die die ganze Welt, die Welt ganz, erfaßt wird, zum Lobe des Höchsten und zur Segenssprechung über all die unendlichen Einzeldinge, dic aus des Höchsten Hand geflossen sind:

> Drum ist auch Beten mir bekannt,
> Für Haus und Hof und Leut und Land,
> Für Dürre, Hagelschlag und Brand,
> Für Wassersnot auf Meer und Strand,
> Für Kinder- und für Mutterstand,
> Für Mücke, Maus und Elephant
> Und was je kam aus Gottes Hand
> Und ich in Orbis Piktus fand,
> Worin die Seel' getüpfelt stand ...

Es ist das letzte Wort des alten Brentano, mit dem er sich an der Grenze des Schweigens, das er sich auferlegt hat, noch einmal zum Sprecher macht. Er spricht dieses letzte Wort, indem er wieder »heraufholt«, was er einst in der Jugendzeit begonnen hatte. Und so ist es denn das Wort des alten Brentano, des alten Brentano im doppelten Sinne von: frühem und spätem Brentano. Und es ist das Wort, das wir schon einmal vernommen haben, als das Ende eines seiner schönsten Gedichte, das er, als er zu dichten anfing, in seinem frühesten Werk, dem »Godwi« erklingen ließ:

Alles ist freundlich wohlwollend verbunden,
Bietet sich tröstend und trauernd die Hand,
Sind durch die Nächte die Lichter gewunden
Alles ist ewig im Innern verwandt. (II, 156)[33]

Diese glückliche Welt, in der alles sonst Unzulängliche Ereignis wird, ist das Märchen, die letzte »Kinderwahrheit«, die, wenn auch so ganz anders als die Grimmsche, in Brentanos »Eigentümlichem« vielleicht gerade ihre vollen Triumphe feiert.

---

[33] Dies ist auch das letzte Brentano-Zitat, das Zeitblom (»Doktor Faustus«, Kap. 21) aus dem Liederzyklus seines Freundes Leverkühn wiedergibt. Ich kann es mir nicht versagen, den Kommentar Zeitbloms zu dieser Strophe wörtlich anzuführen: »Gewiß ganz selten in aller Literatur haben Wort und Klang einander gefunden und bestätigt wie hier. Es wendet Musik hier ihr Auge auf sich selbst und schaut ihr Wesen an. Dieses sich tröstend und trauernd Einander-die-Hand-Bieten der Töne, dieses verwandelnd-verwandt ineinander Verwoben- und Verschlungensein aller Dinge, — das ist sie, und Adrian Leverkühn ist ihr jugendlicher Meister.« Es gilt für Leverkühn, aber gilt es nicht ebenso für Clemens Brentano?

STEFFEN STEFFENSEN

DIE KUNSTBALLADE
ALS EPISCH-LYRISCHE KURZFORM

I

Wie die Volksballade ist die Kunstballade eine besondere Form der epischen (fiktionalen) Dichtung[1]. Sie ist eine volkstümliche epische Kurzform, die zugleich ein lyrisches Element enthält. Die enge Verbindung von epischem und lyrischem Element hat die Kunstballade von der Volksballade übernommen. Das lyrische Element ist in der Kunstballade dem epischen untergeordnet, oder es liegt ein Gleichgewicht der beiden Elemente vor. Tritt aber das epische Element so stark zugunsten des lyrischen zurück, daß dieses durchaus vorherrscht, handelt es sich nicht mehr um eine Ballade im strengeren Sinne; es liegt dann ein lyrisches Gedicht mit episierenden oder balladenhaften Zügen vor.

Das lyrische Element kann mehr oder weniger stark hervortreten. Ein Gedicht wie Eichendorffs »Der zauberische Spielmann« ist z. B. noch eine echte Ballade, wenn auch das lyrische Element hier stark in den Vordergrund tritt, vor allem durch die Naturstimmung, die Natursymbolik und die reiche Musikalität des Gedichts. Es liegt aber ein epischer Bericht vor über fiktive Gestalten, ihre Worte, Schicksale und Handlungen; es handelt sich um »Charaktere, Leidenschaften und Handlungen« (Aristoteles). Wir nähern uns hier einem Gleichgewicht von epischem und lyrischem Element. Ganz anders verhält es sich in Eichendorffs Gedicht »Auf einer Burg«, in dem das lyrische Element durchaus vorherrschend und entscheidend ist. Alles ist hier in Stimmung aufgelöst; die wenigen scheinbar episierenden Züge sind in Wirklichkeit visionäre Symbole der ausgedrückten Stimmung. Es gibt unter Eichendorffs »Romanzen« mehrere Übergangsformen zwischen diesen beiden Typen; bald handelt es sich um stark »lyrisierte« Balladen, bald um lyrische Gedichte mit einem stärkeren oder schwächeren epischen Element. Die Grenzen sind hier fließend.

---

[1] Der vorliegende Artikel stellt eine Auffassung der Ballade dar, die auch einigen meiner früheren Veröffentlichungen zugrunde liegt: »Den tyske Ballade«, København 1960, und Schiller und die Ballade, in: Stoffe, Formen, Strukturen, H. H. Borcherdt zum 75. Geburtstag, München 1962.

II

Daß die Ballade eine *epische* Gattung ist, bedeutet, daß sie der fiktionalen Dichtung angehört. Es handelt sich in jeder Ballade um fiktive Gestalten; die Ballade schafft eine fiktive Welt. Sie berichtet ferner von Begebenheiten; oder bestimmte Begebenheiten bilden den Hintergrund der Ballade. Es kann sich auch um die Vorstellung einer Person, um die Wiedergabe einer Situation, eines Dialogs, eines Monologs oder dergleichen handeln, doch immer so, daß diese Wiedergabe mit episierenden Zügen verbunden wird, die nicht lyrische Ausdrucksgebärden sein dürfen.

Wird in der Ballade eine Situation dargestellt, muß sie also zugleich deutliche epische Züge enthalten. Goethes »Groß ist die Diana der Epheser« steht in einigen Ausgaben seiner Gedichte unter den Balladen. Das Gedicht stellt eine Situation dar und enthält zugleich ein deutliches episches Element. Hier liegt freilich ein Sonderfall vor, da offenbar vorausgesetzt wird, daß dem Leser die Begebenheiten bekannt sind, auf die im Gedicht verwiesen wird.

Berichtet der Dichter in der Ich-Form von eigenen Erlebnissen, so kann ein Gedicht schon aus diesem Grunde nicht als Ballade bezeichnet werden. Goethes »Willkommen und Abschied« wäre eine Ballade, wenn der Dichter dieselben Begebenheiten mit einer ähnlichen Verbindung der epischen und lyrischen Elemente von fiktiven Gestalten berichtet hätte. In der Ballade wird deshalb in der Regel in der dritten Person berichtet; wenn die Ich-Form verwendet wird, wie in der Monolog- oder Rollen-Ballade, muß es sich um fiktive Gestalten handeln. Wenn historische Personen in der Ballade auftreten, müssen diese ebenfalls, ähnlich wie in anderen epischen Gattungen, als fiktive Gestalten aufgefaßt werden.

Goethes »Gefunden« ist ein lyrisches Gedicht, da der Dichter im eigenen Namen von eigenen Erlebnissen spricht, wogegen »Heidenröslein« als eine Ballade bezeichnet werden muß, freilich als eine Ballade mit einem starken lyrischen Element in der kurzen, sangbaren Liedform. Die konzentrierte Form wird in beiden Gedichten in erster Linie durch die Verwendung des Symbols erreicht. Übrigens zeigt »Heidenröslein« eine sehr deutliche Anlehnung an das Volkslied, unter anderem durch die Benutzung des doppelten Kehrreims. Dies in Verbindung mit dem fiktiven Charakter des Gedichts gibt ihm das balladenhafte Gepräge.

Der Dichter der Ballade tritt bisweilen, wenn auch verhältnismäßig selten, als Erzähler auf, gewöhnlich nur am Anfang und am Ende des Gedichts; dies kann geradezu als ein Charakteristikum der Gattung bezeichnet werden. Es wirkt deshalb überraschend, ungewöhnlich und als ein Fremdkörper in der Ballade, wenn Brentano ein Gedicht, das eine ausgesprochene Ballade ist und auch den Titel »Ballade« hat, mit einer persönlichen Strophe schließt:

> Und läg gefangen im kühlen Haus
> Die mich so hart betrogen,
> Sie hätte, eh dies Lied noch aus,
> Mich auch hinabgezogen.

Häufiger sind die Fälle, in denen sich der Balladendichter von dem Erzählten distanziert, indem er etwa eine Quelle anführt, die dem Berichteten den Anschein der Glaubwürdigkeit geben soll, wie Chamisso es oft tut, unter anderem in der Ballade »Das Burgfräulein von Windeck«:

> Sie sagen, sie sei ihm zum andern
> Erschienen nach langer Zeit . . .

oder in »Des Gesellen Heimkehr«:

> Sein Nam, als eines Verschollenen, hat
> Zu dreimal gestanden im Wochenblatt.

Auch die Rahmenform wird bisweilen in der Ballade verwendet, besonders in der Balladenform, die ich »Novellenballade« nenne. Als »Novellenballade« bezeichne ich die längere Balladenform, die eine größere Stoffmenge und Komplexität mit der konzentrierten Struktur der Ballade vereinigt. Solche Novellenballaden sind z. B. Bürgers »Lenore«, Schillers »Die Kraniche des Ibykus«, C. F. Meyers »Die Füße im Feuer«, mehrere Balladen der Droste-Hülshoff oder Heines »Der Dichter Firdusi«. Viele stilistische Wirkungsmittel, die im Laufe des 19. Jahrhunderts in anderen epischen Gattungen zur Verwendung kommen, werden auch in die Ballade eingeführt, wie z. B. der »innere Monolog« (vgl. z. B. »Die Füße im Feuer«) oder verschiedene impressionistische Wirkungsmittel.

III

Daß die Ballade eine epische *Kurzform* ist, bedeutet vor allem, daß die besonderen Wirkungsmittel der längeren epischen Formen ihr versagt sind. Sie bildet keine weitverzweigte Struktur und muß sich deshalb mit einer einfacheren Handlung begnügen, die sich in der Regel um wenige Situationen gruppiert. Wir finden in ihr deshalb auch nicht den ruhig vorwärtsschreitenden diskursiven Bericht, der in chronologischer Abfolge eine längere Reihe von Begebenheiten darstellt. Wenn etwa Ludwig Philipp Hahn in seinem Gedicht »Zill und Margareth« (1781) die Balladenform Bürgers zu erweitern sucht, um sie zur ausführlicheren Darstellung einer Reihe von Begebenheiten geeignet zu machen, wird die Ballade gesprengt. Es entsteht in Wirklichkeit eine neue Gattung, eine volkstümliche Erzählung besonderer Art, die den Balladenstil Bürgers nachahmt. Ein Ausweg, den der Dichter benutzen kann, falls er umfassendere Begebenheiten in der Form und im Stil der Ballade darstellen will, ist bekanntlich die Verbindung mehrerer Balladen mit einer gemeinsamen Hauptperson zu einem Zyklus, so daß dieser als Ganzes eine komplizierte Reihe von Begebenheiten darstellt. Dies haben z. B. Lenau in seinem »Savonarola« und C. F. Meyer in »Huttens letzte Tage« getan.

Man kann in den epischen Gattungen zwischen drei Hauptwirkungsmitteln unterscheiden: Bericht, Beschreibung und Szene (d. h. Situation verbunden mit Dialog oder Monolog). Da die Ballade eine ausgesprochene Kurzform ist, wird *Beschreibung* in ihr gewöhnlich auf ein Minimum beschränkt sein. Man wird in der Ballade in der Regel keine eigentliche Naturbeschreibung und keine ausführlichere Charakteristik von Personen finden. Auch Kommentar und Reflexion werden sehr sparsam in der Ballade benützt. Der *Bericht* muß kurz gefaßt sein und von Nebenumständen oder etwaigen Nebenlinien der Haupthandlung absehen. Der Dichter springt in der Regel *in medias res* oder gibt eine äußerst kurzgefaßte Exposition, die mit der beginnenden Handlung verbunden wird. Goethe ist ein Meister dieser Expositionsform. Man vergleiche z. B. den Anfang von »Ritter Kurts Brautfahrt«:

> Mit des Bräutigams Behagen
> Schwingt sich Ritter Kurt aufs Roß;
> Zu der Trauung soll's ihn tragen,
> Auf der edlen Liebsten Schloß:
> Als am öden Felsenorte
> Drohend sich ein Gegner naht;
> Ohne Zögern, ohne Worte
> Schreiten sie zu rascher Tat.

Die Ballade enthält selten eine nähere Zeit- oder Ortsangabe. Auch hierin gleicht sie dem Volkslied. Es ist ferner für die Ballade als volkstümliche epische Kurzform bezeichnend, daß sie nicht motiviert, sondern veranschaulicht. Dies ist einer der Gründe, weshalb die *Szene* eine so wichtige Rolle in der Ballade spielt, worauf ich noch zurückkommen werde.

Wie andere epische Kurzformen fordert die Ballade Konzentration und knappe Darstellung. Als »*volkstümliche* Kurzform« sucht sie diese Konzentration mit Anschaulichkeit und Prägnanz und mit der Nachahmung der indirekten und andeutenden Darstellung des Volkslieds zu verbinden. Eine Ballade wie »Der König in Thule« erreicht ihre Einfachheit durch die Benutzung eines Zentralsymbols (der Becher), so daß das Gedicht dadurch gleichzeitig, wie in vielen anderen Balladen, um eine einzelne Situation konzentriert wird[2]. In anderen Balladen ist die Nachahmung der sprunghaften Komposition, die vielen Volksballaden eigen ist, das entscheidende Prinzip. Auch eine analytische Technik, wie wir sie z. B. in der berühmten Edward-Ballade in Percy's Reliques finden, kann verwendet werden. In einem Dialog wird ein Sohn von der Mutter ausgefragt, die Klarheit gewinnen will über das, was geschehen ist. Der Sohn gibt zunächst ausweichende und irreleitende Antworten; zuletzt ahnen wir aber den wahren Zusammenhang in all seiner Grauenhaftigkeit: Er hat, von der Mutter dazu angetrieben, seinen Vater getötet und verflucht nun in den letzten Worten des Gedichts die Mutter. Mehr als diese Andeutung gibt das kurze Gedicht nicht; aber gerade diese andeutende Kürze appelliert sehr stark an die Phantasie. Uhland hat eine ähnliche, zugleich verhüllende und andeutende Technik in seiner Ballade »Das Schloß am Meer« verwandt, in der ebenfalls sehr viel der Phantasie des Lesers überlassen wird. Bei einigen Dichtern wie etwa C. F. Meyer wird der lakonische, konzentrierte Stil mit besonderer Virtuosität gestaltet und nähert sich oft dem impressionistischen Stil: Mehrere kleine Züge sollen eine Reihe von Begebenheiten so knapp wie möglich schildern, so etwa in Brentanos »Die Gottesmauer«:

> Bange Nacht voll Kriegsgetöse;
> Wie es wiehert, brüllet, schwirrt,
> Kantschuhiebe, Kolbenstöße,
> Weh des Nachbarn Fenster klirrt!
> Hurra, Stupai, Boschka, Kurwa,
> Schnaps und Branntwein, Rum und Rack,
> Schreit und flucht und plockt die Turba,
> Erst am Morgen zieht der Pack.

Der knappe, andeutende Balladenstil ist im Grunde der impressionistischen Technik verwandt. Da die Begebenheit (die Handlung) in der Ballade eine zentrale Bedeutung hat, finden wir in ihr gewöhnlich einen ausgesprochen aktiven oder verbalen Stil. Einen besonderen lyrisch-impressionistischen Bal-

---

[2] Vgl. meine Analyse des Gedichts in Orbis Litterarum, XV, 1960, S. 36 ff.

ladenstil hat Liliencron geschaffen. Dieser erlaubt ebenfalls eine große Kürze; so etwa in seiner Ballade »Der Mörder«. Hier wird das lyrische Stimmungsbild mit dem impressionistisch-andeutenden Balladenstil verbunden:

> Jasmin und Rosen schicken mit Macht
> Weihrauchwolken durch die Sommernacht.
> Plötzlich auf dem Hügel im Gebüsch ein Lärm,
> ein einziger Schrei gellt: Hermann ... Herm ...
> und heraus stürzt vom kahlen Hügel zum Tann
> mit ausgebreiteten Armen ein Mann.
> Wie still liegt das Land.

IV

Das *lyrische* Element der Ballade besteht aus all den Zügen, die im besonderen Grade ihre Stimmung hervorrufen und unterstreichen, etwa den klanglichen und rhythmischen Wirkungsmitteln, lyrischen Ausrufen, Wiederholungen, Refrains, Naturstimmungen, der Verwendung von stimmungstragenden Symbolen und dergleichen.

Weil die Ballade die Versform verwendet, benutzt sie in höherem Maße als andere epische Gattungen die rhythmische und klangliche Aussagekraft der Wörter, ihre Nebentöne, ihre Gefühlswirkung und ihr stimmungschaffendes Vermögen. Auch der Reim gehört zu den musikalischen Wirkungsmitteln, kann aber gleichzeitig die Prägnanz des Stils steigern, besonders wenn die Hauptworte des Satzes zugleich Reimworte sind.

Die Ballade bezeichnet also einen Grenzfall innerhalb der epischen Formen, indem sie in höherem Grade als die meisten anderen epischen Gattungen sprachliche epische Prägnanz mit dem lyrisch-stimmungschaffenden Element zu vereinigen sucht.

Wenn es in Goethes »Der Schatzgräber« heißt:

> Schwarz und stürmisch war die Nacht,

so haben die Worte sowohl durch die Vorstellungen, die sie hervorrufen, als auch durch Klang und Rhythmus eine starke Gefühlswirkung. Diese wird noch verstärkt, wenn Sätze dieser Art wiederholt werden, wie z. B. in Heines »Der Asra«. Eine solche Wiederholung erinnert sehr an den Kehrreim, der ebenfalls lyrischen Charakter und eine lyrische Funktion hat, die der Funktion der direkten lyrischen Ausrufe in den Gedichten verwandt ist.

Die ausgesprochen epische Ballade ist gewöhnlich längeren Umfangs als die Ballade mit dem stark lyrischen Element. Bürgers und Schillers Balladen sind »epischer« und länger als die Balladen des jungen Goethe. Je stärker das lyrische Element hervortritt, desto mehr kann von der Darstellung der äußeren Zusammenhänge abgesehen, kann der Bericht auf ein Mindestmaß beschränkt werden, da das Gewicht zugunsten des inneren Zusammenhanges — häufig durch symbolische Züge bezeichnet — verschoben wird.

Die stark lyrisierte Ballade finden wir besonders in der romantischen, vom »Wunderhorn« beeinflußten Balladendichtung und bei den Epigonen der Romantik, dann auch bei Liliencron und dessen Nachahmern, also in der lyrisch-impressionistischen Ballade, die sich ebenfalls mit wenigen Zügen begnügt. Auch Liliencrons bekannte Ballade »Wer weiß wo« ist stark lyrisiert; die wenigen epischen Züge sind auch hier mit lyrischen Stimmungsbildern verbunden, die, für den Dichter sehr bezeichnend, das Vergänglichkeitsmotiv symbolisch ausdrücken. Das Lyrische des Gedichts wird noch dadurch unterstrichen, daß der Dichter auch hier am Schluß hervortritt und, wie es bisweilen auch im Volkslied geschieht, den Leser in einer direkten lyrischen Aussage anspricht:

> Und der gesungen dieses Lied
> und der es liest, im Leben zieht
> noch frisch und froh.
> Doch einst bin ich, und bist auch du,
> verscharrt im Sand, zur ewigen Ruh,
> wer weiß wo.

Die in dieser Ballade berichteten Begebenheiten sind nicht nur erzählt worden, um ihrer selbst und der Perspektiven willen, die sie eröffnen, sie haben zugleich die Funktion der lyrischen Ausdruckssymbole. Es liegt hier einer der vielen Fälle vor, in denen das lyrische Element die Ballade in ein lyrisches Gedicht zu verwandeln droht. Zwar ist die Grenze noch nicht überschritten; noch ist das fiktionale Element so stark, daß das Gedicht als eine Ballade bezeichnet werden darf.

Die kurze lyrische Ballade ist auch öfter als die ausgesprochen epische sangbar und nähert sich der lyrischen Liedform. Das Dingsymbol spielt in der deutschen lyrischen Ballade eine besondere Rolle, und zwar oft so, daß ein bestimmtes Symbol Zentralsymbol wird (»Heidenröslein«, »Der König in Thule«) und somit eine entscheidende Bedeutung für die Komposition des Gedichts erhält. Auch bei Bürger, der sonst nur die längere epische Balladenform vertritt, finden wir eine ausgesprochen lyrische Ballade, die wie die

»Lenore« aus dem Jahre 1773 stammt (»Ich träumte, wie zu Mitternacht«).
Das Gedicht führt einen Typus in die deutsche Balladendichtung ein, der später
zur Zeit der Romantik (in der »Wunderhorn«-Linie) modern wurde: den
lyrischen Rollenmonolog mit episierenden Zügen. Diese Sonderform verwendet, wie das deutsche Volkslied, die Dingsymbolik in reichem Ausmaße:

> Nun brich, o Herz! der Ring ist hin!
> Die Perlen sind geweint!
> Statt Myrt' erwuchs dir Rosmarin —
> Der Traum hat Tod gemeint.

Bürger verwendet hier also kein Zentralsymbol, sondern mehrere Symbole
(den gebrochenen Ring, das Perlenband, Myrte und Rosmarin), die alle vom
Volkslied übernommen sind.

V

Wie bereits erwähnt, verwendet die ausgesprochen epische Ballade mit Vorliebe die Szene als Darstellungsmittel. Mit dem Wort Szene bezeichne ich die
Wirkungsmittel, die oft »dramatisch« genannt werden, also Dialog und Monolog, mit einer Situation verbunden. In der Regel wird aber in der Ballade die
Szene verbunden oder abwechselnd mit dem Bericht verwendet.

Wenn ich in meiner Definition der Ballade nicht von »dramatischen« Elementen gesprochen habe, so, weil diese Wirkungsmittel auch sonst in den epischen Gattungen vorkommen und der Begriff des Epischen also diese Mittel
umfaßt. Wenn die dramatische Dichtung in der Regel ausschließlich Dialog
und Monolog benutzt, so liegt der Grund darin, daß diese Dichtung im Hinblick auf eine Aufführung geschaffen wird, was von der Ballade nicht gilt.
Möglicherweise hat es sich bisweilen mit denjenigen Volksballaden anders
verhalten, die ausgesprochene Tanzlieder waren; es gibt Zeugnisse, die darauf
hinweisen, daß solche Lieder mitunter dramatisch agiert wurden.

Bericht und Beschreibung werden oft in den Dialog einbezogen, wodurch
die Darstellung lebhafter wird:

> Was hör ich draußen vor dem Tor,
> Was auf der Brücke schallen?

Eben weil die szenischen Wirkungsmittel der Aufführung dem Balladendichter nicht zur Verfügung stehen, muß er oft den Bericht in den Dialog hinein-

legen, wie es etwa Goethe tut, wenn er in der »Parialegende« den Sohn zum
Vater sagen läßt:

> Was geschehen? Was verschuldet?
> Her das Schwert! ergriffen hab ich's.

An Stelle der letzten Worte: »ergriffen hab ich's« hätte der Dramatiker eine
Bühnenanweisung verwendet. Der sehr abrupte Stil solcher Stellen hängt teils
mit der dramatisch-gespannten Situation zusammen, teils mit dem Streben nach
Konzentration, das der Ballade eigen ist.

Zwar »spielt« die dialogisierte Ballade auf einem fiktiven »Schauplatz«; dasselbe gilt aber im Grunde von jeder epischen Dichtung, da sie wie das Drama
eine fiktive Welt schafft. Die dialogisierte Ballade ist daher kein kleines Drama,
wie man behauptet hat. Szene ist, wie gesagt, nur eines der epischen Darstellungsmittel der Ballade, das keineswegs den Zweck haben kann, sie für eine
Aufführung geeignet zu machen. Dagegen scheint Szene mir sehr geeignet,
das Dargestellte der Einbildungskraft zu vergegenwärtigen. Mitunter entspringen die Begebenheiten dem Dialog (vgl. Goethes »Zauberlehrling«),
oder die »Handlung« und der Dialog verlaufen parallel (Goethes »Erlkönig«).
Szene hat also eine veranschaulichende Wirkung, die in der volkstümlichen
Balladengattung wichtig ist. Der Dichter tritt gleichsam zurück und läßt die
Begebenheiten vor unseren Augen geschehen.

Als volkstümliche epische Kurzform fordert die ausgesprochen epische Ballade
sowohl Konzentration als auch Spannung. Damit ist wieder eine Analogie zum
Drama gegeben, wogegen sie als Kurzform auf die breite Darstellung und Beschreibung der längeren epischen Gattungen sowie auf deren Freude am Detail verzichten muß. Sie hat eine strenge Auswahl zu treffen, was die Elemente
des Stoffes betrifft, und muß sich auf die wesentlichen Züge beschränken. Eine
Analyse der ausgesprochen epischen Balladen kann deshalb in der Regel eine
finalistische Struktur nachweisen. Das bedeutet, daß die Ballade nicht nur eine
bewegte Handlung mit Gegensätzen und Konflikten bevorzugt, sondern auch
in der Regel nur solche Motive oder Züge einführt, die auf die »Handlung«
einwirken; sie läßt ferner Umfang und Gewicht dieser Motive von der Bedeutung bestimmt sein, die sie für das Ziel haben, auf das die Handlung hinstrebt.
Alles strebt in der Ballade zum Schluß hin. Erst am Schluß der Ballade wird
die Perspektive, welche die dargestellten Begebenheiten eröffnen wollen,
ganz klar. Man denke z. B. an Bürgers »Lenore« oder an Heines »Die Grena-
diere«, die beide (in verschiedener Weise) zu einem Höhepunkt am Schluß des
Gedichts hinführen, der erst die eigentliche Absicht des Dichters ganz deutlich

135

macht. Aus diesem Grunde enthält der Schluß der Ballade häufig ein besonders prägnantes Moment.

Emil Staiger hat in seinen «Grundbegriffen der Poetik» in ausgezeichneter Weise die finalistische Struktur des Dramas charakterisiert. Axel Olrik hat in einer berühmten Abhandlung auf die finalistische Struktur der Volksdichtung aufmerksam gemacht[3]. Von der Volksballade hat die Kunstballade diese Struktur übernommen.

Man kann nicht nur bei dem Drama, sondern auch bei der epischen Ballade zwischen einer synthetischen und einer analytischen Struktur unterscheiden. Einen synthetischen Bau finden wir beispielsweise in Bürgers »Lenore«. Nach einer kurzen Exposition folgt in schnellem Tempo und in chronologischer Reihenfolge, mit wechselnder Verwendung von Bericht und Szene die Schilderung der letzten Ereignisse in Lenores Leben. Der Dichter beginnt aber nicht ganz *ab ovo*, sondern begnügt sich bezeichnenderweise mit den Begebenheiten des letzten Tages und der letzten Nacht.

Die Ballade fordert, wie gesagt, eine konzentrierte Darstellung der Begebenheiten. Wo der Stoff einer solchen Darstellungsweise nicht entgegenkommt, muß der Dichter zusammenfassen; ein geeignetes Mittel ist dazu die analytische Technik.

Erwähnt wurde bereits der verhüllende und zugleich verratende Balladendialog. Wie im Drama bedient die analytische Technik sich auch hier in der Regel einer Rahmensituation, die einen besonders prägnanten Moment kurz vor dem Schluß darstellt. Während der Dichter von dieser Situation ausgeht, werden die Begebenheiten, die vorausgegangen sind, mitgeteilt. Man vergleiche hierzu die Struktur von C. F. Meyers »Der gleitende Purpur«, ein Beispiel raffinierter Verwendung der mit analytischer Technik verbundenen Rahmensituation.

Eine Situation kurz vor dem Schluß, von der aus der Blick auf die Vorgeschichte gerichtet wird, finden wir beispielsweise auch in Brentanos »Ballade«. Hier werden die notwendigen Voraussetzungen aber durch ein technisches Mittel gegeben, das an den *récit* im Drama erinnert. Durch einen Zufall wird die Hauptperson ungesehen Zeuge eines Gesprächs zwischen zwei Männern, die einander die Begebenheiten mitteilen, welche am Schluß der Ballade die lauschende Person in den Tod treiben.

Analytischen Aufbau hat auch Goethes »Ballade« (»Herein o du Guter«).

---

[3] Axel Olrik, Epische Gesetze der Volksdichtung, in: Zeitschrift für deutsches Altertum und deutsche Literatur, 51, 1909.

Auch hier werden wir in die Begebenheiten im letzten Akt hineinversetzt; ihre Voraussetzungen werden durch das Märchen mitgeteilt, das der Sänger den Kindern vorsingt. Erst nach der Mitteilung dieser Voraussetzungen kann die Spannung am Schluß gelöst werden, indem Vergangenheit und Gegenwart zusammengesehen werden.

Auch eine Ballade wie »Die Braut von Korinth«, die nur scheinbar die Begebenheiten *ab ovo* berichtet, hat ein ausgesprochen analytisches Element. Erst allmählich werden die Zusammenhänge aufgehellt: und erst ganz am Schluß wird wirkliche Klarheit geschaffen. Auch dieses Gedicht erreicht durch die analytische Technik die für die Ballade notwendige Konzentration. Auch hier hat der Dichter sich, wie in Bürgers »Lenore« mit der Darstellung der Begebenheiten des letzten Tages und der letzten Nacht begnügt.

Die analytische Technik schafft also teils zusammenfassende Kürze, teils konzentriert sie die Ballade um eine einzelne Situation, so daß Bericht als Darstellungsmittel weitgehend durch Szene ersetzt werden kann.

Es läßt sich also nachweisen, wie die Balladendichter im Grunde immer dieselben technischen Mittel variieren. Die Möglichkeiten der Ballade sind, weil sie eine Kurzform ist, ziemlich begrenzt. Sie kann nicht in erster Linie durch die Charakteristik der Personen wirken, die sie darstellt. Sie muß besonders durch die Spannung wirken, die durch die Darstellung der geschilderten Begebenheiten hervorgerufen wird, durch die Stimmung, die sie ausdrückt, und durch die Perspektive, die sie eröffnet.

LUDWIG W. KAHN

DER DOPPELSINN DER AUSSAGE BEI WILHELM BUSCH

Die ungeheure Popularität Wilhelm Buschs und die hohen Auflagen in Ost und West zu beiden Seiten der ideologischen Trennungslinie sollten uns zu bedenken geben, welches denn der wahre Wilhelm Busch sei: der bürgerliche Humorist oder der sozialistische Volksdichter, der nihilistische Pessimist oder der Kritiker des Spießertums? Sehen wir uns einige der berühmtesten und meist zitierten Buschworte an[1]:

> Oh, hüte dich vor allem Bösen!
> Es macht Pläsier, wenn man es ist,
> Es macht Verdruß, wenn man's gewesen! (II, 206)

> Das Gute — dieser Satz steht fest —
> Ist stets das Böse, was man läßt! (II, 293)

> Enthaltsamkeit ist das Vergnügen
> An Sachen, welche wir nicht kriegen. (III, 209)

Oder stellen wir gleich zwei der bekanntesten Gedichte über Tugend und Laster einander gegenüber:

> Ach, ich fühl es! Keine Tugend
> Ist so recht nach meinem Sinn;
> Stets befind ich mich am wohlsten,
> Wenn ich damit fertig bin.

> Dahingegen so ein Laster,
> Ja, das macht mir viel Pläsier;
> Und ich hab die hübschen Sachen
> Lieber vor als hinter mir. (II, 513)

---

[1] Alle Zitate nach Wilhelm Busch, *Gesamtausgabe in vier Bänden*, herausgegeben von Friedrich Bohne; Hamburg (Standard Verlag), 1959 (Neu-Ausgabe: Wiesbaden, Emil Vollmer Verlag). Angaben beziehen sich auf Band und Seite dieser Ausgabe.

Reue

Die Tugend will nicht immer passen,
Im ganzen läßt sie etwas kalt,
Und daß man eine unterlassen,
Vergißt man bald.

Doch schmerzlich denkt manch alter Knaster,
Der von vergangnen Zeiten träumt,
An die Gelegenheit zum Laster,
Die er versäumt. (IV, 289)

Sind diese und ähnliche Texte wirklich so »vergnügt«, so ganz »Frohsinn«
und »heitere Tröstung«, wie es noch der Klappentext der von uns benutzten
Ausgabe nennt? Daß Tugend fade und beschwerlich, daß das Laster ver-
führerisch sei — ist das Ironisierung des Lasters? Wird hier, so fragen wir uns,
bedauert, daß christliche Tugend und bürgerliche Werte in unserer unvollkommenen Wirklichkeit so selten sind? Oder — werden hier nicht vielmehr
fromme Tugenden selber in Frage gestellt? Wird hier bedauert, daß der Mensch
schwach und seine Tugend oft nur geheuchelt ist? oder wird Tugend als scheinheilig entlarvt? Ist Moral — leider!! — mühsam, aber auch dieser Mühe wert?
Oder ist die Moral das Ressentiment der Schwachen und Zukurzgekommenen
gegen die Vitalen und Virilen? Vertritt die alte Mamsell Schmöle nicht alle
»lieben, treuen Seelen« unserer Gesellschaft, wenn sie ihre Dienerin Rieke vor
Tanz und Teufel warnt und, besorgt um Riekens Seelenheil, noch nachts an
Riekens Kammertür schleicht

Und schaut, ob auch die Rieke hier,
Und ob sie auch in Frieden ruht
Und daß ihr ja nicht wer was tut,
Was sich nun einmal nicht gehört,
Was gottlos und beneidenswert. (II, 503)

War Busch der Umwerter aller Werte, oder war er ein gütiger Humorist,
der lächelnd und heiter und versöhnlich das Spießertum trotz und mit seinen
Schwächen geliebt hat? — Wie steht Busch zu den christlichen Werten? Was
sagt er über das heilige Sakrament der Ehe? Nun, wir erinnern uns an das
Schicksal Tobias Knopps; oder an jenes Gedicht, in dem es heißt, die Ehe sei
ein Krieg, den man ohne die nötigen finanziellen Mittel nicht beginnen solle
(II, 515). Wir lesen, wie die *Liebe* so groß und unerschöpflich gewesen sei,
und wie eng, hausbacken und domestiziert die *Ehe* ist:

> Bei eines Strumpfes Bereitung
> Sitzt sie im Morgenhabit;
> Er liest in der Kölnischen Zeitung
> Und teilt ihr das Nötige mit. (II, 512)

Als Frau Zwiel ihren Mann erfroren und tot vor der Haustür findet, die er in seiner Trunkenheit nicht hat öffnen können, da »ruft sie, in Schmerz versunken, ›Mein guter Zwiel hat ausgetrunken‹!« Und sie wendet sich zur Milchfrau:

> »Von nun an, liebe Madam Pieter,
> Bitt ich um nur ein Viertel Liter!« (III, 262)

Daß christliche Nächstenliebe und *caritas* nur Schadenfreude sind (»Die Reiter machen viel Vergnügen, besonders wenn sie drunten liegen« II, 497); daß Bescheidenheit, Selbstkritik, Sündenbekenntnis nur verkappte *vanitas*, nur eitle Selbstbespiegelung sind (II, 496) — die Belege sind zu bekannt, um hier wiederholt zu werden.

Sind das Klagen über den *Verfall* der Sitten — oder Nihilisierung, Bagatellisierung der Sitten selber? Lassen wir zunächst einmal die Frage außer Betracht, was Buschs eigne Meinung ist. Die Käufer und Leser seiner Werke, wenn wir uns nicht irren, akzeptierten seine scheinbare Respektlosigkeit gegenüber christlich-bürgerlicher Moral mit begeisterter Zustimmung. »Ja, so ist es« war das allgemeine Gefühl; »das trifft den Nagel auf den Kopf; endlich sagt es einmal einer, wie es wirklich ist« — und da es nun einmal »so« war, fand der Bürger hier für seine gesellschaftlichen Sünden, für sein moralisches Versagen sowohl Rechtfertigung wie Absolution. Der Bürger applaudierte laut der Destruktion bürgerlicher Werte. (Ein Vorgang nicht unähnlich der jubelnden Rezeption Brechts in den Tagen der Weimarer Republik: man saß auf teuren Parkettplätzen und klatschte, wenn es hieß: »Erst kommt das Fressen, dann kommt die Moral,« oder »Nur wer im Wohlstand lebt, lebt angenehm;« man applaudierte, denn man nahm diese Aussprüche im eigentlichen Wortsinn und fühlte sich bestätigt in der eignen sozialen Aggressivität, wenn man diesen Grundsätzen entsprechend handelte und um jeden Preis für den eigenen Wohlstand sorgte.) So verstand oder mißverstand man Busch und zitierte die angeführten Verse immer wieder, als seien sie der Weisheit letzter Schluß.

Doch es ist ja garnicht der Erzähler der Geschichte von der frommen Helene, der in eigener Person spricht, sondern Onkel Nolte, der behauptet: »Das Gute — dieser Satz steht fest — ist stets das Böse, was man läßt.« Es ist derselbe Onkel Nolte, der seine Gleisnerei unmittelbar anschließend mit den Worten des Pharisäers (Luc. 18, 11) zu erkennen gibt: »Ei ja! — da bin ich wirklich froh! Denn, Gott sei Dank! Ich bin nicht so!!« Und die Zeichnungen sprechen eine noch deutlichere Sprache als diese begleitenden Worte —: Onkel Noltes erhobener Zeigefinger wird ersetzt durch die gefalteten Hände und den scheinheilig nach oben gerichteten Blick. Im Munde dieses Mannes verliert die Maxime, daß das Gute nur das unterlassene Böse sei, ihre Aussagekraft. Haben nicht alle diejenigen Unrecht, die sie als einen Ausspruch Wilhelm Buschs zitieren? Aber hier stoßen wir auf Buschs merkwürdige, ambivalente Aussageweise. Einerseits haben wir es gewiß mit ironisch-uneigentlicher Rede zu tun. Wir dürfen den Sprecher des Satzes, wir dürfen Onkel Nolte keineswegs verwechseln mit dem Erzähler oder dem Autor. Der Satz ist garnicht *so* gemeint; andererseits ist es kein Zufall, daß dieser Satz immer wieder als Buschwort angeführt wird; denn er ist, auch im eigentlichsten Sinne, »gemeint«; und da Busch, wie immer wieder betont worden ist, ein Schopenhauerianer war, so dürfen wir vielleicht auch ihm die Meinung zuschreiben, das Gute sei wirklich nur das unterlassene Böse. Wir haben es also mit einer vielschichtigen, hintergründigen, mehrdeutigen Redeweise zu tun, mit einem »Einerseits« sowohl als einem »Andrerseits« — kurz, mit jenem Doppelsinn der Aussage, die uns für Busch so bezeichnend scheint. Auch die Ermahnung, sich von allem Bösen fernzuhalten, das zwar Pläsier macht, »wenn man es ist«, aber Verdruß, »wenn man's gewesen«, — auch diese Ermahnung ist Onkel Nolte in den Mund gelegt und wird sogleich ironisch ins Zweifelhafte gezogen, wenn er fortfährt:

> Drum soll ein Kind die weisen Lehren
> Der alten Leute hoch verehren!
> Die haben alles hinter sich
> Und sind, gottlob! recht tugendlich! (II, 206)

Trifft denn die Weisheit dessen, der schon alles hinter sich hat, auch für den zu, der das Leben noch vor sich hat? Ist Tugend nur Altersresignation und Schwäche? Für wen spricht Onkel Nolte? Es ist nicht nur im ironisch-uneigentlichen Sinn (der das Gegenteil meint) gesagt, daß Laster »Pläsier« macht; »Pläsier« machen einige Laster im eigentlichen und wirklichen Sinn. Daß Tugend und Weisheit aus der Impotenz des Alters fließen — das ist das Bekenntnis Onkel Noltes, der schon alles hinter sich hat. Wird dieses Bekenntnis uneigentlich und ironisch aufgehoben dadurch, daß es dem impotenten Alter in den Mund gelegt ist? Doch wohl nicht ganz, denn der Satz stimmt und wird als etwas eigentlich Gemeintes empfunden.

Ähnlich liegt der Fall bei den zitierten Gedichten. Wer ist das Ich, das von sich sagt: »Ach, ich fühl es! Keine Tugend ist so recht nach meinem Sinn.« Wer ist es, der die Tugend etwas zynisch desavouiert und das Laster preist? Versuchen wir, uns dieses Ich vorzustellen, so erkennen wir eine »persona« — einen etwas genießerischen Lebemann, einen amoralischen Playboy und Bonvivant, mit »allen Wassern wohl gewaschen« (IV, 270). Wir haben es, mit anderen Worten, mit einem Rollengedicht zu tun; und die Figur, die da gleichsam ihre Rolle spielt, drückt eben nur ihre eigne Meinung aus, von der Busch und jeder gute Bürger abrücken dürfen. Die etwas anrüchigen Äußerungen sollen uns nicht schrecken; wir dürfen uns von ihnen dissoziieren. Der Doppelsinn, die Ambivalenz der Aussage liegt nun aber darin, daß dieses Rollengedicht doch auch wieder etwas Wahres ausspricht — und das fingierte Ich, das seine Rolle spielt, ist zu einem gewissen Grade auch Tarnung des Dichter-Ichs. Der eigentliche sowohl wie der uneigentliche Sinn treffen zu; Ja und Nein gelten zu gleicher Zeit; die Weltsicht des Playboys wird zurückgewiesen, bloßgestellt, ironisch preisgegeben — *und* akzeptiert. Beide Seiten haben Recht; beide Argumente sind stichhaltig.

Man entschuldige, wenn wir als weiteres Beispiel das hinlänglich bekannte »Vorwort« zu *Max und Moritz* zitieren:

> Ach, was muß man oft von bösen
> Kindern hören oder lesen!!
> Wie zum Beispiel hier von diesen,
> Welche Max und Moritz hießen;
> Die, anstatt durch weise Lehren
> Sich zum Guten zu bekehren,
> Oftmals noch darüber lachten
> Und sich heimlich lustig machten. —
> — Ja, zur Übeltätigkeit,
> Ja, dazu ist man bereit! —
> — Menschen necken, Tiere quälen,
> Äpfel, Birnen, Zwetschen stehlen — —
> Das ist freilich angenehmer
> Und dazu auch viel bequemer,
> Als in Kirche oder Schule
> Festzusitzen auf dem Stuhle. — (I, 343)

Auch hier haben wir offenbar eine fiktive Gestalt, die klagend die Hände ringt und sich über die Übeltätigkeit entrüstet. Zweifellos ist es ein selbstgerechtes Mitglied des Establishments — ein ideologischer Verwandter von Onkel Nolte oder Lehrer Lämpel —, der hier spricht. Es sind seine Urteile (nicht die des Erzählers oder Autors), die hier zitiert werden und aus denen der Neid des Tugendhaften auf den Lasterhaften spricht: »Zur Übeltätigkeit, — ja, dazu ist man bereit. Das ist freilich angenehmer und dazu auch viel bequemer . . .« Wir hören geradezu die pharisäerhafte Selbstgefälligkeit des Sprechers und sein implizites »Gott sei Dank! Ich bin nicht so!« Wenn wir nach des Erzählers eigner Meinung fragen, so wäre die Antwort wohl die, daß er sich ironisch-satirisch lustig macht über den hier sprechenden Vertreter dörflich-schulmeisterlicher, muffiger Moral. Und doch — treffen diese Aussagen nicht auch objektiv zu? Nicht völlig zu Unrecht sind diese Lehren und Ermahnungen drei Generationen lang von Eltern ihren Kindern, von Erziehern ihren Zöglingen ans Herz gelegt worden! Was diese Worte auf den ersten oberflächlichen Blick hin zu meinen scheinen, ist nicht die eigentliche Meinung — und sie ist es doch! Nicht anders liegt es, um noch ein Beispiel aus *Max und Moritz* herauszugreifen, mit den vielzitierten Einleitungsworten zu dem fünften Streich:

> Wer in Dorfe oder Stadt
> Einen Onkel wohnen hat,
> Der sei höflich und bescheiden,
> Denn das mag der Onkel leiden. (I, 367)

Dieser Rat, sich in der Welt wohl zu betten, sich geschickt nach dem Wind zu drehen (man vergleiche das Gedicht »Strebsam«, IV, 284) — dieser Rat kann doch wohl nur ironisch gemeint sein?! Wir sollen ihn ob seiner Lebensschlauheit empört zurückweisen[2]. Oder — ist es etwa eine allgemeingültig anzuerkennende, weise Lebensregel? ein guter, vernünftiger, zitierbarer und anwendungsfähiger Rat? Wiederum dürften wohl das Einerseits und das Andererseits zugleich gelten!

Eine direkte Bestätigung, daß wir es mit fingierten Sprechern, mit Rollenträgern zu tun haben, bietet die Einleitung zur *Frommen Helene*; denn hier wird der Rollenträger sogar genannt:

> Wie der Wind in Trauerweiden
> Tönt des frommen Sängers Lied,
> Wenn er auf die Lasterfreuden
> In den großen Städten sieht. (II, 204)

---

[2] Die sozial-kritische Note in Wilhelm Busch ist öfters bemerkt worden, so von Georg Lukács, *Die Grablegung des alten Deutschland, Essays zur deutschen Literatur des 19. Jahrhunderts* (Ausgewählte Schriften 1), Reinbek (Rowohlt). (rde 276), S. 17. Siehe auch die Erläuterungen von W. Teichmann in Wilhelm Busch, *Dieses war der erste Streich*, Einleitung von H. Sandberg u. erl. Texte von W. Teichmann; Berlin (Eulenspiegel) 1959.

Wir lauschen den Worten eines »frommen Sängers«! Er ist es, der sich über die Sittenverderbnis ereifert, der den Bösen ihre Lasterfreuden mißgönnt und neidet. Er ist es, der über die Sittenlosigkeit der Presse und des Theaters klagt! Dieser »fromme Sänger« gibt sich als reaktionärer, bigotter, prüder, puritanischer, philiströser Feind des Kulturkampfes zu erkennen. *Über* diesen selbstgerechten Sittenrichter, keineswegs *mit* ihm sollen wir lachen. Nicht im geringsten identifiziert Busch sich mit ihm; dieser fromme Sänger würde in seine Jeremiade und in sein Verdammungsurteil ja auch den Verfasser des *Heiligen Antonius* einschließen:

> Schweigen will ich von Lokalen,
> Wo der Böse nächtlich praßt,
> Wo im Kreis der Liberalen
> Man den Heil'gen Vater haßt.

Es ist der »fromme Sänger«, nicht Busch, der die antisemitischen Anmerkungen über den Börsenjuden macht:

> Und der Jud mit krummer Ferse,
> Krummer Nas' und krummer Hos'
> Schlängelt sich zur hohen Börse
> Tiefverderbt und seelenlos.

Zweifellos haben diejenigen Recht, die Busch gegen den Vorwurf des Antisemitismus verteidigen[3] — diese Stelle verspottet den Antisemiten, nicht den Juden! Zitieren wir gleich die andere berüchtigte Stelle aus *Plisch und Plum*:

> Kurz die Hose, lang der Rock,
> Krumm die Nase und der Stock,
> Augen schwarz und Seele grau,
> Hut nach hinten, Miene schlau —
> So ist Schmulchen Schiefelbeiner.
> (Schöner ist doch unsereiner!) (III, 479)

Gibt sich der Sprecher dieser Zeilen nicht, wie der »fromme Sänger«, schon durch sein »Schöner ist doch unsereiner!« als ein beschränkter, voreingenommener, selbstgefälliger, dünkelhafter Spießbürger zu erkennen[4]? Ist es dann

---

[3] Vgl. Teichmann in der zitierten Ausgabe.

[4] »Wer genau nachliest, muß bestätigen, daß Busch in beiden Fällen lediglich eine 1872 bzw. 1882 im deutschen Bürgertum verbreitete Meinung ironisch wiedergibt. Busch selber

aber nur ein Mißverständnis, nur Unfähigkeit, richtig zu lesen, wenn die Busch-
Verehrer der Hitlerzeit Busch für sein blut- und bodenständiges Nieder-
sachsentum und für seinen instinktsicheren Antisemitismus priesen[5]? Woher
noch heute die weitverbreitete Meinung, Busch sei Antisemit gewesen? Wer
war es im Zeitalter Treitschkes nicht? Vielmehr haben wir es wieder mit jener
Ambivalenz der Aussage zu tun, die zugleich negativ und positiv, uneigentlich
und eigentlich, antisemitisch und anti-antisemitisch ist. Warum es leugnen —:
wenn Antisemitismus ein Zeichen kleinbürgerlicher Voreingenommenheit ist,
so zeigt die ganze Schiefelbeinerepisode, daß Busch über den Antisemitismus
zu Gericht sitzt, selber aber auch seinen Platz auf der Anklagebank hat. So
wird der »fromme Sänger« zwar ironisiert, seine Borniertheit wird ins Lächer-
liche gezogen — andererseits ist seine Polemik gegen die sittliche Verwilde-
rung, besonders der Großstädte, nicht unangebracht.

Auf solcher Ambiguität der Aussage beruht weitgehend die Komik Wilhelm
Buschs, z. B. in dem Apophthegma

> Es ist ein Brauch von alters her:
> Wer Sorgen hat, hat auch Likör! (II, 282)

Einerseits ist es komisch, daß hier etwas behauptet wird, was offenbar unstimmig, widersprüchlich, im eigentlichen Sinn absurd ist. Denn was hier als
ein alter (und durch Alter geheiligter?) Brauch unterstellt wird, widerspricht
gerade bürgerlicher Moral. Eine zwangsläufige Verbindung von Alkohol und
Moral wird postuliert, die garnicht zwangsläufig ist. Die Lebensregel, als
Grundeinsicht und Gewißheit formuliert, ist aus der Sicht der Heldin gesehen
— ist gleichsam der frommen Helene in den Mund gelegt: sie versucht mit
ihren Sorgen (und es sind Sorgen ganz besonderer Art) ihre Trunksucht zu
rechtfertigen und zu entschuldigen. Andererseits, und auch darin liegt Komik,
enthalten diese Verse doch mehr als einen bloßen Kern von Richtigkeit. Ist es
doch beinahe ein unanfechtbarer psychologisch-soziologischer Befund, daß
Menschen in »Stress«-Situationen Zuflucht beim Alkohol suchen! Der Trinker

---

ist kein Freund dieser Meinung ... Wer in dem ›schöner ist doch unsereiner‹ die Verspottung
des selbstgerechten deutschen Spießers nicht heraushört, dem ist einfach nicht zu helfen ...«
Mitteilungen der Wilhelm-Busch-Gesellschaft 30 (*Jahrbuch* 1963/4), S. 63-64. Ähnlich verteidigt
Teichmann Wilhelm Busch; aber dann lassen Teichmann und seiner Mitarbeiter die Schiefel-
beiner Episode aus, da sie zu antisemitisch klinge! Verteidigung und dann doch Zensur-
verbot — ein Beweis für die Ambiguität der Aussage.

[5] Zum Beispiel Karl Anlauf, *Der Philosoph von Wiedensahl; der völkische Seher Wilhelm Busch.*
Berlin (Büchergilde Gutenberg) 1940.

ist entlastet, denn er kann ja nichts dafür! Und dennoch fällt ein ironisches
Licht auf denjenigen, der sich dieser nicht unberechtigten Entschuldigung bedient! Auf der Spannung von Spruch und Widerspruch also beruht die Wirkung des Verspaars.

Die Moral ganzer Bildergeschichten ist oft in solcher Weise doppelsinnig.
So ist Fipps der Affe zweifellos, auch nach der Absicht seines Schöpfers, einer
jener Bösewichte wie Hans Huckebein, Max oder Moritz: »Bosheit ist sein
Lieblingsfach«, heißt es (III, 276). Sein Tod am Ende ist und bleibt verdient:

> ... das bedenke stets,
> Wie man's treibt, mein Kind, so geht's. (I, 579)

Fipps hätte es in jeder Hinsicht angenehm haben, hätte ein anständiges
Leben führen können; aber

> ... leider Gottes! so ist der Schlechte,
> Daß er immer was anderes möchte,
> Auch hat er ein höchst verruchtes Gelüst,
> Grade so zu sein, wie er eben ist. (III, 348)

Er verdirbt sich alles selber. Leider Gottes ist es so, daß der Schlechte immer
auf neue Schlechtigkeiten sinnt! Sein »verruchtes« Gelüst, so zu sein, wie er
eben ist — das ist Mangel an Bildungs- und Zivilisationsfähigkeit!! Wer sich
nicht in die bürgerliche Ordnung einzufügen weiß, der ist *per definitionem* ein
asozialer Ordnungsstörer! Die zitierten Verse über Fipps den Affen stimmen
also voll und ganz. Nur wenn wir uns überlegen, was Busch von Schopenhauer
gelernt hatte, nämlich daß jedes menschliche Leben ein Getriebensein, eine
Manifestation des ewig unbefriedigten Willens ist (»Ein jeder Wunsch, wenn er
erfüllt, kriegt augenblicklich Junge«, IV, 406), dann fragen wir uns doch,
wer hier das »leider Gottes« ausspricht und das Urteil über Fippsens »Verrucht-
heit« fällt. Ist es doch die Bestimmung des Menschen, immer neue Wünsche
zu haben; und ganz abgesehen von der berechtigten Auflehnung gegen Dressur
und Unfreiheit — wie kann ein Mensch, oder ein Affe, anders sein, als er eben
ist? Die Sätze, die die Moral der Geschichte so einleuchtend zusammenzufassen
schienen, meinen in Wirklichkeit *auch* das Gegenteil. Worin liegt Fippsens
Schlechtigkeit? In dämonischer, metaphysischer Bosheit? In Erbsünde und
kreatürlicher Verworfenheit? In seinen natürlichen, ungezähmten Trieben,
in seinem Freiheitsdrang? In seinem Außenseitertum, seinem Selbsterhaltungs-
trieb? Ist die Geschichte dieses Bösewichts am Ende nicht auch die Geschichte

vom Triumph der Dummheit, Heuchelei, Herzenskälte und Schadenfreude des Pfahlbürgertums[6]?

Kehren wir noch einmal zu Buschs erster und berühmtester Bildergeschichte zurück, zu *Max und Moritz*. Es ist, wer wollte es leugnen, die Geschichte zweier böser Spitzbuben, zweier unverbesserlicher Übeltäter, abgefeimter Taugenichtse, Quälgeister und Störenfriede! Andererseits ist in der neueren Literatur über Busch auf das Fragliche eben jener Gesellschaft hingewiesen worden, gegen die Max und Moritz in Opposition stehen. Das erste Opfer der bösen Buben sind die Hühner der Witwe Bolte — und gerade Witwen verdienen unser Mitleid und unsere tätige Hilfe!! Ahnungslos tritt Witwe Bolte aus dem Haus und sieht die Hühner am Baume hängen:

> »Fließet aus dem Aug' ihr Tränen!
> All mein Hoffen, all mein Sehnen,
> Meines Lebens schönster Traum
> Hängt an diesem Apfelbaum!!« (I, 348)

Das Parodistische in Vers und Wortwahl ist evident. Was aber ist Witwe Boltes schönster Traum? Was ist der Inhalt, was sind die Ideale ihres Lebens? Ein warmes Federbett, aufgewärmter Sauerkohl — kurz, spießbürgerlichste Behaglichkeit!! Und Schneider Böck, das Opfer des dritten Strciches? Seine Tätigkeiten werden aufgezählt und summiert:

> Alles macht der Meister Böck,
> Denn das ist sein Lebenszweck. (I, 355)

Ein Lebenszweck, der darin besteht, zu »flicken, abzuschneiden, anzustücken« und durch geflissentliche Konformität sich bei seinen Mitbürgern beliebt zu machen! Verdient dieser Lebenszweck unsere Achtung? Welches Bild verkümmerter, prosaischer, philiströser Lebensgestaltung! Und wie diese Duckmäuser und Stützen des Establishments über den Mord an Max und Moritz einfach und selbstverständlich zur Tagesordnung schreiten, als ob garnichts geschehen sei — das sollte zumindest so beunruhigend sein wie die Übeltaten der beiden bösen Buben. Auch diese Geschichte bewegt sich auf zwei Ebenen mit doppelter, widersprüchlicher Aussage. Max und Moritz sind Bösewichter, Schädlinge, jugendliche Delinquenten, gemeingefährliche Halbstarke; aber sie sind auch Protestler, Nonkonformisten in einer höchst frag-

---

[6] Auch für *Fipps* und *Max und Moritz* sei wiederum auf die Erläuterungen Teichmanns verwiesen.

würdigen sozialen Ordnung. Meister Böck hat Recht (wer könnte widersprechen), wenn er sagt: »Bosheit ist kein Lebenszweck« (I, 389); doch in *diesem* Munde verliert der Satz seine Überzeugungskraft — er stimmt, und er stimmt nicht.

Man mag nun fragen, ob solche Duplizität der Aussage nicht zum Wesen der Ironie oder der Satire gehöre? Nehmen wir ein Beispiel der schwärzesten, grausamsten und bittersten Ironie, die wohl je geschrieben worden ist, Swifts *A Modest Proposal* — einen bescheidenen Vorschlag, irische Kinder als Nahrung an die Reichen zu verkaufen und dadurch die Überbevölkerung und die Arbeitslosigkeit der Armen zu lindern. Ein schockierender Appell an das Gewissen der Menschheit! Zu fragen, ob dieser Vorschlag auch im eigentlichen Sinn gemeint sei, ob ihm ein Doppelsinn zugrunde liegen könne, ist offensichtlich absurd. Oder wenn Gottfried Keller uns zeigt, wie unstimmig, lächerlich und grotesk verzerrt die Welt in Züs Bünzlis Perspektive erscheint, so wird niemand auch nur mit dem Gedanken spielen, daß diese Welt vielleicht doch auch ihr Recht habe. Bei Heinrich Heine allenfalls, etwa in *Deutschland, ein Wintermärchen*, finden wir eine ähnliche Unentschiedenheit wie bei Busch: das Verzopfte, Verträumte, Verschlafene, Romantische in Deutschland erregt seinen heftigen Grimm; aber unter dem Grimm hat er nie aufgehört, es zu lieben. Das Angegriffene und Verworfene ist auch zugleich das Unbewältigte, Verfängliche und Anziehende; das, wovon die Satire befreien soll, ist zugleich das, wovon der Dichter sich nicht befreien kann[7].

Die Erklärung ist wohl darin zu suchen, daß es für Swift und auch noch für Keller feste Ordnungen und Maßstäbe gibt, an denen das Sinnwidrige gemessen werden kann. Mit Busch aber sind wir gleichsam in einer nicht-aristotelischen Welt, wo A und Nicht-A, wo These und Antithese zugleich gelten. Der Doppelsinn der Aussage ist letzten Endes ein Widerspiel der zweideutigen, zwiespältigen, gebrochenen, unerhellten, undeutbaren Welt:

> Hinter jedem neuen Hügel
> Dehnt sich die Unendlichkeit. (IV, 265)

> Nur eins erschien mir oftmals recht verdrießlich:
> Besah ich was genau, so fand ich schließlich,
> Daß hinter jedem Dinge höchst verschmitzt
> Im *Dunkel* erst das wahre Leben sitzt. (IV, 541)

---

[7] S. S. Prawer, *Heine, the tragic satirist*, Cambridge University Press, 1961, S. 126: »... the dreamer is involved, in the most intimate way, with the very things he has pledged himself to destroy.«

148

Ein anderes Mal spricht Busch von zwei Zauberschwestern, von denen die eine »angst und bange macht«:

> Diese stürzt den Hoffnungslosen
> Von der Brücke in den Fluß. (IV, 271)

Ist dies die tödliche Preisgegebenheit und Abgründigkeit allen menschlichen Daseins; ist es existentielle Angst? Oder spricht hier der Außenseiter der bürgerlichen Welt, der sich doch den Beschränktheiten und Befangenheiten dieser bürgerlichen Welt nicht entziehen kann? Es ist Buschs schwere Aufgabe gewesen, daß er zu dieser geschichtlichen Stunde der satirische Kritiker einer sozialen Ordnung und Lebensform werden mußte, die er ideologisch als seine eigene gesehen und gefühlt hat.

Aleš Haman

DIE VERÄNDERUNGEN DER ERZÄHLFUNKTION
IN DER KÜNSTLERISCHEN PROSA VON JAN NERUDA

Das Prosa-Werk von Jan Neruda, stellt, obwohl im Umfang nicht groß, einen bedeutenden Teil der klassischen Tradition der tschechischen realistischen Prosa des 19. Jahrhunderts dar. Es besteht — abgesehen von seinen journalistischen Feuilletons und Reportagen — aus drei Sammlungen kleiner Erzählungen: »Arabesken«, »Verschiedene Leute« und »Kleinseitner Geschichten«. Sie wurden im Zeitraum von etwa fünfzehn Jahren veröffentlicht. In diesem Zeitablauf hat sich der Stil von Nerudas Erzählkunst, wenn auch die Grundzüge sich gleich blieben, beträchtlich verändert. Es lohnt sich, diesen Veränderungen einige Aufmerksamkeit zu widmen: denn Neruda ist eine interessante Persönlichkeit in der tschechischen Literatur und in seinem Werk konzentriert sich die Entwicklung der tschechischen Prosa zur modernen Erzählweise. Man kann derart am historischen Material auch theoretische Fragen beleuchten.

Die erste Sammlung von Genrebildern in Prosa, »Arabesken«, setzt sich aus Erzählungen zusammen, die um die Wende der fünfziger und sechziger Jahre in Zeitschriften publiziert wurden. Die Buchausgabe erfolgte erst 1863. Schon diese Erzählungen lassen als bezeichnende stilistische Züge die Neigung von Neruda erkennen, häufig die monologische Erzählform zu verwenden und häufig die poetische Diktion in der Form der literarischen Aussage und in der stilistischen Ebene zu wechseln. Neben fiktiven »Memoiren« eines wandernden Schauspielers erscheinen Erzählungen in Briefform wie »Aus der Brieftasche eines Redakteurs«; daneben eine Erzählung, die sich als ein »Vermerk« im Notizbuch eines Lokalberichterstatters dargestellt findet. Neruda hatte selbst als Redakteur und Lokalberichterstatter gearbeitet, so daß solche literarische Stilisierungen zugleich Autostilisierungen waren. Einen Randfall stellt eine Erzählung dar, die als Auszug aus dem eigenen Tagebuch oder als eine Lebenserinnerung abgefaßt und präsentiert ist.

Neben diesen Erzählungen in monologischer Form befinden sich in der Sammlung »Arabesken« auch novellistisch konzipierte Erzählungen rein epischer Art, die in dem Sinne objektiv erzählt werden, in welchem Käte Hamburger in ihrer »Logik der Dichtung« von der Epik spricht. »Dritte Personen als Subjekte zu gestalten, das ist allein dem fiktionalen Erzählen vorbehalten, das definiert die epische Fiktion.«[1] So ist die erste Erzählung »Er war ein Lump« formal objektiv konzipiert. Sie wird unpersönlich erzählt. Die Erzählfunktion, das heißt der »Erzähler« im traditionellen Sinne, der sich, phänomenologisch verstanden, in dieser unpersönlichen Form in eine anonyme Funktion verändert hat und gleichsam eine Art von antikem Chor, der sich in der Erzählfunktion »verkörpert« hat, darstellt, tritt in den Hintergrund zurück. Hingegen tritt das Erzählte, die fiktive Welt der Erzählung, das Sujet, in den Vordergrund. Aber es lassen sich bereits Züge beobachten, welche diese formal objektive Erzählung subjektivieren, bzw. subjektiv abschatten. Das wird bereits in den ersten Sätzen bemerkbar.

> Horáček ist gestorben. Niemand bedauert seinen Tod, alle herum in der Kleinseite kannten ihn. Hier in der Kleinseite kennen sich die Menschen überhaupt sehr gut, vielleicht darum, weil sie überhaupt niemanden mehr kennen, und als Horáček starb, sagte man, daß es gut sei, weil es seine Mutter leichter haben werde und weil er »ein Lump gewesen war«. Er starb in seinem fünfundzwanzigsten Lebensjahre, plötzlich, wie es auf der Sterbeliste stand. Auf der Sterbeliste war keine Charakteristik angegeben und zwar deswegen, weil ein Lump, wie der Herr Provisor in der Apotheke sehr witzig sagte, keinen Charakter überhaupt habe. Freilich, wenn der Herr Provisor gestorben wäre! Von dem wüßte man überhaupt nichts!

Welche Züge nun färben diesen äußerlich objektiven epischen Bericht subjektiv ein? Leider kann man in der deutschen Übersetzung allerdings nur ungenau die Redeweise erfassen, die zu solcher Subjektivierung beiträgt. Denn es handelt sich um die sogenannte »aktuelle Satzgliederung«, welche die Lage des Themas, das heißt des aus dem Kontext bekannten Grundes der Aussage und die Lage des Rhemas, das heißt des neu beigefügten Kerns der Aussage unterscheidet. Wir sprechen, wenn das Thema vor dem Rhema liegt und es quasi vorbereitet, von einer »objektiven Gliederung«; umgekehrt, wenn das Rhema dem Thema des Satzes vorangeht, von einer »subjektiven Gliederung«. In unserem Text ist bereits der zweite Satz subjektiv gegliedert, so daß eine Spannung zwischen der subjektiven und objektiven Gliederung entsteht. Bereits die sprachliche Ebene trägt zur Subjektivierung der Aussage, des epischen Berichts bei.

Doch nicht allein diese Satzgliederung, die bei Neruda wie anderen Erzählern zwecks Dynamisierung der Aussage eingesetzt wird, verschiebt den Be-

---

[1] 1. Aufl., Stuttgart 1957, S. 76.

richt zu einem Pol des Subjektivierten. Dazu verhelfen auch die emphatischen Parenthesen, welche die Sprechweise aktualisieren, wie z. B. der Ausruf »Freilich, wenn der Herr Provisor gestorben wäre!«. Dazu kommt die in dem Text enthaltene emotionale Stimmung und eine Ironie, welche das Verkehrte der gesellschaftlichen Meinung, die sich im Bericht über den gestorbenen »Lumpen« präsentierte, aufdeckt. Während der Erzählung zeigt sich nämlich, daß dieser »Lump« ein Opfer der gesellschaftlichen Verhältnisse ist. In ihr wird die Diskrepanz zwischen dem Erzählen und dem Erzählten akzentuiert. Das Ergebnis ist eine absichtliche Spannung zwischen dem Inhalt der Erzählung und der Sprechweise der Erzählfunktion. Letztere wird durch ihre Inadäquatheit zum Erzählten, das heißt durch dessen Subjektivierung, durch ihren auffälligen Mangel an »allwissender« Objektivität ironisiert und derart auch vermenschlicht. So ergeben sich die Voraussetzungen, einen Erzähler zu gestalten, der in allem, was erzählt wird, eine eigene Stellung bezieht und sich dadurch konkretisiert.

Dies geschieht aber unter der Oberfläche der »unpersönlichen«, objektiven Erzählung. Sie dynamisiert sich in der Spannung zwischen dem Erzählten und der Erzählfunktion von innen her, so daß eine »indirekte« Personifikation der Erzählfunktion entsteht. Eine ähnliche Spannung und Dynamisierung des Erzählens erreicht Neruda auch durch andere Mittel. Besonders kennzeichnend ist die Augenzeugenstilisierung. Hier geht die Erzählfunktion in eine monologische Form über, so daß das Erzählte als ein fiktives Erlebnis, eine fiktive Erinnerung des Erzählers erscheint. Die »Personifizierung« der Erzählfunktion, damit auch ihre Vermenschlichung, die sie einer allwissenden Objektivität enthebt, tritt dabei klar hervor.

Nur fünf der neunzehn Erzählungen in den »Arabesken« sind rein episch, also in einer unpersönlichen, objektiven Form abgefaßt; doch auch sie sind immer noch in irgendeiner Weise »innerlich« subjektiviert und indirekt personifiziert. Die anderen Erzählungen sind durch formale und stilistische Mittel personifiziert und derart subjektiv gefärbt: z. B. durch die Briefform oder die Tagebuchform. Gerade diese äußeren formalen Mittel der Subjektivierung überwiegen in den »Arabesken«; hingegen sind die Fälle der »inneren« Subjektivierung der Erzählfunktion durch emotionale Färbungen und Ironie nur selten.

Am Ende des Buches steht ein rein subjektiv stilisiertes Bekenntnis kontrastierend den zum Objektiven stilisierten Erzählungen entgegen. Der Titel verweist auf die berühmten »Confessions« von Rousseau. Obwohl es sich um eine derart ausgeprägte Form handelt, schwächt Neruda den Schluß dieser subjektiven Autostilisierung ab — an der Stelle nämlich, an der sich der »Sprecher«[2] zu seiner Unaufrichtigkeit bekennt, also in einer autokritischen Reflexion die subjektive Authentizität seiner Aussage, seines Bekenntnisses objektiviert: »Ich wollte die Wahrheit schreiben, und ich sehe, daß ich Lüge geschrieben habe, weil ich mich des Dranges zu einer geistreichen und pikanten Darstellung nicht erwehrt habe.«

Bereits in dieser Sammlung von Erzählungen, die der ersten produktiven Periode von Neruda entstammen, läßt sich in der Erzählweise eine dramatische Spannung zwischen Objektivierung und Subjektivierung beobachten: Subjektivierung, indirekte oder direkte Personifizierung der Erzählfunktion einerseits, Objektivierung des Subjektiv-Bekenntnishaften andererseits. In dieser Bewegung der dichterischen Redeweise (dictio) zwischen dem objektiv Epischen und dem subjektiv Lyrisch-Emotionalen, in diesem dramatischen Spiel zwischen dem Subjektiven und Objektiven liegt ein bezeichnendes Charakteristikum von Nerudas Erzählweise.

Es läßt sich allerdings eine gewisse Veränderung beobachten. Während in den »Arabesken« vom Ende der fünfziger Jahre die subjektive Seite der Redeweise gegenüber dem objektiven Erzählinhalt überwiegt, so daß die »Allwissenheit« des in der objektiven Erzählfunktion verkörperten »Chors« ironisiert wird, spürt man in den Erzählungen, die in den ersten Jahren des folgenden Jahrzehnts in Zeitschriften publiziert wurden, mehr eine Tendenz zur Objektivation. Den Grund dieser Veränderung könnte man im »Ausgleichen« und »Ausschleifen« der Beziehungen zwischen dem dichterischen Subjekt und seiner dargestellten Welt suchen. Diese Welt hört auf, Feindwelt zu sein, sie wendet dem Künstler eine freundlichere Seite zu, so daß eine Integration des dichtenden Subjekts in die objektive Welt, das heißt auf dieser Ebene in die Welt der objektiven Formen der Rede, möglich wird. Damit verändert sich die gesamte poetische Redeweise.

Dies läßt sich bereits an der zweiten Sammlung von Erzählungen Nerudas, nämlich an den Reiseskizzen »Verschiedene Leute« von 1871 beobachten. In fünfzehn kleinen anekdotischen Erzählungen konzentriert sich die Aufmerksamkeit des dichtenden Subjekts auf interessante menschliche Temperamente: in bunter Skala zwischen Naivität und Spontaneität des Kindes und einem Raffinement der Gefühlstäuschung. Das Erzählen, wenn auch auf einer monolo-

---

[2] Wir können hier kaum noch von einem Erzähler reden, weil der Charakter des Sprechers selbst zum Thema der Aussage, er, seine »Seele«, sein Leben zum Objekt, zum »Erzählten« werden.

153

gischen Redeform begründet, richtet sich auf den objektiven Inhalt, auf Personen, deren äußeres Handeln und deren Sprechen als Ausdruck des inneren Lebens beobachtet werden. Es geht nur um kleine Szenen und momentane Situationen, die in einer einheitlichen stilistischen Form des Erzählens dargestellt werden. Es handelt sich um die Form eines objektiven Memorabile, wenn ich den Terminus von A. Jolles benutzen darf, um eine »Reportage«, in der die personifizierte Erzählfunktion in den Hintergrund tritt, so daß der Erzähler nur als Beobachter der Situationen erscheint, ohne exponiert zu ihnen Stellung zu nehmen. Aber auch hier entsteht wiederum eine innere Spannung, und zwar wiederum zwischen der Form der Aussage und ihrem Inhalt: im Untertitel heißt es nämlich »Bloße Reiseskizzen«, was den Unterschied zwischen der rein formalen Bezeichnung und dem emotionalen Inhalt, der sich hinter der Form von dessen sprachlicher Kundgabe versteckt, spüren läßt.

Solche Veränderung der Erzählfunktion zeigt sich auch in einer größeren Erzählung »Eine Woche in einem stillen Haus« aus dem Jahr 1867. Sie liegt chronologisch also noch vor der Publikation der »Verschiedenen Leute«. Es handelt sich um eine Verbindung von einzelnen Arabesken, denen das Milieu eines alten Hauses in der Prager Kleinseite den Rahmen gibt. Das alltägliche Leben verschiedener Bewohner dieses Hauses wird geschildert. Diese Erzählung wurde später zur Leiterzählung der »Kleinseitner Geschichten«. Wiederum läßt sich, obschon es sich im allgemeinen um eine objektive epische Erzählung handelt, eine innere Bewegung zwischen der Objektivität und Subjektivität der Redeweise beobachten. Das erste Kapitel ist in der ersten Person der Mehrzahl geschrieben und in anderen Kapiteln, z. B. im dritten, begegnet an einigen Stellen die Erzählfunktion in personifizierter Modifikation. Diese Bewegung kann man weiterhin an der emotionalen Färbung der Erzählung beobachten. Auszüge aus verschiedenen Kapiteln mögen dies zeigen. Wir wählen zuerst den Anfang des dritten Kapitels, der einen beschreibenden, fast dokumentarischen Charakter hat.

Im vorderen Teile kann man an der Straße links einen Hökerladen sehen, rechts eine kleine Gastwirtschaft. In den ersten Stock gelangt man nicht über Stufen aus dem dunklen Hausflur, man muß über eine kleine, in den Hof führende Treppe gehen, von da nach rechts über eine kurze Pawlatsche zur Wendeltreppe. Über sie gelangt man wiederum auf eine kurze Pawlatsche, von ihr in den kleinen Flur. Dieses Stockwerk bildet in die Gasse und in den Hof hinein eine einzige Wohnung, welche von einem pensionierten Ökonomiebeamten mit Frau und Tochter bewohnt wird.

Dagegen nun der Leitabsatz des vierten Kapitels, das den Titel »Ein lyrischer Monolog« trägt. Obwohl dieses Kapitel eigentlich eine Parodie des

Lyrischen bedeutet, enthält es Züge einer lyrischen, das heißt einer im üblichen Sinne emotional gefärbten Schilderung.

> Das war am Morgen, und nun sank der Abend des ersten Tages. Ja, es ist Abend, und auf unserem Schauplatz ist es wie in dem altrussischen Lied: »Auf dem Himmel der Mond — in der Stube der Mond.« Er war voll und hell und wanderte hoch auf dem Himmel, die Sterne um ihn verblaßten und leuchteten erst weltenweit von ihm entfernt schüchtern wieder auf. Stolz hat er seinen Lichtmantel über die Erde gebreitet, bedeckte mit ihm das Wasser der Flüsse und das Grün der Ufer, das weite Land und die mannigfaltige Stadt, legte ihn über Plätze und Gassen, überall dorthin, wo er nur eine freie Stelle fand, und wenn er ein offenes Fenster entdeckte, warf er auch dort einen Zipfel seines goldenen Mantels hinein.

Die lyrische Stimmung beruht hier auf der Anthropomorphisierung einer Naturerscheinung, eben des Mondscheins. Man kann von einer »semantischen« Subjektivierung mit Hilfe von bildhaften Benennungen sprechen, die im Kontrast zu der beschreibenden Redeweise stehen, die in dem ersten zitierten Text vorherrscht. Schließlich lassen sich in dieser Erzählung auch Stellen auffinden, an denen eine Spannung zwischen dem Erzählten und der Erzählweise entsteht, wie wir sie bereits in der Arabeske »Er war ein Lump« beobachtet haben.

Das Erzählen wird aber nicht nur von der sogenannten »indirekten« Rede bestimmt; vielmehr, wie Käte Hamburger gezeigt hat, fluktuiert die Erzählfunktion auch innerhalb der direkten Rede und in der Sphäre der erlebten Rede. Die Erzählweise von Neruda ist auch hinter diesem Aspekt von Interesse. Die Aussageformen der einzelnen Personen verändern sich nicht nur gemäß des traditionellen Wechsels zwischen direkter und indirekter Rede, so daß ein buntes Mosaik solcher Formen resultiert. Wir finden hier die Briefform, eine eingelegte Novelle in Briefen, sogar die Form des juristischen Protokolls. Diese Mannigfaltigkeit wird durch den Kontrast der »subjektiven« (Brief, Tagebuch) und »objektiven« Formen noch stärker akzentuiert. Dabei ist entscheidend, daß diese Formen nicht mehr eine autostilisierende Funktion haben, wie in den ersten »Arabesken«, sondern jetzt als Mittel der Chrakterisierung der »objektiven«, fiktiven Personen dienen. Dies läßt eine Verschiebung zum objektiven Pol erkennen.

Die übrigen »Kleinseitner Geschichten« sind in kurzem Zeitraum um Mitte der siebziger Jahre entstanden. Die jetzt erreichte erzählkünstlerische Reife gelangt auf verschiedenen Ebenen des sprachlichen Kunstwerks zum Ausdruck. Das auffälligste Zeichen dafür ist die Zurücknahme der äußeren stilistischen Besonderheiten, wie sie noch für die Erzählung »Eine Woche in einem stillen Haus« charakteristisch waren. Diese Verlagerung von den äußeren stilistischen

Mitteln zu den »inneren« macht sich auch auf der Ebene der Aussage bemerkbar. Das verdeutlicht ein Vergleich der ersten und der letzten Erzählung dieser
Sammlung. Während die einleitende Erzählung auf dem Kontrast der mannig-
faltigen stilistischen Formen beruht, ist die letzte Erzählung (»Die Figürchen«)
als ein Tagebuch konzipiert. Wie schon die zeitgenössische Kritik erkannte,
ist für diese Prosa charakteristisch, daß die äußere Handlung ganz banal verarbeitet wird; um so stärker tritt die »innere« Handlung in den Vordergrund,
in der es um die Entwicklung der Ernüchterung der Hauptperson geht. Es
handelt sich um die Figur eines Candidatus juris, also eines typischen Intelek-
tuellen aus der damaligen tschechischen Gesellschaft, der sich dem Patriotismus
und nationalen Bewußtsein verschworen hat. Die Ernüchterung gegenüber
den Illusionen der idyllischen Schönheit der Kleinseite, das heißt gegenüber
einer patriarchalischen Lebensweise, die dem modernen Fortschritt fern bleibt,
stellt die innere Entwicklungsbewegung dar, in der unterhalb der äußeren
Phänomene der Abgrund der komplexen menschlichen Beziehungen, der Liebe
und des Hasses, der Sonderlichkeit und der Dummheit, kurz: alle Dynamik des
formal nicht fesselbaren Lebens entdeckt wird. Wie sich solche »Verinner-
lichung« der gesamten Perspektive auf der Ebene der Aussage darstellt, soll
der folgende Textauszug verdeutlichen.

Während ich noch mit der Kondukteurin verhandelte, trat in die offene Küchentür ein
etwa vierzigjähriger Mann mit der Pfeife im Mund. Irgendein Nachbar, häuslich angezogen.
Er blieb stehen, lehnte sich gegen den Türpfosten und paffte.
»Das ist der Herr Doktor Krumlovský«, sagte die Kondukteurin mit besonderer Betonung
des Wortes Doktor.
Der Mann paffte. »Das freut mich, auf gute Nachbarschaft, Herr Doktor!« Und der Mann
gab mir seine fleischige, weiche Hand. Ich schüttelte sie, der Mensch muß verstehen mit
Nachbarn umzugehen, es sind ohnedies so brave Leute! Der Mann war untersetzt, hatte ein
gerötetes Gesicht und wasserblaue Augen, als ob sie in Tränen schwämmen. Wieder so ehr-
liche Augen! Aber die Aufrichtigkeit wäßriger Augen kann auch vom Trinken kommen — ich
bin ein Menschenkenner. Seine Oberlippe ist dick — alle Trinker haben eine dicke Oberlippe.
»Spielen Sie die Sechsundzwanzig?«
Gern hätte ich gesagt, daß ich studieren muß und jetzt gar nichts spiele, aber — warum
von Anfang an die gute Nachbarschaft verderben?
»Welcher Tscheche spielt nicht Sechsundzwanzig?« sagte ich mit höflichem Lächeln.
»Das ist gut, da machen wir gleich einen Tag aus.« (Ein perfekter Germanismus: Einen
Tag ausmachen. Unsere tschechische Sprache verdirbt in den Städten ganz und gar! Ich
werde mich bei den Unterhaltungen unauffällig bemühen, ihm die Fehler zu verbessern.)
»Wir Künstler lieben gelehrte Menschen. Man kann von ihnen allerlei lernen.«

Es geht hier, anders als in der Erzählung »Eine Woche in einem stillen Haus«,
nicht mehr um eine Variation der verschiedenen stilistischen Formen der Aus-

sage, sondern um eine Fluktuation der direkten, indirekten und erlebten Rede. Die Tagebuchaussage geht von einem Kommentar der Situation über in die direkte Rede und sie geht wieder in die erlebte Rede über. Die Fluktuation zwischen der »inneren« und der »äußeren« Rede tritt sehr anschaulich dort hervor, wo die in Klammern gesetzten Sätze einen unmittelbaren Kommentar zu der Replik des Nachbarn bilden. Der Kommentar bezieht sich auf die äußere Situation, er dient aber zugleich zur Charakterisierung des »inneren« Lebens der Hauptperson.

An solcher Spannung zwischen der »äußeren« und »inneren« Perspektive, die in der Fluktuation der Erzählfunktion zwischen indirekter, direkter und erlebter Rede wahrnehmbar wird, kann man den Unterschied zwischen den formalen stilistischen Mitteln der Aussagedifferenzierung in der Erzählung »Eine Woche« und den »inneren« funktionellen Mitteln der Stilisierung in »Die Figürchen« gut beobachten. Diesen Unterschied macht noch auffälliger, daß die beiden Erzählungen den Rahmen der ganzen Sammlung bilden. Ist dies nur ein Zufall — oder handelt es sich um eine beabsichtigte Komposition?

Für das letztere spricht, daß der Autor die chronologische Folge der Erzählungen in diesem Rahmen nicht einhält. Die Positionsverschiebungen der Erzählungen deuten nämlich an, daß Neruda, als er die Sammlung zusammenstellte, mehr die Perspektive der Spannung zwischen der Subjektivität und der Objektivität als die einfache Chronologie nach der Entstehung der einzelnen Geschichten im Auge behielt. Hauptsächlich zwei Typen der Erzählweise, wenn man von den beiden Erzählungen absieht, die den Rahmen der Sammlung bilden, erscheinen innerhalb dieses Rahmens: die mehr objektive Erzählweise eines »Augenzeugen« und die subjektiv autostilisierte »autobiographische« Erzählweise. Für beide gilt, daß die Erzählfunktion direkt personifiziert ist, also daß ein Erzähler auftritt, dessen Funktion ist, das Geschehen zu kommentieren und eine Spannung zwischen der inneren und äußeren Seite dieses Geschehens anzudeuten. So wiederholt sich auch hier die bereits geschilderte Spannung zwischen dem Subjektiven und Objektiven.

Neruda hat die Sammlung der »Kleinseitner Geschichten« so zusammengestellt, daß die erstere, die objektive Erzählweise in der ersten Hälfte, die »autobiographische« in der zweiten Hälfte überwiegt. Doch wird diese Einteilung nicht mit aller Strenge durchgehalten.

Die Erzählweise drückt derart schon viel über den gesamten Sinn der künstlerischen Gestaltung des Materials, das heißt in diesem Fall: der Sprache, aus. Würde man weitere Schichten in diesem Erzählwerk beschreiben und deuten, könnte man zeigen, daß der Aufbau aller Erzählungen Nerudas von dieser

Spannung zwischen der subjektiven und objektiven, der inneren und äußeren Seite durchdrungen ist und daß eben sie den eigentlichen Sinn der Erzählungen herausbildet, der nun wiederum mit dem Lebensgefühl des Autors und mit der Gestimmtheit seiner geschichtlichen Zeit zusammenhängt. Doch dies wäre eine eigene Studie wert.

Zusammengefaßt läßt sich sagen: In den »Arabesken« wird die Spannung zwischen dem Subjekt und dem Objekt mittels der Kontrastierung der äußeren stilistischen Formen der Aussage angedeutet. In den meisten »Kleinseitner Geschichten« geschieht dies mittels der Fluktuation der Erzählfunktion zwischen der direkten, indirekten und erlebten Rede. Es stellt sich derart ein Reifeprozeß des künstlerischen Gestaltens dar, der zunehmend zu einer Vertiefung des Bewußtseins der existentiellen Spannung des Menschen zur Welt *unter* der Oberfläche der stilistischen Formen führt. In diesem Reifungsprozeß in Nerudas Erzählungen konkretisiert sich der Übergang der tschechischen Prosa zu der modernen Erzählweise, für die die Abschattung der funktionellen Möglichkeiten der Rede charakteristisch ist.

VOLKER KLOTZ

AUSVERKAUF DER ABENTEUER

KARL MAYS KOLPORTAGEROMAN »DAS WALDRÖSCHEN«*

Karl May, der massive Begriff, der für ein massives Werk mit massiver Wirkung steht, läßt sich gleichwohl gliedernd dividieren. Chronologisch: in unbekümmert leserfütterndes Frühwerk und ehrgeizig psychagogisches Spätwerk. Stofflich-geographisch: in Wildwest, Orient und Allerweltsverschnitt. Nach Gattungen: in Reiseromane und, mit weitem Abstand, Dorfgeschichten, historische Anekdoten, Parabeln usf. Nach der anvisierten Leserschaft: in spannende Jugendschriften und erbauliche Erwachsenenliteratur. Übergänge und Legierungen sind dabei, wie bei jeder vielseitigen literarischen Produktion, unvermeidlich.

Einschneidender und aufschlußreicher indes scheint mir eine Zweiteilung seines Erzählwerks zu sein, die schon der Autor selber, gleichsam in Topf und Kropf, vornahm. Für die eine Werkgruppe stand er mit seinem Namen ein. Die andere, teilweise unter verwegenen Pseudonymen erschienen, hat er lange Zeit verdrängt und verleugnet. Letztere, fünf kolossale Kolportageromane, schrieb er für den Münchmeyer-Verlag, der sie lieferungsweis in hohen Auflagen dem unterentwickelten Volk zuführte. Diese skandalruchigen Reißer — sie spielten eine Hauptrolle in den Gerichtsprozessen, die dem späten Edelmenschenzüchter im hohen Alter den unrechten Ruf eines feilen Schund-und-Schmutzfinken einbrachten — hat der Karl May-Verlag nach dem Tod des Verfassers in erheblichen Bearbeitungen seinen gesammelten Werken angefügt. Es handelt sich um *Das Waldröschen* (1882; später *Schloß Rodriganda* ff.), *Die Liebe des Ulanen* (1883; später *Der Weg nach Waterloo* ff.), *Deutsche Herzen — Deutsche Helden* (1885; später *Allah il Allah* ff.), *Der verlorene Sohn* (1884; später *Das Buschgespenst* f.) und *Der Weg zum Glück* (1886; später *Der Silberbauer* ff.).

Diese eher gemütvoll betitelten Reißer also wurden postum gründlich redigiert, mit der offenbaren Absicht, sie aus dem literarischen Unterholz empor-

---

* Dieser Essay ergänzt und differenziert die unhistorisch typisierende Formbeschreibung, die ich in dem Aufsatz »Durch die Wüste und so weiter. Über Karl May« versucht habe. In: Akzente, 1962.

zuedeln zum reineren Parkbestand des übrigen Mayschen Werks. Wie? Man lichtete das wuchernde Handlungsgestrüpp; man tilgte bzw. sterilisierte die zahlreichen erotischen Szenen; man stutzte Grausamkeiten; man berichtigte geographische und historische Schnitzer. Dabei mußte jeder der Romane etwa ein Drittel seines ursprünglichen Umfangs lassen. Ausgenüchtert, bieten sie furnierten Kitsch, wo sie einst unverfrorenen offerierten. Ergebnis: keine ›echten Karl Mays‹, wie erhofft, sondern unechte Kolportage. Oberflächlich jedoch verwischte sich der Unterschied zwischen dieser und jener Werkgruppe.

Jetzt läßt er sich wieder deutlicher ausmachen. Denn die lang und weithin verschollenen Originalausgaben werden seit 1970 im Reprint herausgebracht[1]. Als erstes Opus, in sechs Bänden, *Das Waldröschen*, unter dem ebenso hochtrabenden wie fernwehmütigen Autorenpseudonym Capitain Ramon Diaz de la Escosura, das zudem noch eine authentische Zeugenschaft suggeriert.

Das Waldröschen oder: Die Verfolgung rund um die Erde. Großer Enthüllungsroman über die Geheimnisse der menschlichen Gesellschaft. Schon der Gesamttitel setzt die Maysche Kolportage ab vom Typus seines Reiseromans, der sich noch am ehesten zum Vergleich anbietet. Zwar: Abenteuerliteratur hier wie dort — doch der Abenteuerkomplex hat quantitativ und qualitativ einen andern Zuschnitt, woraus sich zugleich eine andere Wertigkeit ergibt. Nicht nur weitere Räume werden umspannt bei der »Verfolgung rund um die Erde«, auch längere Zeitläufe, nämlich drei Generationen, um gar ein soziales Panorama zu enthüllen: »die Geheimnisse *der* menschlichen Gesellschaft«. Dieser größere innere und äußere Umfang fordert zwangsläufig eine besondere, aufwendige Anlage.

I. Reiseroman

Ein Vergleich mit dem einzigen von Mays Reiseromanen, dessen Seitenzahl an die Kolportagereißer heranreicht — die sechsbändige Orienterzählung *Durch die Wüste* bis *Der Schut* —, kann den Unterschied veranschaulichen. Der kontinuierliche Reiseweg einer kleinen Gruppe um den Ich-Helden Kara Ben Nemsi bildet ganz von selbst einen linearen Kettenablauf, ein episodisches Nacheinander der zurückgelegten Meilen und überwundenen Gegner. Im *Waldröschen* hingegen dehnt sich die vielfältige, vielstufige, aber auch von vielerlei guten und bösen Akteuren bestrittene Handlung in die Breite. Sie entwirft ein teils lückenhaftes, teils überlappendes Nebeneinander, das sich in häu-

---

[1] Bei Georg Olms, Hildesheim.

figem Heldenwechsel, in Raum- und Zeitsprüngen, in Parallelaktionen und Rückblenden verwirklicht. Daß solche Multiplikation des Abenteuers nicht bloß technische Probleme hervorbringt, sondern auch ein krauses, in vieler Hinsicht verräterisches Bild der gesellschaftlichen Wirklichkeit, versteht sich. Ich komme darauf zurück.

Exodus ins Exotische

Entscheidender noch ist ein anderer Unterschied zum Reiseroman. Jeder May-Leser weiß und genießt es: Kara Ben Nemsis und Old Shatterhands Abenteuer leben von der fernen exotischen Sphäre, in der sie sich ereignen. Einem mythischen Raum, der alle gängigen Brücken zum geschichtlichen Standort von Erzähler und Leser abgebrochen hat. Der ethnologische Randeifer des Autors, der mit allerlei lexikalischen Tatsachen aufwartet, kann und soll nicht verhindern, daß Euphrat und Rio Pecos nicht nasser als der Acheron, die Gastmähler der Haddedihn nicht nahrhafter als Artus' Tafelfreuden, die Rocky Mountains nicht höher als der Felsenhorst des Vogels Rock sind. Der Wirklichkeitsanspruch ist nicht mehr und nicht weniger als märchenhaft.

Und wie die Landschaften beziehen auch die Handlungen der Helden ihre Verbindlichkeit allein aus dem Selbstzweck des außerordentlichen Abenteuers. Kara Ben Nemsis und Old Shatterhands Welt ist voll und ganz eine Antiwelt zu der des späten 19. Jahrhunderts in Deutschland. In all ihren Verhältnissen und Aktivitäten. Strikt kehrt sie der geschichtlichen Gegenwart den Rücken, um weitweg in einem gleichsam archaischen Freigehege sich zu entfalten, das einzig Natur, nicht aber Zivilisation bedingt. Kontrapunktisch — Punkt für Punkt kontert sie der kapitalistischen Industriegesellschaft eines imperialistischen Staates.

Den Klassenkämpfen kontern freie Einzelne, die, allein auf sich gestellt, das einfach Gute gegenüber greifbaren Bösewichten durchsetzen. Dem Paragraphenapparat des bürgerlichen Rechts kontert der Held mit dem schlichten Gesetz der Prärie, das er nach eigenem Gewissen und Interesse auslegt. Nicht stickige Fabriken, Kontore, Mietskasernen, nicht einmal Gehöfte und Äcker sind sein Revier, sondern unermeßliche Savannen, Berge, Wüsten, von jagenden und viehzüchtenden Nomadenstämmen bevölkert. Unter diesen Indianern, Beduinen und Kurden brauchts kein Geld — danach streben nur die Räuber und Buschklepper, denen prompt das Handwerk gelegt wird —, ansonsten herrscht säuberliche Tauschwirtschaft. Auch die Helden selber kennen weder das Problem verkaufter Arbeitskraft noch Arbeit überhaupt. Sie schweifen nur umher und lösen Probleme um ihrer selbst willen. In den Tag hinein lebend, stillen sie ihre bescheidenen Bedürfnisse in der Natur oder bei gastfreundlichen Eingeborenen.

Gewiß, Kara Ben Nemsi alias Old Shatterhand ist Deutscher mit Leib und Seel, er wird nicht müde, mit seiner hervorragenden Persönlichkeit Zeugnis abzulegen für den hohen Rang seines Vaterlandes — aber eben als Unicum, nicht unter seinesgleichen, sondern fernab von der heimischen Wirklichkeit, wo es leichtfällt, patriotische Lippenbekenntnisse als ungedeckte Schecks in Umlauf zu setzen. Denn während zuhaus Staat und Wirtschaft ihn anonymisieren würden, macht er sich hier einen Namen, der seine unwahrscheinlichen Fertigkeiten und Kenntnisse noch in den Schatten stellt. Und während er in der arbeitsteiligen Gesellschaft als Person hinter seiner spezialistischen Teilfunktion verschwände, übertrumpft er hier mit dem Überangebot seiner Allround-Begabung jede wirkliche und mögliche Nachfrage der weithin unterzivilisierten Umwelt.

Unverkennbar: das grobkörnige künstliche Paradies, das Karl Mays Reiseromane entwerfen, bedeutet Flucht aus der gesellschaftlichen Gegenwart, aber keine vage, beliebige Flucht irgendwohin. Es wendet vielmehr, wie gezeigt, das verabscheute Negativ Zug um Zug in die erträumte Positivform. Auch insofern berührt es sich mit dem Märchen, als es dessen Motiv der verkehrten Welt, die die richtige berichtigt, sich zu eigen macht. Nein, die Flucht ist sehr bestimmt, und noch der Akt der Flucht kompensiert sich im Motor jeder dieser abenteurlichen Romanhandlungen: sie setzen den Helden in die stereotype Rolle des aktiven Verfolgers, der sich irgendwelchen Störenfrieden an die Fersen oder deren Spuren heftet, unbeirrbar landauf landab, durch die unwegsamsten Gebiete. Zumal der entschiedene Anti-Charakter hilft die Anziehungskraft von Mays synthetischer Welt erklären, die fast allen übrigen trivialliterarischen Ausflüchten den Rang abläuft. Eine entschiedene, aber zwiespältige Utopie. Weniger, weil sie in einigen Zügen zu privat, d. h. von sehr persönlichen, beschränkt nur repräsentativen Beklemmungen des Autors geprägt ist, als daß sie zum besonderen Reiz noch volle allgemeine Gültigkeit beanspruchen könnte. Vielmehr deswegen, weil sie mit ihrer heroischen Idylle vom ungebrochen selbstherrlichen Individuum den Geschichtsablauf rückgängig zu machen sucht, statt ihn zu überholen und womöglich den Leser mit unbequemen kollektivistischen Gegenentwürfen aufzustören.

Zwar sind die aufgerufenen Ziele, wofür der kämpferische Überheld einsteht, fortschrittlich, mißt man sie am Stand der Zeit und an seiner kleinbürgerlichen Sicht. Gegen soziale, rassische, nationale und religiöse Vorurteile rennt er an im Namen von Gleichheit und Brüderlichkeit. Mit buchstäblich schlagenden Beispielen setzt er atavistische Rachemechanismen außer Kurs. Doch all das, indem er leibhaftig eine patriarchalisch autoritäre Haltung vertritt. Auch dieser Umstand, daß es ein Michel mit dem Flammenschwert ist, der da kreuz und quer Ordnung schafft, mag eine indentifikationserpichte deutsche Massenleserschaft für Karl Mays künstliches Paradies eingenommen haben.

Verwandte Traumstätten

So einmalig die exotische Abenteuerwelt sich ausnimmt, die den Autor nicht nur dem Werbeslogan nach zum Volksschriftsteller machte, zu einem, der die verschwommenen Wunschbilder einer schwach bewußten Menge in ihrem Sinn zu Ende träumt, um sie ihr vervielfältigt frei Haus zu liefern — sie kommt doch weder vereinzelt noch absonderlich daher. Sie trifft vielmehr auf ein verbreitetes zeitgenössisches Bedürfnis und trifft sich dabei zugleich mit entsprechenden kulturellen Einrichtungen, die auf andern Gebieten im mittleren und späten 19. Jahrhundert machtvoll sich durchsetzen. Nämlich: die zoologischen Gärten und, in etwas weiterer Nachbarschaft, die Museen. Ihr Herkommen, wie ja auch das der Abenteuerliteratur, reicht selbstverständlich sehr viel weiter zurück. Schon in früheren Jahrhunderten hielten sich Fürsten Menagerien und Kunstgalerien. Doch die waren exklusiv, nur dem aristokratischen Kreis ihrer Besitzer vorbehalten und: sie konnten der gemeinen Alltäglichkeit gegenüber kaum ihren Sonderstatus behaupten, weil sie sich der ohnehin abgeschirmten, hochstilisierten Zone des Hofs einpaßten. Jetzt erst, im Lauf des bürgerlichen 19. Jahrhunderts verselbständigen sie sich — architektonisch und administrativ — und dehnen sich aus, um dem allgemeinen Publikum die Tore zu öffnen. Mögen ihre Initiatoren und Geldgeber im Zug des sammelnden und hegenden Positivismus sich noch so sehr auf wissenschaftliche Zwecke berufen: was dabei als erlebtes Ergebnis herauskommt, sind allzumal Traumstätten.

Die Verwandtschaft zu Karl Mays künstlichem Paradies ist deutlich genug. Auch hier erstellt sich Gegenwirklichkeit mit Hilfe von Exotik — wenn die zoologischen Gärten unvertraute Tiere aus den entlegensten Erdteilen, wenn die Museen unvertraute Geschichtsdenkmäler aus den entlegensten Zeiten zusammenraffen und an einem eigenständigen, abgeschlossenen Ort versammeln. In noch stärkerem Maß als der mannigfache Inhalt ist die Anlage dieser Einrichtungen exotisch. Die ausgestellten Lebewesen und Gegenstände fügen sich zu einer seltsamen Eigenwelt, zu einem Zusammenhang von potenzierter Fremdheit. Eine willkürliche Ordnung entsteht, die den ursprünglichen Ordnungen der jeweiligen Exponate widerspricht. Natur in unnatürlichem Arrangement. Geschichte in erstarrtem Potpourri. Eine synthetische Landschaft aus Käfigen und zementierten Höhlen, aus Nischen und Vitrinen, die die Erfahrungswirklichkeit in dieser Form nirgends bietet. So beschwören Zoo und Museum eine rare Vitalität, so speichern sie hochprozentige Erlebnisquellen, wie sie im gesellschaftlichen Alltag nicht zu haben sind.

Allerdings sorgsam kanalisiert und dosiert, auch darf man weder die Löwen füttern noch das Schwert des Frankenkönigs berühren, doch der Besucher kann aus seinen abgezirkelten Gängen den leisen Schauer imaginierter Gefahren mit nachhaus nehmen. Ohne Harm ist er dem Außerordentlichen begegnet. Derart schaffen diese volksbildenden Einrichtungen, genau wie Karl Mays künstliches Paradies, Reservate, vermeintlich autonome Freiräume im quälend eintönigen Arbeitsbetrieb, die eben diesen aufzuheben scheinen. Mit der Eintrittskarte wird das Abenteuer zugänglich. Das weit Entfernte, sonst nur in Träumen Erreichbare erschließt sich hier und jetzt für jedermann in gebändigter unbändiger Fülle. Ob die Gerüche von Lagerfeuern und Buchbinderleim, ob das Kreischen von Geiern, Affen und Käfigtüren, ob die Lichtreflexe von Kettenpanzern, Kaiserkronen und Türklinken zum nächsten Raum sich überschneiden: da geht dem späteren Schocksurrealismus ein mild versöhnlicher voran. Seine Montagen verstören nicht, sie entspannen. Sie heißen nicht Montage, sondern Katalogisierung.

II. Kolportageroman

So steht es mit Karl Mays Reiseromanen. Die interne Stimmigkeit ihrer Abenteuerwelt setzt rückhaltlose räumliche Trennung vom unstimmigen gesellschaftlichen Alltag voraus. Indem sie diesem geflohenen Herkommen ein mehr als beliebiges Antibild entgegnet, beweist sie sogar, im Rahmen ihrer Verbrauchsästhetik, eine Widerständigkeit, die allzu raschem Verschleiß trotzt — sehr im Gegensatz zur unabsehbaren Masse konkurrierender Trivialpoesie. Anders die Kolportageromane des Verfassers. Zwar sehen auch sie das Außerordentliche allererst im Außerhiesigen. Das heißt, auch sie suchen ferne Landschaften auf, die der Popularphantasie ohnehin dichteste Gefahren signalisieren, mithin verbürgen, daß sich das Leben der Helden in einer pausenlosen Serie von Hochdruckerlebnissen erfüllt.

Im *Waldröschen:* die zerklüfteten Berge Spaniens, wo Zigeuner, Räuber und Schmuggler sich rühren; die weiten Steppen Mexikos, wo Indianerkämpfe und

Bürgerkriege toben; das Meer, von Piraten bedroht; das afrikanische Härär, wo manch Verschollener in Sklavenbanden schmachtet; die Pariser Unterwelt der Zuhälter und Garotteure; eine unbekannte Insel, abseits der Schiffahrtswege, wo 16 Jahre lang eine Generation Helden stillgelegt wird, um dem nicht minder heroischen Nachwuchs eine Chance zu geben. Auf den ersten Blick stehen also auch hier Abenteuer und exotische Landschaft, Ereignis und Raum in einer ›naturwüchsigen‹ Korrelation. Das Abenteuer ist der Kern der Landschaftsnuß, die die Helden zu knacken haben.

Bezugspunkt Deutschland

Aber im *Waldröschen* drängt sich ein weiteres Moment auf, das die Eigenständigkeit der Abenteuerwelt lebensgefährlich sabotiert. Es überfremdet die Fremde, indem es sie wieder und wieder in einen heteronomen Blickwinkel rückt. In den der Heimat. Wider die Absicht des Autors kommen so dem bedenklichen Leser Fragen, die der abgedichtete Reiseroman nicht weckte. Denn hier handelt es sich um keine sublimierte Heimat, die verklärt, weil weitab vom Schuß, nur im Gedenken der Globetrotter herumgeistert, sondern um Deutschland, als festen, belebten und erlebten Schauplatz. Die Nadel des riesigen Zirkels, der den Bogen der »Verfolgung rund um die Erde« schlägt, haftet tief in einem kleinen fiktiven Nest, Rheinswalden bei Mainz. Dieser Ort ist mehr als irgendein geographischer Splitter im großen Raumkaleidoskop. Er ist der Nabel der weitgespannten Abenteuerwelt. Das relativ windstille Zentrum im tobenden Taifun der Ereignisse, der Morde und Mordversuche; der Verschleppungen, Entführungen und Einkerkerungen; der Beinah-Vergewaltigungen und Kindsvertauschungen; der Erbschleicherei und politischen Intrigen; der Giftanschläge, aus denen Wahnsinnige und Scheintote hervorgehen — samt den gleichfalls gewalttätigen Gegenschlägen der guten Partei. Von dieser Idylle also, einem Forstschlößchen inmitten des deutschen Waldes, gehen die Aktionen und Reaktionen der positiven Helden aus, und hierher kehren sie wieder zurück.

Hier ist Dr. Sternau, der mächtige, rundum überbegabte Chef-Held des Romans zu Haus. Und hierher bringt er die aus der ersten großen Gefahrenwelle gerettete geliebte Frau in Sicherheit, Kontessa Rosa de Rodriganda. Hier wächst denn auch beider und des ersten Bandes schönste Frucht heran: Roseta, das titelspendende Waldröschen, in bescheidener Zurückgezogenheit, um später, zur schönen, resoluten Jungfrau gediehen, in Berlin alle einschlägigen adeligen

Großstadtpflanzen zu überblühen. (Dabei ist auch sie reinsten Geblüts, denn Sternau hat, unwissend, einen herzoglichen Vater.) Gleichfalls an diesem Ort gedeiht der Wunderknabe Kurt Helmers, der garnicht erst zum Pubertieren kommt, weil er schon seit dem Vorschulalter zu seinen angeborenen Anlagen hochragender Tapferkeit, Intelligenz und Herzensgüte die Umwelt mit Schießen, Reiten, Sprachkenntnissen (inclusive Malaiisch) in Atem hält. Prophetisch erkennen schon früh seine Gönner, bis hinauf zum Großherzog von Hessen, daß große Taten auf ihn warten. Er wird nicht nur als Oberheld der dritten Generation zum Retter der schwer geprüften Familie Rodriganda samt einiger Anhängsel, indem er sucht und findet, befreit und rächt, er wird nicht nur das Waldröschen heimführen — er wird auch in der Weltpolitik einige, laut Karl Mays unnachahmlich hoffärtigen Understatements, »nicht ganz wertlose Dienste« leisten. Gleichsam mit der linken Hand wird er dem preußischen König und seinem eisernen Kanzler unter die Arme greifen, wenn es gilt, Spione kaltzustellen, die den Bestand des Staats gefährden. Ums Haar wird er auch, wenn der nicht so störrisch wäre, den Kaiser Maximilian von Mexiko vor der Exekution retten.

Von vielen sind dies nur die wichtigsten Personen, die in Rheinswalden daheim sind, dem Ort, wo alle Fäden der guten Sache sich anspinnen, zurücklaufen oder verknoten. Daraus geht hervor: der deutsche Bezugspunkt ist nicht bloß romantechnisches und ideologisches Erfordernis, er teilt sich auch der Gesamtverfassung der aufgebotenen Abenteuerwelt mit. In diesem Werk, aber auch in den übrigen Kolportagereißern, soweit sie nicht wie *Der verlorene Sohn* und *Der Weg zum Glück* sich gänzlich auf deutsche Szenerie beschränken, soll sich die Fremde an der Heimat, die Heimat an der Fremde beweisen und bewähren. In diesem Genre glaubt der Autor seinem deutschen Dutzendpublikum in jeder Hinsicht entgegenzukommen, wenn er die Wechselbeziehungen zwischen Seßhaftigkeit und Umtrieb, zwischen bürgerlichem Alltag und exotischer Fährnis ausspielt.

Gewaltsame Angleichung von Heimat und Fremde

Damit aber schrumpft die Autarkie des künstlichen Paradieses zur bodenlosen Behauptung. Sie verliert ihren imaginativen Grund, weil handfeste Begründungen ihr aufhelfen sollen, die, nimmt man sie so ernst wie der Autor, sie eher entkräften. Sie verliert ihr Traumrecht, weil Bruchstücke psychologischer, geschichtlicher und sozialer Scheinwirklichkeit ihre zunächst ehrliche

Unwahrscheinlichkeit rechtfertigen sollen. Kurz, wo die Reisereomane fantasieren, schwindelt die Kolportage.

Offenbar hat Karl May das Dilemma dieses Genres gespürt: daß es, aufs wirkliche Hier und Jetzt sich einlassend, eine vernichtende Triftigkeitsprobe herausfordert. Drum versucht er, die drohende Realismusgefahr zu unterlaufen, indem er eine Gegenrichtung einschlägt. Er relativiert also nicht Heimat durch Fremde und vice versa, was zwangsläufig beider Idealbild zerstören würde. Sondern potenziert eine Seite durch die andere, indem er eine mit dem Falschgeld der andern bereichert. Auf die nächstliegende Weise:

Er verabenteuert die Heimat: ein wilder Eber, sogar ein verirrter Wolf im rheinhessischen Wald; ein gedungener Mörder, aber auch heimlicher Schutz im Auftrag der Zigeunerkönigin, in der Nähe der Försterei; politische Umsturzpläne im Uhrkasten eines zweifelhaften Bankiers; blutige Duelle von Offizieren im Morgengrauen eines Berliner Parks. Wobei jedoch das Herzstück der Heimat, die Rheinswalden-Idylle, bei allen heranzüngelnden Gefahren intakt bleibt.

Umgekehrt zähmt und zivilisiert er die Fremde, indem er sie mit geschichtlichen und sozialen Elementen auflädt. Mit geschichtlichen: die turbulenten Abenteuer der Familie Rodriganda und ihrer Widersacher verbinden sich nach dem ersten Romandrittel ebenso äußerlich wie eng mit dem Bürgerkrieg in Mexiko. Eifrig genutzte Gelegenheit, auch noch in den historischen Antagonisten, von Juarez über Maximilian bis zu den französischen Generälen, das krause Ineinander von Fremd und Vertraut zu verkörpern. Diese nichtfiktiven Helden treten auf als eine Mischung von spruchbandspeienden Monumenten, Stammtischlern und emeritierten Scouts. Und mit sozialen Elementen: die feindliche Partei, die da im fernen Spanien und Mexiko gegen die Rodrigandas agiert, besteht, anders als die meisten Bösen in den Reiseromanen, aus keinen barbarischen Außenseitern, sondern aus angesehenen, seßhaften Bürgern mit heimlichem Ehrgeiz via Adelsherrschaft. Als Advokaten und Privatsekretäre der gräflichen Vermögensverwaltung leben sie in diesem Milieu und intrigieren zunächst auch mit den Mitteln dieses Milieus, bevor sie zu grobschlächtigeren Waffen greifen.

Geheimnisse der menschlichen Gesellschaft

Durch wechselseitige Annäherung also büßen die beiden heterogenen Sphären ihr Spezifisches ein. Die Verschränkung von Heimat und Exotik dient freilich nicht nur dem defensiven Zweck, die Realismusgefahr abzuwehren, sie macht überhaupt erst möglich, das einzulösen, was der Untertitel des Romans verspricht. Nämlich: »die Geheimnisse der menschlichen Gesellschaft« zu enthüllen. Beließe der Autor den beiden Sphären ihren jeweiligen Charakter, käme solche Absicht nicht zuwege. Denn durchaus vertraute Heimat wäre so wenig geheimnisträchtig wie durchaus fremde Exotik.

Vollends dieses Programm setzt die Kolportage vom Reiseroman ab. Wohl sind auch dort Geheimnisse und Rätsel im Spiel, die die Helden aufzudecken und zu lösen haben — Spurenlesen, versteckte Schlupfwinkel, verborgene Schätze, Geheimbünde —, doch sie gehen in absoluter Ereignishaftigkeit auf. Hier hingegen reicht die Ambition weiter und tiefer. Sie will aufregende Einblicke geben in Verhältnisse, die sonst dem Licht der Öffentlichkeit sich entziehen. Untergründe und Hintergründe des Verbrechens, aber auch der vornehmsten Kreise sowie der Aktionen auf der weltpolitischen Bühne. Dies ist gemeint mit dem Akt der Enthüllung und mit deren Gegenstand. Insofern steht *Das Waldröschen*, wie in noch stärkerem Maß *Der verlorene Sohn*, in der breiten, zunehmend verflachenden Tradition gesellschaftsbezogener Geheimnisromane, die Eugène Sue mit seinen *Mystères de Paris* auf einen ersten und nie mehr erreichten Höhepunkt führt. (Wie denn gerade die Paris-Kapitel des *Waldröschens* unverkennbar von diesem Roman angeregt sind.)

»Die Geheimnisse der menschlichen Gesellschaft« — schon die Formulierung verrät Mays Ideologie, die das wuchtige Opus gegen verbindliche Realitätsansprüche imprägnieren soll. Zumal die bestimmten Artikel, die, Ausschließlichkeit behauptend, gerade Unbestimmtes verzeichnen. Hier ist kein geschichtlich definiertes Gesellschaftssystem angesprochen, das sich von anderen unterscheide, sondern Gesellschaft als unbedingte Größe, die ein für allemal und hier wie überall bestehe. Daraus ergeben sich, wie dann der Romanverlauf auf Schritt und Tritt erweist, zwei illusionäre Verallgemeinerungen, die unbekümmert nicht nur der Wirklichkeit, sondern auch einander widersprechen: 1. menschliches Zusammenleben überhaupt als Ausdruck unveränderlicher menschlicher Natur; 2. die gleichermaßen idealisierend und anachronistisch entstellte deutsche Klassengesellschaft als feudal gesteuerte Hierarchie, die sich in ähnlicher Form und gleicher Gültigkeit rund um die Erde wiederfindet, bis zu den Wigwams der Indianer. Dieser Ordo wird vorbehaltlos anerkannt, ja verherrlicht, als einzig möglicher, weil naturgegebener. Wo immer bösartige Kräfte ihn verletzen, springen die positiven Helden ein, notfalls über Jahre und Erdteile hinweg, um mit Feuer und Schwert die Wunden auszubrennen und die Scharten auszuwetzen.

Aristokratisches Prinzip

Sollte jemand zu dickfällig sein, weder das Romangeschehen noch sein Personal im gezielten Sinn zu verstehen, so bläut ihm der Erzähler mit nachdrücklichen Erläuterungen ein: es ist das aristokratische Prinzip, was die Welt im Innersten und Äußersten zusammenhält.

Auch dies ist im Reiseroman nicht anders. Nur, dessen Welt ist nicht bloß weit ab, sie ist zudem betont ahistorisch. Wenn er Aristokratie so wörtlich wie abstrakt als Herrschaft der Besten versteht; wenn er die Stärksten, die Gewandtesten, die Listigsten, aber auch die Gütigsten auf schnellsten Pferden und mit wirksamsten Waffen ins Treffen schickt, um ihnen im endgültigen Sieg Recht und Richtigkeit zu bestätigen: dann entwirft er eine fabelhafte totale Synchronie. Will sagen, er legt die Helden nicht auf *eine* historische Entwicklungsstufe fest, er stattet sie vielmehr recht buntscheckig mit Merkmalen verschiedener Epochentypen aus. In ihnen trifft sich christlich gebundene selbstlose Tatenlust mittelalterlicher Ritter mit hochmütiger Willkür frühneuzeitlicher Konquistatoren, bürgerliche Tüchtigkeit mit anarchischem Freiheitsdrang.

Nicht so in der Kolportage. Da sie das Abenteuer auf stumpfsinnig oberflächliche Weise vergesellschaftet und historisiert, ist sie gezwungen, sich an die konkrete aristokratische Klasse zu halten, an den vorhandenen Adelsstand.

Das kann zu nichts Gutem führen. Im Gegenteil. Gerade wer, wie der Autor, die Adligen für die Besten hält, muß sie im Aggregat der Kolportage zum besten halten.

Da May kaum kennt, was er feiert — weder die tatsächliche Qualität noch den tatsächlichen Stellenwert in den gesellschaftlichen Machtverhältnissen der beschriebenen Zeit —, zwingt er die Aristokraten, indem er sie zu schwerem Heldentum erkiest, ungewollt in die Rolle mobilisierter Statisten und, bestenfalls, unlustiger Buffos. Denn er ahnt vage, daß Mitte des 19. Jahrhunderts der Adel qua Adel seine realpolitische Bedeutung längst verloren hat, daß er weithin nur noch repräsentierend als Prestigefaktor wirkt. Doch nach der ästhetischen Faustregel, das Beste beweise sich in lauterer Funktionslosigkeit, scheut Karl May keine Überanstrengung, eben dies Moment der Repräsentation als unüberbietbaren Legitimationsbeweis von Adel herauszustreichen. Dabei kommt er zu bizarren Verrenkungen und Fehlleistungen.

Als die Tochter des spanischen Herzogs von Olsunna, mittlerweile nach Rheinswalden umgesiedelt, sich entschließt, einen simplen Freiherrn zu erhören, gibt ihr die mütterliche Freundin zu bedenken:

Sie dürfen Ihrer reich bevorzugten Stellung nicht entsagen. Sie sind berufen, an der Seite eines hochgestellten Mannes die Würden zu vertreten, welche ein Attribut des hohen Standes sind, in dem Sie geboren wurden. (842)

Der verdrehte Satz, der sich aus Mays gewohnt schlichter Syntax in die feineren Kreise emporwindet, meint nicht mehr und nicht weniger, als daß es so sein muß, wie es ist, weil es so ist. Wer »dürfen« macht, wer »bevorzugt« und »beruft«, läßt er wohlweislich, weil unwissend, ebenso im Dunkel wie Inhalt, Berechtigung und Sinn der angesprochenen »Würden«. Die hochgestellte Stellung definiert sich selber durch die Attribute, die ihr anhaften. Und wenn da wer fortan vertreten soll, in was er hineingeboren ist, dann beißt sich auch noch die Zukunft in den eigenen Vergangenheitsschwanz.

Die folgende ‚liberale‘ Äußerung des Herzogs selber, des natürlichen Vaters von Sternau, kippt erstrecht in ungewollte Satire um:

Mein Rang kommt hier gar nicht in Betracht, ich trete in mein Stilleben zurück und erkläre den Dr. Sternau für meinen Sohn. (847)

Fürwahr, der eigentlich gemeinte Ruhestand eines Standes, den Geschichte schon zur Ruhe gesetzt hat, ist nichts anderes als ein Stilleben, als ein künstliches Arrangement von Jagdtrophäen und Blumen — auch wenn die Bourbonenlilien zum Waldröschen heruntergekommen sind. Er ist dekorativ gerahmte *nature morte* und muß in diesem Roman steifbeinig zu postumer Turbulenz sich aufraffen.

Doch womöglich Parodie? Man fragt sichs immer wieder. Wenn Graf Ferdinando de Rodriganda nach einem tapferen Selbstbeherrschungsakt gleichsam eine introspektive heraldische Wasserstandsmeldung gibt: » . . . obgleich sich soeben das stolze Blut meiner Väter in mir regen wollte . . .« (1308). Oder wenn in jungen Jahren die beiden Rodrigandasöhne der abartigen Neigung ihres Vaters Paroli bieten: »Paßt eine Balletteuse in das bisher unentweihte Schloß unserer Väter?« (599) und damit Familie im Schloß verdinglichen, das durch frivole Bühnenluft defloriert zu werden droht? Nein, keine Parodie. Es ist nur das Idiom des ergriffenen Erzählers, der hochgereckten Halses vornehm gurgelt statt zu sprechen, weil ihm das Weihwasser im Mund zusammenläuft.

Daß hier nicht hinterlistig persifliert wird, zeigt der Tribut, der in diesem Roman ungebrochen aus allen sozialen Windrichtungen dem Adel gezollt wird. Unter anderm von einem deutschen Handelskapitän, einem wohlwollend charakterisierten biederen Haudegen mit kolonialistischer Arroganz, der seine Bereitschaft, in Härär einer Gruppe geflohener Christensklaven beizustehen, folgendermaßen begründet: »Kluge und mutige, ja verwegene und umsichtige Männer waren sie jedenfalls, also wohl nicht von gewöhnlichem Stande.« (1326)

Aber Kurt Helmers. Schränkt dieser jugendliche Held nicht das aristokratische Prinzip ein? Durch seine bürgerliche Herkunft, aber auch durch seine gleichfalls gestelzte Äußerung in dieser Sache? »Ich achte die Vorrechte des Adels, sie sind durch die Jahrhunderte geheiligt, aber ich trete der Anschauung entgegen, welche den Adel als qualitativ über dem Bürgerthume stehend erklärt.« (1222) Auch abgesehen davon, daß da, sorgsam abgesichert, gleiche Qualität fürs Bürgertum reklamiert wird zu einer Zeit, wo es längst seine Machtposition ausgebaut hat, und wo es gilt, den vierten Stand gegenüber dem dritten durchzusetzen, auch abgesehen davon dämpft der Kontext diese harmlos aufrechte Äußerung. Als Bürgersohn von höchster Stelle zu den hochfeudalen preußischen Gardekürassieren berufen, ist Kurt auf bösartig infamen Widerstand im Offizierskorps gestoßen, den er mit rhetorischer und körperlicher Schlagfertigkeit bricht.

Er beweist damit lediglich, daß Bürgertum dem Adel sogar überlegen sein kann, wenn der ausnahmweis seinen vom Autor entworfenen goldenen Schnitt des Großmuts aus Größe verläßt, also unadelig sich verhält. Vollends verliert Kurts Diktum den Stachel, wenn man berücksichtigt, daß er selber ja nichts weniger als das Bürgertum vertritt. Er überadelt noch den Adel, dank der schützenden Hand von Großherzog und König, die gleichsam per translatio die fehlende hohe Geburt mehr als wettmachen. Das Übermaß an Gnade und eigenen Gaben, das sich in seiner Person versammelt, macht, daß er gar mit menschlicher Elle kaum zu messen ist. »Sie sind«, befindet sein Freund v. Platen, »wirklich so etwas wie ein überirdisches Wesen.« (1250)

Dennoch ist mit diesem sozialen Hermaphrodit ein empfindlicher Nerv von Karl Mays aristokratischem Ordo getroffen. Ein symptomatischer Widerspruch, den seine Kolportage unvermeidlich hervorbringt, aber auch ebenso folgerichtig wie reibungslos aus eigener Kraft löst. Denn: einerseits ist der Adel als eine Klasse, die sich in Repräsentation und Traditionspflege erschöpft, notwendig unbeweglich und inaktiv. Andererseits erheischt die abenteuerliche Welt allererst dynamische Regsamkeit.

Was tun? Die Lösung verfährt zweigleisig.

Zunächst einmal veranschlagt die Reißeraktion die Hauptvertreter der Hocharistokratie als passive Figuren. Warum: sie überläßt allemal der bösen Partei die Initiative des ersten Zugs, den die gute anschließend mit einem Gegenzug beantwortet. Solcher Mechanismus von negativer Aktion und positiver Reaktion geht schlüssig aus dem Konzept der heilen Welt hervor, die

171

heftiger Destruktionen bedarf, um desto machtvoller in Rückschlägen und ab-
schließendem Totalsieg zu triumphieren. Konkret: die schlimmen Brüder
Cortejo, die nach Macht, Besitz und Name der Rodrigandas gieren, rauben den
kleinen Grafensohn Alfonso und setzen einen eigenen Bastard an seine Stelle;
sie manövrieren seinen Vater Manuel mit Gift in Wahnsinn und halten ihn
in einem abgelegenen Leuchtturm gefangen; und sie machen den Onkel Ferdinando, gleichfalls mit Gift, scheintot, holen seinen erstarrten Körper aus der
Familiengruft und übergeben ihn ihrem Helfershelfer, dem Piratenkapitän
Landola, der den wiederaufgetauten Grafen als Sklaven nach Afrika verkauft.

Die Art, wie mit diesen Hauptadligen umgesprungen wird, veranschaulicht
deren passiven, fast schon dinglichen Charakter. Sie sind gerade so mobil wie
Möbel, schöne Stücke eines prunkvollen Weltinterieurs, die von Einbrechern
veruntreut, dann von den ursprünglichen Besitzern wiedererobert und an
ihren alten Platz zurückgebracht werden[2]. Diesen Charakter behalten die beiden Rodrigandagrafen bis zum Schluß der bewegten Handlung bei, auch nach
ihrer Rettung und Reparatur resp. Heilung. Der dritte ihres Schlags, der
Herzog von Olsunna, geht einen ähnlich inaktiven Handlungsgang. Nach
jungen (rückblendend berichteten) Wüstlingsjahren, in deren Verlauf mit Hilfe
einer durch Liebestrank präparierten tugendhaften Kindergärtnerin der spätere
Dr. Sternau ins Leben geschrien wurde, führt er ein stilles Leben zwischen
Zerknirschung und Repräsentation. Bis er endlich den Sohn finden und als
Erben anerkennen darf, figuriert er als weise gewordener Räsonneur im an-
geschlagenen Kreis der Rumpffamilie Rodriganda.

Soweit die eine Seite der Lösung: Passivität des Adels, den die Schurken-
partei vorzugsweise zum Objekt ihres Spiels macht. Wer aber kämpft aktiv
für die gute Sache, wer macht sich stark fürs aristokratische Prinzip, wenn
dessen aktuelle Vertreter ausfallen? Es sind ebenfalls Fürsten, aber von besonderer Art. In der Generation vor Kurt Helmers, dem Aristokraten durch
Natur und Gnadenwahl, ist es in erster Linie Dr. Sternau, der als überragender
Held tätlich werden, sich strapazieren und Blut vergießen darf; der geistig und
körperlich, als unerreichter Arzt und Prärieläufer, Nierensteine und Feinde zu
Paaren treiben darf. Denn als unwissender und illegaler Herzogssproß steckt
er noch im Stadium adeliger Potentialität. Bezeichnenderweise fallen sein endgültiger Sieg und seine Legitimierung ineins: alle Herkulesarbeit ist getan,

---

[2] Treffend spricht Claus Roxin in einer Interpretationsskizze zum *Waldröschen* von einem
zentralen Motiv der »Verrückung« in diesem Roman. Etliche Personen werden nicht nur
gewaltsam geistig verrückt gemacht, sondern auch räumlich verrückt. Vgl. »Mitteilungen
der Karl-May-Gesellschaft«, 1970, Nr. 3, S. 14.

er kann ins »Stilleben« der Repräsentation eingehen. Parallel sein Freund und Begleiter Mariano. Er ist das ehmals geraubte Grafenkind Alfonso, das ohne Wissen der Cortejos bei Räubern in den spanischen Bergen aufwuchs und alsbald von Sternau identifiziert wird. Auch sein Kampf gegen die Widersacher geht mit dem Kampf um seine legitime Stellung als Stammhalter der Rodrigandas einher. Auch sein Sieg bedeutet Aufnahme ins Walhalla der öffentlich anerkannten Oberschicht und somit das Ende jeglicher Abenteuer. Das sind allerdings noch nicht alle Aktivisten der guten Partei. Den drei Spitzenkräften gesellen sich weitere Helden, die zugleich weitere Dimensionen des aristokratischen Prinzips eröffnen. Diese Dimensionen sind vom Reiseroman her vertraut, doch sie gewinnen hier eine überdeutliche Penetranz. Die Indianerhäuptlinge Büffelstirn und Bärenherz, die Westmänner Donnerpfeil (der emigrierte Onkel von Kurt Helmers), Trapper Geierschnabel, der schwarze Gérard und der kleine André, sie alle sind Männer, deren Name weithin über den amerikanischen Kontinent Ehrfurcht, Schrecken und Beglückung auslöst. Denn in stärkerem Maß noch als in Karl Mays Deutschland zählt hier die öffentliche Geltung, das Prestige, das einen Namen mit den Großtaten seines Trägers verbindet. Mit Abstand der berühmteste Name ist der, den die Indianer dem kriegerischen Sternau verliehen haben: Matava-se, Fürst des Felsens.

Wohlgemerkt, ein Prädikat aus der Nomenklatur des Feudalismus, noch dazu erworben und erteilt wie einst Titel und Namen des Uradels. Das ist kein Zufall, es ist Indiz für die Verkehrsformen in der Wildnis, die der Autor an seinem Bild von der heimischen Standesgesellschaft orientiert. Als Donnerpfeil in der üblichen forcierten Bescheidenheit dieser Savannenhelden seinen Ehrennamen kokett verschweigt, meint eine Dame: »Ah, Sie sind eitel. Sie wollen incognito sein wie ein Fürst.« »Ja«, lachte er, » . . . und Fürsten sind wir alle, nämlich Fürsten der Wildnis, des Waldes und der Prärie.« (395) Kaum der hochzivilisierten Gesellschaft entwunden, haben sie nichts Dringenderes zu tun, als im Freien wiederum Hierarchien zu begründen. Nach dem gleichen versimpelten Schema: überprofilierte Einzelne, auf unterschiedlichen Rangstufen, und gesichtslose Menge, die nur zur Folie für deren Größe taugt.

Rückfall hinter das Vorbild Sue

Mays Sucht nach hierarchischen Strukturen — dem grundsätzlichen Bedürfnis von Kolportage entwachsend, das offenbar der undurchsichtigen zeitgenössischen Umwelt sowie dem eigenen stofflichen Kunterbunt mit klaren, eindeutigen Ordnungsmustern zu begegnen trachtet —, diese Sucht reicht noch weiter. Nicht bloß ins geographische Abseits des Wilden Westens, sondern auch, auf Eugène Sues Spuren, ins soziale Abseits und Souterrain jener, die die gestandene Gesellschaft aus ihrer sicheren Gemarkung verbannt hat. Statt sie jedoch als deren Opfer zu erkennen und zu kennzeichnen, verklärt sie der Autor zu abenteuerlichen Außenseitern, die, beziehungslos, nach eigenen Gesetzen und Bräuchen, ihr lichtscheues Wesen treiben. Dennoch lebt man auch hier in fester Rangordnung nach einem strengen Ehrenkodex, regiert von der Zigeunerkönigin Zarba und ihren oberen Chargen. »Zarba . . . O, wer sollte diese nicht kennen! Sie ist überall und nirgends; sie ist nicht die Königin der Zigeuner, sondern sie beherrscht alle Leute, welche vom Gesetz der Gesellschaft ausgestoßen sind.« (829)

»Überall und nirgends«: Karl Mays Outcasts bevölkern, wie ihre Regentin, ein irreales Niemandsland. Damit fallen sie noch hinter den Stand ihrer vierzig Jahre älteren Vorfahren in den *Mystères de Paris* zurück. Während Sue die hungernden, frierenden, vielseitig kriminellen Slumbewohner der eigenen, gegenwärtigen Hauptstadt zum Lumpenproletariat herausputzte, dabei aber mit ungelenkem Reformeifer versuchte, ihre Misere zu erklären und teilweise zu beheben, stemmt der Verfasser des *Waldröschen* seine Outcasts vollends ins Sensationelle, gesellschaftlich Unverbindliche. Seine Pariser Unterwelt ist *Pariser* Unterwelt, fernab von den scheinbar heilen Verhältnissen in Deutschland. (Was sich freilich zwei Jahre später in dem ›sozialen Roman‹ *Der verlorene Sohn* ändert.) Zudem wird sie kurzerhand dem internationalen Clan von Zigeunern und Schmugglern eingemeindet, wodurch sie ihre letzten möglichen Reste sozialer Sprengkraft verliert.

Das Panorama »der menschlichen Gesellschaft«, das dieser Roman entwirft, um ihr die Geheimnisse zu entreißen, hat also auch auf der Schattenseite kaum etwas mit der Wirklichkeit der achtziger Jahre gemein. Die tonangebende bürgerliche Klasse wird durch eine fabulöse Aristokratie ersetzt, die sich bis in die Savannen Amerikas erstreckt. Und an die Stelle des ausgeklammerten Proletariats tritt ein pittoreskes Gelichter, das, gleichfalls konkreter Interessen und Ziele bar, der offiziellen Hierarchie eine verborgene, inoffizielle an die Seite stellt.

Unbewußter Liberalismus

Gleichwohl kann auch flüchtige Kolportage sich nicht völlig abdichten gegen das, was sie flieht. Die Realität holt sie ein, dringt durch, wenn auch nur

spurenweis, indirekt und auf Umwegen. Interessanterweise finden sich Anzeichen weniger in den Deutschland-Partien als im Wilden Westen. »Fürsten
der Wildnis, des Waldes und der Prärie«: diese Helden sind, wie der Autor
wohl im tiefsten Herzen sich die deutsche Aristokratie wünscht. Daß sie ihre
geglaubte und ersehnte Überlegenheit statt in Repräsentation in sichtbarem,
wirksamen Handeln beweise. Seine naive Bewunderung eines unzeitgemäßen
Heldentums wird nicht gewahr, daß sie sich an falsche, überlebte Geschichts-
protagonisten hält, weil die richtigen unauffälliger im Hintergrund agieren.
Unbewußt sitzt er dabei einer Ideologie auf, die sich vornehmlich aus dem
zeitgenössischen Liberalismus speist, aus der Verkündigung freien Wett-
bewerbs in schrankenloser Selbstverwirklichung des Einzelnen kraft eigener
Tüchtigkeit. Denn eben dies sucht er im Wilden Westen: Aristokratie aus
eigenem Stand, nicht dank Erbschaft. Indem er jedoch vom wirtschaftlichen
Unterbau absieht, übersieht er die unerläßlichen Bedingungen. So verpflanzt
er den Überbau aus dem Dschungel der Konkurrenzkämpfe in den Dschungel
der Natur und überträgt die Qualitäten der Wirtschaftsunternehmer auf seine
lassoschwingenden Selfmade-Aristokraten.

Wie sehr das liberalistische Prinzip das aristokratische beeinflußt, äußert sich
auch im Schwund fast aller humanitärer Tendenzen, die im Reiseroman mit-
spielen. Hier wird kein Gegner geschont, kein Konkurrent hat Lebensrecht,
wer sich den Helden und ihren Interessen in den Weg stellt, wird bedenkenlos
beseitigt. Trotzdem bleibt die Feudalstruktur im Vordergrund. Schon deswegen, weil Kolportage allemal auf Durchleuchtung ihres Gegenstandes verzichtet, um desto ausgiebiger sich an seine pittoreske Schauseite zu halten.
Insofern bietet eben die prächtige Karosserie einer überholten Klasse ungleich
mehr als der leistungsstarke, aber verborgene, zudem komplizierte und un-
begriffene Motor einer überholenden Klasse. Das farbige Sozialprestige beeindruckt, nicht das Grau in Grau tatsächlicher Machtverhältnisse.

Summum bonum: Öffentliche Geltung

Die Bevorzugung des äußeren Eindrucks bestimmt auch Lebensstil und
Lebensziel des gesamten Romanpersonals, in der Fremde wie zu Haus. Was die
Helden und die Schurken bewegt, ist zum geringsten das Streben nach ma-
teriellem Besitz. In der Wildnis ist kein Geld gefragt, und in der zivilen Gesellschaft wird es fraglos vorausgesetzt. Hier wie dort gilt es als peinlich, sich
darum zu sorgen oder darüber zu reden. Nachdem Sternau den hoffnungslosen

Grafen Manuel (der angegiftete langjährige Wahnsinn steht ihm noch bevor) mittels meisterlicher Operationen nicht nur vorm Tod durch Nierensteine gerettet, sondern auch noch von scheinbar endgültiger Blindheit geheilt hat, reicht ihm der überglückliche Genesene ein »fürstliches« Honorar. Doch nur ein Hinweis auf Mutter und Schwester, die daheim in bescheidenen Verhältnissen leben, kann Sternau dazu bringen, gleichsam hinterm eigenen Rücken den Scheck anzunehmen. Auch der Westmann Donnerpfeil macht sich eher aus Abenteuerlust als aus Gewinnsucht auf die Suche nach dem Schatz der Mixtecas. Er weiß denn auch mit der beachtlichen Ausbeute nichts anzufangen und bestimmt sie zur Entwicklungshilfe seines kleinen Neffen Kurt Helmers in Deutschland. Die Sendung wird jedoch von einem korrupten Mainzer Bankier veruntreut. Viele Jahre später erst kommt Kurt dem Schatz auf die Spur. Und sinniert: »Ich würde also ein Vermögen besitzen, wenn ich mein Eigenthum erhalten hätte. Dieser Gedanke hat für mich etwas Eigenthümliches (!). Ich bin keineswegs geldgierig, aber ich werde dennoch in Mainz Nachforschungen anstellen. Ich bin dazu verpflichtet, schon um des Vaters und Oheims willen, als deren Vermächtnis ich die Gegenstände betrachten muß.« (1266) Er biegt sein Interesse ins Moralische um, macht den Besitz zur Pflicht. Brave Familienloyalität zwingt ihn zur Annahme des Schatzes, der sich nicht als Gold und Geschmeide, sondern als Vermächtnis, nicht als materieller, sondern als Gefühlswert darstellt.

Worin besteht nun aber das summum bonum all dieser rastlos Regsamen, wenn weder finanzieller Gewinn noch der ethisch verpackte Selbstzweck des Abenteuers zählen? Abermals: die adelige Repräsentation. Allerdings aktiv erworben durch kühne Taten. Mit andern Worten: Ruhm und beifällige Anerkennung der Öffentlichkeit.

Naturlängen und Positionslängen

Folgendermaßen erobert sich Kurt Helmers die Hochgesellschaft der preußischen Hauptstadt. Nachdem er per Zufall einen Spionagering ausgehoben hat, erwirbt er sich den Status einer persona grata, die beim König und Bismarck aus und ein geht. Durch gewandte Beherrschung des Regelkodex und siegreiche Duelle setzt er seine Widersacher im Offizierskasino außer Gefecht. Derlei, weil nur sparsam publik, wird jedoch übertrumpft von einem Ball der Gardekürassiere, den sein großherzoglicher Gönner eigens für ihn inszeniert hat. Tableau: in Galauniform voller Orden (mehr, als die Brüste seiner Kameraden insgesamt zieren), am Arm der Rodriganda-Erbin, in Begleitung der königlichen Hoheit und der Olsunnas tritt er auf und schlägt ein wie der Blitz in die neidvoll bewundernden Gäste. Dieser »Glanz«, wie das Kennwort lautet, wird noch von jenem überstrahlt, der fernerhin ihn erwartet. Er hat »das Zeug, sich eine glänzende Zukunft zu schaffen« (1262), meint ein Minister. Und der Herzog von Olsunna, der als zünftiger arbiter nobilitatis ihm und den Lesern immer wieder versichert, welch außerordentliche Auszeichnung die vertraulichen Audienzen mit dem König bedeuten, nickt anerkennend: »Ja, er hat das Zeug zu einem ganzen Manne und auch das gehörige Glück dazu. Ich bin überzeugt, daß er von sich reden machen wird.« (1291)

Dies ist das höchste Gut, das Ziel alles Strebens: aristokratisch als Bester die allgemeine Geltung zu beherrschen; herausgehoben zu sein aus den Vielen, vor den Vielen; Glanz zu verbreiten; von sich reden zu machen — eine überwältigende Wirkung auszuüben, die über jeden befragbaren Grund und Zweck erhaben ist. Und dazu braucht man beides: »Zeug« und »Glück«, durch Leistung veredelte natürliche Anlage sowie die Gnade des Schicksals und die Huld derer, die im Gnadentum Gottes die Gesamtgesellschaft weise lenken. »Lieber Kurt, welch eine freudige Überraschung«, sagte sie (Röschen) mit leuchtenden Augen, »hättest du an solche Huld gedacht?« (1239)

Daß dieser natürliche Adel bereits vor und jenseits der Legitimation im Erscheinungsbild seines Trägers durchschlägt und die Umwelt beeindruckt, zeigt die Persönlichkeit Dr. Sternaus. Sie veranschaulicht zugleich die schon vermerkte Veräußerlichungstendenz. Sternau überragt alle anderen Personen in und außerhalb der feinen Welt nicht nur durch Kraft, Fertigkeit und Intelligenz, er überragt sie auch mit seiner riesigen, dabei wohlproportionierten Gestalt und seiner majestätischen Haltung. Instinktiv erkennt der hessische Großherzog bei der ersten Begegnung in dem bürgerlichen Arzt einen Menschen seiner eigenen hohen Artung. Und die Feinde im wilden Westen, seien es Indianer, mexikanische Desperados oder französische Offiziere, lassen sich von seinem körperlichen Habitus genau so einschüchtern wie von seinem berühmten Namen, noch ehe es zu Tätlichkeiten kommt. Es bedarf also zunächst gar nicht des väterlichen Titels, der ihm später erst zuteil wird. Weil Kolportage um jeden Preis Aktion heischt, setzt sie vor die Legitimierung die Abenteuer des natürlichen Sohns, der sie mit übernatürlichem Vermögen bewältigt. Als vitalisiertes gefährliches Wappentier schweift Sternau durch die Lande, bis er sich auf seinem gehörigen Platz im Adelskalender niederläßt. Riesengroß auch dann noch, aber gezähmt durchs gesellschaftliche Imprimatur. So entwirft Karl Mays adelsüchtige Vulgärpoesie wider die Prosa der Wirklichkeit eine

177

wunderliche Metrik, in der Naturlänge die Positionslänge bedingt und rechtfertigt.

Von hier erklärt sich auch der Charakter der Bösen und ihrer Unternehmun-
gen. Mit all ihren Eigenschaften und Handlungen bezeugen sie, daß auf die
Dauer Legitimität sich nicht erschleichen läßt; daß das globale hierarchische
Gefüge zeitweilig zwar sich anschlagen, nicht aber endgültig sich verkehren
läßt. Schon physiognomisch bieten die Brüder Cortejo samt ihrem weiblichen
Anhang — Gasparinos langjähriger »üppiger« Geliebter Elvira und Pablos
knochiger und gelbhäutiger Tochter Josefa — widerliche Kontrastbilder zu
den Helden. Ihr stechender Blick, Karl Mays stereotyper Ausweis für Schur-
kerei, heftet sich begehrlich an das, was ihnen nicht zusteht. Mit Elviras
schielenden, Josefas Eulen- und Gasparinos Stößeraugen betreiben sie eine
Welt-Anschauung, die die Welt, entgegen ihrer gegebenen Ordnung, dem
eigenen Interessen unterjocht. Der falsche Alfonzo gar, Gasparinos und
Elviras Sproß, den sie als Grafensohn unterschieben, verkörpert leibhaftig
die Störung der gesellschaftlichen und natürlichen Harmonie. Im Gegensatz
zu Sternau, der ehrbar den Namen seines bürgerlichen Stiefvaters trägt, bevor
er zu Herzogswürden gelangt, ist und bleibt er ein Bastard. Und von den
isoliert schönen Einzelzügen seines Gesichts heißt es, daß sie insgesamt einander disharmonisch widerstreiten.

Summum malum: Usurpation

Aber auch die soziale Stellung der Widersacher zeigt Böses an. Als Privatsekretäre und Advokaten des Hauses Rodriganda in Spanien und Mexiko üben
die beiden Cortejos im zwielichtigen Korridor zwischen aristokratischer Repräsentation und bürgerlicher Tüchtigkeit einen Beruf aus, der vorweg-
bestimmt ist, heimlich schmarotzend im Trüben zu fischen. Mit zünftiger
trivialliterarischer Verspätung und Vergröberung vertreten sie jene parasitären
Stände, aus denen die Literatur vom Nachbarock bis ins mittlere 19. Jahrhundert vorzugsweis ihre Intriganten bezog. Von Lessings Marinelli über
Schillers Wurm bis zu Dickens' Uria Heep und James Carter sind es Rechts-
verdreher und Einflüsterer der Fürsten, graue Eminenzen und ungetreue Ge-
schäftsführer, die im Hintergrund wirken und ihre Herren in selbstsüchtige
Richtungen steuern. Dabei kommen die Brüder Cortejo genausowenig von
ungefähr wie die Helden, sie sind keine Eintagsfliegen, sie bilden gleichfalls
eine Dynastie, eine finstere, die unrechtmäßig zum Licht strebt. Wie sie in

Alfonso und Josefa sich fortsetzen, treten sie in die schlimmen Stapfen ihres Vaters, der einst als Sekretär des jungen Herzogs von Olsunna dessen Ausschweifungen förderte und dabei zum Herzschlag des alten Rodriganda beitrug.

Wonach ihr ruch- und ruhloser Eifer geht, wurde schon angedeutet. Gewiß auch nach Geld; nach der einzigen Triebfeder ihres gewalttätigen Vollzugsgesellen, des Piraten Landola, der heimlich noch die Auftraggeber betrügt, indem er ihre Opfer, statt sie zu töten, als Sklaven verkauft bzw. auf einer Insel aussetzt, um sie als Erpressungsmittel bereitzuhalten[3]. Sehr viel verbissener jedoch streben die Cortejos nach dem gleichen höchsten Gut wie die positiven Helden. Nach öffentlicher Geltung, nach Macht und gesellschaftlichem Rang, die im adeligen Namen und Titel sich manifestieren. Wie sie sind, wie sie sich verhalten, was sie tun, alles folgt dem einen Leitmotiv: Usurpation.

Mit Gewalt und List soll der falsche Alfonso zum echten gemacht werden — dazu sind die Rodrigandas samt ihren Anhängern aus dem Weg zu räumen. An seiner Seite will Josefa Gräfin werden — dazu ist ihr jede Kabale gegen Freund und Feind billig. Wenn dann die Durchführung dieser Pläne sich zunehmend erschwert, zielen die mexikanischen Cortejos höher und weiter. Vater und Tochter versuchen, als dritte Kraft in die politischen Machtkämpfe zwischen Juarez und Maximilian sich zu mischen. Mit dem veruntreuten Rodrigandavermögen kaufen sie sich eine Anhängerschaft von politisch gleichgültigen Tramps und Räubern ein, in dem tollen Verlangen, eines Tages die Herrschaft über Mexiko unter einem König Cortejo zu erringen. Weil aber der Ehrgeiz der Bösen nichts als widerrechtliche Anmaßung ist, treibt Karl May hier bewußt die grundsätzliche Sucht nach öffentlichem Ansehen ins Irrwitzige, wenn er die verblendet eitle Josefa Porträtfotos ihrer abscheulichen Gestalt werbungshalber im Volk verbreiten läßt.

Fleisches Lust und Leid

Und die Erotik? Ist sie kein Motor? Schließlich verdankt der Autor, der in seinen andern Werken sich allenfalls anämische Seelenliebschaften gestattet, den Kolportagereißern den Ruf von Unsittlichkeit: weil hier in pedantischer

---

[3] Daß der Autor da zwei Fliegen mit einer Klappe trifft, versteht sich: er darf ja die Guten nicht opfern, und obendrein läßt sich aus bewegten Leidensjahren mehr Ereigniskapital schlagen als aus regungslosen Leichen.

Regelmäßigkeit und stehenden Formeln zarte Gewänder Üppigkeiten mehr hervorheben als verdecken; weil die Negligés beharrlich verrutschen und »die Schönheit eines Busens« freigeben, »um den eine Venus hätte neidisch werden können« (574). Kurz, weil auch in diesem Betracht die Verheißung eines ›Enthüllungsromans‹ sich erfüllt. Tatsächlich spielt im *Waldröschen* Erotik mit. Und sie spielt den Vertretern beider Parteien gleichermaßen mit, wenn auch, wie zu erwarten, den Guten anders als den Bösen. Letztere sind geil. Sie strengen sich an, eine Maxime einzulösen, die der Autor aus dem Leben gefiltert zu haben vorgibt — wieder einmal im oft genutzten hysteron proteron, das halsüberkopf mit einem stilistisch ungelenken, aber gedanklich verwegenen Purzelbaum Schluß und Voraussetzung verkehrt: »Und wie die allgemeine Erfahrung lehrt, daß grausame Leute zugleich Anhänger der wollüstigen Göttin sind, so hatte dieser Fall auch hier seine Anwendung.« (1758)

Diese durchweg grausamen Kerle also sind durchweg wollüstig. Das eigene Lager stellt ihnen einschlägige Damen allerdings nur in (numerisch) beschränktem Ausmaß zu Gebot. Da ist die heuchlerisch fromme Elvira, der zwar die Augen, nicht aber die prallen Brüste »divergieren«. Selbst nach einem Vierteljahrhundert illegitimen Zusammenlebens kommt sie gern der »Schwachheit« ihres Gasparino entgegen, der in jungen Jahren nebenher noch die künftige Zigeunerkönigin Zarba verführte und bei dieser Gelegenheit einen späten Rächer sich heranzeugte. Gleichfalls üppig, doch insgesamt von bestrickendem Äußeren, stiftet in der Vorgeschichte eine Tänzerin allerlei Unheil. Von Olsunna ausgehalten, von Cortejo-Vater und dem jungen Ferdinando Rodriganda brünstig geliebt, treibt sie den ahnungslosen Rodriganda-Vater — »die Sonne Indiens hatte sein Blut gekocht« (574) — noch über den Siedepunkt, so daß er sie in allen Ehren zur Gräfin machen will. Mag er in tragischer Verblendung sich und das aristokratische Prinzip so weit vergessen, der Autor vergißt es nicht. Im letzten Moment verhindert er die Katastrophe durch letalen Abgang des Grafen.

In der nächsten Generation macht vornehmlich die Spionin Emilia von sich reden — übrigens neben dem vormaligen Garotteur und jetzigen Westläufer Gérard eine der wenigen gemischten Charaktere in diesem Panorama einschlächtiger Figuren. Die Grenzscheide zwischen Gut und Bös geht mitten durch ihre Person. Horizontal. Oberhalb, in der Gesinnung, widmet sie sich der gerechten Sache des Juarez und, vergeblich liebend, jenem Gérard, während die untere Partie ihrer Sinne die feindlichen Geheimnisträger ausnimmt. Als minderjähriges Mädchen auf die schiefe Bahn geraten, die sie mittlerweile bereut, verweigert ihr der gestrenge Autor, anders als dem geläuterten Verbrecher Gérard, die endgültige Aufnahme in die Partei der Rechtschaffenen. In diesem Fall meldet sich seine kleinbürgerliche, ebenso verkorkst lustfeindliche wie grausam männerherrliche Moral sogar explizit zu Wort. Mit einer Erklärung, die all die infame Unsittlichkeit enthält, woran es seinen beanstandeten lüsternen Szenen durchaus mangelt: »Selbst der ärgste Bösewicht kann ein ehrlicher Mann werden, denn er hat Charakter. Ein Mädchen aber, das einmal die Freuden der Liebe gekostet hat, wird nie ein treues Weib. Der Bösewicht sündigt mit der Gesinnung, also psychisch, das Mädchen aber mit dem Körper. Dieser Körper bleibt zur Lust geneigt; der Geist ist willig, aber das Fleisch schwach.« (1461)

Wie gesagt, die geilen Schurken sind im eigenen Lager relativ kurzgehalten. Was ihren grundsätzlich usurpatorischen Trieb nur noch beschwingt, der sie auch auf erotischem Gebiet in die hehren Zonen drängt. Und weil die laut Kolportageordnung von Rechts und Natur wegen ihnen nicht gebühren, müssen sie abermals Gewalt und Heimtücke anwenden. So sind die schönen, aber reinen Mädchen der guten Partei häufig begehrlichen Blicken und Zugriffen ausgesetzt, die, weil abenteuerliche Umstände es begünstigen, alsbald in Vergewaltigungsversuche übergehen. Freilich, es bleibt bei Versuchen. Denn der Autor wacht auch hier — wie im Fall der drohenden Entehrung des Hauses Rodriganda durch die Tänzerin —, um pünktlich im letzten Augenblick ein überraschendes, störendes Ereignis zwischen Täter und halbentblößtes Opfer zu schieben. Also bei Donnerpfeils Braut Emma, bei Büffelstirns Schwester Karja, bei der holden, verinnerlichten Gastwirtstochter Resedilla und anderen. Bezeichnenderweise bleiben die erklärten Töchter der obersten Gesellschaftsränge sogar von derlei gescheiterten Tätlichkeiten verschont. Kein unbefugt lüsternes Schurkenorgan ist da erheblich genug, um in solche Höhen hinaufzureichen.

Dabei stehen diese Mädchen, obwohl hoch, gleichfalls gut im Fleische. Und ihre Verehrer und künftigen Gatten, trotz betonter Ehrbarkeit und sublimationsfördernder Dauergefechte, sind durchaus erotisch ansprechbar, auch wenn die mannigfachen unvorhergesehenen Zwischenfälle ihnen oft mehr als alttestamentliche Werbefristen aufnötigen, bis sie in die glückliche legale Vereinigung münden dürfen. So müssen Mariano und die Lordtochter Amy Lindsay ungefähr 20 Jahre ausharren. Nicht nur, weil die Widersacher den einst ausgebooteten Fürstensohn immer wieder verschleppen, mithin die zeitliche Trennung auch räumlich festmachen: der Intervall der Partner ist zudem sozial bedingt. Solang Marianos vornehme Abkunft nicht restlos geklärt und verbrieft ist, steht die Heirat in Frage. Aber das Warten lohnt allemal.

181

Denn in ihren auserwählten Damen haben die Helden durchweg etwas Einmaliges vor sich, ein Wunder der Natur, das, wie der Autor bekräftigt, seinesgleichen nirgends in der Welt auch nur annähernd wiederfindet — obwohl seine hymnischen Frauenporträts einander gleichen wie eine Grafenkrone der andern.

Superlativismus

Hier im freien Raume des Zimmers, wo Röschens Erscheinung noch viel mehr zur Geltung kommen konnte als im engen Wagen, machte sie allerdings noch einen ganz anderen Eindruck. Sternau, ihr Vater, war ja eine hohe, mächtige, männlich schöne Gestalt gewesen, und Rosa de Rodriganda, ihre Mutter, hatte sich in Beziehung auf Reiz und Schönheit getrost mit jeder Anderen messen können. So war es also zu erwarten gewesen, daß die Tochter dieser Beiden die vorzüglichen Eigenschaften ihrer Eltern in sich vereinigen werde. Und wirklich war die nordisch blonde Erscheinung Sternau's und die südlich dunkle Persönlichkeit Rosa's in Röschen zu einer Gestaltung zusammengeflossen, deren fast wunderbarer Zauber jedes Herz gefangen nehmen mußte. Sie war das verkörperte Bild einer Juno, einer Hebe und einer Kleopatra zu gleicher Zeit. (1180 f.)

Selbst wenn bis dahin nicht alles schon ausführlichst erzählt worden wäre — die Zeugung ausgenommen —, sogar begriffstutzige Leser hätten spätestens in der Mitte des dritten Bandes herausgefunden, wer Röschens Eltern sind. Trotzdem wartet der Autor auch hier mit Stammtafelfreuden auf. Denn er will weniger informieren, als dem Porträt flugs den edlen Goldgrund liefern, der außer dem gewaltigen Vater die Mutter im vollen Ornat ihres gräflichen Mädchennamens beizitiert. Insgesamt zielt, was von dem Mädchen gesagt wird, auf keine anschauliche Beschreibung ihres Äußeren, sondern auf eine mechanische Beteuerung ihrer Auserlesenheit. Das Besondere verflüchtigt sich unter der stilistischen Überanstrengung, es herauszustreichen.

Dazu tragen zwei Momente bei, die regelmäßig in den Frauenporträts wiederkehren. Über diese spezielle Aufgabe hinaus sind sie bezeichnend für die Verfassung von Mays Kolportagewelt überhaupt.

Erstens der Superlativismus. Zwar findet er gerade in den riesigen Dimensionen des Kolportageromans sein angemessenes Feld, doch eben darin auch kommt er in besonderes Gedränge. Gleich welchen Geschlechts, auf der guten Seite rühren sich nur die Besten und Schönsten. Indem aber der fast 3000 Seiten starke Roman viele Helden nebst weiblichen Partnern beansprucht, versammelt er lauter Beste und Schönste, die nicht umhin können, sich den Spitzenrang streitig zu machen. Da wird der Komparativ dem Superlativ zum lebensgefährlichen Konkurrenten. Folglich geschieht es immer wieder, daß, wer eben noch unübertrefflicher Protagonist war, nach einiger Zeit vom noch unübertrefflicheren Helden in die Komparserie abgedrängt wird. So Donnerpfeil im Wilden Westen von Sternau. So Rosa im zivilisierten Europa von Tochter Röschen. Eingedenk des Überschwangs, mit dem der Autor im ersten Band eine ganze Seite lang Rosa als »unvergleichlich schönes Wesen« schilderte, kann man ihn nur schnödester Wankelmütigkeit bezichtigen, wenn er dann in Röschens Porträt lediglich vermerkt, Rosa »habe sich mit jeder andern messen können«. Aus keinem andern Grund wird die Mutter degradiert, als um der momentanen Hauptgestalt stattliches Relief zu geben.

Dies ist der Sold für die Überdimensionierung von Handlung, Zeit und Raum, für die Generationsketten und die Verfolgungen »rund um die Erde«: durch superlative Übertrumpfung des Damals und Dort sucht sich das Jetzt und Hier zu stärken, was beide zwangsläufig entkräftet. Ein Dauerverschleiß von Helden und ihren Eigenschaften ist die Folge.

Amplitudenkniff

Ähnlich problematisch ist das zweite Moment, das man als Amplitudenkniff bezeichen kann. Es weist gleichfalls symptomatisch über den besonderen Anlaß des Frauenporträts hinaus auf die leichtfertige Weise, womit Kolportage ihrem Gegenstand Gewicht zu geben sucht. Um optimale Fülle zu beschwören, greift der Amplitudenkniff nach möglichst weit auseinanderliegenden Bereichen und verkoppelt sie unterm gemeinsamen Joch der beschriebenen Person. Nicht metaphorisch, sondern in schütterer Buchstäblichkeit. Die schlichte Vorstellung, die da am Werk ist, kann Vollkommenheit nicht anders erfassen als in der harmonischen Vereinigung pompöser Extreme. So paaren sich nach der elterlichen Paarung in Röschen der blond germanische Typ Sternaus mit Rosas dunkel romanischem Typ samt den Dutzendeigenschaften, die ein falsch souflierter Volksmund den beiden Rassen nachsagt. Mehr noch: in diesem »verkörperten Bild« geben sich obendrein die gegensätzlichen griechischen Göttinnen Juno und Hebe mit der munteren Nildynastin Kleopatra ein reibungsloses Stelldichein. Derart schwingt der überschwengliche Pendel unentwegt von Pol zu Pol, ethnisch, mythologisch, geschichtlich.

Auch kunstgeschichtlich — wie in der Beschreibung der jungen Komteß Rosa im ersten Band. Dort spreizt sich die Amplitude nicht nur zwischen maurischen und westgotischen Blutkörperchen sowie zwischen sanfter Kindlichkeit und aufbrechender sinnlicher Vollreife, sondern auch zwischen der

183

»Unberührtheit einer Raffaelischen Madonna« und der »verheißungsvollen Glut eines Frauenkopfes von Correggio« (13). In gebührendem Abstand dann die »volle, üppige Gestalt« der fatalen Tänzerin. Sie schien nur, aber immerhin, sie »schien aus den unwiderstehlichen Formen einer Juno und Venus zusammengesetzt zu sein« (555). Die mythologische Patronage ihrer Reize muß denn auch verblassen vor den Schwellformen der Spionin Emilia, die eine ganze Galerie erlauchter Leihgeberinnen aufrufen, um sie sogleich als unzureichend abzutun: »Keine Maria Theresia, Katharina oder Kleopatra, keine Melusina oder Märchenkönigin war mit diesem Weibe ... zu vergleichen... da war nichts imitiert an der herrlichen Gestalt, und doch hätte man kaum glauben mögen, daß die Natur fähig sei, ein Weib von solch poetischer und üppiger Vollendung zu schaffen.« (1444)

Was bewirkt der Amplitudenkniff, und was besagt er? Nicht bloß, daß das weit ausgreifend herangezerrte, überladene Dekor seinen Gegenstand erdrückt. Er offenbart zugleich die grundsätzliche Not der Kolportage, die, heimisch und versiert allein in wuchtigen Quanten, auch dort noch auf quantitative Verfahren zurückgreifen muß, wo es Qualitäten auszumachen gilt. Ob sie Einzelpersonen oder größere Komplexe charakterisiert: statt dies Charakteristische ihnen selber abzugewinnen, stülpt sie ihnen das Außerordentliche über, das sie aus weit Entlegenem zusammengerafft hat. Vorgeblich. Denn das Außerordentliche ist so wenig außerordentlich wie das Entlegene entlegen. Es liegt vielmehr nah, ist auf Abruf verfügbar im Arsenal beliebiger Fertigteile, in denen bereits die Spannungen zwischen Venus und Juno, germanischer und romanischer Rasse fest vernietet sind. So bleiben die Spannungen ebenso bare Behauptung wie deren harmonische Versöhnung in der vollkommenen Persönlichkeit Rosas oder Röschens.

Was da mit Scheinspannungen und Scheinlösungen vorgegaukelt wird, ist eine Grundharmonie, die alles erfüllt, vom Mikrokosmos des Einzelnen bis zum Makrokosmos der gesamten exotischen und zivilisierten Welt. Das gewaltsame, mechanisch additive Verfahren, das zu solcher Illusion beitragen soll, beweist indes das Gegenteil: ein verqueres Geschiebe unabsehbarer Ereignisquanten. Der Amplitudenkniff bestätigt nur, was schon das beschworene aristokratische Prinzip und die mühsame Verkittung von Heimat und Fremde anzeigen. Diese Welt, die so hartnäckig zusammenhält und Stimmigkeit hervorkehrt — durch klare Fronten und einhellige Charaktere, durch hochprozentig verdichtete Verwandtschafts-, Bekanntschafts- und Genossenschaftsbindungen —: in Wahrheit ist sie rissig allenthalben, als ästhetisches Ergebnis wie in ihren gesellschaftlichen und psychischen Voraussetzungen. Trotz beharrlicher Gegenbeteuerungen ist sie »zusammengesetzt« wie die Gestalt besagter Tänzerin aus den »unwiderstehlichen Formen einer Juno und Venus«, und darf doch ihren Montagecharakter nicht eingestehen.

Genealogie statt Genesis

Zumal dieser Umstand verdeutlicht die Brüchigkeit des *Waldröschens*, die nur insofern aufs Konto des Autors geht, als er sich zum Zwangsvollstrecker der Kolportagegesetze macht. Bis zum Aberwitz verficht sein Roman die heruntergekommene romantische Ideologie vom Organischen. Querfeldein in Biologie, Gesellschaft und Geschichte: was ist und besteht, muß so sein, weil es gewachsen ist. Die Gene werden zu geheimen Akteuren des Geschehens. Sie setzen sich durch und fort in Genetik, Generation und Genealogie. Sie setzen sich durch im edlen Charakter und Äußeren der Guten wie im schlimmen der Schurken. Sie setzen sich fort im unbeirrbaren Kontinuum der Geschlechterfolge und in der unerschütterlichen Güte adeliger Stammbäume. Blutsbande sind ebenso heilig wie mächtig. Und da die Vordergrundshelden weithin hohen Blutes sind, schließen die usurpatorischen Angriffe der Bösen aufs legitim Angestammte zugleich eine Versündigung wider die Gesetze der Natur ein. Gerade darin besteht ihr Böses: daß sie zeitweilig diesen doppelten Zusammenhang zerreißen, indem sie echte Kinder entfernen und falsche unterschieben; indem sie den Guten mit dem Grafentitel zugleich den Vater und Onkel rauben. Wie sehr die Macht des Bluts auf ihr Recht pocht, geht so sehr aus den immer wieder »verblüffenden« physiognomischen Ähnlichkeiten hervor, wie aus den grotesk rührenden Szenen, wo unbekannte Geschwister einander, Eltern ihre Kinder und umgekehrt instinktsicher erspüren.

Im Gewordenen und Angestammten beweist sich der fraglose Wert des Adels sowie der überkommenen gesellschaftlichen Herrschaftsformen und Dynastien. Drum wird der verhaßte dritte Napoleon allein dadurch abqualifiziert, daß er ein »Emporkömmling« sei, also einer, der einen Platz besetzt, den weder Natur noch Recht ihm einräumen.

Hierin liegt die vermerkte Brüchigkeit: die Ideologie vom organisch Gewachsenen bleibt oberflächlich und deklamatorisch. In der epischen Durchführung des Romans beweist sie sich einmal mehr als pures Überbaugewächs. So rückhaltlos, wie er sie verkündet, verzichtet er im Aufbau der Personen und der Handlung auf jegliche Entwicklung. Gewiß, Röschen und Kurt treten zunächst als Kinder, dann als Erwachsene, Rosa zunächst als junge Komteß, dann als Mutter einer heiratsfähigen Tochter auf. Doch sie altern nur scheinbar. Nicht anders die 16 Jahre auf der Insel ausgesetzten Helden, nicht anders Marianos Braut Amy, die eine Generation lang auf ihn warten muß. Sie bleiben so frisch, wie sie waren. Sie leben und erleben keinen Progreß. Ob sie, wie diese Amy, passiv eine beträchtliche Spanne durchstehen, oder ob sie die gleiche Spanne hindurch aktiv sich regen, sie erfahren Zeit als etwas Äußerliches, das keinen Einfluß auf ihren eigenen Habitus nimmt. Als einen fast räumlichen Rahmen, der mehr oder minder dicht mit Begebenheiten ausgefüllt ist, selber jedoch nichts bewirkt.

Soweit diese Figuren überhaupt sich verändern, genauer: zu unterschiedlichen Zeitpunkten sich in unterschiedlichen Stadien präsentieren, bleibt der Verlauf, der vom einen zum andern Stadium führte, ausgeklammert. Selbst den zwei Ausnahmepersonen, die später anders sind als früher — beide auf der Einbahnstraße zum Guten hin —, enthält der Autor den schrittweisen Werdegang vor, obwohl er mit seinen 3000 Seiten nicht eben knapp daran ist. Der Pariser Unterweltler Gérard erscheint zunächst als Milieugeschädigter mit bravem Kern, um dann, nach einer übersprungenen Zwischenzeit als völlig gewandelter lauterer Westmann hervorragende Taten zu vollbringen. Von der Vergangenheit, die zwar noch in Gewissensbissen anklingt, hat er sich ebenso abrupt getrennt wie von der Heimat. Das räumliche Intervall ersetzt die Erklärung des zeitlichen. Auch den Herzog von Olsunna trifft der Leser als einen veränderten wieder, an einem Ort, der weit entfernt ist vom Tummelplatz seines brutalen Wüstlingslebens. Was ihn zum leidenden, mild vergrämten Weisen gemacht hat, tut der Erzähler mit einigen erläuternden Sätzen leichthin ab. Das Wie jedoch wird weder gezeigt noch begründet.

Aber auch die Einhelligen leben zeit- und voraussetzungslos. Wie wird man Held, wie wird man Schurke, unter welchen Bedingungen? Man wird es nicht, man ist es, unbedingt. Beide fallen als Meister vom Himmel. Sie kennen keine Lehrjahre. Sie sind von vornherein mit allen guten und bösen Eigenschaften und Fertigkeiten ausgestattet. Am Anfang des Romans hat Sternau bereits die halbe Welt durchreist, besitzt Können und Ruf eines international renommierten Arztes sowie des besten Präriejägers weit und breit. Und der fünfjährige polyglotte, sattelfeste, treffsichere Kurt Helmers scheint erst recht ohne Schwangerschaftsbeschwerden und Aufzuchtsprobleme perfekt gerüstet wie Pallas Athene dem Haupt des Autors entstiegen zu sein.

Wer sich von den Rückblenden Auskünfte über Genesis und weiteren Fortschritt von Eigenschaften, Taten und Meinungen der Akteure verspricht, wird enttäuscht. Wohl vernimmt er so manches, was den Geschehnissen der Gegen-

wartshandlung vorausging, nicht aber, wie das Jetzt aus dem Einst hervor-
ging. Hier wie dort machen sich isolierte, selbstgenügsame Abenteuer breit,
die nur äußerlich, durch Verwandtschaft der Beteiligten, verbunden sind. Diese
Rückblenden schalten um eine Generation retour auf ein Personal, das gleichfalls fix und fertig ist. Sie liefern dem Präsens kein Imperfekt, sondern ein Plus-
quamperfekt nach. Die Vorvergangenheit, in der der alte Cortejo bei Intrigen
wider den alten Rodriganda zufällig mit seinem Opfer ums Leben kommt,
woraus, laut Erzähler, alle Feindschaft der Cortejo-Söhne gegen die gräfliche
Familie entstanden sei. Die entscheidende Zwischenphase jedoch, die fort-
dauernde Vergangenheit: wie sie ihre hecklastige Rache in vorwärtsstrebenden
usurpatorischen Ehrgeiz umpolten; wie sie ihre bösen Pläne ausheckten und
ihre Intrigen einfädelten; wie sie sich mit Landola verbündeten, wie sie allmählich parasitär sich in die Haushaltung der Rodrigandas hineinfraßen und
ihre Macht ausbauten, all dies bleibt im Dunkel.

Erneut zeigt sich hier, wie Anspruch und Tatsächlichkeit dieses Romans in
eklatante Widersprüche geraten, weil Kolportage nicht danach fragt, wieweit
ihre Mittel den eigenen Zielen gewachsen sind. Anspruch ist die trivialliterari-
sche Pointierung des wirklichkeitsblinden Historikerdiktums, wonach Männer Geschichte machen. Karl Mays Anspruch geht also dahin, die Abenteuer
dem eigenen Antrieb und Vermögen seiner Helden und Schurken zuzuschrei-
ben. Tatsächlich aber verselbständigen sich die Abenteuer, indem sie die beteiligten Personen, die sie scheinbar hervorbringen, ihrerseits vereinnahmen.
Entwicklungslos schrumpfen die Personen zu Vollzugsorganen der Ereignisse.
Das Eigenleben, das den Menschen entrinnt, geht in die Ereignisse ein: als
unberechenbar schwungkräftige Bewegung serieller Abenteuer, denen der
Autor von außen her ein sinnvolles Telos aufzupfropfen versucht. Diese Abenteuer haben Folgen, aber keine Konsequenzen. Eins kommt zum andern, eins
türmt sich aufs andere. Zeit zeitigt nichts. Sie ist, wie schon vermerkt, wenig
mehr als ein Regal, das geschehnispralle Räume stapelt. Die Handlung schrei-
tet nicht fort, sie springt von Etappe zu Etappe, von Situation zu Situation,
deren jede als Gegenwart sich selbst genügt.

Das Schicksal als Autor

Schwer zu sagen, ob der Autor erkennt, daß es der genrebedingte Eigendrall
drängender Ereignismassen ist, was seinem Konzept von den großen Tätern
in die Quere kommt, oder ob er gar, wo auch stärkere Potenzen versagen

müßten, eigenes Unvermögen argwöhnt. Jedenfalls ist ihm die Brüchigkeit
seiner Komposition nicht verborgen geblieben. Andernfalls hätte er sich nicht
immer wieder genötigt gefühlt, an besonders heiklen Stellen angestrengt tief-
sinnige Erläuterungen vorzubringen, die kaum ihre apologetische Absicht ver-
hehlen können. Und zwar immer dann, wenn die mehr oder minder freiwillige
Organisationswillkür allzu auffällige Lücken in die Handlung reißt, oder wenn
sie sich allzu unwahrscheinliche Vorkommnisse und Wendungen leistet. Die
Erklärungen folgen stets dem gleichen Schema. Der Autor nimmt Zuflucht bei
einer höheren, maßgeblichen Instanz, die ihm die Verantwortung abnehmen
und ein Alibi verschaffen soll: beim unerforschlichen Schicksal. Ihm stellt er
sozusagen rhetorische Fragen, die es wunschgemäß beantwortet. Beantworten
muß. Lebt doch die im Roman angerufene Vorsehung, wie alles andere, von
des Autors Nachsicht. Als souveräne Macht, die nach Gutdünken — soweit es
der Eigendrall der Ereignisse gestattet — alles steuert, beschleunigt und
bremst, ist sie nichts weiter als sein alter ego, als ein Pseudonym für Karl
May. Hat er ihr einmal emphatisch in die Schuhe geschoben, was ihn drückt,
kann er wacker weitermarschieren in seiner Erzählung, bis er die nächste bau-
fällige Stelle erreicht. Vorher aber gibt er sich eifrig seiner Schicksalbetrach-
tung hin — einem Blick in den Spiegel:

> Das Leben gleicht dem Meere, dessen ruhelose Wogen sich ewig neu gebären. Millionen
> und Abermillionen wechselvoller Gestalten tauchen aus den Fluthen auf, um für die Dauer
> eines kurzen Lebensaugenblickes auf der Oberfläche zu erscheinen und dann wieder zu ver-
> schwinden — für immer? Wer weiß es? Am Gestade steht der Beobachter und richtet tausend
> Fragen an das Schicksal, aber kein Wort tönt an sein Ohr. Das Geschick spricht und antwortet
> nicht mit Worten, sondern in Thaten, die Entwicklung schreitet unaufhaltsam weiter, und
> der Sterbliche sieht sich verurtheilt, in fast machtloser Geduld die Geburt der ersehnten
> Ereignisse abzuwarten. Keine Stunde, keine Minute, kein Augenblick läßt sich verfrühen, und
> keine That bringt eher Früchte, als es von den ewigen Gesetzen vorgeschrieben wurde.
> Oft steht der Mensch vor einer folgenschweren Begebenheit, aber Tage und Jahre ver-
> rinnen, und es scheint, als ob die vorhandenen Ursachen ihre Triebkraft verloren hätten. Es
> ist, als ob das Vergangene wirkungslos sei, als ob die geheimen Federn des Lebensmechanis-
> mus ihre Spannung verloren hätten. Kein Laut ist zu hören, keine That, kein Erfolg zu sehen,
> und der schwache Mensch möchte fast an der Gerechtigkeit der Vorsehung zweifeln. Aber die
> Gerechtigkeit geht rücksichtslos ihren gewaltigen und unerforschten Weg, und gerade dann,
> wenn man es am wenigsten denkt, greift sie mit zermalmender Faust in die Ereignisse ein und
> man erkennt mit staunender Bewunderung, daß tief im Grunde des Meeres sich Fäden
> gesponnen haben, die nun an die Oberfläche treten, um sich zum Knoten zu schürzen, welchen
> zu lösen nun in die Macht des Menschen gegeben ist.
> So war es auch mit den Schicksalen, deren Fäden in Schloß Rheinswalden zusammenliefen.
> Es vergingen Monate und Jahre, ohne daß man von den theuren Personen, welche hinaus in
> die weite Welt gegangen waren, etwas hörte. Sie waren und blieben verschollen. (1167)

Dieser tiefsinnig verkleidete Rechtfertigungssermon, Auftakt zur »dritten Abtheilung« des Romans, soll gleich mehrere Fragwürdigkeiten überspielen: daß die Handlung einen spannungslosen Zeitraum von eineinhalb Jahrzehnten überspringt, daß in dieser Zeit Sternau und Freunde nicht nur aus dem aktiven Abenteuerdienst entlassen, sondern auch vom Erzähler im Stich gelassen sind[4]; daß in der Zwischenzeit auch anderswo, weder im guten noch im bösen Lager, nichts geschieht, worauf sensationsgierige Kolportage anspräche. So läßt denn »keine Stunde, ... kein Augenblick ... sich verfrühen, und keine That bringt eher Früchte, als es von den ewigen Gesetzen vorgeschrieben ist.« Und warum schreibt der Autor nach dieser ewigen, selbstverfaßten Vorschrift? Weil ihn der Stoff dazu zwingt. Weil selbst ein Wunderknabe wie Kurt Helmers die Volljährigkeitsschwelle überschritten haben muß, eh er, zunächst als Kürassieroffizier, eine Haupheldenrolle übernehmen kann.

Auch abgesehen vom konkreten Anlaß berührt die geschwollen metaphorische Erläuterung fast alle ideologischen und kompositorischen Wunden des Romans, indem sie ihnen nachträglich und vorsorglich das Schicksalspflaster auflegt: die Entwicklungslosigkeit, die als ein unsichtbares Fortschreiten ausgegeben wird; die verstiegenen Zufallskonstruktionen, die gleichfalls das Siegel des Fatums tragen, das, »wenn man es am wenigsten denkt«, hart in die Ereignisse eingreift; den unmenschlichen Rachemechanismus, hier zur Gerechtigkeit verklärt, der, anders als in den Reiseromanen, präzise Zug um Druck funktioniert; die Unmündigkeit der Helden, die erst dann aktiv werden dürfen, wenn ihnen die Vorsehung das Stichwort gibt; den einerseits zerhackten, andererseits willkürlich eingerenkten Zusammenhang, der, wie es heißt, unter der wahrnehmbaren Oberfläche des Lebensmeeres in planvoll gesponnenen Fäden verwahrt ist. In seinem metaphorischen Überschwang merkt der Erzähler dabei garnicht, daß er die Aufmerksamkeit just darauf lenkt, wovon er ablenken möchte, wenn er das submarine Schicksal mit der dramaturgischen Terminologie vom geschürzten, zu lösenden Knoten betraut. Da fällt die handwerkliche Not, die zur metaphysischen Tugend hinaufgeläutert werden soll, doppelt schwer auf den Handwerker zurück.

Die gesamte Erklärung praktiziert die gleiche Formel, die schon an der Pseudolebensregel von den allzumal grausamen Wollüstlingen zu beobachten war. Eine verdrehte Deduktion. Ein hysteron proteron, das den Grund zur

---

[4] Nichts von ihrem Leben auf der Insel wird berichtet: für eine Robinsonade wären sie zu zahlreich, zudem widerspräche ein feindloses Inseldasein in edler Freundesgruppe durchaus dem kämpferischen Aktionszuschnitt dieses Romans.

Folge, das Besondere zum Allgemeinen, die Ausnahme zur Regel erklärt, wenn es den ungewöhnlichen speziellen Fall zunächst bis zur Unkenntlichkeit als lebenssymptomatisch generalisiert, um ihn hernach, unterm eigenen Namen, als regelmäßig durch sich selbst zu rechtfertigen: »So war es auch mit den Schicksalen, deren Fäden in Schloß Rheinswalden zusammenliefen«.[5]

Die fadenscheinige Ausrede aufs Schicksal oder auch auf die Fügung Gottes, wann immer die Ereignisse allzu ungefüg aufeinanderprallen, schlüge nicht genügend durch, behielte der Erzähler sie seinen eigenen relativ spärlichen Kommentaren vor. Er stattet daher auch sein Personal mit einem glaubensfesten Fatalismus aus. Sollte einem einmal versehentlich die blasphemische Wendung vom Zufall auf die Lippen kommen, wird er prompt eines Besseren belehrt. So Sternau, der, den Seeräuber Landola jagend, mit seiner Yacht mitten im Ozean — dem karibischen, nicht dem des Lebens — einem englischen Kriegsschiff begegnet, an dessen Bord sich ausgerechnet Amy Lindsay befindet, die Sternau jahrelang nicht gesehen hat: »So ist unser Zusammentreffen also ein rein zufälliges — —« »O nein«, unterbrach sie ihn schnell, »es ist viel mehr als das; es ist eine Fügung Gottes, dem wir nicht genug Dank dafür sagen können.« »Ich gebe dies natürlich zu.« (868)

---

[5] Solche apologetischen Berufungen höherer, unkritisierbarer Instanzen — Schicksal, Gott oder das Leben im allgemeinen —, wenn es gilt, Handlungslücken und Kompositionsnöte zu überspielen, bleiben keineswegs nur dem *Waldröschen* vorbehalten. Sie sind fester Brauch in Karl Mays Kolportageromanen. Noch bauernschlauer und zugleich gespreizter geht er im ersten Band vom *Verlorenen Sohn* vor. Besonders heikel ist der Übergang vom ersten zum zweiten Kapitel. Zwanzig Jahre liegen dazwischen, was die Ereignisse des ersten eindeutig als erklärende, sekundierende Vorgeschichte ausweise — wären sie nicht, in trivialliterarischer Unmittelbarkeitssucht, bis ins Detail derart szenisch ausgewalzt worden, daß der Leser einen unverzüglichen, ununterbrochenen Fortgang erwartet. Stattdessen muß er, aus bestimmten kriminalistischen Verjährungsgründen, mit dem Erzähler eine ganze Generationsspanne überspringen. Was ist schuld? Nicht der Autor und seine technischen Querelen mit dem Stoff, sondern das Leben. Diesmal gleicht es nicht dem Meer, unter dessen sichtbarer Oberfläche das Schicksal waltet, diesmal gleicht es einem Dichter. Ja, der Autor preist es als den gewaltigsten Dichter überhaupt. Und kann infolgedessen, ohne allzugroße metaphorische Überanstrengungen, diesem überdimensionalen Kollegen die eigenen Willkürakte, Tricks und Verlegenheiten als Notwendigkeiten anlasten, wie sie eben das Leben schreibt. Daß es sich hier um den alten Topos vom Buch des Lebens, vom schreibenden Leben handelt, der nach Jahrhunderten in die Konfektionsliteratur abgerutscht ist, versteht sich. Curtius und andere haben ihn in der sogenannten hohen Literatur seit der Spätantike verzeichnet.

Doppelte Protektion

Nichts als Lippenbekenntnisse? Keineswegs. In dieser lebenswichtigen Frage seines Romans kann der Autor und muß er auf halbherzige Kompromisse verzichten. Denn es handelt sich um die allein von ihm verwaltete Geheimnissphäre, die sich, weil als autonom erklärt, jeder Erfahrungskontrolle entzieht. So begnügt er sich nicht damit, daß Erzähler und Personal das Schicksal beharrlich im Munde führen. Er erlöst es aus der nur rhetorischen Rolle. Er läßt das Wort Fleisch werden. In ganz bestimmten Personen und Gruppen, die, sanktioniert durch Aberglaube und reiches literarisches Herkommen, von jeher vertrauten Umgang mit dieser hohen Macht pflegen: in Zigeunern. Als verlängerter Arm des Schicksals werden sie schon dadurch beglaubigt, daß sie seltsamen Bräuchen anhängen; daß sie, nirgends lokalisierbar, unerfindliche Wege gehen; daß sie unerwartet mal hier, mal dort aus dem Dunkel auftauchen und offenbar nichts anderes zu tun haben, als ihre auserwählten Partner in der ordentlichen Gesellschaft mit ominösen Worten und Taten zu verblüffen. Der simple negative Umstand, daß weder der Leser noch die andern Romanpersonen wissen, was die Zigeuner treiben, wenn sie sich in der überwiegenden Romanzeit im Verborgenen aufhalten, reicht hin, ihnen den Kredit des Außerordentlichen zu geben.

Wer, wie Sternau und die Rodrigandas, die Zigeuner hinter sich hat, ist letzten Endes vom Schicksal begünstigt. Wer, wie die Cortejos, die Zigeuner gegen sich hat, mag vorübergehend Teilerfolge verbuchen, wird aber, wenn es an der Zeit ist, vom Schicksal zerschmettert. »Ich werde euch erscheinen zu der Zeit, welche da ist für euch die Stunde des Glücks, für eure Widersacher aber die Stunde der Rache.« (1166) So prophezeit die Zigeunerkönigin Zarba im feierlichen Ton archaischer Inversionen, als sie eines Tages unvermutet und unerkannt im Wald bei Rheinswalden auftritt, um, wie vorher schon Sternau, nun auch seine Tochter Röschen unter ihren Schutz zu nehmen. ». . . und was hatte die einst so schöne Gitana auf das Haupt des Kindes herabgefleht? Wir können es uns denken und werden baldigst erfahren, daß ihr Gebet bei dem allmächtigen Lenker des Geschicks Erhörung fand.« (1166) Doch vor dieser kultischen Handlung hat die Zigeunerin, gleichsam als Begründung für die Schutzwürdigkeit des Mädchens, festgestellt: »Diese Züge tragen fürstliches und gräfliches Gepräge.« Die oberste Vertreterin der internationalen lichtscheuen Unterwelt und Gegengesellschaft erkennt das aristokratische Prinzip der gestandenen Gesellschaft nicht nur an, sie fördert es auch. Mithin stehen die Haupthelden unter verdoppelter Protektion und Vormundschaft des Fa-

tums, das gleich zwei Mächte mit diesem Amt betraut. Die offizielle, gottes-
gnadentümliche vom Großherzog aufwärts und die inoffizielle, sowieso
schicksalsträchtige der Zigeunerkönigin samt ihrem Geheimbund. Im gemeinsamen Schützling verbinden sich gar die beiden Hierarchien, die ohnehin kon-
fliktlos untereinander herleben, um nochmals das zweifelhafte Kartell von
Heimat und Exotik zu besiegeln.

Wechselspiel von Distraktion und Kontraktion

Ein Roman, der auf annähernd 3000 Seiten in einer Spanne von gut 60 Jahren ein Riesenaufgebot erfundener und quasihistorischer Personen, erfundener
und quasihistorischer Ereignisse vorbringt und dennoch in jeder Hinsicht
Geschichte ausschließt: die tatsächliche draußen und die innerbetriebliche
seiner eigenen epischen Entwicklung — wie hält sich ein solcher Roman in
Gang? Was feit ihn dagegen, in zäher Stoffstapelung zu erstarren? Worin
liegt seine Triebkraft, die den statischen Vorrat genußverheißender Wunschbilder flott und damit erst genießbar machen mußte, um das zeitgenössische
Massenpublikum Band für Band bis zum absehbaren, aber immer wieder hin-
ausgezogenen Endglück mitzureißen? Eine Triebkraft, die streckenweis noch
heutige Leser, wie den Schreiber dieses Aufsatzes, erfassen kann — auch
ungeachtet des wißbegierigen oder versnobten Interesses an Konfektionsliteratur?

Diese Triebkraft herauszufinden, fällt nach den bisherigen Beobachtungen
nicht schwer. Zumal der Vergleich mit Mays Reiseromanen hat auf die kom-
positionelle Anlage des *Waldröschens* hingewiesen, die der Geschichtslosigkeit
entspricht. Der Roman ist nicht zielstrebig der Länge nach in die Zeit entworfen, sondern in räumliche Breite. Daß diese Breite in keinem reglos stumpfen
Nebeneinander verharre, dafür sorgt besagte Triebkraft. Sie ersetzt den
sukzessiven Handlungsfortschritt durch ein unentwegtes Wechselspiel von
Distraktion und Kontraktion, von zentrifugalen und zentripetalen Bewegungen.

Besonders sinnfällig drückt sich dieses Wechselspiel im geographischen Hin
und Her aus. Der Titelhinweis »Die Verfolgung rund um die Erde« mag zunächst
beirren, falls man dabei an einen ununterbrochenen Kreisbogen denkt. Die
Vertreter der guten Partei schwärmen vielmehr in verschiedenen Etappen des
Romans radial von Rheinswalden nach den verschiedenen Richtungen des
Erdballs aus, um von dort wieder zu diesem Mittelpunkt zurückzukehren. So-

gar Nebenhandlungen, die der Hauptaktion um die Rodrigandas nur lose anhängen, folgen dem Wechselspiel von Distraktion und Kontraktion. Rodenstein, der Herr von Rheinswalden, hat seinen Sohn wegen standeswidriger
Kunstmalerei verstoßen, und sein Forstgehilfe Ludwig hat sich mit seinem
später prärieläufigen Bruder André wegen eines Mädchens überworfen. Dieser
wie jener verläßt die Heimat und treibt sich in der Ferne umher, bis mit der
Versöhnung auch die Heimkehr fällig ist.

Hier deutet sich der gesellschaftliche Aspekt im geographischen Auseinander und Zueinander an. Noch nachdrücklicher macht er sich im ungestümen
Lebenslauf der Helden geltend. Zunächst einmal sind sie zentripetal gebunden
und verbunden durch die gemeinsamen Nenner von Blutsverwandtschaft,
aristokratischer Klasse, deutscher Nationalität, Savannenkameraderie und womöglich Genossenschaft in Zarbas Geheimorganisation. Dem wirkt jedoch die
Berufung zum Abenteuer zentrifugal entgegen. Dabei zerstreuen sich die Helden nicht nur in einsamen Großtaten, sie werden auch ebenso regelmäßig
durch zeitweilige Übermacht der Feinde verschleppt, gefangengehalten oder
ausgesetzt, also ihren Bindungen entrissen, bis sie endlich nach aller Abenteuer
Abend in die Mitte ihres reich gefächerten Herkunftsystems zurückfinden.

Sogar der anthropologische Aufbau der Hauptpersonen richtet sich nach
dem Gegeneinander zentrifugaler und zentripetaler Bewegungen. Ausgehend
von einem vage veranschlagten Modulor menschlichen Durchschnittsmaßes,
treibt Karl May seine Helden in übermenschliches, seine Schurken in untermenschliches Format. Der Umfang ihrer außergewöhnlichen Eigenschaften
und Fähigkeiten, ihrer verübten und erlittenen gigantischen Abenteuer —
vom Sieg eines Einzelnen über ein Dutzend Feinde bis zur Heilung eines vergifteten Wahnsinnigen mit dem Gegenserum aus dem Schweiß eines fast zur
Tollwut gekitzelten Bösewichts; von der Selbstbefreiung über aufgerissenen
Krokodilmäulern bis zu sechzehnjähriger Inselhaft —, dieser Umfang entfernt
sich exzentrisch von ihrem durchweg kleinbürgerlichen Kern, um bei Aktionsflauten und erst recht beim endgültigen Sieg der Guten über die Bösen hier
wie dort sich auf diesen Kern wieder zu konzentrieren.

Die Pendelbewegung von Distraktion und Kontraktion setzt sich nicht zuletzt in dem durch, was der Untertitel als Ziel des Romans verkündet: in der
Geheimnisenthüllung, im alternierenden Takt von Verbergen und Aufdecken,
im unterschiedlich motivierten Zug und Druck des Kampfs um sichtbare
Öffentlichkeit. Der leitende Usurpationstrieb der Bösen, die, wie gezeigt, die
Gesamthandlung initiieren, geht dahin, die angesehene und angestammte
Stellung der Guten in der gesellschaftlichen Hierarchie einzunehmen. Zu die-

sem Zweck ziehen sie mit hinterlistigen, heimlichen Machenschaften erst die Grafen Rodriganda samt Nachwuchs, dann die meisten Helden, die dagegen ankämpfen, aus dem öffentlichen Verkehr und, versuchsweise, sogar aus dem Leben. Sie lassen sie auf Inseln, in Kerkern, in Schiffsbäuchen, in Klosterkellern, in der Sklaverei verschwinden.

Entsprechend reagieren die Guten. Wenn sie alles daran setzen, das hinterhältige Treiben der Widersacher ans Licht zu bringen; wenn sie Verschollene aufspüren und Gefangene befreien, um sie aus ihrem Abseits erneut an den gehörigen lokalen und sozialen Ort zu befördern; wenn sie edle Wahnsinnige heilen und damit wieder präsentabel machen; wenn sie vergangene Untaten ausgraben, unbekannte Abstammungsverhältnisse aufklären und legitimieren; wenn sie grundsätzlich Geheimnisse lüften —: dann vollstrecken sie das Gesetz, nach dem sie dieser nur scheingetrübten Welt gewachsen sind. Das Gesetz des Glanzes, der Repräsentation, der herausragenden gesellschaftlichen Geltung. Das Gesetz einer Existenz, die selber durchaus im Widerspruch zum Geheimnis steht, weil diese Helden nicht nur nichts zu verbergen haben, vielmehr als Ensemble der erhabensten Eigenschaften just darauf angelegt sind, ein staunendes Publikum zu beeindrucken.

Im Roman und außerhalb. Denn auch kritische Leser kommen wohl kaum umhin, mit den Helden zugleich die gesamte Machart des Riesenreißers anzustaunen, die es fertig bringt, ihr genrebedingt rissiges, windschiefes Universum mit ebenso erschwindelter wie schwindelerregender Folgerichtigkeit zu begradigen. Alles, außer den abgängigen Bösen, geht hier auf. Nach Wunschvorschrift sind Leid und Glück gewaltsam ausgewogen: die kleidsamen Dornenkronen haften nicht lang und lassen die fürstlichen nur desto heller erstrahlen. Fraglos, der Autor versteht sich auf diese zusammengeschweißte Welt aus Pseudozivilisation und Pseudowildnis, die aus teils gewolltem, teils ungewolltem Mißverständnis der geschichtlichen sich nährt. Die Voraussetzungen des Genres machen ihn zum Connaisseur in allen anstehenden Lebensfragen, vom Walten des Schicksals bis zum beiläufigen ethnischen Detail: »Die Mexikanerin ist Südländerin und als solche feurig.« (1507)

Das Waldröschen ist Kolportage und als solche schlüssig.

ERIK LUNDING

JENS PETER JACOBSEN — WIRKUNG UND WESEN

In einem ungedruckten Brief Rilkes vom 1. Juni 1902 an seine Frau, als er sich im Schloß Haseldorf in Holstein aufhielt, lesen wir: »Früh kam ein Däne an ... Ich erzählte dem alten Herrn von unserer Vorliebe für dänische Schriftsteller, und er hat uns sehr lieb eingeladen, ihn ... zu besuchen. Aber von Jacobsen wußte er — denke Dir — nichts ... Im Uebrigen gewiß ein trefflicher alter Herr; aber man möchte sich fast fragen, was er sein ganzes Leben lang gemacht hat. Däne sein und nicht von Jacobsen wissen, und bei diesem Namen an irgend einen Jacobsen denken ... Es klingt übrigens gut das Dänische.«[1] Wenn man bedenkt, in welchem Grad Rilke das dänische Leben, seine Städte und seine Landschaften ästhetizistisch durch die Dichtung Jacobsens erlebte, versteht man seine Verblüffung, als der treffliche alte, jedoch von Jacobsen völlig unberührte Däne auftauchte.

Daß für einen wohl einigermaßen gebildeten Dänen noch um die Jahrhundertwende Jacobsen ein ganz klangloser Name war, ist für den Forscher wenig überraschend, denn einen magischen Zauber hat damals sowie auch später das Werk Jacobsens vor allem im deutschsprachigen Süden ausgeübt. Eine das äußerst umfassende und vielschichtige Material einer Wirkungsgeschichte der Kunst Jacobsens erschöpfende Darstellung liegt hier nicht im Bereich des Möglichen. Uns interessieren in diesem Zusammenhang die Wirkungsprozesse nur, insofern sie Wesensprobleme der Dichtung Jacobsens erhellen. Was das Material als solches betrifft, seien der jüngste deutsche und der jüngste dänische Beitrag zur Jacobsenforschung erwähnt, da sie jedenfalls eine gewisse Orientierung vermitteln. Wirkungsgeschichtliches Material verbirgt sich hinter dem ziemlich irreführenden Titel »Der Burde Have Vaeret Roser (sic) Jens Peter Jacobsen und die Überwindung des Naturalismus in Deutschland« der fleißigen Abhandlung Ruth Schmidt-Wiegands in

---

[1] Vgl. Lydia Baers gründliche Untersuchung Rilke and Jens Peter Jacobsen, in: PMLA, Bd. LIV, 1939, S. 1142f.

»Beiträge zur deutschen und nordischen Literatur«, Festgabe für Leopold Magon, 1958. Das von Niels Barfoed 1970 publizierte Studienbuch »Omkring Niels Lyhne« ist eine auch sprachlich bunte Anthologie über die Genesis, die Rezeption und die europäischen Ausstrahlungen des berühmtesten dänischen Romans. Im nicht-dänischen Chor dominieren — selbstverständlich — die deutschen Stimmen.

In dem großen Nachschlagewerk »Deutsche Philologie im Aufriß« heißt es in dem von Carl Roos verfaßten Beitrag über »Die nordischen Literaturen«[2], daß der geschichtliche Roman »Marie Grubbe«, der schon 1878 ins Deutsche übertragen wurde, »seit etwa 1910 alljährlich in neuen Auflagen und neuen Übersetzungen« erschien. Die Kraftprobe einer Übersetzung dieses, wie wir sehen werden, nur bis zu einer gewissen Grenze übersetzbaren Werkes fand freilich mehr als einmal statt, aber direkte Kettenreaktionen gab es nie. Auch die ganz trockenen, verifizierten Zahlen zeigen die suggestiven und faszinierenden Wirkungen Jacobsens auf das deutsche Publikum. In der Einleitung zur zweiten Auflage des Romans »Niels Lyhne« vom Jahre 1895 kann Th. Wolff stolz feststellen, daß die erste, von Marianne von Borch übersetzte Reclamauflage schon in mehr als zehntausend Exemplaren verkauft worden sei und »heute auf den Regalen unserer Gelehrten, auf den Schreibpulten unserer Schriftsteller, in den Ateliers unserer Maler, auf den Arbeitstischen unserer Frauen und jungen Mädchen zu finden« sei. Auch die großen Ausgaben, die sogenannten Gesammelten Werke, die beiden Leipziger Editionen, die vor allem von Marie Herzfeld übersetzte und 1898—1899 publizierte Ausgabe und die in erster Linie von Mathilde Mann und Anka Mathiesen übertragene und 1912 erschienene Inselausgabe, wurden von reichem Erfolg gekrönt, denn beide Ausgaben wurden schon in den zwanziger Jahren in mehr als 30000 Exemplaren verkauft. Viel wichtiger jedoch als die Zahlen häufende Literatursoziologie sind aber die differenzierten und nuancierten geistesgeschichtlichen Untersuchungen.

Bevor wir die Rezeption der epischen und der lyrischen Dichtung Jacobsens untersuchen — eine ganz scharfe Grenze gibt es in diesem Fall bekanntlich nicht — muß die Reaktion auf die Briefe Jacobsens, die dem deutschen Publikum teils in der ältesten, von Eugen Diederichs publizierten Leipziger Ausgabe und teils als Sonderpublikation[3] zugänglich wurden, betrachtet werden. Es war ganz natürlich, daß die von den glanzvollen Fin-de-siècle-

---

[2] Bd. III, 2. Aufl., 1962, S. 401.

[3] Briefe von J. P. Jacobsen, 2 Bd., 1919, übersetzt von Mathilde Mann.

Stimmungen und der abendlichen Schwermut der Dichtung Jacobsens faszinierten deutschen Leser auch einen Einblick in das Individuell-Einmalige, das Persönlich-Seelische wünschten. Man spürt aber überall eine schwere Enttäuschung. Zitiert sei nur Ernst Jokuff: »Einen Einblick in den Schacht seines Geistes gewähren sie (die Briefe) nicht.«[4] Daß Jacobsens Briefe zahlreiche Allusionen enthalten, welche die meisten ausländischen Leser unmöglich haben deuten können, da sie selbst den dänischen Kennern manchmal Schwierigkeiten bereiten, ist in dieser Editionsform wenig überraschend. Das spezifisch Jacobsensche liegt in den parodischen Sprachspielereien, in den besonders beliebten Pars-pro-toto-Formulierungen, in dem bis ins Manieristische gesteigerten Impressionismus und in der Vorliebe für Humoristisches im Spiegel der Groteskkunst. Wenn diese Briefe sogar einen vollen Kontrast zu den Briefen Rilkes bilden, ist die Ursache ganz besonders in der alles durchdringenden Ironie zu suchen. Der sehr reservierte Jacobsen bemühte sich, durch fortwährende Verhüllungen und Ablenkungen alles Seelische zu tarnen. »La grande tristesse« und seine artistische Sensibilität blieben dem Werk vorbehalten. Die Wirkungen dieses Narkotikums blieben nicht aus.

»Aber gerade um dieser Sanftmut, dieser geheimen lyrischen Zärtlichkeit willen haben wir damals Jens Peter Jacobsen geliebt wie keinen andern. Er war uns der Dichter der Dichter ...« Der leidenschaftliche Jünger, der hier beichtet, heißt Stefan Zweig, der ein Nachwort zu Ottomar Enkings 1925 in Leipzig erschienenen Niels-Lyhne-Übersetzung schrieb. Ein anderer, in menschlicher wie auch in sozialer Hinsicht von Stefan Zweig völlig verschiedener Dichter, ein Künstler, der zu sagen wünschte, wie er litt, fand gleichfalls in Jacobsen seinen Trost und seine Hoffnung: »und nachdem die Werke Jacobsens mich auf eine bis heute nachreichende Weise erschüttert hatten, begann ich auch die ersten Novellen zu schreiben«[5]. Man könnte hier leicht so zahlreiche Bekenntnisse häufen, daß es keineswegs möglich ist, dem »Literarischen Echo«, 1922, jenen »Dänischen Brief« übelzunehmen, in dem es heißt: »Jacobsen, der am 7. April seinen 75. Geburtstag hätte feiern können, bedeutet seiner Heimat heute viel weniger als seinem Adoptivvaterlande Deutschland.« Als Berichterstatter kann ich hinzufügen, daß der 100. Geburtstag nicht zuletzt in Jütland im höchsten Grade still und ruhig verlief. Falls der Forscher vor allem die Beichten und die Bekenntnisse sowie die Vorreden und

---

[4] Vgl. Jens Peter Jacobsen, 1910, S. 65.
[5] Vgl. Ernst Wiechert, Wälder und Menschen, 1936, S. 239.

die Nachworte zu den vielen Jacobsen-Ausgaben zitiert, entsteht ein gewiß glanzvolles, aber gleichzeitig recht einseitiges Jacobsenbild.

In den literarhistorischen Darstellungen, in denen der dänische Dichter nur einen Markstein unter vielen bildet, ist der Ton, und dies auch vor dem Ersten Weltkrieg, oft wesentlich kühler und skeptischer; so heißt es z. B. bei Carl Busse[6], daß die Novelle »Mogens« »am hellsten und gesündesten« ist. Das Wort »gesund« signalisiert die Wertungsrevolution, die Dialektik zwischen der echten Dichtung und der Kunst des Verfallsmenschentums, und so überrascht die Charakteristik Niels Lyhnes als »ein willenloser Schwächling« keineswegs. Im Lager der »Kerndeutschen« wurde Jacobsen, wie zu erwarten, nicht mit offenen Armen empfangen. Unter diesen Umständen könnte man sich darüber wundern, daß die für die Entwicklung entscheidende umfassende Ausgabe des als Atheist verrufenen Dichters Jacobsen gerade bei Eugen Diederichs, der für eine nationale und religiöse Kulturgesinnung eintrat, erschien. Das Rätsel löst sich, wenn man sich daran erinnert, daß dieser führende Verleger gerade damals die begeisterte Jacobsenschülerin Helene Voigt-Diederichs heiratete[7]. Helene Voigt-Diederichs wurde bei Eckernförde geboren, Tim Kröger bei Rendsburg und Gustav Frenssen im Südwesten, in Barlt in Dithmarschen. Alle waren sie von Jacobsen beeindruckt, dessen elegische Stilkunst stellenweise vom Husumer Storm vorweggenommen worden war. So ist es bis zu einem gewissen Grad möglich, verwandte Stimmungswerte über die deutsche und die dänische schleswig-jütländische Halbinsel hin festzustellen. Eine von allem Erdgeruch entfernte Verfeinerung ins Schwerelose machte sich vor allem in der einsam-entlegenen nördlichen Kleinstadt Thisted geltend, und solche Potenzierungen und Differenzierungen bedingen die epochale Position Jacobsens, die in unserem Zusammenhang erheblich wichtiger ist als alle regionalen Konstellationen.

In dem oben erwähnten Überblick über »Die nordischen Literaturen« und ihre Beziehungen zur deutschen Literatur im »Aufriß« wird mitgeteilt, daß Jacobsen »eine der festesten Stützen des Naturalismus« wurde. Die hier zitierte Formulierung, die schon in Ph. Schweitzers dreibändiger »Geschichte der skandinavischen Litteratur« (1885) zu finden ist, muß als eine pointierte Betonung der in allen alten und neuen dänischen Hand- und Lehrbüchern kodifizierten Positionsangabe betrachtet werden, die als das proton pseudos der Jacobsenforschung zu werten ist. Wenn Jacobsen ein so ausgesprochener

---

[6] Geschichte der Weltliteratur, Bd. II, 1913, S. 462.

[7] Näheres über ihre Jugenddichtung bei Ruth Schmidt-Wiegand, Beiträge zur deutschen und nordischen Literatur, S. 369 f.

Naturalist wäre, würden sich alle Fäden zwischen ihm und seinen deutschen Kollegen verwirren. Warum hat er nicht Gerhart, sondern Carl Hauptmann beeinflußt und warum nicht den konsequenten Naturalisten Holz beeindruckt, sondern Johannes Schlaf, als dieser Impressionist wurde? Im Zeichen des Impressionismus steht ferner die geistige Begegnung zwischen Eduard von Keyserling und den beiden Dänen Herman Bang und Jacobsen. Schon der erste Roman Max Dauthendeys, »Josa Gerth«, spiegelt Jacobsen wider. Daß sich dieser berauschte Farbenkünstler und Synästhetiker für Jacobsen interessierte, bedarf keiner Erklärung. Die Wachstumsmöglichkeiten des Naturalismus waren in der österreichischen Literatur bekanntlich nur gering, aber umso kräftiger blühte ein stimmungs- und traumbetonter Impressionismus. Schon Grillparzers und Ferdinand von Saars psychologisierende und nuancierende Kunst bereiteten den Boden für den Empfang Jacobsens, dessen Spuren man sowohl bei den größeren (Hugo von Hofmannsthal und Stefan Zweig) als auch bei den kleineren Schriftstellern (O. Stoeßl u. a. m.) findet.

Hätte Jacobsen nicht als Epiker und ganz besonders als Lyriker jeden Rahmen eines Naturalismus gesprengt, würde der schon einleitungsweise hervorgehobene Enthusiasmus Rilkes für ihn als ein völlig unerklärliches Rätsel dastehen. Was die Aufnahme Jacobsens in Deutschland betrifft, hat Rilke als überragende Gestalt beinahe die ganze internationale Forschung aufgesogen, und es genügt deshalb hier, auf die besonders tiefschürfenden Leistungen — z. B. von Werner Kohlschmidt und Else Buddeberg — hinzuweisen. Eine offenbare Schwierigkeit in diesen vergleichenden Betrachtungen lag darin, daß die Erkenntnis der geistes- und stilgeschichtlichen Position Jacobsens meistens nur bruchstückhaft möglich war und daß ein Überblick über seine sprachstilistische Leistung eine völlige Beherrschung der dänischen Sprache (nebst der dänischen Sprachgeschichte) voraussetzt. Da die sehr umfassende Forschung auf die von Rilke radikal überbetonten Ähnlichkeiten zwischen ihm und seinem dänischen Leitbild visiert ist, dürfte hier eine kurze Korrektur nicht überflüssig sein. Es haben sich gewiß beide im Farbenglanz der impressionistischen Gemälde und in den aus den feinsten Lichtwirkungen und den leisesten Düften geborenen Lebensstimmungen getroffen, aber schon hier kann man hinzufügen, daß Jacobsens Stilabsichten nicht eben in den »armen Worten, die im Alltag darben«, lagen. Rilkes Immanenz-Transzendenz-Problem ist nichts weniger als einfach[8], und was Jacobsen betrifft, so vermittelt

---

[8] Vgl. die Hinweise Käte Hamburgers in: Rainer Maria Rilke, 1949, S. 15 f., in schwedischer Sprache.

der Begriff »Atheismus« keine reine Lösung. Wie die beiden darin keineswegs Hand in Hand gingen, so divergierten sie auch im Erlebnis der Urprobleme Mann-Frau, Natur-Großstadt und Kindheit-Mannesalter. Jacobsen hat seine übrigens recht banale Kindheit durchaus »geleistet« (vgl. die Schilderung der Kinderspiele in »Niels Lyhne«), und niemals erlebte er eine Großstadt »bis an den Rand voll Traurigkeit«. Die Sehnsucht nach den Straßen und den Plätzen und nicht zuletzt den Cafés Kopenhagens muß vielmehr als ein Leitmotiv seiner Briefe bezeichnet werden.

In einem eingehenden dänisch-deutschen Vergleich der beiden Künstler ist es reizvoll zu erkennen, wie die Wörter und Begriffe, und besonders die Grundbegriffe Leben und Tod, bei Rilke eine neue Dimension, eine Tiefenperspektive gewinnen, die man bei Jacobsen vergebens sucht. Nachzuweisen, in welchem Grad existentialistische Grundzüge Jacobsens Sein kennzeichnen, muß einer größeren Darstellung der Dichtung Jacobsens vorbehalten werden — eine solche hofft der Schreiber dieser Zeilen später in deutscher Sprache liefern zu können. Es unterliegt aber keinem Zweifel, daß einige der »tiefsten« und immer wieder zitierten Formulierungen Jacobsens nicht unter einem existentialistischen Aspekt, sondern in einer stilistisch-artistischen Perspektive gesehen werden müssen, so, um hier nur ein Beispiel zu geben, das Ende des Niels-Lyhne-Romans: »Og endelig *døde* han da *Døden*, den vanskelige *Død*« — und schließlich starb der Held dieses Romans den Tod, den schwierigen Tod. Es läßt sich nachweisen, daß die in diesem dänischen Satz dominierende figura etymologica (die sich in diesem Falle nicht ins Deutsche übersetzen läßt) auch sonst von Jacobsen bevorzugt wird. Es wäre deshalb irreführend, an dieser Stelle den Mythos vom »eigenen Tod« zu bemühen.

Während Jacobsen in der skandinavischen Forschung bis vor kurzem in der positivistischen Sackgasse gefesselt war, stand die deutsche Assimilation derart im Zeichen des Irrationalismus, daß in der deutschen Forschung ein ähnlicher positivistisch-naturalistischer Irrweg von vornherein ausgeschlossen war; es fragt sich aber, inwiefern eine solche Forschung überhaupt realisiert worden ist. Während in der Bang-Forschung schon 1937 eine aufschlußreiche Monographie, nämlich Ulrich Lauterbach »Herman Bang. Studien zum dänischen Impressionismus«, publiziert wurde, ist für die Jacobsen-Forschung ein ähnlicher Hinweis nicht möglich, mag auch schon im ersten Jahrzehnt dieses Jahrhunderts immer wieder von einem zu schreibenden Jacobsen-Buch die Rede sein: »... ein ›Jacobsen-Buch‹: ja, daß ich es einmal mache, ist sicher«[9];

---

[9] Rilke an Axel Juncker, 12. Juni 1906.

»... gerade bei meinen liebsten Plänen will ich durch keinen Anstoß von außen gestört sein, durch keinen Termin beschränkt ... Wenn mein Jacobsen-Buch einmal wird, dann soll es *mein* Jacobsen-Buch werden und rücksichtslos von innen heraus wachsen, sich formen und entfalten dürfen —«[10]. Falls es Rilke gelungen wäre, neben das Rodin-Buch ein Jacobsen-Buch zu stellen, wäre es zweifelsohne ein höchst interessantes Dokument geworden. Allerdings hätte der Forscher, wie es schon aus dem letzten Zitat hervorgeht, sozusagen mit umgekehrten Vorzeichen werten müssen, denn es wäre gewiß dank seiner Akzentuierungen ein sehr aufschlußreicher Beitrag zum Rilkeverständnis geworden. In diesem Zusammenhang ist hervorzuheben — wiederum muß auf Lydia Baers Archivmaterial (S. 1148 ff.) hingewiesen werden —, daß es durchaus kein Zufall ist, daß Rilke u. a. »Græenland«, ein klassisch-elegisches Gedicht Jacobsens und »Ellen«, ein von Mitleid getragenes Wahnsinnsgedicht übersetzt hat, während Stefan George Jacobsens monumentales Prunkgedicht »Marine« (»See-Stück«) wählte. Wenn sie sich beide in der Übersetzung von »Arabesk til en Haandtegning af Michel Angelo« begegneten, hängt dies einfach damit zusammen, daß es sich um die poetische Gipfelleistung Jacobsens handelt (vgl. im Hinblick auf George »Blätter für die Kunst« Bd. 1, Neudruck 1968, S. 152 ff.).

Angesichts des lebhaften deutschen Interesses für Jacobsen am Anfang des 20. Jahrhunderts mußte ein deutsches Jacobsen-Buch publiziert werden. Die Leistung Hans Bethges — »Jacobsen« (1905) — ist höchst bescheiden. Da die subjektiven Mängel dieses neuromantischen Schriftstellers keine positive Bedeutung haben, sei nur erwähnt, daß er Fiktion und Wirklichkeit verwechselt, und die briefliche Ironie Jacobsens als vollen Ernst auffaßt, weshalb die Dänen als träge, tatenlose Träumer charakterisiert werden. Auch in der späteren deutschen Jacobsenforschung spielt das Volkstypologisch-Seelengeographische mitunter eine recht bedenkliche Rolle. In der schon zitierten Jacobsen-Monographie Ernst Jokuffs wird der Dichter bereits auf der ersten Seite als »ein Träumer und ein Müßiggänger« vorgestellt. Dagegen läßt sich anführen, daß sehr eingehende und gründliche Archivstudien den bunten geschichtlichen Roman »Marie Grubbe« einleiteten, und daß die späteren und ganz besonders die spätesten epischen Beiträge aus einem zähen Ringen mit dem Tode hervorgegangen sind. Während die hier gestreiften Studien nur noch als Material zur Wirkungsgeschichte erwähnenswert sind, ist die einfühlende, an künstlerisch ergiebigen Beobachtungen reiche Hamburger

---

[10] 1904 an Arthur Holitscher, vgl. Lydia Baer, a. a. O., S. 1143.

Dissertation Betty Heimanns, »Darstellung der Frau bei Jens Peter Jacobsen« (1932), noch heute wissenschaftlich brauchbar. Von den führenden Vertretern der geistesgeschichtlichen Ära der deutschen Forschung hat sich nur Walther Rehm dem dänischen Lieblingsdichter gewidmet, und zwar im dritten und letzten Teil der großzügigen, 1947 erschienenen ideengeschichtlichen Darstellung »Experimentum medietatis«. Die Gontscharow- und Jacobsen-Untersuchungen erschienen ferner in ergänzter Form 1963 unter dem Titel »Gontscharow und Jacobsen oder Langeweile und Schwermut«. Wie es schon der lateinische Titel andeutet, ist die Haltung des Verfassers antiindividualistisch und folglich auch antiästhetizistisch. Im Zentrum steht die Schwermut und ihre Genealogie, steht der für Rehm maßgebende Entwicklungsprozeß von der mittelalterlichen acedia zu der neuzeitlichen gottentfremdeten Melancholie. Trotz seiner erstaunlichen Belesenheit ist Rehm jedoch nicht imstande, die geistesgeschichtlichen Konturen des, wie es heißt, traumkranken, hamlethaften dänischen Volkes nachzuzeichnen, denn das dänische Geistesleben des 19. Jahrhunderts ist für Rehm in einem solchen Grad auf Kierkegaard konzentriert, daß dieser Aspekt seine ganze Sicht färbt; so wundert es nicht, daß die sich gegenseitig aufhebenden Formulierungen sich allmählich häufen. Es liegt auf der Hand, daß der den Positivismus und den Rationalismus auflockernde Impressionismus, der in den folgenden Erörterungen als wegweisend betrachtet wird, für Rehm nebensächlich war.

Während der »Forscher« Rilke eingehende Kenntnisse der dänischen Sprache als unabdingbare Voraussetzung für eine Studie über Jacobsen betrachtete, haben die eben besprochenen Literaturhistoriker mit Ausnahme von Betty Heimann eine solche Forderung ignoriert und also auch die dänische, schwedische und norwegische Sekundärliteratur völlig ausgeklammert. Es stellt sich die grundsätzliche Frage, in welchem Grad Jacobsen — »Dänemarks größter Sprach- und Stilkünstler« (Jokuff, S. 64) — in einem fremden Sprachkleid noch lebt. Wenn »Marie Grubbe« als Gegenstand dieser nur kurzen Orientierung benutzt wird, ist allerdings hinzuzufügen, daß dieser gleichzeitig geschichtliche und psychologische Roman vermutlich als das dänische Wortkunstwerk mit dem relativ reichsten Wortschatz betrachtet werden muß — Computeruntersuchungen liegen freilich noch nicht vor. Prinzipiell ist zu unterscheiden zwischen Stilzügen, die sich als unübersetzbar erweisen, und Stileigentümlichkeiten, die unermüdlich arbeitende Übersetzer voraussichtlich werden retten können. In unserem dänisch-deutschen Zusammenhang gehören in die erste Gruppe die Dialoge, deren deutsche Worte und Ausdrücke das geschichtliche Kolorit unterstreichen. In derselben Richtung arbeitete Jacobsen, wenn er zwar dänische Worte, aber in einer veralteten, vom deutschen Ursprung geprägten Bedeutung oder Form benutzte. Ganz besonders liebte er »fornumftig« statt »fornuftig«. Die Übersetzer sind immer wieder der gewiß sehr verständlichen Versuchung erlegen, daß anormale dänische Wort mit dem verwandten farblos deutschen wiederzugeben, und auch sonst blühen die Malerisches und Suggestives aufhebenden Normalisierungen. Der Jütländer Jacobsen hat an einzelnen Stellen, um Soziales zu profilieren, mundartliche Gesprächsformen auftauchen lassen, und hier sind die Übersetzer auf der Hut gewesen. So hat z. B. Helene Voigt-Diederichs das Holsteiner Platt angewandt. Aber gerade in diesem Punkt ist Jacobsen, der immer wieder stundenlang um »le mot juste« rang, durchaus nicht konsequent. Was schließlich das impressionistische Stil- und Strukturgefüge in »Marie Grubbe« und in den anderen epischen Dichtungen Jacobsens betrifft, so wäre es keine undankbare Aufgabe, die zahlreichen germanischen (die deutschen, englischen und niederländischen) und romanischen (die französischen, italienischen und spanischen) Übersetzungen heranzuziehen, um festzustellen, in welchem Ausmaß die Sprache als solche die Lichtwirkungen, Tönungen und die verschwimmenden Stimmungen wiederzugeben vermag. Wenn man die deutschen Übersetzungen Jacobsens benutzt, können fortwährend vorzügliche Resultate gebucht werden.

In bezug auf den internationalen Ruhm Jacobsens steht ebenso wie im Falle Andersens und Kierkegaards Deutschland ganz an der Spitze; was die anderen Kulturen betrifft, geht der Weg zu Jacobsen öfters über Deutschland, so z. B. bei dem Jacobsenliebhaber und -nachahmer Jean Giraudoux. Deshalb könnte man hier auch die Frage streifen, wie sich Jacobsen zu Deutschland und der deutschsprachigen Literatur stellte. Bekanntlich meldet sich der nicht allzu tätige Held Niels Lyhne als Freiwilliger im Krieg gegen Deutschland 1864. Die Briefe Jacobsens verraten jedoch keine nationalistische Begeisterung; so hat ihn z. B. der Rückzug de Mezas vom Danewerk wenig erregt. In »Niels Lyhne« ist das Entscheidende das Ende einer recht fragwürdigen Lebensbahn und keineswegs etwas national Erbauliches. Schon als junger Mensch war Jacobsen sehr belesen. Daß ihm Werke Wielands und Schillers und besonders Goethes und Heines durchaus vertraut waren, sonderte ihn aber nicht von den gebildeten Zeitgenossen ab. Bemerkenswerter ist seine Lektüre von Immermanns, Gutzkows, Heyses und Spielhagens epischen Werken und geradezu verblüffend sein scharfes Urteil über »Der grüne Heinrich«[11]; dies ganz

---

[11] Brief an Edvard Brandes vom 29. Juni 1882.

besonders, wenn man bedenkt, daß er z. B. von Henriette von Paalzow, die er in »Niels Lyhne« verewigte, mehrere Romane las.

Das Mißverhältnis zwischen dem deutschen Jacobseninteresse und der vorhandenen deutschen Jacobsenforschung leuchtet ein. Erst 1968 wurde das erste umfassende nicht-skandinavische Werk über Jacobsen geschrieben, jedoch kein deutsches, sondern Frédéric Durands manchmal gut informiertes und glänzend formuliertes Buch »Jens Peter Jacobsen ou la gravitation d'une solitude«, das dennoch letzten Endes einer gründlichen Kritik nicht standhält. In der dänischen Jacobsenforschung gibt es natürlich Forscher — erwähnt seien Georg Christensen, Hans Brix und ganz besonders Oluf Friis — deren jahrzehntelange intime Beschäftigung mit Jacobsens Leben und Wirken sehr wertvolle und nicht zu vernachlässigende Beobachtungen zutage gefördert hat. Wer von der Germanistik herkommt, betrachtet jedoch trotz dieser Leistungen mit einem gewissen Befremden die umfangreiche, aber zerstreute Jacobsen-Sekundärliteratur Skandinaviens. Denn in dieser Forschung, und keineswegs nur in der älteren, werden auf Hunderten von Seiten die etwaigen Vorbilder und Lebensmodelle Jacobsens erörtert. Das »Verstehen« ist hier häufig radikal naturwissenschaftlich orientiert. Entscheidend ist selbst angesichts dieses ausgesprochenen Artisten nicht das künstlerische Sein, sondern ein kausal erklärtes Werden, weshalb sich die Forscher in erster Linie das Ziel setzen: »voir venir les choses«. Auch Brita Tigerschiölds stoffreiches schwedisches Werk »J. P. Jacobsen och hans roman Niels Lyhne« (1945), das nicht zuletzt die ideengeschichtlichen Zusammenhänge erforscht, arbeitet mit einem kausalen und keinem ideellen Nexus. Wenn es auch gelungen ist, einen Entwurf Jacobsens zu finden (vgl. das eben erwähnte Werk S. 49), in dem gewisse Buchstaben gewisse Personen vermuten lassen, so hat der Dichter ein solches veristische Verfahren niemals realisiert. Hinzu kommt die verwandelnde, die Wirklichkeit stilisierende Kraft seiner Stilform. Dank der Dominanz der naturwissenschaftlichen Einstellung gewannen die populärwissenschaftlichen Darwinistischen Schriften Jacobsens eine Bedeutung, die sie überhaupt nicht verdienen; ja es hat sich sogar herausgestellt, daß der bei weitem umfassendste Beitrag, die sieben Kapitel über die Evolutionslehre[12] nur eine Übersetzung ist. Führende dänische und schwedische Forscher (Vilhelm Andersen und Olle Holmberg) betrachteten besonders die Novelle »Mogens« als eine musterhafte Veranschaulichung einer Darwinistischen Menschenschilderung. Wenn Mo-

---

[12] Vgl. die maßgebende dänische Ausgabe, die von Morten Borup herausgegebenen »Samlede Værker«, Bd. 5, S. 247—379.

gens im Rückblick auf das erste Kapitel, das neue Möglichkeiten einer impressionistischen Technik in der dänischen Stilgeschichte illustriert, als »Regnvejrsmand« bezeichnet wird, so ist das ephemere Kompositum »Regenwettermann« durchaus nicht als Ausdruck einer darwinistischen, sondern einer impressionistischen Haltung zu interpretieren. Mit der naturwissenschaftlichen Einstellung ist die medizinische, sexualpathologische Auffassung der Dichtung Jacobsens verwandt. Frederik Nielsens Werk »J. P. Jacobsen. Digteren og Mennesket« (1953), die ausführlichste dänische Darstellung, geht von Krafft-Ebing aus und ist darauf konzentriert, die lyrischen und epischen Dichtungen Jacobsens in das Prokrustesbett der Algolagnie hineinzupressen. So werden Stil und Struktur, diese beredten Zeugnisse einer Überwindung des Naturalistisch-Veristischen, als etwas ganz Nebensächliches betrachtet.

Die tiefgreifendste Ursache, warum Jacobsen als Künstler dänischerseits in einem völlig inadäquaten Licht betrachtet worden ist, muß noch berührt werden. Sowohl brieflich als auch persönlich verkehrte Jacobsen in erster Linie mit Edvard Brandes, der als naturalistischer Propagandist und modernistischer Gesellschaftskritiker noch radikaler war als sein berühmterer Bruder Georg, mit dem Jacobsen korrespondierte und dem er öfters begegnete. Georg Brandes' Universitätsvorlesungen über die Hauptströmungen der europäischen Literatur bewirkten, daß die dänischen literarischen Begegnungen und kritischen Auseinandersetzungen die Gestalt zweier unversöhnlicher Fronten gewannen. Wer die zahlreichen zeitgenössischen Zeitungsrezensionen der Hauptwerke Jacobsens heranzieht, erkennt sofort die hartnäckige Frontstellung der vielen Vertreter von überlieferten bürgerlich-biedermeierlichen Idealen. Wer mit den Brüdern Brandes verkehrte und sogar in »Litteratursamfundet«, einer radikal-modernistischen Gesellschaft, mehrmals auftauchte, war als Dichter von vornherein gestempelt und wurde mit den Naturalisten identifiziert. Die vielen Zeugnisse in den Briefen[13] und in den Dichtungen (auch inhaltlich, der atheistische Arzt Hjerrild in »Niels Lyhne« ist politisch konservativ) dokumentieren, daß der Bruch mit der Überlieferung keineswegs als ein Gravitieren des ausgesprochenen Individualisten Jacobsen in eine neue und noch doktrinärere Kampfgruppe aufgefaßt werden kann; sie wurden allerdings nur zu häufig übersehen. Es ist das Verdienst Jørgen Ottosens, in dem Buch »J. P. Jacobsens ›Mogens‹« (1968) die Emanzipation Jacobsens von den brandesianischen und darwinistischen Tendenzen sehr gründlich nachgewiesen zu haben, mögen auch diese Auseinandersetzungen nur als

---

[13] Vgl. besonders den Brief an Edvard Brandes vom 30. März 1880.

Vorstufe einer gewiß neuen, aber völlig verfehlten, mythisch-magischen Interpretation der Novelle »Mogens« dienen.

Die zu erwartende Folgeerscheinung der energisch addierenden Mosaik-
forschung ist die Vernachlässigung aller synthetischen Bestrebungen, weshalb
epochale Begriffe nur als Scheidemünzen betrachtet werden. Noch leerer als
der weite dänische Begriff »romantik« ist »efterromantik«. Einen wirklichen
Inhalt bekommen die sogenannten »nachromantischen« dänischen Tendenzen
erst, wenn sie unter dem Aspekt des Biedermeiers gesehen werden. Keine
andere Strömung hat auch nur annähernd intensiv der dänischen Kunst und
dem dänischen Leben im 19. Jahrhundert ihren Stempel aufgedrückt, und so
wurden immer wieder Wesenszüge des Biedermeiers als Wesenszüge des
Dänentums verstanden. Da die dänischen Literaturgeschichten in hohem
Grade im Nacheinander der Porträts ihr Ziel gefunden haben, sei hier auf den
orientierenden Artikel »Biedermeier og romantismen« in der Zeitschrift
»Kritik«[14] hingewiesen.

Wie oben angedeutet, hat der »Modernist« Jacobsen den Rahmen des Biedermeier gesprengt. Schon das Elternhaus mit dem wenig gebildeten Vater
atmete nicht die angeblich so traute biedermeierliche Stimmung — man
könnte hier Fontanes Aufenthalt in Swinemünde zum Vergleich heranziehen.
Die dänische Biedermeiertradition war aber so organisch mit der ganzen Kultur
verbunden, daß auch der junge Jacobsen nicht dagegen gefeit war. Eine
schlichte Biedermeierhaltung spürt man in den Weihnachtsbriefen an die
Eltern, in seinen künstlerischen Wertungen — Philine und die »Römischen
Elegien« finden keine Gnade — und auch in seinen ersten Gedichten wie z. B.
in dem Gedicht »Til min Moder« (»An meine Mutter«), das den Zyklus
»Herverts Sange« einleitet. Der Gedichtzyklus als solcher stand bekanntlich
im besten Einklang mit den harmonisierenden Kunstabsichten des Biedermeier; es ist aber symptomatisch, daß in diesen Traumgedichten die zerstö-
rerischen Mächte schließlich den Sieg davontragen. Besonders tief in der lyrischen Tradition Dänemarks verwurzelt ist der Zyklus »Gurresange«, den
Rilke zum Teil übersetzt hat[15], aber selbst hier überschreitet Jacobsen durch
seine Betonung der luziferischen Reaktion Valdemars die Grenzen des Biedermeier. Hinzu kommt die Jacobsen kennzeichnende höchst differenzierende
Sprachkunst. Die Überwindung der Formtraditionen gipfelt in lyrischen
Arabesken, in denen sich selbst die so geliebten Blumen verwandelt haben, und

---

[14] Bd. 7, 1968; vgl. auch JEGPh., Bd. 64, 1966, S. 359f.
[15] Vgl. Lydia Baer, a. a. O., S. 1153—1158.

zwar in der Art, daß die giftige Lilie in der Pan-Arabeske »Har du faret vild i dunkle Skove?« die lähmende Welt des Wahnsinns symbolisiert. Wenn, wie z. B. in »Monomani«, Töne, die an Poe anklingen, hörbar werden, dann ist schließlich die absolute Gegenposition zu aller Biedermeierlyrik erreicht.

Daß die komplizierte Prosakunst Jacobsens als Gesamterscheinung die Formen und die Normen des Biedermeier überwunden hat, ist klar, aber gerade eine Untersuchung der Vielschichtigkeit dieser Wortkunst zeigt, daß es biedermeierliche Restbestände gibt, die keineswegs als Fremdkörper wirken; denn die künstlerische Absicht ist offenbar. Die menschenwimmelnden Szenen in »Marie Grubbe«, z. B. im dritten Kapitel, in dem Jacobsen die Massensuggestion der Kriegspsychose entlarvt, zeigen höchst eindrucksvoll die artistischen Möglichkeiten des historischen Romans. Daneben gibt es in diesem zugleich psychologischen Roman Szenen, in denen sich die Heldin zurückgezogen hat, sei es in eine Fenstervertiefung oder in das *kleine* Zimmer des norwegischen Schlosses Aggershus — Marie Grubbe ist zu dieser Zeit (vgl. den Anfang des 12. Kapitels) die Gemahlin des norwegischen Statthalters. Dieses kleine Zimmer wird, so teilt uns Jacobsen mit, »Die Dose« genannt. M. Borup ist es in seinem Kommentar nicht gelungen, ein diesen Namen tragendes Zimmer in Aggershus aufzuspüren. Hier herrscht die Fiktion, die einen ganz bestimmten Sinn hat. Hier hat Jacobsen alle Register seiner Stilkunst benutzt, um eine echte Biedermeierstimmung zu beschwören. Draußen donnern die mächtigen Windstöße, drinnen hat sich das Feuer »mit brummendem Wohlbehagen breit über Kohlen und Asche und Gluten« gelegt. Die eingehende Deskription wird nicht nur impressionistisch intensiviert; Jacobsen hat, wie man sieht, auch hier Zuflucht zur dingbeseelenden Stilform Andersens genommen. Der folgende Dialog zwischen Mann und Frau, ein Dialog, der schon rein formal die Kontraste betont, ist der Bericht über eine einst brennende, aber nun erloschene Liebe. Hier wird deutlich, wie sehr Jacobsen das Dialektische im Aufbau der Einzelszene hervorhebt.

Da in der Jacobsenforschung die positivistischen und die belletristischen Studien dominieren, war es nötig, die für jede Gestaltanalyse entscheidenden geistesgeschichtlichen Grundlinien herauszuarbeiten. Ein Verweilen bei den epischen Baugesetzen des Prosawerkes Jacobsens ist hier ausgeschlossen. Möglich ist nur, in kurzen Streifzügen gewisse Umrisse anzudeuten. Das Erzählwerk Jacobsens zeichnet sich nicht durch Quantität, sondern durch Qualität aus. Die Inkubationszeit des historischen Romans dauerte drei Jahre, »Marie Grubbe« erschien 1876. Den Anfang des Romans »Niels Lyhne«

schrieb Jacobsen schon 1874, aber fertiggestellt wurde dies Werk erst Anfang Dezember 1880. Zwei Jahre später publizierte er eine Gesamtausgabe seiner übrigen epischen Arbeiten, und zwar unter dem Titel »Mogens og andre Noveller«. Schon das Wort »Novelle« enthält eine Fülle von Problemen, denn die Strukturunterschiede zwischen den sechs Prosakunstwerken sind erheblich.

Hätte Jacobsen in einem sachlich öden, die Wirklichkeit rekonstruierenden Stil geschrieben, wäre er seinen deutschen Kollegen vorausgeeilt. Jedoch noch weiter vorne liegt der Impressionist Jacobsen. Daß gerade Skandinavien einen guten Nährboden für die Eindruckskunst, jedenfalls in der Dichtung, darbot, verraten schon Namen wie Jonas Lie und Herman Bang. Aus einem Vergleich zwischen Jacobsen und Bang geht der Reichtum der Entfaltungsmöglichkeiten des Begriffes Impressionismus eindrucksvoll hervor. In dieser Verbindung ist vor allem zu betonen, daß die realistisch-veristische, panoramische und szenische Manifestationsform des Impressionismus, in der eine scheinbar nebensächliche Geste oder sogar ein wenig artikuliertes Wörtchen den menschlichen Habitus einer auftretenden Person erhellen, nicht die Prosa Jacobsens kennzeichnet. Nur selten steht bei Jacobsen ein Tischgespräch im Zentrum einer Szene. Ein solcher Ausnahmefall kommt gegen Ende des siebten Kapitels in »Marie Grubbe« vor, aber im Gegensatz zu den Ensembleszenen der vielen Mittagsgesellschaften bei Bang fehlt das spielende und sprudelnde Feuerwerk der Konversation. Dafür ist die mühsam archaisierende Dialogführung viel zu manieristisch.

Der Impressionismus Jacobsens ist in einem viel höheren Grad als bei Bang innerweltlich bedingt, was die Brüder Brandes besonders bedauerten. Wenn der farbenfrohe Jacobsen die abendlichen Lichtwirkungen der von den Schweden belagerten dänischen Hauptstadt zeichnet, ist dies eine selbstverständliche Begleiterscheinung des Gesehenen. Für Jacobsen typisch sind insbesondere diejenigen Stellen, wo das Flimmernde und das Flammende, das Wehende und das Wogende ganz im Dienst einer seelischen Stimmung stehen, sei es nun die Szenerie einer mondbeschienenen, in Farben leuchtenden nordischen Sommernacht (»Marie Grubbe«, Kapitel 6) oder einer alle Sinne mit Düften umgaukelnden Frühlingsnacht (»Niels Lyhne«, Kapitel 7). Noch deutlicher wird die Entstofflichung des Impressionismus, wo die fächelnden Flügel der Erinnerung die Basis der Szenen bilden, die wie durch einen Nebelschleier beschworen werden (»Marie Grubbe«, Kapitel 4).

Rein äußerlich betrachtet, behandelt »Niels Lyhne« die dänische Wirklichkeit in den Jahren und Jahrzehnten vor der Niederlage auf den Düppeler Schanzen, aber gerade in diesem Werk, in dem neben dem Tod der Traum und

die Trauer die Hauptrolle spielen, muß eine durchgreifende Entwirklichung
festgestellt werden, weshalb der Titel der französischen Übersetzung aus dem
Jahr 1898, »Entre la vie et le rêve«, sowie derjenige der portugiesischen aus
dem Jahr 1946, »Entre a vida e o sonho«, durchaus nicht irreführend sind.
Daß eine sprachschöne Hingabe an ein unergründliches Traumland der Seele
sowohl im Süden wie im Norden die Neuromantiker und die Symbolisten
fesselte und faszinierte, liegt auf der Hand. Es bedarf ferner keines Hinweises
auf die erlebte Rede und den monologue intérieur, denn das sind ja besonders
dankbare Mittel, um das Unartikulierte, das Gleitende und Schwebende
herauszuarbeiten. Es muß dagegen unterstrichen werden, daß es sich letzten
Endes um eine janusköpfige Struktur handelt, denn die längst bekannten altmodischen Baugesetze springen sogleich in die Augen, und dies zumal in den
großen Szenen zwischen Niels Lyhne und Fennimore. Der Autor analysiert,
kommentiert und räsoniert, und selbst die vom Mitleid getragene Inter-
jektion fehlt nicht[16]. Nicht selten dominieren das Episch-Referierende und die
Aufschlüsse über die agierenden Charaktere derart, daß die Dialoge, falls es
sich nicht um die Angelpunkte handelt, stellenweise auf ein Minimum beschränkt sind.

Ebenso wie die Struktur verklammert auch der Stil dieses Romans Vergangenheit und Zukunft. Wer nachweisen möchte, wie sehr der Jungbrunnen
des Jacobsenschen Stils die dänische Wortkunst bereichert hat, müßte eine
ganze Stil-Monographie schreiben. Als Folgeerscheinung der manchmal
unerhörten Stildynamik wirken längst legitimierte Stiltraditionen ungehemmt
weiter. Einen absoluten Höhepunkt erreicht Jacobsen im sechsten Kapitel, in
dem er von dem großen idealistischen Jugendaufbruch spricht: »... der var
en Stormgangs Jubel i de unge Sjæle, og der var Tro paa store Tankestjerners
Lys ...« Eine Übersetzung liegt z. B. in den »Sämtlichen Werken« der Insel-
Ausgabe[17] vor, die aber sehr farblos wirkt und deren eine Wiedergabe nur
irreführend wäre. Wer den Sinn analysiert, erkennt ebenso wie in mancher
Barockanalyse, daß jede gedankliche Analyse verhängnisvoll ist. Wie im
Barock verkoppelt auch Jacobsen nicht selten Konkretes und Abstraktes, und
wie die Barockdichter — und später ein Ästhetizist wie d'Annunzio —
schwelgt er in Gold und Purpur. Georg Brandes war nicht völlig auf dem
Holzweg, als er zur Kennzeichnung des Stils des sonderbaren Jacobsen das
Wort »Gongorismus« benutzte.

---

[16] Vgl. Kapitel 11.
[17] S. 392.

Die Zeitgenossen Jacobsens hoben immer wieder hervor, daß seine beiden Hauptwerke zerbröckelten. Die Strukturanalyse des Romans hat längst solche »Mängel«, insofern sie überhaupt vorhanden waren, aufgehoben. Jacobsen hat außerdem selbst, unbekümmert um das nur äußerliche tektonische Kombinieren und Harmonisieren, den Wert des organischen Wesensgefüges betont. Hier kann nur auf das gewiß dankbare Thema, die geheimen Spiegelungen und Vorausdeutungen, kurz alle Vor- und Rückgriffe der beiden Werke zu eruieren, hingewiesen werden. Daß sich der Meister monumentaler und gleichzeitig fein ziselierter Episoden auch in den mittleren neben den ganz kurzen Erzählformen versuchte, überrascht nicht. Denn auch in bezug auf die Gattungen war Jacobsen ein so leidenschaftlicher Individualist, daß er sogar in »Niels Lyhne« (Kapitel 8) gegen die doktrinären Gattungssystematiker, an deren Spitze der Hegelianer J. L. Heiberg, polemisierte. Es sei in aller Kürze angedeutet, wie vielschichtig der Begriff »Novelle« bei Jacobsen ist.

Die Novelle »Mogens«, die aus dem Jahr 1872 stammende angebliche Programmschrift des dänischen Naturalismus, gerät nur allzu oft ins Sprunghaft-Kuriose, und das heißt: in einen direkten Konflikt mit naturalistischen Grundsätzen und mit dem Dogma der Wahrscheinlichkeit. Eine durch Induktion wesentlich stärker integrierte und konzentrierte mittlere Erzählform liegt in »Fru Fønss« (1882), der beliebten Spätnovelle Jacobsens, vor — Rilke liebte diese um ihr Glück ringende, frühvollendete Frau so sehr, daß er auch Avignon mit den Augen Jacobsens erlebte. Die in der »guten Gesellschaft« spielende Erzählung dürfte aber, wie auch manches bei Rilke, jetzt einigermaßen verblichen sein, jedenfalls hat die erhabene Heldin, die in »bewußt schöner Positur« im Salon ihren Jugendgeliebten erwartet, eine beunruhigende Ähnlichkeit mit den Heldinnen eines Paul Heyse.

Wie schon die Titel der besprochenen Werke Jacobsens zeigen, steht *eine* Person voll und ganz im Zentrum. Eine solche Einzelpersönlichkeit sucht man in »Pesten i Bergamo« (erschienen 1882) vergebens, und folglich hat sich die ganze Erzählstruktur geändert. In Freskogemälden veranschaulicht Jacobsen in den glühendsten Farben seiner Stilkunst das große Sterben des Spätmittelalters und die die Pest begleitenden blutigen Orgien christlicher oder blasphemischer Provenienz. Völlig unvereinbar mit dem von Rilke beschworenen Bild seines »großen Jens Peter Jacobsen« ist die Erzählung »Et Skud i Taagen« (1875), denn dieser »Schuß in den Nebel« des Dichters, der eifrig Pitaval studierte, nutzt rücksichtslos alle Spannungsmittel und nicht zuletzt das geheimnisvolle »Es« aus. Hier ist das Träumen in ein hemmungsloses, gnadenloses und deshalb novellistisch gestrafteres Handeln verwandelt, und keine Person vermag auf die Sympathie des Lesers Anspruch zu erheben, weshalb — um wieder Rilke ins Gedächtnis zu rufen — des Erinnerns zitterndes und süßes Nachklingen ausgeschlossen ist. Einer solchen Personengalerie gegenüber muß auch in der verschleiernden Form der erlebten Rede das auktoriale Referieren und seelische Kommentieren die Diktion beherrschen. Die ebenfalls gnadenlose Erzählung »To Verdener« (»Zwei Welten«, 1879), die den Umfang einer Kurzgeschichte nicht überschreitet, zeigt, wie weit sich der Erzähler Jacobsen von allem Verismus und Naturalismus zu entfernen vermochte, denn erstens wurzelt das Geschehen im Magisch-Mittelalterlichen, und zweitens steht das kleine Dorf an der Salzach so sehr im Zeichen einer — trostlosen — Stimmung, daß das allegorische Grundgefüge nicht zu übersehen ist. Wenn Jacobsen in »Doktor Faust« (1883), einem kleinen Fragment, zwei Reiter, einen purpurrot- und einen schwarzgekleideten, auftauchen läßt, ist die überwirkliche Grundstruktur dieser Skizze mit Händen zu greifen, denn die beiden Reiter sind Amor und der Sensenmann. Es ist aufschlußreich zu beobachten, wie der Impressionist Jacobsen selbst in dieser abstrahierenden und stilisierenden Kunst weiterlebt. So beleben bis in die Personifizierung hinein auch im Faustfragment die Verben Blumen und Bäume.

Das eigentümlichste Formgebilde Jacobsens, das nur mit einer generalisierenden Notlösung als »Novelle« bezeichnet werden konnte, ist, »Der burde have været Roser« (»Hier sollten Rosen blühen«, 1882). Hier hat sich eine comédie-proverbe in eine von Visionen getragene Skizze verwandelt, die zwischen Mann und Frau und zwischen Traum und Wirklichkeit oszilliert. Aus der grauen und grünen römischen Ebene steigt diese Vision heraus, deren »ursprüngliche Feinheit und Form« Rilke in seinem zweiten »Brief an einen jungen Dichter« pries, denn hier herrscht trotz aller hintergründigen Trauer wieder der schwebende Schönheitstraum. Trotz aller Rätselhaftigkeit dieses Kunstgebildes dürfte es jetzt möglich sein, auf geistes- und stilgeschichtlichem Weg die Geheimnisse dieses Prosastücks zu lüften. Das erlösende Wort in diesen Schilderungen mit ihren Marmortreppen, ihren heraldischen Lilien, für diese »Geschichte« von dem blauen und dem gelben Pagen heißt Jugendstil. In welchem Grad sich dieser Jugendstil bei Jacobsen bemerkbar macht (vgl. z. B. die Rolle des Meerweibes in seinen Werken), kann hier nicht erörtert werden. Die eigentliche Stilgeschichte Jacobsens ist eine noch zu lösende Aufgabe.

WALTER H. SOKEL

ZWISCHEN EXISTENZ UND WELTINNENRAUM:
ZUM PROZESS DER ENT-ICHUNG
IM MALTE LAURIDS BRIGGE

Durch den *Malte* zieht sich ein (jedenfalls scheinbarer) Widerspruch, der trotz der sehr verdienstvollen und erhellenden Arbeiten, die uns bereits vieles an der Deutung des Romans als gesichert erscheinen lassen[1], noch nicht genügend beleuchtet und geklärt worden ist. Dieser Widerspruch drückt sich am offensichtlichsten in der Gegenüberstellung der beiden Geschlechter aus, deren Blutmischung Malte seine Existenz verdankt — der väterlichen Linie der Brigges und der mütterlichen Familie der Brahes. Am klarsten tritt er in den beiden Großvätern und deren kontrastierender Haltung zum Tode in Erscheinung. Der alte Kammerherr Brigge stirbt seinen eigenen Tod, womit sich die Individualität und Authentizität seines ganzen Daseins kundtut. So wie er sind auch die anderen Menschen, ja selbst die Kinder, seines Geschlechts gestorben. Sie alle hatten ihren eigenen Tod, der Krönung und Vollendung ihres Lebens darstellte und dessen Einzigartigkeit bestätigte und erfüllte.

Im Widerspruch zu diesem existenziell authentischen Sterben steht aber nicht nur, wie oft hervorgehoben wurde, das uneigentliche, anonyme Massensterben in der modernen Großstadt, sondern auch die dem Brigge-Abschnitt folgende Nichtanerkennung des Todes auf Urnekloster, dem Sitz der Brahes. Während

---

[1] Vgl. besonders Else Buddeberg, Rainer Maria Rilke, Stuttgart, 1954; Otto Friedrich Bollnow, Rilke, Stuttgart, 1951, 2. erw. Auflage Stuttgart, 1956; H. von Jan, Rilkes Aufzeichnungen des Malte Laurids Brigge, Leipzig, 1938; Fritz Martini, Rainer Maria Rilke: Die Aufzeichnungen des Malte Laurids Brigge, in: Das Wagnis der Sprache, Stuttgart, 1954, S. 137—175; Ulrich Fülleborn, Form und Sinn der ›Aufzeichnungen des Malte Laurids Brigge‹, in: Reinhold Grimm (Hrsg.), Deutsche Romantheorien, Frankfurt, 1968, S. 251—273 (erste Veröffentlichung in Unterscheidung und Bewahrung. Festschrift für Hermann Kunisch, Berlin, 1961, S. 147—169); Ernst Fedor Hoffmann, Zum dichterischen Verfahren in Rilkes ›Aufzeichnungen des Malte Laurids Brigge‹, in: Deutsche Vierteljahrschrift für Literaturwissenschaft und Geistesgeschichte, 42, 1968, S. 202—230; Theodore Ziolkowski, Rainer Maria Rilke: The Notebooks of Malte Laurids Brigge, in: Dimensions of the Modern Novel, Princeton, 1969, S. 3—36 und Jutta Goheen, Tempusform und Zeitbegriff in R. M. Rilkes Die Aufzeichnungen des Malte Laurids Brigge, in: Wirkendes Wort, 19, 1969, S. 254—267.

bei den Brigges auf Ulsgaard alles von Individualität, Deutlichkeit und Unterscheidung kündet, herrschen auf Urnekloster die gegenteiligen Verhältnisse. Im großen Saal vergißt man die Tageszeit. Er »saugte mit seiner dunkelnden Höhe, mit seinen niemals ganz aufgeklärten Ecken alle Bilder aus einem heraus, ohne einem einen bestimmten Ersatz dafür zu geben« (730)[2]. Hier wird der Tod nicht anerkannt, weil der Zeitablauf, der das Dasein in drei getrennte Dimensionen — Vergangenheit, Gegenwart und Zukunft — einteilt, nicht anerkannt wird, so daß lang Verstorbene als Gäste erwartet werden können und tatsächlich erscheinen. Daß in diesem Aspekt des Romans die für den späteren Rilke so charakteristische Idee des »Weltinnenraums«, des Wegfallens der Schranken zwischen den Dimensionen der »gerichteten Zeit« zugunsten der Erfahrung der Einheit und Gleichzeitigkeit alles Seienden sich ankündigt, liegt auf der Hand[3]. Die Brahe-Sphäre ist eng verbunden mit dem Prosastück »Erlebnis« (1913), das die mystische Inspiration vom Anfang des Jahres 1912 beschreibt, die der Ausgangspunkt für die beiden ersten Duineser Elegien war, sich aber auch auf ein damals schon fünf Jahre zurückliegendes ähnliches Erlebnis Rilkes auf Capri bezieht, welches also in die Zeit seiner Arbeit am *Malte* fällt[4].

Was noch nicht genügend hervorgehoben worden ist, ist der Widerspruch zwischen der quasi-existenziellen, auf die Zukunft gerichteten Zeitdimension des Briggeschen Sterbens und der Gleichzeitigkeit allen Seins, die vor allem der alte Brahe voraussetzt. Symptomatisch für diesen Widerspruch sind die Abwehr und das Grauen, mit denen Maltes Vater, ein Brigge, den Vorgängen auf Urnekloster gegenübersteht.

Gewiß handelt es sich bei diesem Gegensatz zwischen Brigges und Brahes um zwei verschiedene Entwicklungsstufen in Rilkes Einstellung zum Tod und damit zum Dasein. Die Brigges leiten sich in diesem Zusammenhang ab von dem von Rilke umgeformten Ästhetizismus des Dänen Jacobsen, zu dem sich auch Züge von Nietzsches Denkart gesellen und vielleicht leise Anklänge an Kierkegaard bereits zu finden sind[5]. Dazu gehört die für die »Aufzeichnungen«

---

[2] Die im Text eingeklammerten Zahlen verweisen auf Seitenzahlen in Rainer Maria Rilkes Sämtliche Werke, Hrsg. vom Rilke-Archiv in Verbindung mit Ruth Sieber-Rilke besorgt durch Ernst Zinn, Sechster Band, Frankfurt, 1966.

[3] Vgl. die ausgezeichnete Analyse der Funktion der Zeit bei Rilke in Beda Allemanns Zeit und Figur beim späten Rilke, Pfullingen, 1961.

[4] Vgl. »Erlebnis / (I)—II)«, Bd. VI der Sämtlichen Werke, S. 1036—1042. Siehe dazu auch Allemann, a. a. O., S. 20—25.

[5] Vgl. dazu Buddeberg, a. a. O., S. 129, 139, 141, 150—151.

Maltes typische Verherrlichung der schöpferischen Einsamkeit. Hingegen deutet die Brahesche Sphäre, wie bereits erwähnt, voraus auf die Mystik des »Duino Erlebnisses«, ist aber auch verwurzelt in den quasi-pantheistischen Aspekten, die von Anbeginn in Rilkes Werk zu spüren sind und in immer verfeinerterer und sublimierterer Weise seine Entwicklung kennzeichnen und die schon erwähnte Zeitauffassung bestimmen. Der Widerspruch der beiden Häuser läßt sich dem von Ulrich Fülleborn als Strukturprinzip des Romans formulierten »Gesetz der Komplementarität« zuordnen[6]. Das Briggesche ist das Prinzip der auf einen Punkt hinwachsenden, organisch sich entfaltenden Gestalt, der unaustauschbaren Individualität, des »Eigenen«. Das Brahesche ist das Prinzip der Austauschbarkeit, des Ineinanderfließens der Formen und Zeitstadien, der Ununterscheidbarkeit, des alle Grenzen Zerfließen-Lassens, das sich in der überquellenden Gestalt der Mathilde Brahe ebenso zeigt wie in der dämmerigen Unbegrenztheit des Saales und der Unbestimmtheit, die die Persönlichkeit des Großvaters Brahe für Malte an sich hat, an dessen »in gewissen Momenten so scharfen und doch immer wieder aufgelösten Persönlichkeit kein bestimmter Name haften« zu können scheint (733). Dies ist das Gespensterhafte des Braheschen, das sich später bei den Schulins wiederholt. Zu dieser Gespensterhaftigkeit gehört auch das maskenhafte Lächeln, das Malte an seinem Großvater Brahe bemerkt, wie überhaupt das Masken- und Spiegelerlebnis mit Urnekloster verknüpft ist, da die Maske in den »Aufzeichnungen« Chiffre des Identitätsverlusts und der Ich-Überschreitung ist. Auch daß »das Eigene« mit der männlichen, das Verfließende mit der weiblichen Linie zusammenhängt, ist kein Zufall.

Eine analoge Kontrapunktik findet sich in Maltes Gottesbegriff wieder. Im 19. Abschnitt, der die »sieben Fragen« enthält, die mit »Ist es möglich?« eingeleitet werden, sieht Ernst Fedor Hoffmann mit Recht die erste Zusammenfassung der Themen dieses musikalisch strukturierten Romans[7]. Es ist dieser Abschnitt aber nur ein vorläufiger Schlußstrich unter die erste Seite des Widerspruchspaares. In ihm gipfelt das Briggesche Identitätsprinzip; es wird zum Absoluten erhoben. Gott erscheint hier als die äußerste Zuspitzung des »Eigenen«. In der rhetorischen Wiederholung der Frage »Ist es möglich?« spricht sich der Schrecken aus über eine Menschheit, die seit Jahrtausenden nur in Massen und Abstraktionen gedacht hat und jener tiefsten Wirklichkeit, die immer nur ein Einmaliges, Individuelles sein kann, nicht gewahr geworden ist.

---

[6] Fülleborn, a. a. O., S. 260.
[7] Hoffmann, a. a. O., S. 211.

Man sagt »die Kinder«, »die Knaben« und ahnt nicht, daß »diese Worte längst keine Mehrzahl mehr haben, sondern nur unzählige Einzahlen.« (728) Mit diesem Abschnitt schließt die Polemik Maltes gegen das, was Heidegger zwanzig Jahre darauf als das »man«, das verfallene, seinsvergessene Dasein bezeichnet hat und das für Malte wie für Heidegger die moderne Weltstadt mit ihrer fabrimäßigen Routiniertheit, ihrem ruhelosen Getriebe und ihrem Anpassungszwang an gleichgültige Normen besonders kraß zur Schau stellt. Demgegenüber findet Malte in der Erinnerung an sein väterliches Geschlecht, vor allem im Sterben seines Großvaters auf Ulsgaard, jenes Echtheitsideal, das durch die Worte »eigenes Leben« und »eigener Tod« markiert wird. Nun schließt dieses Ideal auch Gott ein. »Ist es möglich«, so fragt Malte, »daß es Leute gibt, welche ›Gott‹ sagen und meinen, das wäre etwas Gemeinsames?« (728) Indem Gott aufhört, etwas Gemeinsames zu sein, wird er Attribut der jeweiligen Individualität, die ihn erfühlt oder denkt. Damit tritt aber die menschliche Individualität an die Stelle des Absoluten. Malte bezieht hier eine Position, die nicht an Kierkegaard, sondern an Montaigne erinnert[8].

In scharfem Gegensatz dazu heißt es aber in einer Randbemerkung Maltes gegen Ende der Aufzeichnungen: »Laßt uns doch aufrichtig sein, wir haben kein Theater, so wenig wir einen Gott haben, dazu gehört Gemeinsamkeit.« (922) Das extreme Authentizitätsideal, das in den ersten 14 Aufzeichnungen Maltes alleinherrschend scheint und die früher zitierte Gottesauffassung bestimmte, findet hier krasse Widerlegung. Dem von Fülleborn entdeckten Kompositionsprinzip getreu, ergänzen sich die beiden Glieder dieser Polarität zu einem Gemeinsamen, das wir als Überwindung des Ichs, als Ideal der Ent-Ichung erkennen werden, dessen Prozeß das eigentliche Thema der »Aufzeichnungen« bildet. Die Ent-Ichung tendiert zwar zum Braheschen Pol, kann aber nur in äußerster Einsamkeit vor sich gehen. Das heißt, jene dem Briggeschen Pol zugehörige Vereinzelung muß ihre äußerste Steigerung erfahren, um in die Ichlosigkeit umzuschlagen. Die seltsame Liebesdoktrin des zweiten Teiles der »Aufzeichnungen« vereinigt Vereinzelung und Allbezug zur Synthese, die im Gottsuchen des Verlorenen Sohnes voll erreicht wird. Sie ist Verherrlichung einer Liebe, die über ihren Gegenstand hinauswächst und deshalb auf alle Gegenliebe verzichtet, weil Geliebtwerden den Geliebten immer auf eine ihn verfälschende Beschränkung seines Wesens festlegt, seine riesig reiche Wirklichkeit zu einer bestimmten und erwarteten Rolle erstarren läßt. Die verzich-

---

[8] Vgl. Montaignes Essay Über Erfahrung, 3. Buch, 13. Kapitel, Absatz 1, wo Montaigne behauptet, daß das Allgemeinste Individualität und Unterschiedlichkeit ist.

tende Liebe hingegen beläßt den Liebenden wie den Geliebten in ihrem authentischen Sein, indem sie auf alle Verfälschung verzichtet, und erfüllt damit das Briggesche Prinzip des »Eigenen«. Gleichzeitig aber begreift sie diese Authentizität als Transzendieren des Geliebten, als ein Hinüberschreiten ins Unendliche, womit sie das Brahesche Prinzip des Allbezugs vertritt[9].

Daß Ent-Ichung das eigentliche Anliegen der Malte-Thematik ausmacht, ist keine neue Einsicht, wenn auch der Terminus nicht gebraucht worden ist. Werner Kohlschmidt zum Beispiel hatte etwas Ähnliches im Auge, wenn er den *Malte* in das Zentrum von Rilkes Entwicklung vom Ästhetizismus der Jahrhundertwende zur Kierkegaard parallelen Existenzproblematik des Spätwerks stellt[10]. Else Buddeberg sieht in dem, was wir unter Ent-Ichung verstehen, das neue tiefere Begreifen der Armut, das in Rilke durch die Begegnung mit dem Werk Cézannes heranreifte[11]. Doch kommt es uns darauf an, in Einzelheiten zu zeigen, wie der *Prozeß* der Heimsuchung und Brechung des Ichs zur Freilassung einer das Ich weit übersteigenden und doch aus seinem Innersten und »Eigensten« kommenden Kraft führt, in der sich die Polarität von Briggeschem und Braheschem Prinzip zur komplementären Einheit verwandelt. Dabei hoffen wir manche bisher unbemerkt gebliebene thematische und formale Strukturzusammenhänge bloßlegen zu können.

Beginnen wir mit den »Fortgeworfenen«, jenen Elendsgestalten der Großstadt, die Malte in unvorstellbares Unglück zu locken scheinen. Sie fungieren wie Sendboten einer alle Vorstellungen übersteigenden grauenhaften Zukunft, die es auf ihn abgesehen hat. Die Fortgeworfenen scheinen ihm zuzugrinsen und zu zwinkern, als sei er mit ihnen durch ein Geheimnis verbunden. In angsterregender Form stellen sie eine Lockung dar, der zu folgen er sich verzweifelt, aber mit abnehmenden Kräften zu wehren versucht. »Wer aber sind diese Leute?« fragt er sich. »Es sind Abfälle, Schalen von Menschen, die das Schicksal ausgespieen hat.« (743)

Schon im Wortlaut dieser ersten Kennzeichnung der Fortgeworfenen deutet sich das Ich-Entleertsein an, zu dem sie ihn einladen als zu seiner Bestimmung. Sie sind »Schalen« von Menschen, d. h. ohne Kern, vom Fruchtfleisch abgezogen, nichts mehr enthaltend, jenes Selbsts entleert, das im Bilde der Frucht

---

[9] Vgl. dazu Bollnow, a. a. O., S. 208—209, und besonders Martini, a. a. O., S. 172: »daß noch das nächste Liebesverhältnis ein Mißverstehen und einen Gewaltgriff in das andere Leben ist«.

[10] Werner Kohlschmidt, Rilke und Kierkegaard, in: Zeitschrift für Kirchengeschichte, 63, 1950, S. 189—190.

[11] Buddeberg, a. a. O., 124 ff., 164.

die Briggesche Existenz des eigenen Lebens und Todes, des unverwechsel-
baren, mächtigen und authentischen Einzeldaseins kennzeichnet. Jenes Briggesche Ich war so ausgeprägt gewesen, daß es, wie die Pflanze Blüte und Frucht,
sein eigenes, von allen anderen unterschiedenes Leben und Sterben in sich trug.
Dazu sind die Fortgeworfenen das genaue Gegenteil. Sie haben Kern und Saft,
das Reifende, sich zur Frucht Auswachsende völlig verloren. Das Wort »Abfälle«, das auf sie angewandt wird, deutet darauf hin, daß sie von etwas »abgefallen«, fortgeworfen worden sind. Da sie auch »Schalen« genannt werden,
kann das, wovon sie abgefallen sind, sich nur auf den inneren Kern beziehen.
Von ihm sind sie abgezogen und fortgeworfen worden.

Das Grauen, das sie in Malte erwecken, kommt von ihrer reinen Negativität.
Sie sind Schalen ohne Inhalt, ohne Umschlossenes, ohne Frucht. Sie stellen also
die äußerste Entfernung dar von der Briggeschen Welt, in der das individuali-
sierte Dasein Zeit und Gunst des Schicksals besitzt, sich zur schweren, reifen
Frucht eines eigenen Todes auszuwachsen. Die Fortgeworfenen hingegen sind
jenes Organischen verlustig gegangen. Sie sind keine Personen mehr.

In seinem langen Brief an Lou vom 18. Juli 1903, in dem ein großer Teil der
Anfangspartien des *Malte* fast wörtlich vorweggenommen wird, gesteht Rilke
den Fortgeworfenen noch ein Schicksal zu. »Und sie waren Vorübergehende
unter Vorübergehenden, alleingelassen und ungestört in ihrem Schicksal.«[12]
Im Roman aber sind sie bereits »vom Schicksal ausgespieen«, d. h. schicksalslos
geworden, was selbstverständlich nur eine Steigerung des im Brief bereits vorhandenen Sinnes des »Alleingelassenseins« ist.

Wenn wir nun auf den weiteren Gebrauch des Wortes »Schicksal« im *Malte*
eingehen, ohne dabei den Sinn des Wortes im Spätwerk Rilkes zu berücksichtigen[13], so sehen wir, daß Schicksal die »Erfinderin« von »Muster und Figuren«
ist und als Gegensatz zum »Leben« gedacht wird. Während die »Schwierigkeit«
des Schicksals im »Komplizierten« liegt, ist »das Leben selbst schwer aus Einfachheit« (898/899). Die Schicksalslosigkeit, die die Fortgeworfenen im *Malte*
mit den Heiligen und den unerwidert liebenden Frauen teilen, besteht darin,
daß sie Gestalt und Form, »Muster und Figur« verloren haben, daß sie formlos
einfach geworden sind, wie »Ewige«, das heißt solche, die aufgehört haben,
sich zu wandeln. Sie »aber erhalten sich fast wie Ewige. Sie stehen an ihren
täglichen Ecken, auch im November, und schreien nicht vor Winter. Der Nebel

---

[12] Rainer Maria Rilke—Lou Andreas Salomé. Briefwechsel, Hrsg. Ernst Pfeiffer, Zürich,
1952, S. 55.
[13] Siehe Allemann, a. a. O., S. 211—218.

kommt und macht sie undeutlich und ungewiß: sie sind gleichwohl. Ich war verreist, ich war krank, vieles ist mir vergangen, sie aber sind nicht gestorben.« (904) Die Fortgeworfenen existieren also in einem Zustand, wo es das schwankende, der beschäftigten Zeit unterworfene und sich dauernd in ihr wandelnde Ich nicht mehr gibt. Sie gleichen darin den liebenden Frauen, die ebenfalls »schicksalslos« »wie . . . Ewige« neben dem Mann und Geliebten stehen, »der sich verwandelt« (899). Der Unterschied zwischen den Fortgeworfenen einerseits und den liebenden Frauen und den Heiligen andererseits liegt in der Passivität der ersteren. Die Fortgeworfenen erdulden nur passiv, wie »Puppen«, mit denen das Leben gespielt hat« (905), was die Frauen »entschlossen«, aus freiem Willen, auf sich genommen haben. Die Heiligen wie die Frauen lehnen das Schicksal resolut ab, während es den Fortgeworfenen einfach abhanden gekommen, von äußeren Umständen entrissen worden ist, und sie langsam und sich zuerst oft sträubend in die Schicksalslosigkeit ihres Elends »hinabgleiten« (904).

Trotz dieser von Hoffmann hervorgehobenen Überlegenheit der unerwidert Liebenden über die Fortgeworfenen[14] darf jedoch das beiden gemeinsame Resultat nicht übersehen werden — die sie der Zeit enthebende Ichlosigkeit. Beide werden sie ja auch mit »Ewigen« verglichen. Mit dem Ich haben die Fortgeworfenen, wie eben auch die unerwidert Liebenden, Laune, Lüge und Scham abgelegt. Wenn Malte die Bettlerin sieht, die täglich vor den Kaffeehausterrassen ihren verkümmerten Arm dem Schauen der Leute preisgibt, gesteht er sich ein, daß ihm selbst in ihrer Lage die Kraft und Gelassenheit fehlen würde, sich so ohne jede Scham bloßzustellen. ». . . aber ich überhübe mich, wollte ich ihnen gleich sein. Ich bin es nicht. Ich hätte weder ihre Stärke noch ihr Maß.« (904)

Mit dem Fortfall des strebenden und sich sorgenden Ichs ist in ihnen das Sein zum Vorschein gekommen. »Sie *sind* gleichwohl.« (Vom Verf. hervorgehoben.) Durch Malte geht noch die Zeit hindurch, vieles ist ihm vergangen, mit seinem engagierten Ich ist er noch Opfer der alles raubenden und verändernden Zeit. Sie aber sind bereits so weit entfernt vom Schicksal, daß die Zeit an ihnen nicht mehr geschieht, sondern sie selbst die Zeit geworden sind. Der blinde Zeitungs-

---

[14] Hoffmann spricht den Elendsfiguren das Gelingen der »wesentlichen Umformung des Elends« ab. Die Fortgeworfenen scheinen ihm sogar eine gewisse Gefahr für Malte zu bedeuten, da sie »mit einem kleinen Talent zur Geliebten wie mit einer kalten Lampe« warten. Im Gegensatz zu den Elendsfiguren verbirgt sich die Duse vor ihren Zuschauern (S. 222). Dieser Abwertung kann nur bedingt zugestimmt werden. Es ist kaum möglich, den blinden Zeitungsverkäufer nicht als reines Vorbild für Malte zu sehen.

verkäufer am Gitter des Jardin du Luxembourg steht der Zeit nicht mehr als schwindendes Ich entgegen, sondern ist eins mit ihr. Er ist der Maßstab, der sich nicht verändert, sondern das sich Verändernde mißt[14a]. »Und die Welt ist so eingerichtet«, bemerkt Malte dazu, »daß es Menschen gibt, die ihr ganzes Leben lang in der Pause vorbeikommen, wenn er lautloser als alles, was sich bewegt, weiter rückt wie ein Zeiger, wie eines Zeigers Schatten, wie die Zeit.« (900) Der blinde Zeitungsverkäufer spielt für uns Ichbesessene der gerichteten Zeit dieselbe Rolle wie der »Buddha« aus den »Neuen Gedichten«.

> O er ist Alles. Wirklich, warten wir,
> daß er uns sähe? Sollte er bedürfen?
> Und wenn wir hier uns vor ihm niederwürfen,
> er bliebe tief und träge wie ein Tier.
>
> Denn das, was uns zu seinen Füßen reißt,
> das kreist in ihm seit Millionen Jahren.
> Er, der vergißt was wir erfahren
> und der erfährt was uns verweist.[15]

Die Ichlosigkeit des Blinden kommt für Malte der Heiligkeit nahe, weil sie das Abgelegthaben jeder Eitelkeit, und damit auch der Scham, ist. Hoffmann weist sehr richtig auf Karl VI., den elend aussätzigen König, als Zentralfigur dieses Teiles des Buches hin[16]. Bezeichnenderweise folgt der Abschnitt, der von Karl VI. handelt, unmittelbar auf den Abschnitt des blinden Zeitungsverkäufers. In der modernen Großstadt ist es der Fortgeworfene, der für Malte den Dienst des Heiligen versieht. Wie einst der Heilige auf Gott hinwies, weil er das Gott führende Dasein vorbildlich lebte, so beweist der blinde Zeitungsverkäufer die Existenz Gottes, indem er ein Leben zeigt, das Gott »ein Wohlgefallen« sein muß. Denn von dem Blinden ist alle Eitelkeit abgefallen. Obgleich er einen neuen Hut und sonntägliche Halsbinde trägt, hat »er selbst keine Lust daran«. Auch trägt er sie für niemanden, will niemandes Aufmerksamkeit auf seine Erscheinung lenken. Und »wer von allen (ich sah mich um) durfte meinen, dieser Staat wäre um seinetwillen?« (903) In dieser Ichlosigkeit, die völliger Verzicht auf Bewundertwerden, ja Angeschautwerden ist, liegt für Malte der »Beweis für (Gottes) Existenz«. Denn ein solches Dasein, das allem offensteht und sich nicht durch das Ich das Gefühl verstellt, ist göttlich und erregt aus

---

[14a] Vgl. auch Allemann, a. a. O., S. 13 und Fülleborn, a. a. O., S. 269, der im blinden Zeitungsverkäufer den »Höhepunkt der ganzen Paris-Aufzeichnungen« sieht.
[15] Sämtliche Werke, Bd. I., S. 496.
[16] A. a. O., S. 215 ff.

diesem Verschwistertsein heraus Gottes »Geschmack« und »Wohlgefallen«. Damit wird es vorbildlich für Malte. »Wenn es wieder Winter wird und ich muß einen neuen Mantel haben, — gib mir, daß ich ihn *so* trage, solange er neu ist.« (903)

Doch selbst bei der noch späteren Begegnung mit der schamlos ihren verkrüppelten Arm enthüllenden Bettlerin wird Malte dieses Ideal des Fortgeworfenseins noch nicht nachleben können. Die Scham, diese Unterseite der Eitelkeit, das Achthaben auf die Meinung der Leute, deren urteilende Blicke ihn noch bekümmern, trennt ihn noch weltenweit von der Gelassenheit des Blinden.

Wir haben vorgegriffen von dem ersten Erscheinen der Fortgeworfenen zur Offenbarung des Sinnes, den sie darstellen, gegen Ende des zweiten Teiles der »Aufzeichnungen«. Dazwischen aber liegen phänomenologische Beschreibungen des Prozesses der Ent-Ichung, die sich dem ersten Erscheinen der Fortgeworfenen anschließen. Sie beschreiben, wie es zu dem Zustand kommt, der zuerst grauenerweckend und dann vorbildlich mahnend Malte anlockt. Geschildert werden die Eruptionen und Heimsuchungen, die das Ich bedrohen und zertrümmern und die für Malte deutliche Vorahnungen und Präfigurationen oder vielmehr Hinweise auf seine eigene Bestimmung sind. Sie beginnen mit der Begegnung mit dem Sterbenden in der Cremerie und gipfeln in dem Anfall des Veitstanzes, dessen unheimlich gebannter Zeuge Malte am unteren Ende des Boulevard St. Michel wird. Dazu gehören die im Buch darauf folgenden grauenhaften Erlebnisse der Kindheit, das Erlebnis der sich selbständig machenden Hand und des dazu parallelen Erlebnisses mit der Maske im Spiegel.

Phänomenologisch sind diese Beschreibungen, wie ja der ganze Roman, zu nennen, weil sie die beschriebenen Phänomene nicht aus der Perspektive einer mimetischen Konvention, als fingierte Tatsache, sondern offen als Elemente des beschreibenden Bewußtseins darstellen. Wieweit dies überhaupt für den Ich-Roman als solchem gilt und wieweit es nur eine spezielle Abart betrifft, können wir hier nicht untersuchen[17].

Der Sterbende in der Cremerie, der einen so entsetzlichen Eindruck auf Malte macht, daß er in panischem Schrecken aus dem Lokal und durch die Straßen jagt, wird so beschrieben:

---

[17] Siehe die bahnbrechende Abhandlung von Käte Hamburger über den phänomenologischen Aspekt von Rilkes Dichtung im spezifischen Zusammenhang mit Husserls Philosophie in Die phänomenologische Struktur der Dichtung Rilkes, in: Philosophie der Dichter. Novalis. Schiller. Rilke, Stuttgart, Berlin, Köln, Mainz, 1966, S. 179—275. Zum Problem des Ichromans, siehe Käte Hamburger, Die Logik der Dichtung, 2. stark ver. Aufl. Stuttgart, 1968, Kapitel »Die Ich-Erzählung«, S. 245—268. Siehe auch Hoffmann, a. a. O., S. 213—214.

Ich wußte, daß das Entsetzen ihn gelähmt hatte, Entsetzen über etwas, was in ihm geschah. Vielleicht brach ein Gefäß in ihm, vielleicht trat ein Gift, das er lange gefürchtet hatte, gerade jetzt in seine Herzkammer ein, vielleicht ging ein großes Geschwür auf in seinem Gehirn, das ihm die Welt verwandelte. . . . Ja, er wußte, daß er sich jetzt von allem entfernte nicht nur von den Menschen. Ein Augenblick noch und alles wird seinen Sinn verloren haben, und dieser Tisch und die Tasse und der Stuhl, an den er sich klammert, alles Tägliche und Nächste wird unverständlich geworden sein, fremd und schwer. So saß er da und wartete, bis es geschehen sein würde. Und wehrte sich nicht mehr. (754/755)

Vergleichen wir diesen Tod mit den zwei miteinander kontrastierenden Sterbensweisen, denen der Leser bisher im Roman begegnet ist, dem anonymen, fabriksmäßigen Sterben in den Hospitälern und dem »eigenen Tod« des Kammerherrn Brigge, dann finden wir, daß der Tod in der Cremerie eine Synthese von beiden ist. Das Sterben kommt hier von innen, es bricht aus dem Sterbenden heraus, wie der Tod des Kammerherrn. Es entfernt sein Opfer ebenso von allem Gewohnten, entfremdet der Welt, Menschen wie Dingen. Andererseits ist dieses Sterben aber nicht als Frucht eines sich nach einem inneren Eigengesetz entfaltenden Organismus, als Krönung eines authentischen Daseins gesehen, sondern als plötzlicher Aufbruch und Einbruch im Inneren, nicht als Gipfelpunkt eines Wachstums, sondern als Katastrophe. Fast ließe sich vom Briggeschen Tod zu diesem hier die Entwicklung von der goetheschen und alt- wie neuromantischen zu einer expressionistischen Sehweise und Weltanschauung illustrieren. An Stelle des langsamen Wachstums und Reifens, der pflanzenhaften Individualität, die sich im Tod des Kammerherrn trotz Schrecken und Entfremdung ausdrückt, begegnet uns in der Cremerie eine Eruption und schlagartige Verwandlung, die in mancher Hinsicht vorausweist auf die einige Jahre darauf folgende »Verwandlung« Gregor Samsas oder den plötzlich über die Stadt hereinbrechenden »Krieg« Georg Heyms und das »Weltende« des Jakob van Hoddis. Es ist die Apokalyptik, die diesen Aspekt des Malte mit dem Expressionismus und der Existenzphilosophie späterer Jahrzehnte verbindet. Das Gewicht liegt überhaupt nicht mehr auf organischer Entwicklung wie noch beim Tod des Kammerherrn. In diesem Sinn gehört dieses Sterben der Anonymität der modernen Großstadt an, aus der der Mann in der Cremerie ja auftaucht und deren infernalisch gesehenen Welt er angehört. Die Armut und absolute Einsamkeit dieses Sterbens inmitten des vorbeihastenden Weltstadtlebens — bei Duval, denkt Malte, hätte man ihn ja nicht hineingelassen, da die bürgerlich-mondäne Welt das Sterben aus ihrem Gesichtskreis verbannt — ist ein extremer Fall des schäbig-anonymen Sterbens jener Tausende der Hospitäler, die als bloße Nummern und Krankheitsfälle

221

dahingehen, abgelöst von allen Menschen und Dingen, die sie die ihren nennen können. Gerade da aber öffnet sich das existenzielle Entsetzen und die ganze Wucht dessen, was mit Sterben gemeint ist, und schlägt auf Malte ein. Hier gibt es kein Anklammern mehr an den Trost einer Authentizität eines eigenen Todes. Die ästhetisierende Weltanschauung, für die Individualität höchster Wert ist, fällt mit der Illusion eines eigenen Todes dahin. Gerade die durch die Anonymität geschaffene Isolierung dieses Sterbens reißt den Abgrund des Unfaßbaren auf, der Sterben ist.

Im Gegensatz zum Sterben des Kammerherrn ist das elende Sterben des Anonymen in der Cremerie ein Beispiel der Ent-Ichung. Im Tod des alten Brigge erfüllte sich nämlich noch das Ich als individueller Wert. Beim Sterben in der Cremerie liegt aber das Schwergewicht nicht auf der Person, sondern nur auf dem Vorgang und dessen Folgen. Das Organische und Historische, das sich im Dasein Brigges so mächtig ausdrückt, fällt hier fort. Es ist das gegenwärtige Geschehen, die eben vor sich gehende Verwandlung, die beschrieben oder vielmehr beschworen wird. Das dreimal wiederholte »vielleicht«, das jede der Fragen einleitet, zeigt, daß Malte nur umschreiben kann, daß das Eigentliche nur als Möglichkeit und Ungewißheit besteht. So stehen die drei Katastrophen — der Bruch eines Blutgefäßes, der Eintritt eines Giftes in die Herzkammer, das Aufbrechen eines Geschwürs im Gehirn — nur als Möglichkeiten um die unfaßbare Wirklichkeit herum.

Der hier beschriebene Selbstentfremdungsprozeß, der auf Kafka, Heidegger und Sartres »Nausée« vorausweist — im *Malte* lesen wir von »Schwindel«, wo bei Sartre »Brechreiz« steht — dieser Entfremdungsvorgang ist die Folge eines Entgleitens des Sinnes der Welt-Dinge. Die Weltentfremdung ist aber im Grunde eine Ich-Entfremdung, insofern sie allen Besitz und alle Beziehungsmöglichkeit zerstört, durch die sich das Ich gebildet hat. Der von Malte beneidete Dichter, den er in seiner Flucht vor den Fortgeworfenen in der Nationalbibliothek liest und der mit Francis Jammes identifiziert worden ist[18], hat ein Ich, weil ihn seine Dinge umgeben. Ebenso ist die Persönlichkeit des Kammerherrn durch seine Umgebung, durch das Seinige und die Seinen imstande, auch sein Sterben zum Seinigen zu machen und so mächtig zur Geltung zu bringen. Bei dem grauenhaft anonymen Sterben in der Cremerie jedoch, das ja nur von Malte bemerkt wird, reißt gerade alles, was das Ich mit der Welt verbindet, ab. Im Gegensatz zum mächtig brüllenden und seine ganze Umgebung beherrschenden Tod Brigges vollzieht sich das Sterben in der Cremerie

---

[18] Buddeberg, a. a. O., S. 166.

in lautloser Unheimlichkeit, und der Sterbende ergibt sich wehrlos dem Geschehen. »So saß er da und wartete, bis es geschehen sein würde. Und wehrte sich nicht mehr.« (755) Hier findet die Geburt jener Gelassenheit statt, die wir später beim blinden Zeitungsverkäufer und der verkrüppelten Bettlerin als vorbildlich finden.

Der Vergleich der Zeitstrukturen der Sterbenserlebnisse Maltes ist erhellend. Bei dem aus der Kindheit Maltes erinnerten Tod des Kammerherrn liegt das Hauptgewicht auf der Vergangenheit oder vielmehr auf der linearen Entwicklung, die aus der Vergangenheit seines Lebens in die Gegenwart seines Sterbens führt und in ihr gipfelt. Leben und Sterben liegen also auf einer Linie. Im Massensterben der Hospitäler hingegen ist es leere, bezugslose Gegenwart, die sich vergangenheits- und zukunftslos vollzieht. Im anonymen Sterben in der Cremerie aber liegt der Schwerpunkt auf einer Gegenwart, die in eine noch unfaßbare Zukunft gerissen wird.

Denn das aufbrechende Geschwür wird ja mit einem Sonnenaufgang verglichen (»wie eine Sonne, die ihm die Welt verwandelte«), bezieht sich also auf den Anfang eines neuen Tages und einer verwandelten neuen Welt. Dieses Zukunftsschwangere des grauenhaften Sterbens läßt sich auch in der Wirkung ablesen, die es auf Malte ausübt, und in der Bedeutung, die es für ihn annimmt. Dieses Sterben ist ihm Mahnruf, metanoeite. Er weiß, daß es seine Bestimmung ist, ihm zu folgen, daß es ein Zeichen ist für den inneren Vorgang, der sich in Malte selbst vorbereitet. Dieses Sterben ist in Maltes Existenz Chiffre für das notwendige Sich-Ablösen von allen Beziehungen und Gewohnheiten, von allem Konventionellen, Traditionellen und Vertrauten, vom Stammsitz seines Geschlechts wie vom Vorbild, das der noch im Eigenen behauste Dichter darstellt. Es ist der Ruf, sich »von allem zu entfernen und abzutrennen«[19].

Damit wird das Sterben in der Cremerie auch Zeichen des Übergangs zur Braheschen Welt. Es fällt Malte ein, daß der Sterbende nicht mehr unterscheiden kann, und gerade dies macht das Sterben so grauenhaft für Malte.

Wie graute mir immer, wenn ich von einem Sterbenden sagen hörte: er konnte schon niemanden mehr erkennen. Dann stellte ich mir ein einsames Gesicht vor, das sich aufhob aus Kissen und suchte, nach etwas Bekanntem suchte, nach etwas schon einmal Gesehenem suchte, aber es war nichts da. (a. a. O.)

Der Verlust aller gewohnten Unterscheidungsmöglichkeit, die ja zugleich Erkennungsfähigkeit ist, erzeugt das Grauen. Die Brahesche Welt wird hier noch rein negativ erlebt, als Nichts. (»Es war nichts da.«)

---

[19] Vgl. dazu Buddeberg, a. a. O., S. 168—170.

Doch bereits hier sieht Malte ein, daß dieses Nichts nur durch die Perspektive seiner Angst gesetzt wird. Er ahnt es und weiß es, daß an die Stelle des Nichts-Sehens, wie es Fülleborn zeigt, eine ganz neue Sehweise, die Bereitschaft, »alles anders zu sehen«, treten sollte. Nach den Worten Ulrich Fülleborns, der auf diesen Zusammenhang zwischen dem Grauen und dem Neu-Sehen hingewiesen hat, »hängt offenbar alles davon ab, die neue Wirklichkeit, die aus der Welt hervorbricht, und den neuen Sinn, der sich zeichenhaft ankündigt, als das absolut Unvertraute anzunehmen.«[20]

Dieses »Anderssehen«, das als »Sehenlernen« Grundthema des Buches ist, entstünde aber nur durch die Selbstaufgabe des Ichs. Es ist ein ent-ichtes Sehen und wird für Malte auch ein radikal anderes Schreiben und Dichten bedeuten. Sein Schreiben wird nicht mehr dem Diktat des bewußten Willens seines Ichs gehorchen.

> Aber es wird ein Tag kommen, da meine Hand weit von mir sein wird, und wenn ich sie schreiben heißen werde, wird sie Worte schreiben, die ich nicht meine. . . . diesmal werde ich geschrieben werden. (756)

Für den Dichter, der Malte ja ist, wird jenes Aufgeben des Ichs, das er bei den Fortgeworfenen und unerwidert liebenden Frauen erspäht, die Verwandlung seines Dichtens sein, das aufhören wird, Erlebnisdichtung, also Ausdruck des Ichs, zu sein. Malte weiß, daß die Zeit kommen muß, wo er allen Anspruch auf die Eigenheit seiner Dichtung und den Eigenwillen eines selbstherrlichen Schöpfertums wird ablegen müssen und zum reinen Sprachrohr, zur bloßen Schale, zum Medium eines Anderen, Größeren werden muß[21].

Doch stellt sich nun die Frage, wer oder was denn der Schreiber sein mag in dem Satze »Aber diesmal werde ich geschrieben werden«, in dem der Dichter, das einstige Subjekt des Schreibens, in sein Objekt verwandelt werden wird? Der Abschnitt, der vom Veitstänzer auf dem Boulevard Saint Michel handelt, wird uns zu einer Antwort führen, die auch den Widerspruch zwischen dem Briggeschen und dem Braheschen Sein erhellen wird. In diesem Abschnitt wird das Wesen von Ich und Ent-Ichung, das der Idee des *Malte* zugrunde liegt, im bildhaft-dramatischen Geschehen mit besonderer Eindringlichkeit sichtbar.

Die Beschreibung des Veitstänzers läßt in Vorausahnung der fünften Elegie erkennen, daß das Ich ein Wille ist, eine Anspannung. Dieser Wille sucht aber

---

[20] A. a. O., S. 268.

[21] Siehe Herman Meyers wichtigen Aufsatz Rilkes Cézanne-Erlebnis, in: Zarte Empirie, Stuttgart, 1963, Abschnitt II, S. 264—272, über Rilkes Ideal der »Deutungslosigkeit« der Kunst, das er zu verwirklichen trachtete.

eine bloße Fassade aufrechtzuerhalten. Dem Nervenkranken, in dem sich Malte in furchtbarer Angst selbst begreift, ist es darum zu tun, nicht aufzufallen, den Eindruck eines korrekten und normalen Daseins zu bewahren. Das Ich versucht sich krampfhaft gegen den Ausbruch unkontrollierbarer Gliederzuckungen zu beschützen. Der Veitstänzer klammert sich an seinen Stock, der ihm Instrument und Zeichen der Selbstkontrolle und Respektabilität ist. Er wehrt sich noch, wie sich auch Malte noch verzweifelt gegen den Sog, der von den Fortgeworfenen ausgeht, wehrt. »Und ich wehre mich noch« (755), so distanziert er sich von dem Sterbenden in der Cremerie, der sich nicht mehr wehrt. Aber er weiß, daß dies für ihn selbst wie für den Nervenkranken auf dem Boulevard St. Michel hoffnungslos ist, daß in beiden Fällen die Kraft nicht ausreicht.

Dieses sich wehrende Ich, dieser sich zu behaupten versuchende Wille, ist Fassade, Bewahren des Anstands, der eitle Ehrgeiz, den Leuten keinen Anlaß zum Sich-Umsehen, zum Kichern und Verachten zu geben. Das Ich ist identisch mit dem Ansehen, das es genießt. »Und es war ihm in seiner suchenden Angst in den Sinn gekommen, diesen Stock zunächst mit einer Hand auf den Rücken zu halten ... Das war eine Haltung, die nicht auffällig, höchstens ein wenig übermütig war; der unerwartete Frühlingstag konnte das entschuldigen. Niemandem fiel es ein, sich umzusehen, und nun ging es. Es ging vortrefflich.« (772) Dieses Ich ist das »Man« — (um den hier vortrefflich passenden Heideggerschen Terminus zu verwenden) — nach innen gewendet. Es ist die Furcht vor der Meinung der Leute, die zum Maß- und Urteilsstab erhoben wird. In diesem Sinne ist das Ich den Geliebten gleichzusetzen, die ganz und gar abhängig sind und sich bestimmen lassen von den Liebenden. Und insofern die letzteren diese Selbstknechtung der Geliebten dulden, sind sie ja selbst noch keine echten und wahrhaft Liebenden. Ein solches Ich kann nie authentisch sein. Es besteht aus Vorsicht und Rücksicht und bezieht seinen Maßstab von den anderen, dem »man«, den »Leuten«. Fritz Martini zeigt, daß aus demselben Grund der falsche Zar des zweiten Teiles der »Aufzeichnungen« die Leugnung seines Anspruchs, die ihn dem Untergang preisgibt, als Befreiung empfindet[22]. Denn insofern das Ich angewiesen ist auf sein Anerkanntwerden durch die anderen, ist es gefangen. Dieses Ich ist bloßes Scheinenwollen, und seine Bezwingung wird die Niederlage des falschen Scheins sein. Wie der Abschnitt des Veitstänzers zeigt, besteht das Ich aus Verbergungsmanövern. Wir haben ja bereits bemerkt, daß Eitelkeit und deren Ergänzung, die Scham, das Ich aus-

---

[22] A. a. O., S. 168.

machen. Der verzweifelte Versuch des Nervenkranken, seine innere Wirklichkeit, die seine Krankheit ist, zu vertuschen, ist eine Form der Eitelkeit, des falschen Scheins.

Malte identifiziert sich völlig mit dem Veitstänzer, den er bangend und gebannt den Boulevard St. Michel hinunter verfolgt und dem er mit seiner eigenen Kraft aushelfen möchte. Die Gedanken, die er in den Veitstänzer hineinprojiziert, sind natürlich Maltes Gedanken. Wie der Veitstänzer ist Malte ängstlich auf seine äußere Erscheinung bedacht. Dieselbe Angst beherrscht ihn wie den Kranken, die Furcht, man könnte es ihm ansehen, daß er ins unbeschreibliche Elend hinabzugleiten droht. Er bemüht sich krampfhaft, den Anschein des Bürgerlich-Respektablen und Normalen nicht einzubüßen, obwohl dies seiner Wirklichkeit längst nicht mehr entspricht.

> Zwar mein Kragen ist rein, meine Wäsche auch, und ich könnte, wie ich bin, in eine beliebige Konditorei gehen, womöglich auf den großen Boulevards, und könnte mit meiner Hand getrost in einen Kuchenteller greifen und etwas nehmen. Man würde nichts Auffälliges darin finden und mich nicht schelten und hinausweisen, denn es ist immerhin eine Hand aus den guten Kreisen, eine Hand, die vier- bis fünfmal täglich gewaschen wird. Ja, es ist nichts hinter den Nägeln, der Schreibfinger ist ohne Tinte, und besonders die Gelenke sind tadellos. Bis dorthin waschen sich arme Leute nicht, das ist eine bekannte Tatsache. (742)

Es ist also das Ich Maltes, das hier als Fassade und Schein entlarvt wird. Dieses von den Leuten abhängige Ich ist so unecht wie die modernen Großstädter, die mit einem zufälligen Tod ihr auf Äußerlichkeiten abgestimmtes, uneigentliches Dasein beenden.

Das »eigene Leben« Maltes, das er in reichlichem Ausmaß hat, liegt gerade in dem, was er vor den Leuten zu verbergen sucht, in seinem Elend, seinem Ausgesetztsein, seiner Angst. Seine Negativität ist sein Positives. So wird auch der Veitstänzer zur Chiffre und Präfiguration von Maltes eigener Existenz. Sein so schwach aufs Äußere gegründeter Ichbehauptungswille kann der riesigen Kraft nicht widerstehen, die unter seinem Stolz aus ihm hervorbrechen will. Und da er nachgibt und sein Wille zusammenbricht, stürzt etwas unvergleichbar Größeres, Mächtigeres und Echteres aus ihm hervor, als es sein Ich gewesen.

> ... und dann gab er nach. Der Stock war fort, er spannte die Arme aus, als ob er auffliegen wollte, und es brach aus ihm aus wie eine Naturkraft und bog ihn vor und riß ihn zurück und ließ ihn nicken und neigen und schleuderte Tanzkraft aus ihm heraus unter die Menge. (774)

Diese Ichauflösung, die vor Maltes Augen stattfindet, ist ein Zeichen für ihn, einer jener Winke, wie sie ihm die Fortgeworfenen geben, und wird wie jene von Malte und dem Leser rein negativ erlebt. Es ist eine Szene des Grauens, die Malte völlig leer zurückläßt. Doch hat Rilke selbst den Rat gegeben, seinen *Malte* sozusagen »gegen den Strich zu lesen«, oder »gegen seinen Strom« (»contre son courant«)[23]. Und wir müssen uns fragen, ob eine rein negative Bewertung der Szene gerechtfertigt ist, sosehr auch der Anschein dafür spricht. Die Sprache nämlich, Wortwahl und Satzstruktur, mit der der Ausbruch beschrieben wird, steht im Widerspruch zum Erlebnisinhalt und enthüllt die Herrlichkeit und Majestät dessen, dem das Ich unterliegt. Dieser Widerspruch soll uns nun näher beschäftigen.

Der Erlebnisinhalt ist grauenhaft. Ein Mensch, mit dem sich der Erzähler identifiziert, verliert seine Menschenwürde. Wille und Bewußtsein des Menschen erweisen sich als machtlos, und der Mensch wird hilflos ausgeliefert seiner furchtbaren Krankheit und dem unbarmherzigen Gespött der Leute. Ein Ich geht unter, und zwar wörtlich, denn die Szene schließt mit dem Satz: »Denn schon waren viele Leute um ihn und ich sah ihn nicht mehr.« Die völlige Niederlage der Selbstkontrolle des Ichs, der totale Verlust der Autonomie des menschlichen Willens, die uns hier gezeigt wird, drückt auch uns nieder. Wir teilen Maltes furchtbare Trauer über den Vorgang.

Nun steht diesem bedrückenden Erlebnisinhalt eine Sprachstruktur gegenüber, die diese Destruktion des Ichs mit triumphierendem Hochgefühl schildert, und Wortwahl und Grammatik des Satzes zeigen die Niederlage und Auflösung des Willens als Freilegung einer ungeheuren Kraft. Die expansive Gebärde, das Ausbreiten der Arme, mit der der Veitstänzer den Stock fahren läßt, zeigt eine unerhörte Erleichterung und Befreiung an. Wie armselig und falsch erscheint nun das vorhergehende Sich-Anklammern des Kranken an seinen Stock, Symbol und Instrument des verzweifelten Ichbehauptungswillens, gegen das gewaltige Ausbreiten der Arme! Das Bild läßt das Positive an dieser Ichzerstörung ungleich wichtiger erscheinen als das Negative. Die Gebärde beschreibt eine Befreiung — Befreiung von der Bürde, das Stärkste in sich immer unterdrücken zu müssen. Denn verhüllend und betrügerisch war das Ich immer nur auf den Schein bedacht. Seine Hauptfunktion schien darin zu liegen, das Eigenste und Eigentliche in ihm, seinen in den Muskeln sitzenden und darin vibrierenden Zwang zum Tanz, nicht zum Vorschein kommen zu lassen.

In dem Gleichnis, »als ob er auffliegen wollte«, wird die expansive Tendenz der vorigen Geste zur vertikalen Dimension erhoben und ein das erdgebundene

---

[23] Briefe aus den Jahren 1914 bis 1921 (1937), 241. Rainer Maria Rilke et Merline. Correspondance (1954), 25.

Dasein Transzendieren suggeriert. Das Gleichnis »wie eine Naturkraft« nimmt der Krankheit alles Negative, Entartete und macht das vom Ichwillen unterdrückt Gehaltene zur wesentlichen, den Menschen überwältigenden Macht.

Die nun folgenden, durch das parataktische »und« verbundenen Satzglieder — »und bog ihn vor und riß ihn zurück und ließ ihn nicken und neigen« — müssen Malte und dem Leser selbstverständlich als äußerstes Grauen erscheinen. Denn sie zeigen den Menschen zur Puppe erniedrigt und verhöhnen auf grausamste Weise unser Gefühl von menschlicher Würde.

Nun ist aber diese tiefste Erniedrigung des Ich parataktisch den äußerst positiven Bezeichnungen »wie eine Naturkraft« und »schleuderte Tanzkraft« zugeordnet, ja wird von ihnen eingerahmt. Zwischen dem mächtigen »und es brach aus ihm wie eine Naturkraft heraus« und dem beschwingenden »und schleuderte Tanzkraft unter die Menge« steht das Bild des zum grotesken Zustand einer Puppe herabgesunkenen Menschen. In seiner Besprechung des Puppensymbols in Rilkes »vierter Elegie« zeigt Jakob Steiner, daß die Puppe bei Rilke den höchsten Grad von Eigentlichkeit verkörpert. Denn gerade, »daß es keinen Hintergrund (zu ihr) gibt, bietet die Gewähr dafür, daß sich (bei ihr) nicht Vordergründiges und Hintergründiges in Vorgespiegeltes und Eigentliches trennen« wie beim menschlichen Tänzer[24]. Das Puppenhafte ist aber nicht nur im Spätwerk, sondern bereits im *Malte*, wenn gegen den Strich gelesen, als positiv zu deuten. Durch Wortanordnung und parataktische Satzstruktur wird nämlich hier folgendes gezeigt: Das Negative, die Unterjochung und Vernichtung der menschlichen Person, ist eingebettet in einen positiven, erhebenden und beschwingenden Sinn und wird mit ihm durch die parataktische Zuordnung aufs innigste verbunden, ja ihm gleichgesetzt. Die Destruktion des Ich ist also bloß die Kehrseite einer unerhörten Ausweitung und Erhebung. Sie ist die notwendige Bedingung für die Freilegung elementarer Kraft und Natur. Die Grammatik des zitierten Satzes beschreibt ganz deutlich, wie das unpersönliche Subjekt »es« — »es brach aus ihm aus ... und es bog ihn vor und riß ihn zurück« etc. — das persönliche Objekt »ihn« völlig in der Gewalt hat. Sie stellt die totale Umkehrung des gewohnten Subjekt-Objektverhältnisses dar, indem der sich normalerweise als Subjekt empfindende Mensch wehrloses Objekt des unpersönlichen »es« erscheint. Dieses »es«, das den Rang einer Naturkraft empfängt, ist zugleich Spender der freudigen Kraft des Tanzes. Was es der Person raubt, schenkt es der Menge, »schleudert« es als »Tanzkraft« unter sie.

---

[24] Rilkes Duineser Elegien, Bern und München, 1962, S. 88.

Was hier hervorbricht und das Ich verschwinden läßt, ist ganz deutlich dem Nietzscheschen Begriff des Dionysischen verschwistert. Nicht nur Wörter wie »Naturkraft«, »Tanzkraft« und »Menge« deuten darauf hin, die ganze Struktur der bildhaft-dramatischen Szene beweist es. Wie bereits erwähnt, taucht ja das Ich ganz wörtlich in der Menge unter, wird von ihr aufgesogen. Mit frappierender Genauigkeit entspricht diese Bildstruktur dem Prinzip der attischen Tragödie, wie es Nietzsche in der »Geburt der Tragödie« entwirft. Der tragische Held, der als einzelner das Individuationsprinzip verkörpert, bestätigt durch seinen Untergang den Triumph des dionysischen Alleinheit. Der Versuch des Ich, sich als Ich zu behaupten, wird beim Veitstänzer ebenso zuschanden wie beim tragischen Helden, wenn auch selbstverständlich kein sonstiger Vergleich vom Veitstänzer auf dem Pariser Boulevard zum Helden der griechischen Tragödie sich ziehen lassen wird.

Unser Gegen-den-Strom-Lesen der Veitstanzszene beweist, daß ähnlich wie bei Kafka sprachliche Formulierung und bildhaftes Geschehen im Widerspruch stehen zum perspektivischen Bewußtsein, das uns die Szene vermittelt und aus dem wir sie deuten. Die eigentliche und volle Bedeutung des Textes erschließt sich uns erst im genauen Lesen der sprachlichen Fügung. Was mit dem Strom negativ gelesen wird, erscheint gegen den Strom positiv.

Das Erlebnis des Veitstänzers zeigt als bildlich dramatischen Vorgang, was im späteren Verlauf der »Aufzeichnungen« Malte gedanklich und direkt ausspricht. Im zweiten Teil der »Aufzeichnungen« unterscheidet Malte zwischen einer »schlechten« und einer »wirklichen Furcht«, worauf Bollnow als auf ein Kernstück des Romans hingewiesen hat[25]. Die wirkliche Furcht nimmt nur zu, »wenn die Kraft zunimmt, die sie erzeugt. Wir haben keine Vorstellung von dieser Kraft, außer in unserer Furcht.« (862) Die Furcht, wie Malte die Angst oft nennt, ist also etwas Positives. Sie ist die Bürgschaft einer Kraft, die uns allerdings nur negativ, das heißt nur durch unsere Angst, zugänglich ist. Denn

so ganz unbegreiflich ist sie (die Kraft), so völlig gegen uns, daß unser Gehirn sich zersetzt an der Stelle, wo wir uns anstrengen, sie zu denken. Und dennoch, seit einer Weile glaube ich, daß es *unsere* Kraft ist, alle unsere Kraft, die noch zu stark ist für uns. Es ist wahr, wir kennen sie nicht, aber ist es nicht gerade unser eigenstes, wovon wir am wenigsten wissen? (a. a. O.)

Unsere Angst ist also der Gradmesser unserer Kraft, und Kraft und Angst entsprechen sich. Die Angst ist die uns faßbare Seite der uns verborgenen, aber uns eignenden Kraft.

---

[25] Bollnow, a. a. O., S. 42.

Das grauenhafte Veitstanz-Erlebnis Maltes entspricht im bildlich-dramatischen Geschehen den Einsichten der späteren Stelle völlig, kann als deren Präfiguration angesehen werden. Wie unsere sprachliche Analyse des gegen den Strom gelesenen Textes gezeigt hat, ist das, was Malte als wahnsinniges Grauen erscheint, Ausbruch einer enormen Kraft, die zwar »gegen uns« gerichtet ist, das Ich bedroht und aufs furchtbarste heimsucht, und dennoch unserem tiefsten Inneren angehört und aus ihm hervorgebrochen ist. Diese Kraft transzendiert unser empirisches Ich so stark, daß sie zunächst unbegreifbar bleibt und nur an ihrem Negativen, ihrer angsteinflößenden Fremdheit, erfahren werden kann.

Im szenischen Geschehen selbst ist also der positive Gehalt nur unbewußt oder potentiell vorhanden im sprachlich-künstlerischen Ausdruck, in den sich die Angstvision kleidet. Ähnliches können wir aus der Beschreibung der Wirkung ersehen, die der Veitstanz auf Malte hat.

Was hätte es für einen Sinn gehabt, noch irgendwohin zu gehen, ich war leer. Wie ein leeres Papier trieb ich an den Häusern entlang, den Boulevard wieder hinauf. (a. a. O.)

Das ist die Beschreibung einer völlig negativen Stimmung, das erschöpfende, vernichtende Resultat des katastrophalen Erlebnisses. Erst vom Gesamtzusammenhang des Werkes beginnt sich ein positiver Aspekt abzuzeichnen. Was mit dieser Leere evoziert wird, ist die Ichentleertheit, das Fortfallen des Eigenwillens — »wie ein leeres Papier trieb ich an den Häusern entlang« —, das Fortgeworfensein. Man braucht diese Stelle bloß mit Maltes erster Beschreibung der Fortgeworfenen zu konfrontieren, um die Gleichheit festzustellen. »Feucht vom Speichel des Schicksals . . . rinnen (sie) langsam die Gasse herunter mit einer dunklen, schmutzigen Spur hinter sich her.« (743) Die Beschreibung nimmt Maltes willenloses die Häuser »Entlangtreiben« vorweg. Wie die Fortgeworfenen hat auch er jede Richtung und jedes Ziel verloren, wird getrieben anstatt selbst den Weg zu bestimmen. Er gleicht ihnen.

Was aber hier nur negativ erscheint, als Willenlosigkeit und Leere, ist das, was später beim blinden Zeitungsverkäufer, ins Positive gewandelt, wiederkehrt. Auch der Zeitungsverkäufer macht den Eindruck der Leere. Er kümmert sich nicht um die Wirkung, die er ausübt, er achtet nicht auf das Getriebe um ihn herum, er hat keinen Weg und kein Ziel, nichts ficht ihn an. Er ist völlig ichentleert, nichts als Hingabe, nichts stört seine Seele mehr, nur der einfachen Wirklichkeit ist er offen. Und so ist er ganz er selbst, eben weil er alles Eigene abgetan hat.

Die durch keine Vorsicht oder Verstellung eingeschränkte Hingegebenheit seines Elends übertraf meine Mittel . . . Möglicherweise hatte er Erinnerungen; jetzt aber kam nie mehr etwas in seine Seele hinzu als täglich das amorphe Gefühl des Steinrands hinter ihm, an dem seine Hand sich abnutzte. (902)

Die Leere der Seele, die nichts mehr aufnimmt und nichts mehr bestimmt, erschien nach dem Erlebnis des Veitstänzers noch negativ als schlechte Leere, ähnlich der »schlechten Furcht«, von der wir gesprochen haben. Beim blinden Zeitungsverkäufer ist sie aber ins Positive gewendet und entspricht dem, was die Sprache der Mystik »Gelassenheit« nennt und was im Spätwerk Rilkes das Sehen des »Offenen« genannt wird (8. Elegie), weil es das Gegenüber von Ich und Schicksal nicht kennt. Nur das »amorphe Gefühl« verbleibt hier als einzig Bestimmtes, und es vereinigt den Menschen mit der Welt der Dinge, die ihn umgeben. Zwischen dem Blinden und dem Stein, den seine Hand betastet, gibt es keine Schranke. Malte kann einem solchen Offensein noch nicht folgen, aber er betrachtet es als vorbildlich und beneidenswert. Das anfängliche Grauen, das ihm die Fortgeworfenen einflößen, hat sich in staunende Bewunderung gewandelt. Schon nach der Begegnung mit dem Sterbenden in der Cremerie aber hatte er gewußt: »Nur ein Schritt, und mein tiefes Elend würde Seligkeit sein.« (756)

Die Struktur des Buches ist so angelegt, daß die Kehrseite immer zuerst erscheint, daß die »Seligkeit« sich zuerst als »tiefes Elend« zeigt. Selbst im späteren Verlauf des Buches wird sie ja nie erreicht, bleibt sie ja noch immer nur Wunsch und Projekt. Mit einem »noch nicht« schließt ja der Roman. Immer ist aber die Passivität des Elends die zum ersten Vorschein gelangende Ansicht der Seligkeit, der Hingabe an etwas weit Größeres als es der Ich-Wille ist.

Dieses Ideal der Ent-Ichung bestimmt auch die Poetik des *Malte*. Dieselbe Passivität und Willenlosigkeit, die wir als die Kehrseite der großartigen Hingegebenheit des blinden Zeitungsverkäufers erkannt haben, erscheint in Maltes bereits erwähnter Erahnung eines völlig neuen Schreibens.

Aber es wird ein Tag kommen, da meine Hand weit von mir sein wird, und wenn ich sie schreiben heißen werde, wird sie Worte schreiben, die ich nicht meine. (a. a. O.)

Hier erscheint die Passivität als Offensein des Dichters zu seiner Inspiration. Die bewußte Absicht des Ich würde dem Atem der Inspiration nur im Wege stehen. Der schmerzhafte und leidvolle Prozeß der Ent-Ichung ist Vorbedingung für die neue, größere Dichtungsweise.

Doch zeigt das Bild der vom Ich (»von mir«) weit entfernten Hand, daß die Ichauflösung zugleich eine ungeheure Icherweiterung ist. Denn die schreibende Hand, die der bewußten Absicht nicht gehorcht und die Worte nicht schreiben wird, die das Ich »meint«, ist noch immer Maltes Hand und wird auf sein Geheiß hin zu schreiben beginnen. Das Ich ist also nicht verschwunden und das Schreiben ist nur der Kontrolle der bewußten Absicht, des »Meinens«, entzogen.

Es verhält sich dieses künftige Schreiben der »anderen Auslegung« zum bisherigen bewußten Schreiben Maltes genau wie der wilde, von einer tieferen Kraft diktierte Tanz des Veitstänzers zu seinem vorsichtiger und rücksichtsvoller Selbstkontrolle unterjochtem Gehen, das sich der Hilfe des Stocks bedienen muß. Sein Gehen, das seinem bewußten Willen zu folgen versucht, beabsichtigt alltägliche Unauffälligkeit. Es wird von der Rücksicht auf das »man« geleitet. Sein ekstatischer Tanz aber gehorcht einer sich gegen den bewußten Willen durchsetzenden tieferen Kraft, die zwar das kontrollierende Ich zuschanden werden läßt, und dennoch aus seinem eigenen Inneren, den verborgen gehaltenen Tiefen des Organismus hervorbricht. Als das Ich-Zerstörende schlechthin ist diese Kraft »gegen uns«. Dennoch ist sie »unsere Kraft«, ja »unser Eigenstes«. Denn die Unterdrückung dieser Kraft ist eine Art Selbstentfremdung, da sie ein vorgegebenes Selbst an die Stelle der Wirklichkeit zu setzen versucht. Der sich an seinen Stock anklammernde, die gute Meinung der Leute umwerbende Nervenkranke symbolisiert wie Malte selbst das, was Heidegger später »das Verfallen des Daseins« nennen wird[26]. Diese falsche Fassade, dieses Vorgeben von Gesundheit ist nicht »das eigene Leben« des Veitstänzers, sondern nur der Versuch, der konventionellen Meinung, dem Begriff des »Normalen« zu genügen, und sich nicht lächerlich zu machen vor den Leuten. Dieses Selbst ist Schein, den die Wirklichkeit entlarvt. Sein »Eigenstes« ist nicht dieser Schein, sondern die riesige Kraft, die er zu verbergen trachtet und die im Munde der Leute Krankheit heißt.

Wenn dieses »Eigenste« zum vollen Ausbruch gelangt, schafft es die Möglichkeit einer echten Beziehung des Selbst zu den anderen statt der angestrebten konventionellen und täuschenden, die eine unwahre Normalität vorzuspiegeln trachtet. Anstatt der scheinhaften und negativen ist nun eine wirkliche Verbindung da zwischen dem Veitstänzer und den Menschen. Denn statt bloß aufzupassen, daß den Leuten nichts Besonderes an ihm auffällt, »schleudert« er nun die aus ihm hervorgebrochene »Tanzkraft« ansteckend »unter die Menge«. Und die Menschheit nimmt ihn nun buchstäblich auf. Er verschwindet in ihr, wird für Maltes Blick eins mit ihr.

Hiermit sind wir bei der Synthese des Briggeschen und des Braheschen Prinzips angelangt. Unser zutiefst eigenes, das Briggesche, ist zugleich das, was unser Ich auflöst, entgrenzt und dem Braheschen Allbezug öffnet. Die aus den

---

[26] Martin Heidegger, Sein und Zeit, 11. unv. Auflage, Tübingen, 1967, S. 175.

232

Tiefen des Körpers und der Seele hervordrängende und die bürgerlich-autonome Persönlichkeit völlig überwältigende »Krankheit« ist das Bild dieses paradoxen Prozesses, der das Ich zum Weltbezug erweitert, indem er es als bloßes Ich zerstört.

Malte spricht von dem »Geschwür«, das dem Sterbenden in der Cremerie vielleicht wie eine Sonne aufgeht, die ihm die Welt verwandelt. Malte selbst fühlt seinen krisen- und ahnungshaften Zustand wie eine »Geschwulst«, »einen zweiten Kopf« (765) aus sich herauswachsen. In beiden Fällen wird damit bildlich ausgesprochen, daß hier etwas aus den Tiefen des Ich hervorbricht, das dieses Ich und die Welt, die durch das Ich gedeutet und sinnvoll ist, durchbricht, überwältigt und zu zerstören droht. Dieses Bild von »Geschwür«, »Geschwulst«, »zweiter Kopf« — »Gewächs« also — hängt aber engstens zusammen mit dem als Frucht heranreifenden »eigenen Tod« der Brigges. Ja im Grunde handelt es sich um dasselbe Bild.

So gesehen, erscheint nun auch der »eigene Tod« des Kammerherrn in einem anderen Licht als wir ihn bisher gesehen. Dieser Tod ist zwar sein eigener und die ästhetisch selbstzweckhafte Krönung und Erhebung eines unverwechselbar authentischen Daseins. Doch ist er nicht mit dem Ich des Kammerherrn identisch, sondern diesem Ich feindlich. In seinem Wachsen verwandelt er die Persönlichkeit des alten Brigge und verfremdet sie denen, die ihn gekannt haben. Der wachsende Tod usurpiert die Stelle des Ich und verdrängt es. Es ist nicht mehr Brigge, der jetzt auf Ulsgaard herrscht, sondern sein Tod, und das ist etwas sehr Verschiedenes, wie es uns Malte deutlich wissen läßt. Dieser Tod ist die Kraft, die unserem Selbst entsprungen, dieses Selbst übersteigt und vernichtet. Die Krönung des »Eigenen« ist zugleich sein Zerbrechen. Denn es ist sein Transzendieren. Unser Eigenstes, wozu Malte Tod und Himmel rechnet, ist immer das, was unser empirisches Ich übersteigt und damit auch uns instand setzt, uns selbst zu übersteigen. Gerade die Briggesche Konzentration auf die Authentizität des »Eigenen« läßt uns, wenn tief und konsequent genug durchgeführt, zum Braheschen Bereich vorstoßen, wo sich unser Eigenstes von dem alle Zeitdimensionen übersteigenden Sein nicht mehr unterscheidet. »Malte«, schreibt Rilke an Witold von Hulewicz, »ist nicht umsonst der Enkel des alten Grafen Brahe, der alles, Gewesenes wie Künftiges, einfach für vorhanden hielt.«[27] Doch dieser Vorstoß kann nur durch den Abbau des empirischen Ich geschehen, das, wie es unsere Analyse des Veitstanzabschnitts gezeigt hat, der Vorwand ist, unsere eigenste Wirklichkeit zu verbergen.

---

[27] Briefe aus Muzot, Leipzig, 1935, S. 319.

JAN ALER

ALS ZÖGLING ZWISCHEN MAETERLINCK UND MACH

ROBERT MUSILS LITERARISCH-PHILOSOPHISCHE ANFÄNGE

> Eine große Erkenntnis ist vor allem ein
> Seelenzustand, auf dessen äußerster Spitze der
> Gedanke nur wie eine Blüte sitzt.

Manches Rätsel gibt Robert Musils Werk seinen Lesern auf. Eins der er-
staunlichsten stellt wohl die Kurve dar, nach der das Lebenswerk des Dichters
sich in fast vierzig Jahren entfaltete. Wer sich in seinen meisterhaften Erstling,
den Kurzroman vom Jahre 1906 *Die Verwirrungen des Zöglings Törleß*, vertieft,
spürt das Gesetz, nach dem der Dichter angetreten — und dem er dann nur
noch auf die Gefahr hin, seine Identität preiszugeben, hätte entfliehen können.
Überlegt man sich dabei, wie die Anfänge des novellistischen Werkes, der
dramatischen Versuche und des großen Romans alle bis in das gleiche Jahrzehnt zurückreichen in dem auch der Törleß entstand, so vergegenwärtigt man
sich die Schlüsselposition dieses frühen Werkes.

Auf einen Grundzug des Musilschen Werkes, so wie dieser sich in der
Eigenart des Törleß bekundet, sei im folgenden näher eingegangen. Nach
einer kurzen Einführung in die Fragestellung (I) findet eine genauere Orientierung statt, in deren Verlauf die gemeinte Problemlage deutlicher hervortreten mag (II). Darauf wendet die Studie sich dem Stoff, der Fabel, dem
Motiv dieses »Portrait of the artist as a young man« zu und gewinnt damit den
Ausgangspunkt für die Beantwortung der Frage, wie dieses Motiv mit den
Mitteln des postrealistischen Symbolismus dargestellt wird (III). Darauf
untersucht sie Musils Auseinandersetzung mit dem Empiriokritizismus und
bestimmt deren Verhältnis zur erkenntnistheoretischen Position des Romans (IV).

Auf diesem Wege wird die Studie sich also mit den Beziehungen zwischen
Literatur und Philosophie bei einem führenden Schriftsteller unseres Jahrhunderts beschäftigen. Es ist das Schicksal der großen deutschen Dichtung,
daß gerade in ihr diese Beziehungen eine so eigentümliche Intensität aufweisen
— Schicksal und Gnade. Käte Hamburger hat sich verschiedentlich diesem
Thema mit großer Ursprünglichkeit und Präzision auf die anregendste Weise
zugewandt. Die Forschung ist ihr dafür zutiefst verpflichtet. Dieser Beitrag

234

zu der ihr gewidmeten Festschrift sei ein Zeichen, wie dankbar man, überall dort, wo solche Osmose des Geisteslebens im Zentrum des Interesses steht, diese Verpflichtung empfindet.

I

Mit dem treffsicheren Motto aus Maeterlinck, das den Törleß schmückt, scharte Robert Musil sich mit vollem Rechte unter die Fahne einer Lebensphilosophie, die sich dem mystischen Intuitionismus verschrieben. Zu gleicher Zeit aber — man wäre zunächst wohl versucht, zu schreiben: trotzdem — machte sich in diesem Roman ein messerscharfer Verstand daran, komplizierteste Lebensvorgänge kühl und sauber zu analysieren. Und diese Sezierarbeit vollzog sich sogar in der Perspektive letzter, erkenntnistheoretischer Entscheidungen. Daß diese beiden Tendenzen in einem Werke gemeinsam auftraten, bedeutete sowohl künstlerisch, wie denkerisch ein eminentes Risiko, zumal in dem Werke eines Anfängers. Beides bewältigte dieser jedoch spielend, mit einer wie schlafwandlerisch anmutenden Sicherheit.

Nicht erst im Hinblick also auf die epochale Bedeutung des Lebenswerkes interessiert solche Leistung. Nein, schon für sich genommen, reizt der Roman seinen Leser, sich diesen einigermaßen zu erläutern. Das Niveau nun, auf der sich explizite der Gedankengang vollzieht, und die Art der Fragestellung, die sich in diesem Medium abzeichnet — beides setzt echtes, philosophisches Interesse voraus, zudem aber eine entsprechende, regelrechte Schulung. Offensichtlich hat man es hier mit einem philosophischen Roman zu tun — ohne Ironie sei es diesmal gesagt. Bekanntlich ist der Törleß auch tatsächlich der Roman eines Philosophen. Diese Sachlage zwingt denn auch zur Frage, wie die schriftstellerische Tätigkeit des jungen Musil mit seinem sie begleitenden akademischen Studium der Philosophie innerlich zusammenhängt. (Die inneren Beziehungen zur Lebensphilosophie, wie das Motto aus Maeterlinck sie geistreich vertritt, stehen auf einem anderen Blatt, das diesmal nicht eigens aufgeschlagen sei.)

Andrerseits spiegelt sich in der subtilen Darstellung des Törleß die glückliche Stunde der deutschen Erzählkunst zu Anfang unseres Jahrhunderts. Sie befand sich erst auf der Schwelle der experimentellen Auflösung, die sich bald darauf im Gefolge der Tendenzen der abendländischen Kunst (und Gesellschaft!) überhaupt zu vollziehen begann. Der bürgerliche, psychologische

Roman stand in Blüte. Er hatte überdies endlich auch in Deutschland angefangen, in seine menschenkundlichen Erörterungen die sozial-psychologische
Analyse einzubeziehen. Dem jugendlichen Anfänger stand das ganze Arsenal
der Mittel zur Vergegenwärtigung von Lebenserfahrung zur Verfügung, das
die dialektische Entwicklung vom Realismus zum Symbolismus, über die
Stilstufen des Naturalismus und Impressionismus, den Schriftstellern seiner
Generation bereitet hatte.

Dichterisch bildete dieses großzügige Angebot das Gebot der Stunde.
Neben anderen hat auf seine Weise Robert Musil mit bemerkenswertem
Geschick dieses Gebot vorbildlich erfüllt. Dabei wußte der Dichter seinen
Stoff so zu gestalten, daß sich die explizite Gedankenführung mit jenem
mystischen Grundzug auf einmalige Weise verflocht. Dem verdankt dieses
Jugendwerk nicht zuletzt seine wahrhaft unverhoffte ›Klassizität‹.

Aus solchen Gründen scheint es nicht unangebracht zu sein, sich mit dieser
Konfiguration von Dichtung und Philosophie im Altweibersommer des
bürgerlichen Romans etwas näher zu befassen. Ohne Musils schöpferische
Leistung auch nur irgendwie zu verharmlosen: nicht alles ist einem jeden zu
jeder Zeit möglich. Den geschichtlichen Bedingungen, unter denen Musils
Künstlertum sich gleich so eindrucksvoll bewährte, wollen wir deshalb
nachgehen. Nicht um den Törleß darauf zu reduzieren, sondern um zu
erfahren, wie diese frühreife Begabung in ihrer Auseinandersetzung mit der
historischen Stunde bereits in ihren ersten Versuchen zu sich selbst kam. Mit
dieser Fragestellung hat die Untersuchung sich ihren Gang vorgeschrieben.

II

Mit 26 Jahren veröffentlichte Musil seinen Erstling. Sowohl stilistisch und
kompositorisch, wie gehaltlich war dieser so reif, so gekonnt, wie es nur selten
einer ist. Man steht geradezu vor einem Rätsel. Was in der Lyrik und der
Erzählung gar üblich ist, das scheinen die spezifischen Anforderungen des
Romans dem Anfänger, der eben erst die Zwanzig hinter sich hat, zu verbieten.
Man muß sich schon Werken wie dem *Werther* oder den *Buddenbrooks* zuwenden,
um Ausnahmen zu finden. Das sind allerdings noch ganz andere Meisterwerke
— keine Erstlinge indessen. Aus der zeitgenössischen Romankunst könnte
man eher schon Dichtungen wie *Peter Camenzind* oder *Le grand Meaulnes*
einigermaßen mit dem Törleß vergleichen — wiederum jedoch hatten sowohl

Hermann Hesse wie Alain Fournier ein Stückchen ihrer literarischen Laufbahn bereits hinter sich, als diese Werke erschienen. Das gilt sogar von Cocteaus Wunderknaben Radiguet, der mit zwanzig (!) Jahren *Le diable au corps* veröffentlichte, wohl der erstaunlichste Fall dieser Art.

Von ähnlicher ›Frühvollendetheit‹ darf auch bei Musil wirklich die Rede sein. Und spricht man schon von Rätselhaftigkeit, so wäre mancher wohl versucht — angesichts der Tatsache, daß der Törleß den Auftakt zu einem umfangreichen und höchst gewichtigen Lebenswerk bildet — hinzuzufügen: endlich einmal ohne die verfängliche Assoziation des frühen Verstummens. Bedenkt man allerdings, wie gerade dieses Lebenswerk Torso blieb, ja bleiben mußte, so hat man offenbar bei der Frühvollendetheit des Törleß in dieser Perspektive höchstens eine atypische Variante des Phänomens vor sich. —

Der Rätsel bleiben uns indessen auch so noch genug. Zweidrittel Jahrhundert nämlich sind seit dem Erscheinen dieses Erzählwerkes verflossen. Sie konnten ihm kaum etwas anhaben. Frisch wie am ersten Tag fesselt es seinen Leser und wirkt noch in unser heutiges Kunstleben hinein: das Taschenbuch, die Übersetzungen, der Film, das sind so Symptome dieser Aktualität. Dennoch haben wir es hier nicht, wie uns das sonst vertraut ist, mit einem eigentlichen Zeitzünder zu tun, der für so späte Wirkung Jahre der Ablehnung, oder doch wenigstens der Gleichgültigkeit, in Kauf nehmen mußte. Bereits Ende 1906, im Jahre seines Erscheinens also noch, widmete ja ein maßgebender Kritiker wie Alfred Kerr — einer der klügsten, wenn auch nicht mildesten Kenner der Epoche — dem Roman eine längere unmißverständliche Würdigung.

Musils Erstling trägt mithin keineswegs avantgardistische Signatur. Er entsprach vielmehr ganz der Epoche, der er entsprang — auf einer Ebene indessen, die ihn repräsentativ für sie machte, auf der er sich zugleich aus ihren engeren Bindungen löste. In diesem Sinne trägt der Törleß eben die Signatur des Klassischen. Die Umstände nun, unter denen der Roman entstand, machen solche Qualität um so verwunderlicher.

Ein frischbackener Diplomingenieur, der nach kurzem Intermezzo (1897) im Internat der Militäroberrealschule von Mährisch Weißkirchen blutjung die TH Brünn absolviert hatte (1901), fing 1903 den Roman zu schreiben an — als reine, als bloße Freizeitbeschäftigung.

Es war also keineswegs ein angehender Literat, der da die Frucht seiner hartnäckigen Ambitionen endlich dem Publikum vorlegen möchte. Ja, nicht einmal als einen verhinderten Schriftsteller empfand der junge Robert sich — vielmehr als verhinderten Philosophen. Zu philosophischer Reflexion drängte es ihn, ihr widmete er sich, neben eingestandermaßen etwas dürftiger Berufserfüllung, aufs eifrigste. Im Jahre 1904 sattelte er denn auch noch einmal um, bezog die Universität Berlin und promovierte dort 1908 mit einer Arbeit über Ernst Mach. Seinen Törleß aber hatte er bereits 1903 angefangen. Diese Arbeit begleitete also einige Jahre lang die Vorbereitungen zur philosophischen Promotion. Wenn seine Kräfte zum Studium nicht mehr reichten, erholte er sich eben mit der Darstellung gewisser Internatserfahrungen.

Mag solche Selbstdarstellung (II, 803)[1] auch etwas einseitig pointiert anmuten, der gewiß authentische Grundzug so behaglich-erholsamer, spielerischer Genese eines ersten und dabei so bedeutenden Erzählwerkes, auf der Flucht vor dem Alltag mit seinen Pflichten, bleibt rätselhaft genug. Lisaweta Iwanownas abgeklärter Gesprächspartner hätte schmunzelnd seine Freude daran gehabt (*Tonio Kröger* erschien 1903) und sich wohl überlegt, das größere Rätsel sei »ein solider Ingeniör, welcher Romane dichtete« gewesen. Nun, wie man es nimmt. Rätsel aber pflegen ihre Lösung anzubieten, sobald man sich nur unvoreingenommen von ihnen faszinieren läßt. So enthüllt auch hier das Paradoxon uns bereits bei etwas genauerem Zusehen seine innere Logik.

In der gedanklichen Fülle des Törleß bekundete sich ja eine ungewöhnliche Kraft der Reflexion. Der Dialog — bald geschliffene Zwiesprache, bald tastendes Selbstgespräch — eroberte dem Erzählwerk eine ganz eigene Dimension. »Die Romane sind die sokratischen Dialoge unserer Zeit«, dieser Boutade (III, 722) entsprach bereits weitgehend der Törleß. Seine Konfiguration mit der Doktorarbeit wirft Licht auf solche Leistung.

Die Dissertation, ein *Beitrag zur Beurteilung der Lehren Machs* (im weiteren zitiert als D), ist freilich nichts weniger als ein Meisterwerk. Sie hält zwar, was der Titel verspricht, weist nämlich Machs Darlegungen über Wahrheit ihre mangelnde Konsistenz nach und macht darauf aufmerksam, wie sie einer letzten Grundlegung der Erkenntnis ausweichen. Solche immanente Analyse führt Musils Dissertation recht sauber durch, beschränkt sich aber leider auch hierauf und leistet demnach überhaupt keinen konstruktiven Beitrag. — Seine Schrift — so meinte der Autor — sei vielmehr

... ein Beitrag ... der sich nach Tunlichkeit aller Stellungnahme dort enthält, wo eine solche die Begründung durch persönliche Ansichten erfordern würde ... (D, 12).

---

[1] Zitate nach den Gesammelten Werken, Hamburg, in der Reihenfolge ihres Erscheinens: Der Mann ohne Eigenschaften (1952) = I; Tagebücher, Aphorismen, Essays und Reden (1955) = II; Prosa, Dramen, späte Briefe (1957) = III.

In der Auseinandersetzung mit dem Empiriokritizismus, dessen führender Vertreter Ernst Mach war, blieb sie denn auch ganz ohne Folgen. Bereits 1900 hatte Husserl im ersten Bande seiner *Logischen Untersuchungen* das Prinzip der Denkökonomie als *logisches* Prinzip radikal erschüttert. Seine Ausführungen bestimmten seitdem die Ebene der Diskussion.

Diese logischen Untersuchungen waren Carl Stumpf gewidmet, mit Aloys Riehl Musils Doktorvater — (Die Dissertation schreibt übrigens merkwürdigerweise: Paul Stumpf). Husserl analysierte im ersten Bande den Psychologismus in der Logik und wies nach, wie er zum skeptischen Relativismus führen mußte. Der Empiriokritizismus bedeutete ihm eine Variante des Psychologismus. Er lehnte eine Erkenntnistheorie mit denkökonomischer Begründung radikal als widersinnig ab (a.a.O., § 55). »Die Frage ist nicht, wie Erfahrung, die naive oder wissenschaftliche, *entsteht*, sondern welchen Inhalt sie haben muß, um *objektiv gültige* Erfahrung zu sein.« (a. a. O., S. 205f.) »Vor aller Denkökonomik müssen wir das [epistemologische] *Ideal* schon kennen.« (a. a. O., S. 209 — In diesen Zitaten wurde der springende Punkt kursiv gesetzt.) Genau diese Unterscheidung zwischen genetischer Erläuterung und erkenntnistheoretischer Begründung bestimmte Musils Unternehmung.

Aus mehreren Gründen besitzt Musils Doktorarbeit dennoch in unserem Zusammenhang wirkliche Bedeutung. Erstens stellt die gewissenhafte und kluge Arbeit jene Schulung unter Beweis, die eine Voraussetzung dafür bildete, daß der Erzähler seine Gesprächsführung so souverän zu gestalten wußte. Sodann besteht eine direkte thematische Beziehung zwischen beiden Schriften, die ihre Bearbeitung teilweise zu einem richtigen ›Junktim‹ machte: auch die Dissertation fragte nach Erkenntnis, nach Wahrheit, nach dem Verhältnis von Bewußtsein und Wirklichkeit in der Erfahrung. Das konnte sich wiederum nur günstig auf die Darlegungen im Törleß auswirken.

Außerdem aber ist die Tatsache von unverächtlichem Gewicht, daß es gerade dieser Robert Musil war, der sich unter dem erwähnten Gesichtspunkte eben mit diesem Empiriokritizismus auseinandersetzte. Dieser Umstand hat wesentlich dazu beigetragen, daß der Roman sich mit einer gewissen Aktualität auch in unserer Zeit geltend machen konnte. Auch seinen schon eingangs gestreiften ›klassischen‹ Charakter hat dieser Umstand mitbedingt. Dies zu erläutern, müssen wir etwas weiter ausholen.

Es war ein voll ausgebildeter Ingenieur, der sich das Thema vornahm, es war kein Geisteswissenschaftler. Wie leicht hätte der auf seinem humanistischen Bildungsweg eine gewisse Allergie gegen Machs Betrachtungsweise mitbekommen. — Musil aber brachte die richtigen Voraussetzungen mit, sie mit

Verständnis zu prüfen. Vertraut waren ihm ja durch sein mathematisch-technologisches Studium die methodologischen Fragen, die Machs Ausgangspunkt bildeten. Voreingenommenheit inspirierte keineswegs seine kritische Stellungnahme. Er besaß im Gegenteil genug Affinität mit dem Philosophen, diesem — bei aller kritischen Distanz — gerecht zu werden. Diese Affinität ging tief, sehr viel tiefer als die Doktorarbeit ahnen ließ. Daher wohl auch die Wahl des Themas. Die braucht man nicht auf ein Faible des in die Mark verschlagenen Österreichers für seinen Landsmann zurückzuführen (wenn solche Beziehungen damals auch eine größere Rolle spielen mochten). Entscheidenderes Gewicht kommt wohl dem Umstande zu, daß Machs Thesen, insofern diese den Sensualismus proklamierten, bekanntlich dem impressionistischen Lebensgefühl bestens entsprachen, und mancher Künstler (Hofmannsthal z. B., oder Bahr, oder Rilke) mehr oder weniger mit seinen Argumenten vertraut war.

Soweit zur Frage, inwiefern gerade ein Musil zur kritischen Behandlung des Empiriokritizismus besonders qualifiziert sei. Nun soll umgekehrt von ihrem Thema her die Bedeutung der Dissertation in unserem Zusammenhang erläutert werden. Wie nahm sich der Empiriokritizismus in der philosophischen Konstellation der Epoche aus? Noch prägte der transzendentale Idealismus auf der Stufe des neukantischen Kritizismus den akademischen Lehrbetrieb. Diltheys Einfluß war groß, aber seine Schule erst im Kommen: die Lebensphilosophie beherrschte das Feld extra muros. Ihre Substanz sollten die Phänomenologie und die Erneuerung des Hegelschen Denkens bald auch innerhalb der Universität durchbilden und entfalten. Zu Anfang des Jahrhunderts, das sie in Atem halten sollten, waren sie aber erst daran, sich als philosophische Richtung zu etablieren.

In dieser Gesamtlage hatte der Empiriokritizismus als wohldeterminierte Strömung in der damaligen Wissenschaftslehre eine recht periphere Position inne. Er war dabei auch noch höchst ephemer: den Höhepunkt hatte er 1908 schon überschritten. Seine geschichtliche Bedeutung indessen erfaßt man erst, wenn man feststellt, daß er in Mitteleuropa das sprechendste Symptom bildete für eine viel hartnäckigere Tendenz im modernen Geistesleben, für den naiven Anspruch nämlich einer an die bloße Methode der Naturwissenschaften orientierten Reflexion, die einzige noch vertretbare Form philosophischer Besinnung darzustellen. Machs pragmatische Variante des erkenntnistheoretischen Sensualismus bildete einen schmächtigen Flußarm im vielverzweigten antimetaphysischen Stromgebiet, das in unseren Tagen sich fächerförmig vom Neupositivismus bis zu den Spielarten der analytischen Philosophie breitgemacht hat. Die ersten Sätze bereits der Dissertation sprechen denn auch von »einer exakten Philosophie«, von einem Philosophieren, das sich »mit Berücksichtigung aller Mittel und Ergebnisse der exakten Forschung« neu gestaltet (D, 5).

In dieser Perspektive kommt Musils Auseinandersetzung mit Mach durchaus eine gewisse Aktualität zu. Davon zieht sein Roman den Nutzen. Der Dichter möchte einer nuancierteren Lebenserfahrung, als der Szientismus überhaupt wahrhaben konnte, zu ihrem adäquaten Ausdruck verhelfen. Er lehnte den Szientismus ab, aber er kannte sich jetzt auch so gut in ihm aus, daß er mit ihm diskutieren konnte. Hätte Musil sich mit Mach und Konsorten auf dem Boden der Transzendentalphilosophie angelegt und sich dabei ihres Rüstzeugs bedient, so wäre die angedeutete Aktualität ihm entgangen. Aber es waren lebensphilosophische Anregungen, die den Dichter bei seiner Auseinandersetzung bestimmten. Diese führte er auf der Ebene des ›sokratischen Dialogs‹ so gewandt durch, daß ein blendendes Hin und Her zwischen den Positionen den Leser entzückt. Dieser souveränen Ausgeglichenheit verdankt der Roman auch seine Klassizität.

Die Analyse dieses Zusammenhanges reicht indessen keineswegs aus, den ganzen Reiz des erstaunlichen Erstlings zu ergründen. Sie verdeutlicht nur einen Aspekt seiner hohen Qualität und gerade nicht den künstlerischen. Vielmehr verweilt sie bei dem Element, das für sich betrachtet der dichterischen Wirksamkeit eher zu schaden droht, als daß es dieser Vorschub leiste. Damit sei nichts eingewendet gegen solche *Fülle* des Gehalts. Sie kennzeichnet ja alle große Kunst, zumal große Dichtung. Kunst gestaltet; gestaltend stellt sie dar. Jede Darstellung deutet. In der Deutung der Erfahrung gestaltet die Kunst das Feld der Bedeutsamkeit. Stilanalytischer Purismus mag diese Dimension selbstgefällig auszuklammern versuchen. Solche Formalisierung ist nach dem rücksichtslosen Ideologieverschleiß der Jahrhundertmitte verständlich. Er entspricht zudem der Geistesverfassung eines Zeitalters, das sich im Gefolge der Technologie dem Objektivismus verschrieben hat. Aber in dem Umgang mit Kunst bleibt gerade diese Vermittlung von Gehalt entscheidend. Eine Kunstbetrachtung, die sich nicht dort ihre Direktiven holt, versagt.

Nicht gegen solche Fülle des Gehalts also dürften sich kunsttheoretische Bedenken erheben, sondern gegen die Fülle *solchen* Gehalts, wie er sich im Törleß bekundet: im denkerischen Vollzug, in der rein intellektuellen Bemühung um explizite Begriffsbildung und Argumentation. Niemand hat das besser gewußt, als unser Dichter selber, da er sich etwa notierte: »Kunst teilt sich nicht dem Verstand (allein) mit, sondern durch Ansteckung.« (III, 716)

241

Der bakteriologische Fachausdruck weist offenbar auf die Gewalt hin, die Kunst über ihren Betrachter zu gewinnen vermag. Sie nimmt ihn in Besitz, indem sie etwas auf ihn überträgt, das ihn verwandelt, das ihn ihr *an*verwandelt. Genauso verläuft nämlich eine Ansteckung. Reine Begrifflichkeit reicht da nicht hin. Der Begriff *er*greift nicht, wie es hier von der Kunst gefordert wird.

Das Schicksal des sogenannten ›philosophischen Romans‹ ist nicht gerade heiter: bald fehlt die Philosophie, bald der Roman, bald fehlt ihm beides. Beim Törleß ist der Anteil der Philosophie offenbar gesichert. Wie vermag aber Erzählkunst so genuine Begriffsbildung zu assimilieren und dann auch künstlerisch zu vermitteln? Das ist nicht nur eine Frage der Dosierung, wie wichtig bei der Lösung dieser Aufgabe Proportion und besonders Distribution auch sind. Entscheidend ist es vielmehr, daß der Autor die begriffliche Anstrengung in das menschliche Geschehen zu integrieren weiß. Wenn bei der Stellungnahme der Romanfiguren in der geschilderten Lebenslage diese Anstrengung aus ihrem Erleben dieser Situation hervorwächst, nur dann wirkt die intellektuelle Leistung nicht als willkürliche, von Gnaden eines höchst gescheiten Autors nämlich, herangetragene Reflexion.

Bei der Pluridimensionalität der Erzählkunst sei keineswegs im vorhinein das gute Recht des Autorenkommentars geleugnet. Dieser kann entweder als Zwischenbemerkung die Handlung begleiten. Er ragt dann aus der Welt des Erzählers (im Gespräch mit seinem Publikum) in die erzählte Welt hinein. Oder ein fiktiver Betrachter vermittelt innerhalb dieser Welt solchen Kommentar. Beide Varianten gestatten jedoch der Reflexion nur eine untergeordnete Rolle bei beschränktem Umfang. Sonst wird die epische Gestaltung zerstört. (Das entspricht dem Strukturgesetz einer Sondergattung des Romans, die aus solchen Zerreißproben gerade hervorgeht, der offenen Form nämlich des humoristischen Romans.) Erstrebt aber der Autor in einer geschlossenen Erzählform maximalen Anteil der Reflexion, rückt er diese ins Zentrum des Geschehens, dann ist es sein Problem, wie er das erreicht, ohne daß die Anstrengung der Begriffsbildung in der erzählten Welt als Fremdkörper erscheint und künstlerisch stört.

Das wird eben vermieden, wenn solche intellektuelle Leistung ihre episch-immanente Motivierung besitzt als eine existentiell verwurzelte Auseinandersetzung mit Lebensfragen. Dann ist Reflexion Geschick. Jede Aussage, sogar jede Frage, ja bereits jedes Verhalten als solches deutet die Erfahrung, vertritt eine bestimmte Art, diese aufzufassen. Vor- und Frühformen der Reflexion bietet jedes Gespräch. Grundsätzliche Besinnung auf Lebenserfahrung ist mithin eine Steigerung dessen, was sich in solchen Ansätzen bereits meldet.

Aufgabe des Dichters ist es somit darzustellen, wie der sokratische Dialog aus dem überwältigenden Erlebnis hervorgeht, um in dieses hineinzuleuchten — wie im Ringen mit dem Erlebnis der Mensch sich reflektierend als Mensch zu behaupten versucht. Dazu ist es notwendig, daß in der Darstellung der Übergang von Erfahrung in Begriff und wiederum von Reflexion in Verhalten auf höchst plausible Weise und recht anschaulich vollzogen wird. An der Fülle des Erlebnisses entzündet die Konfrontation der handelnden Personen die philosophische Diskussion.

Damit nun vor den Augen des Lesers solche Handlung richtig, das heißt auf einleuchtende Weise abrollt, müssen sowohl stofflich wie darstellerisch ganz bestimmte Voraussetzungen erfüllt sein. Bei einigen, für die Handlung wichtigen Romanfiguren z. B. soll nicht nur der innere Antrieb zur Reflexion stark hervortreten, sondern auch das Vermögen dazu. Ihre Lebenslage soll ihnen weiterhin die Muße zur Reflexion verschaffen und diese durch die Art der in ihr waltenden zwischenmenschlichen Beziehungen auch fördern. Überdies soll diese Lage es in sich haben, daß sich in ihr Situationen bilden, die eine echte Lebensfrage als Motiv der Reflexion aufdrängen. Keine akademische Frage sollen die Protagonisten erörtern, sondern ein Lebensproblem soll sie ergreifen, das sie in seiner humanen Bedeutsamkeit erschüttert. Das bedingt den weiteren Gehalt des Dialogs.

Die durch solche psychologischen und sozialen Bedingungen bestimmte Fabel gilt es nun andrerseits auch stilistisch zu bewältigen. Zentral ist dabei die Aufgabe, mit höchster Intensität Erlebtes als Tatbestand in seiner Bedeutsamkeit zu beschwören. Erlebnisse sind auf solche Weise darzustellen, daß der Leser sich sowohl den Antrieb zum klärenden Gedankenvollzug wie dessen Rückwirkung auf Erfahrung und Verhalten lebhaft vergegenwärtigt. Die dynamische Verflechtung der Reflexion mit Gefühlen, mit der Einbildungskraft, mit dem Willenstreben ist dabei wesentlich.

Daß ein dem philosophischen Roman so adäquater Stoff sich dem jungen Robert direkt anbot, war Glückssache: In diesem Stoff war die Fabel präfiguriert, die den erwähnten Anforderungen genügen konnte. Daß ihm andrerseits die Vergegenwärtigung dieser Fabel in der soeben entwickelten Perspektive des dynamischen Zusammenhanges zwischen Erlebnis und Begriff so blendend gelang — es war gleichfalls Sache des Glücks. Es war das Glück einer großen schriftstellerischen Begabung. Aber die Fortuna steuerte ein Drittes bei: die glückliche Konstellation der Erzählkunst zu Anfang des Jahrhunderts.

Seit etwa einem Vierteljahrhundert hatten nacheinander Naturalismus,

Impressionismus, Symbolismus den überlieferten Realismus abgelöst. Bereits entwickelten sich Anzeichen des Expressionismus. Solche Unterscheidungen sind indessen sehr abstrakter Natur. Denn das Nacheinander war um 1900 deutlich zu einem Nebeneinander geworden, das als *Mit*einander die Gestaltung der Werke bestimmte. Die Klassifikation nach Stilrichtungen hat demnach nicht den Sinn, mit der Zuordnung zu einer Klasse die Merkmale der anderen absolut auszuschließen. Sie besagt vielmehr, daß jeweils eine Dominante in der Prägung des Werkes anerkannt wird.

Diese Klassifikation bezieht sich auf den Sprachstil (insofern es sich um Literatur handelt). Das ist in ihrer Diversität der einheitliche Gesichtspunkt. Ihn ergänzt ein andrer: diese Stilrichtungen haben als gemeinsamen Grundzug, daß sie einen Anspruch auf Wahrheit erheben[2]. Die Auffassung von der Beziehung zwischen Bewußtsein und Wirklichkeit in der Erfahrung bestimmt jeweils die Sprachform. Wie vermittelt Kunst Wahrheit, das ist die Frage, auf die jede dieser Richtungen ihre eigne Antwort gibt. Die Dynamik ihrer Entwicklung wird durch das Motiv bestimmt, den traditionellen Realismus zu steigern. In dieser Entwicklung wird dann aber die Frage, was die Realität sei, der ein gesteigerter Realismus zu entsprechen hätte, jeweils anders beantwortet. Verschiedene Aspekte der Erfahrung (denen sich jeweils eine dieser Stilrichtungen zuordnet) erhalten den Vorrang.

Der Naturalismus unterscheidet sich vom bürgerlichen Realismus dadurch, daß er den ganzen Lebensstoff für literaturfähig hält und mit Genuß gegen überlieferte Tabuierungen ankämpft. Der Naturalismus ist also ein höchst ›konsequenter‹, so richtig aggressiver Realismus — auch in seinem am Positivismus entwickelten theoretisch-kritischen Grundzug: Analyse der sozialen Verhältnisse und rationale Bearbeitung dieses Materials verschaffen Einblick in soziokulturelle Gesetzmäßigkeiten, die der Schriftsteller darzustellen hat. Aus solcher Gesetzlichkeit, die die Unmittelbarkeit des Gegenstandes *übersteigt*, bestimmt der Naturalismus diesen und beurteilt ihn. — Der Impressionismus seinerseits *unterläuft*, in der Virtuosität des Treffens von Sinneseindrücken, die Gegenständlichkeit. Die Dinge lösen sich auf; und wendet der Impressionismus sich nach innen, so löst er die Einheit des Bewußtseins in dessen Regungen auf. Dieser Vorstoß ins *Vor*gegenständliche rührt an die Grenzen der Sprache. — Steigert diese Anstrengung sich, so

---

[2] Ich darf für weitere Ausführungen auf meinen Beitrag im Jahrbuch für internationale Germanistik verweisen: »Die Wahrheit der Dichtung, zum Verhältnis von Literatur und Wirklichkeit«, Princeton, Sonderheft, 1971.

bedient der Künstler des Symbolismus bei seinem Vorstoß ins *Vor*prädikative sich eines indirekten, uneigentlichen Sprachgebrauches. Dieser macht Vorgestelltes der äußeren und inneren Erfahrung transparent — auf solches hin, über das sich nur mit Hinweisen, in Bild und Vergleich, reden läßt. Wo Begrifflichkeit vor dem Vorgegenständlichen versagt, vermag solche Deixis den Gehalt des Innewerdens künstlerisch zu beschwören. — Darauf gewinnt im Expressionismus die sprachliche Vermittlung der Gefühlsbedeutsamkeit der Erfahrung ungekannte Dynamik und Intensität.

Das Miteinander der sich nach systematischem Gesichtspunkt ergänzenden Stilrichtungen in den literarischen Werken des frühen 20. Jahrhunderts interessiert uns hier im Hinblick auf die Erzählkunst. Will man sie in ihrer stilistischen Vielschichtigkeit gebührend würdigen, so verzichtet man besser auf die unglückselige Wendung vom Semirealismus. Im Grunde deutet diese Vokabel ja bloß eine Halbheit an. Es handelt sich tatsächlich aber gerade um eine *Synthese* von Stilmitteln, die in einer kumulativen Entwicklung erarbeitet wurden und sich nun — im Dienste einer äußerst nuancierten Darstellung von Erfahrung — in verschiedenster Schichtung und Dosierung anwenden lassen. Bezeichnet man diese Phase der Stilgeschichte als postrealistischen Symbolismus, so zielt man auf den hier gemeinten, synthetischen Charakter. Das ›post‹ bezieht sich dann auf die historische Reihenfolge im Entstehen. Aber solches ›nach‹ will keineswegs besagen, das früher Entstandene sei nun auch ›vorbei‹! Vielmehr meint der Titel folgenden Sachverhalt: die symbolistische Kunstübung hat sich die Mittel des gesteigerten Realismus, wie Naturalismus und Impressionismus sie erarbeiteten, sachgerecht einverleibt.

Ein Kabinettstück solcher Synthese sei hier zur Illustration vorgelegt. Es wird dem Leser so virtuos vorgetragen, daß in der Stilisierung ein fast parodistischer Ton leise mitschwingt. — Die Tradition einer *prä*realistischen Symbolisierung wird darin zunächst mit expressiven Stilzügen äußerst lebhaft erneuert — der Impressionismus trifft genauestens Atmosphärisches — die Gefühlsbedeutsamkeit der Situation kommt schließlich im Naturerleben mittelbar zum Ausdruck:

> Nun lenkte Tag für Tag der Gott mit den hitzigen Wangen nackend sein gluthauchendes Viergespann durch die Räume des Himmels, und sein gelbes Gelock flatterte im zugleich ausstürmenden Ostwind. Weißlich seidiger Glanz lag auf den Weiten des träge wallenden Pontos. Der Sand glühte. Unter der silbrig flirrenden Bläue des Äthers waren rostfarbene Segeltücher vor den Strandhütten ausgespannt, und auf dem scharf umgrenzten Schattenfleck, den sie boten, verbrachte man die Vormittagsstunden. Aber köstlich war auch der Abend, wenn die Pflanzen des Parks balsamisch dufteten, die Gestirne droben ihren Reigen schritten und das Murmeln des umnachteten Meeres, leise heraufdringend, die Seele besprach.

Dieses Erbe der jüngsten Kunstentwicklung trat der junge Robert an. Er erwarb es; er besaß es! Vor dem Alltag der Büros floh er zu den Träumereien und Gesichten, die die Substanz seiner Lebenserfahrung bildeten, und stellte sie dar.

III

»So geschah es, daß ich zu schreiben anfing, und der Stoff, der gleich fertig dalag, war eben der der Verwirrungen des Zöglings Törleß« (II, 803). Diesen Stoff bildete das Leben in einem Internat. Man schrieb 1903, der psychologische Roman stand in Blüte. Solche Verhältnisse sind wie geschaffen für diese Gattung. Sie gestatten eine übersichtliche Milieustudie, die den neugierigen Leser leicht fesselt. Denn die Verhältnisse in einem solchen Institut bedingen spezifische Erfahrungen, die sich auch in ihrer Alltäglichkeit vom Alltag des gewöhnlichen Familie- und Schullebens unterscheiden, manchmal beträchtlich sogar. Die Gesamtlage reizt zu einer Probe von Mikrosoziologie. Bald wendet diese sich Massenerscheinungen zu, die wie in der Versuchsstation stattfinden, bald auch befleißigt sie sich der Charakterdarstellung in dem beschränkten, aber durch seine Dichte eigentümlich intensivierten Aktionsgewebe.

Die Analyse solcher Gruppenerscheinungen richtet sich gerne auf die spezifischen Momente, die ja auch von sich her bereits den Leser am ehesten fesseln. »Im Konvikt zu W.« nun bietet sich dem Blick das Verhalten von Jugendlichen, wie zwei Faktoren es grundsätzlich bestimmen. Einmal herrscht hier die etwas schwüle Atmosphäre, die sich unter Knaben in der Pubertät so leicht bildet und dann homoerotische Verwicklungen fördert. Sodann handelt es sich um junge Leute aus sehr gutem Hause, die sich auf akademische Studien, auf die Offizierslaufbahn u. dgl. vorbereiten. Das bedingt eine formbewußte, kultivierte Atmosphäre mit reichem Bildungsfundus und einer starken intellektuellen Komponente (wobei übrigens kaum die Eigenart einer Kadettenanstalt, wie Mährisch Weißkirchen eine war, irgendwie hervortritt).

Wie im Gewächshaus steigert sich im Internat die Wirkung solcher klimatologischen Bedingungen. In den Subkulturen von kleineren und kleinsten Gruppen mag ihre Intensität seltsame Lebensformen erzeugen. Dahin lenkt der Autor die Aufmerksamkeit des Lesers.

Dieser hat keinen Bericht vor sich, und wäre es ein autobiographischer, sondern eben einen Roman, ein Kunstwerk. Der Unterschied mag fließend sein. Auch die Autobiographie gestaltet im Rückblick den Lebensstoff mehr oder weniger auf ein Lebensbild hin. Dennoch bleibt die Unterscheidung wesentlich. Das Kunstwerk, das der autobiografische Roman ist, benutzt seinen Stoff souverän. Unbekümmert wählt der Autor aus, was er brauchen kann, modelt um, ergänzt. Sein Maßstab ist nicht die historische Richtigkeit, sondern menschliche Bedeutsamkeit. Wenn in seinem Werk Gestaltungswille und Modelltreue miteinander ringen, so darf letztere grundsätzlich den kürzeren ziehen.

Der Autor hat keinen Zweifel darüber bestehen lassen (III, 724), daß sein Erstling als Roman aufzufassen sei. Der Törleß ist eben ein Künstlerporträt, das Selbstporträt des Künstlers als Knaben. Deutlicher noch als Joyces *Portrait*, mit dem der Törleß so manche Verwandtschaft zeigt, dominiert hier denn auch der Gestaltungswille. Das bedeutet für die darzustellenden Grundzüge und Tendenzen eine nochmalige Steigerung. Unter solchen Umständen wird z. B. die Frage müßig, ob ›wirklich‹ unter Siebzehn-Achtzehn-Jähringen bereits solche Diskussionen stattgefunden hätten. Bei Joyce spielt sich das entsprechende Kapitel erst auf der Universität ab, in Trinity College, und erreicht trotzdem nicht immer das im Törleß dargestellte, intellektuelle Niveau. Nur wer das Romanwerk mit einem Protokoll verwechselt, kann solcher eventuellen ›Unstimmigkeit‹ Gewicht beimessen.

Wie sich nun das Konvikt in einem Außenbezirk der Donaumonarchie befindet, so bildet auch das Verhältnis jener heranwachsenden Herrenschicht zur slavischen Bauernwelt einen Grundzug der Situation. Das Internat erhebt sich, wie eine andere Garnison, autonom über dieses Slawentum und ist dagegen abgeschirmt. Aber ein gewisses Mißverhältnis, das zwischen dem Leben und den ihm auferlegten Formen leicht bei soviel erzieherisch-gesellschaftlicher Disziplin aufkommt, findet dennoch in dieser Beziehung seinen Ausgleich. Den schaffen kleine Seitensprünge, die sich zu milden Ausschweifungen auswachsen mögen. Dann tummelt sich blitzartig Triebhaftes, das im wohlgeordneten Alltag des Internats keinen Platz findet. Ein Kräftefeld zeichnet sich ab, das sich gleichsam vertikal zur Horizontale der Beziehungen der Zöglinge unter sich verhält. Wenn nämlich die zwielichtigen Abstecher »der jungen Herren« (III, 25) in die slavische Provinz eine Art von Unterwelt aufdämmern lassen, so hat diese ihr Gegenstück in der Oberwelt der Lehrer, die Disziplin und geistiges Wachstum bestimmt (die in jener Unterwelt höchst komplementär ergänzt werden). Auch dort finden gelegentlich Besuche statt.

Diese beiden Welten bedingen sich gegenseitig, nicht nur in jener Komplementarität, sondern auch in dieser: weil man die Oberwelt *als solche* gar nicht ernst nehmen kann, kommt die Unterwelt zur Geltung, in der man sich über die Oberwelt, als einer Schein- und Halbwelt, erhaben dünkt. Der Autor formuliert das einmal so (III, 120):

> Ein gewisser Grad von Ausschweifung galt sogar als männlich, als verwegen, als kühnes Inbesitznehmen vorenthaltener Vergnügungen. Zumal wenn man sich mit der ehrbar verkümmerten Erscheinung der meisten Lehrer verglich. Denn dann gewann das Mahnwort Moral einen lächerlichen Zusammenhang mit schmalen Schultern, mit spitzen Bäuchen auf dünnen Beinen und mit Augen, die hinter ihren Brillen harmlos wie Schäfchen weideten, als sei das Leben nichts als ein Feld voll Blumen ernster Erbaulichkeit.

Das so abgesteckte Feld bedingt die Fabel des Törleß. Ein Zwischenfall ereignet sich, und in ihm wirkt sich das spezifische Kräftespiel aus. Als ein Schüler sich bei einem Kameraden verschuldet, und dieser drohend auf Rückzahlung drängt, nimmt der Schuldner die Summe einem Klassenkameraden weg. Aber der Geldgeber kommt ihm auf die Schliche und hat ihn nun völlig in seiner Macht. Er macht ihn sich hörig. Er mißbraucht ihn. Der Bestohlene wird zudem noch sein Verbündeter und nutzt nun auf seine Art die Notlage des ertappten Diebes grausam aus. Es entwickelt sich um den Fall eine ganze, kleine Verschwörung. Der Fall wird dramatisch. Er wäre fast tragisch geworden. Da löst sich der Knoten: Der Dieb zeigt sich selber bei der Leitung an, und verläßt strafweise die Schule. (Wird er seinen Weg noch finden? Man möchte sich das bei seinen Familienverhältnissen lieber nicht ausmalen.) Im Institut geht der Alltag weiter.

In ihren Hauptrichtlinien hat die Fabel des Törleß also nichts Außergewöhnliches. Der Roman entwickelt konsequent ein beliebtes Motiv, das uns aus der Literatur der Gegenwart (etwa aus *Les amitiés particulières* von Roger Peyrefitte) und der Filmkunst (etwa *If* von Lindsay Anderson nach Sherwins Skript) vertraut ist. Hier schürzen übrigens manchmal erotische Beziehungen zwischen Lehrer und Schüler einen noch verwickelteren Knoten (wie in Montherlants Drama *La ville dont le prince est un enfant*).

Der Autor erzählt spannend, er hat einen klaren Blick für besagtes Kräftespiel. An ihm betreibt er seine sozial- und entwicklungspsychologischen Analysen. So weiß er dem Leser einprägsam seine Beobachtung vom Mechanismus in Gruppenerscheinungen zu vermitteln, wie etwa hier, wo ein künftiger Führer sich heiter-verächtlich über die zu Verführenden äußert (III, 121):

> Vielleicht liefern wir ihn überhaupt der Klasse aus. Das wäre das gescheiteste. Wenn von so vielen jeder nur ein wenig beisteuert, so genügt es, um ihn in Stücke zu zerreißen. Überhaupt habe ich diese Massenbewegungen gern. Keiner will Besonderes dazutun, und doch gehen die Wellen immer höher, bis sie über allen Köpfen zusammenschlagen. Ihr werdet sehen, keiner wird sich rühren, und es wird doch einen Riesensturm geben. So etwas in Szene zu setzen, ist für mich ein außerordentliches Vergnügen.

Das wirkt sich dann de facto so aus (III, 136):

Unflätiges Lachen, zügellose Scherze flattern aus der Masse auf. Reiting will weiterlesen. Plötzlich stößt einer Basini. Ein anderer, auf den er dabei fällt, stößt ihn halb im Scherze, halb in Entrüstung zurück. Ein dritter gibt ihn weiter. Und plötzlich fliegt Basini, nackt, mit von der Angst aufgerissenem Munde, wie ein wirbelnder Ball, unter Lachen, Jubelrufen, Zugreifen aller im Saale umher, — von einer Seite zur andern, — stößt sich Wunden an den scharfen Ecken der Bänke, fällt in die Knie, die er sich blutig reißt, — und stürzt endlich blutend, bestaubt, mit tierischen, verglasten Augen zusammen, während augenblicklich Schweigen eintritt und alles vordrängt, um ihn am Boden liegen zu sehen.

Unsere Erfahrungen seit den Dreißiger Jahren bestätigen, daß der Autor hier grundsätzlich nicht übertreibt. —

Genauso scharfsinnig und aufschlußreich arbeitet der junge Musil soziologische Querverbindungen heraus, wie etwa hier: abseits, in jener ›Unterwelt‹, enthüllt eine alternde Prostituierte ihrer jungen Kundschaft auf demütigende Weise die Verlogenheit, die Korruption, den Verfall in der vornehmen, scheinbar so formvollendeten Gesellschaft ihrer Eltern und Verwandten. »Die feinen Menschen sind auch nicht von Zuckerwerk« (III, 43). Da wirft man jäh einen Blick hinter die Kulissen, vor denen sich auf dem großen Welttheater Kakaniens Untergang abspielt, und man erfährt, wie Diener Herrschaft über ihre Herrschaften gewinnen. Wiederum ein hübsches Exempel jener Dialektik, die sich soeben auch in der Beziehung zwischen Unter- und Oberwelt abzeichnete.

In dieses soziale Kräftespiel des Romans stellt Musil die einzelnen Protagonisten hin. Auch hier bewährt sich sein scharfer Blick für Menschen in den verblüffend klar gezeichneten Profilen. Bis in Einzelheiten des Verhaltens, der Denkungsart, der Sprechweise werden sie als Typen herausgestellt. Auch wenn man annehmen darf, daß ganz im Sinne der Epoche geschickt nach Modellen gearbeitet wurde, bleibt die Leistung des Anfängers höchst beachtenswert.

Dies um so mehr, als er auch die Gesprächsführung seiner Typen psychologisch so durchsichtig gestaltet, wie die Sondergattung es eben verlangt. Das geschickte Taktieren etwa (III, 55 f.) in einem entscheidenden Augenblick wird höchst lebensecht ›vorgemacht‹ und darauf in einer kurzen Bemerkung treffsicher beurteilt. Damit sind im psychologischen Roman (gewiß, nach zeitgenössischen Mustern) die Voraussetzungen für ›sokratische Dialoge‹ gegeben.

Die Protagonisten wird man nicht leicht verwechseln. Da ist Reiting, der liebenswürdig-grausame Zyniker der Macht. Ihm gegenüber steht der verbohrte Pseudo-Mystiker Beineberg, dessen Größenwahn sich in abstrusen Hirngespinsten ergeht und letzte Grausamkeiten ersinnt, die er dialektisch als ein von ihm dargebrachtes Opfer hinstellt. Beide sind ausgesprochene

Sadisten, aber grundverschieden in ihrer Eigenart. Als Dritten in ihrem infernalen Bunde lernt der Leser ihr Opfer Basini in seiner ganzen moralischen und intellektuellen Schwäche kennen. Und die seelische Entwicklung der Hauptperson des Romans, des innerlich so komplizierten Titelhelden, der sich durch betrachtsame Sensibilität auszeichnet, wird Schritt für Schritt sorgfältig registriert.

Die ganze, so ganz eigene Qualität des Romans indessen erfaßt man erst, wenn man sich genauer das Verhältnis der Fabel zum Thema des Werkes ansieht. Gewiß ist es einem dann bereits aufgefallen, mit welchem feinen Anstand Musil das heikle Motiv behandelt, das die Fabel vorantreibt. Er vermeidet peinlichst alle Sensation, auch wenn der Stoff förmlich dazu einlädt. Wie anders hätte etwa ein Günter Grass unter Aufgebot saftig angereicherter Jugenderinnerungen seinen schmunzelnden Leser durch die unappetitlichen Lustbarkeiten des ländlichen Bordells geführt!

Überhaupt spekuliert unser Autor nie auf pornographische Gelüste. Auch auf die künstlerisch (und sozialkritisch) bedingten Kruditäten des Naturalismus hat er es so gar nicht abgesehen. Der reife Emile Zola, man vergleiche etwa *La Terre*, sowie der ungeschickte Anfänger, der Gerhart Hauptmann in seinem *Bahnwärter Thiel* noch war, behandelten solche Themen recht ungeschminkt. Bei ihren Darbietungen standen sekundäre Geschlechtsmerkmale hoch in Kurs. Mit den primären sollten unsere Zeitgenossen sich dann eingehender beschäftigen. Musils Darstellung aber ist behutsam, wortkarg. Lieber bedient sie sich bei diesem Aspekt des Geschehens der Andeutung als der Ausführung. A fortiori dämpft sie bei intimen Vorgängen in diesem Sektor die Stimme. So heißt es III, 113:

> Schließlich wachte er ... auf. Und beinahe hätte er einen Schrei ausgestoßen. An seinem Bette saß Basini! Und mit rasender Behendigkeit löste dieser im nächsten Augenblicke das Hemd von seinem Leibe, schmiegte sich unter die Decke und preßte seinen nackten, zitternden Leib an Törleß an.

Gewiß, die geschlechtliche Problematik treibt nicht nur die Fabel voran, sie bestimmt grundsätzlich das Klima des ganzen Romans mit. Das besorgt bereits die Komposition vorzüglich. Schon die Ouvertüre bereitet den Leser, bevor die eigentliche Handlung überhaupt begonnen hat, mit den Ereignissen in der Wirtschaft auf solche Atmosphäre vor. Und der fast brutale Schlußsatz faßt unerbittlich den Ertrag der Erschütterungen zusammen, die aus diesem Bereich über den Zögling Törleß hereinbrachen:

> Und er prüfte den leise parfümierten Geruch, der aus der Taille seiner Mutter aufstieg.

Dieser Schlußsatz, ein Absatz für sich, bildet einen ausdrücklichen Schlußstrich, und eröffnet zugleich, wie ein Doppelpunkt, eine neue Phase in diesen
Verwandlungen einer Jugend. So kühl und knapp hätte Maupassant ihn aus-
feilen mögen, der klassisches Maß der naturalistischen Erzählkunst wieder-
gewann — so unheilschwanger aber auch, mit einem leisen Anflug von Mor-
bidität ...

In diesem Klima des Romans nun ist die Gleichgeschlechtlichkeit eine un-
verächtliche Komponente. Sehen wir uns aber die in der Fabel so gewichtigen
Episode noch einmal an, wie Törleß überfallen wurde (III, 113 f.). Nach einem
geradezu dürren Bericht des Geschehens (von etwa 8 Zeilen), folgt keineswegs
die Geschichte von einem peniblen Scharmützel: Der Autor stellt ebenso um-
ständlich (40 Zeilen) wie eindrucksvoll die inneren Vorgänge während der
Verführungsszene dar. In dieser mit den Mitteln der Lyrik aufs zarteste ab-
getönte Erhellung von seelischem Geschehen zwischen Traum und Tag läßt
sich nur noch stellenweise etwas von ›Handlung‹ unterscheiden (»... [7 Zeilen]
... stemmte gequält seinen Arm gegen Basinis Schulter ... [9 Zeilen] ... Noch
immer hielt er seine Arme gegen Basinis Körper gestemmt ... [4 Zeilen] ...
seine Hände Basini näher gezogen hatten ... [18 Zeilen] ...«) Diese letzte Stelle
ist syntaktisch schon so beschaffen, daß Törleß sich nur noch so schwach —
»wie im Traum« — dessen, was er tut, bewußt ist, daß es bereits ein körperliches Geschehen ist, wie ohne eignes Zutun: »Er fühlte plötzlich, wie« seine
Hände das taten. Damit bildet der Tatbestand bereits den Übergang zu zwei
Beobachtungen, die rein körperliche Zustände betreffen (... Aber die heiße
Nähe der weichen, fremden Haut verfolgte ihn und umschloß ihn und er-
stickte ihn ... Aber auf ihnen [den Armen] lag es wie eine feuchte, schwere
Wärme; ihre Muskeln erschlafften ...). Beide Beobachtungen schließen sich
— jeweils mit dem adversativen ›aber‹ den beiden obigen Beschreibungen
(wie Törleß sich zu wehren sucht) unmittelbar an. Man sieht sofort, um wieviel
eindringender, prägnanter, man möchte fast sagen origineller sie sind. Ihre
Zuständlichkeit überspielt schriftstellerisch ohne weiteres jene Tätlichkeiten.
Ihrerseits bilden sie dann wiederum einen fließenden Übergang zur Erhellung
des *Innen*lebens, in dem unwiderstehlich, in ihrem rhythmischen Auf und Ab,
die Flut der Sinnlichkeit steigt und Törleß zuletzt mit sich reißt. Diesen
psychischen Prozessen, wie sie solche Vorgänge auslösen, widmet Musil seine
Aufmerksamkeit.

In diesem Bereich der Erfahrung, beim allgemeinen Zustandsgefühl, läßt
sich vernünftigerweise nicht mehr zwischen Körperbefinden und Seelenleben
unterscheiden. Das bringt der Dichter etwas früher (beim Erwachen der

Sinnlichkeit) für unseren Zögling auf eine entsprechende Formel, als Haut-empfindungen diesen furchtbar aufregen. Es ist nicht von ungefähr, daß diese Überlegung gerade solche kutanen Empfindungen begleitet. Man verweilt nur selten dabei, aber sie sind grundlegend für das allgemeine Körpergefühl. Die Haut, unser größtes Sinnesorgan, umschließt den ganzen Körper und spielt als Sitz des Tastsinnes die entscheidende Rolle bei unserem Erfassen von Wirklichkeit als solcher. Nun gut, in diesem Zusammenhang heißt es dann (III, 93): »Etwas, das Körper und Seele zugleich zu sein schien.«

Die Gestaltung einer so zentralen Episode der Fabel (die einen entscheiden-den Wendepunkt erzählt) bestimmt den ästhetischen Eindruck des ganzen Werkes in einem viel höheren Grade mit, als man es ihr dem bloßen Umfange nach zutrauen dürfte. Deshalb allein schon ist ihre Analyse von Belang. Es ist indessen kaum zu erwarten, daß diese Gestaltungstendenz sich auf die eine Episode beschränken sollte. Das müßte die Einheit des Werkes sehr gefähr-den, ja sogar ernstlich beeinträchtigen. Die fortgesetzte Analyse des Romans bestätigt denn auch, daß ihre Gestaltung durchaus repräsentativ ist für das Ganze. Man kann sogar feststellen, daß nicht selten der Tatbestand sich über-haupt verflüchtigt. Die Darstellung, auf Seelisches gerichtet, schreibt dann in ihren Umschreibungen gleichsam um das Faktum selbst herum. Auch hier mag eine Stichprobe die Beobachtung verdeutlichen (III, 100):

> Je nach der Lebhaftigkeit, mit der ihm einfiel, daß sein Unterfangen ihm vielleicht lächer-lich erscheinen müßte ... je nach der Stärke dieser Erschütterung waren die sinnlichen An-triebe schwächer oder stärker ... Ja zeitweilig loderten sie so mächtig in ihm empor, daß sie jeden anderen Gedanken erstickten. Wenn er sich in diesen Augenblicken halb willig, halb verzweifelt ihren Einflüsterungen hingab, so erging es ihm nur, wie es mit allen Menschen geht, die ja auch nie so sehr zu einer tollen, ausschweifenden, so sehr die Seele zerreißenden, mit wollüstiger Absicht zerreißenden, Sinnlichkeit neigen als dann, wenn sie einen Mißerfolg erlitten haben, der das Gleichgewicht ihres Selbstbewußtseins erschüttert.

Alle Kunstwissenschaft lebt aus dem Vergleich von Werken. In diesem Falle läßt sich recht aufschlußreich die Darstellung der Selbstbefriedigung bei einem heutigen Autor heranziehen. Philip Roth beginnt das zweite Kapitel von *Portnoy's Complaint*, das den bezeichnenden Titel »Whacking off« trägt, mit einer Aussage, deren brutale Wucht die Ichform (gegenüber dem distanzie-renden ›er‹ im Törleß) nichts weniger als mildert:

> Then came adolescence — half my waking life spent locked behind the bathroom door, firing my wad down the toilet bowl, or into the soiled clothes in the laundry hamper, or splat, up against the medicine-chest mirror, before which I stood in my dropped drawers so I could see how it looked coming out.

Und so vier lange Seiten, in einem fort ...

Neben dem psychischen Mechanismus arbeitet Musils Betrachtungsweise also an den geschlechtlichen Verhältnissen besonders prägnant die leisesten Nuancen der Sensualität heraus. Für diese Schattierungen hat der Autor ein feines Organ, und der Sprachkünstler weiß sie dem Leser einprägsam zu vermitteln. Dementsprechend handelt es sich bei der Homosexualität auch an erster Stelle um Homoerotik. Proportional indessen ist deren Anteil am ganzen Erzählwerk recht gering. Das Erwachen der Sinnlichkeit, die Verführungsepisode und alles Weitere, das unmittelbar hiermit zusammenhängt, beansprucht 28 von 132 Seiten. Auch kompositorisch wirkt das Motiv der Homoerotik eher bescheiden. Verhältnismäßig spät (III, 61, nach 47 von 132 Seiten) wird es ja überhaupt erst erwähnt. Darauf kommt es zwischen S. 61 und S. 100 (wo es ernst wird) nur fünfmal zur Sprache und nur ein einziges Mal (S. 77 f.) beansprucht es dabei ausführlichere Darstellung. Geraume Zeit (19 Seiten) vor dem Romanschluß tritt es bereits wieder als Vergangenes in den Hintergrund (S. 129: »Als Törleß im Bette lag, fühlte er: ein Abschluß. Etwas ist vorbei.«). Auf der vorletzten Seite heißt es denn auch folgerichtig (III, 145):

... Das schien alles weit, weit hinter ihm zu liegen. ... die Verzweiflung war weg ... Dies und alles andere, — er sah es merkwürdig klar und rein — und klein. So wie man es eben am Morgen sieht, wenn die ersten reinen Sonnenstrahlen den Angstschweiß getrocknet haben ...

Kurz und gut, der Autor hat es völlig richtig abgelehnt, daß die Päderastie sein Thema gewesen wäre: »Daß ich gerade sie wählte, ist Zufall, liegt an der Handlung, die ich gerade im Gedächtnis hatte.« (III, 723)

Die homoerotischen Wirren sind also gewiß in diesen Verwirrungen ein wesentliches Moment, aber auch nicht mehr als das. Ja, es wird sogar deutlich, daß es sich für den Autor gar nicht um ihren spezifischen Charakter handelt. Vielmehr repräsentiert sie generell Erotik und bedingt es nur die Zwangslage des Internats, daß letztere in dieser Gestalt auftritt:

Vorerst war es überhaupt nur die Nacktheit des schlanken Knabenkörpers gewesen, die ihn geblendet hatte.
Der Eindruck war nicht anders, als wäre er den nur schönen, von allem Geschlechtlichen noch fernen Formen eines ganz jungen Mädchens gegenübergestanden. Eine Überwältigung. Ein Staunen. (III, 115 f.)

Nun sahen wir bereits, wie der Dichter Zwischenfälle von Selbstbefriedigung funktional deutete, nämlich kompensatorisch (III, 100). Auf ähnliche Weise wird die sexuelle Verirrung in der seelisch-geistigen Entwicklung des jungen

Menschen verstanden. Kurze Betrachtungen vertiefen diese Auffassung von ihrer Rolle beim Wachstum der Seele (III, 116, 118), ja, ihre Unentbehrlichkeit im Hinblick auf die geistige Entfaltung des Menschen wird angedeutet:

> ... jene kleine Menge Giftes, die nötig ist, um der Seele die allzu sichere und beruhigte Gesundheit zu nehmen und ihr dafür eine feinere, zugeschärfte, verstehende zu geben. (III, 119)

Das ist allerdings (und ausnahmsweise) ›nur‹ eine retrospektive Autorenbemerkung. Sie soll nicht darüber hinwegtäuschen, wie bitterlich die sexuelle Ausschweifung in ihrer Aktualität als Störung, als bedrohlicher Abweg empfunden wird (III, 134).

Vom »kleinen Törleß«, von der Hauptperson, war in den letzten Zitaten ständig die Rede. Die Hauptperson, denn es sind ja schließlich seine Verwirrungen, die Musil schildert! Nichts aber ist bezeichnender für das reizvolle Verhältnis zwischen Fabel und Roman, als die Tatsache, daß dessen ›Held‹ in der Fabel bloß eine Nebenfigur darstellt. Wie Basini ist er ein Opfer des Intrigenspiels, ja eigentlich ist er sogar Basinis Opfer.

So wechselt ständig die Perspektive, in der Törleß, seine Schicksale und sein inneres Leben, dem Leser erscheinen. Bald steht der Zögling besinnlich im Zentrum des Berichtes, bald ist er nur noch am Rande der Ereignisse da, bloß ihr Spielball. Auf diese Weise bewegen Musils Ausführungen sich um zwei Zentren. Eine Achse bildet die innere Krise, in die Törleß zusehends hineinwächst. Die andere Achse bildet die Basini-Affäre der Fabel. Das Wechselspiel der Perspektiven des Berichtes (je nach der Achse, um die sich die Darstellung bewegt) ist außerordentlich reizvoll. Und wie nun jene Affäre zu den Schicksalen des Helden gehört und in seiner Krise ihre Funktion besitzt, bestimmen streckenweise beide Perspektiven eng verschlungen den epischen Bericht. Dann spiegeln die Reflektionen des Helden dem Leser gleichsam die Ereignisse zu.

Um welche innere Beziehung der beiden Perspektiven geht es hierbei? Der Held des Romans verstrickt sich in die Verwicklungen der Fabel. Die Wirrnis, durch die er sich — verwandelt — hindurch rettet, bestimmt eine wichtige Phase in seiner Entwicklung. Die Verwicklung löst entscheidende Erlebnisse und Gedankenreihen aus. Das Wachstum der Hauptperson in dieser Krise ist das Thema des Autors. Ihrer Funktion in dieser Entwicklung verdankt jene Wirrnis ihr spezifisches Gewicht. (Übrigens, auch auf Törleß' Wachstum lenkt der Roman unsere Aufmerksamkeit nur wegen eines ganz bestimmten, humanen Gehalts, der sich in der dargestellten Lebenskrise offenbart.)

254

Die hier gemeinte Struktur mit Doppelachse läßt sich mit einem Hinweis auf Musils Beobachtung an Dostojewski erläutern. Unser Autor notierte sich einmal zur Romantechnik des russischen Meisters:

> Eine Nebenperson zur scheinbaren Hauptperson machen und von ihr aus gesehen die eigentliche Hauptperson deutlicher und undeutlicher werden lassen. (III, 719)

Musils eigene Technik im Törleß wäre nun folgende Variation zu diesem Thema: Die eigentliche Hauptperson zur Nebenperson in der Handlung des Romans machen, und von dieser Gestalt her der Handlung Bedeutsamkeit verleihen — in einem umfassenderen, geistigen Zusammenhang nämlich, den die Hauptperson vertritt, wodurch sie eben Hauptperson ist.

Diese Erzählstruktur muß indessen in einem psychologischen Roman dem Grundgesetz dieser Sondergattung entsprechen: Der Charakter der Hauptperson soll in der Lage, in der diese sich befindet, jene Struktur rechtfertigen, einsichtig machen. Die Lage wurde schon geklärt, auch die Aktivität der Romanfiguren, die das Geschehen bestimmen. Welche Voraussetzungen zur Einsichtigkeit der Erzählstruktur erfüllt nun unser Zögling?

Törleß hat in der kleinen Welt des Konvikts etwas von einem Außenseiter. Das stellt sein Verhalten bei der Mißhandlung von Basini unter Beweis (III, 76 f.):

> Er hatte sich nicht vom Platz gerührt. Gleich anfangs hatte ihn wohl eine viehische Lust mit hinzuspringen und zuzuschlagen gepackt, aber das Gefühl, daß er zu spät kommen und überflüssig sein würde, hielt ihn zurück. Über seinen Gliedern lag mit schwerer Hand eine Lähmung.

Wenn man diese Zurückhaltung einmal vergleicht mit der kollektiven Reaktion der Zöglinge auf einen ähnlichen Vorfall (oben das Zitat III, 136), so erfaßt man Törleß' Eigenständigkeit genauer. Sadistische Affekthandlungen wirken auf ihn eben nicht ansteckend. Sein ausgeprägtes Innenleben bedingt als solches Distanz, und diese ermöglicht ihm seine Freiheit.

Hinzu kommt noch, daß seine Entwicklungsstufe zwischen Kindheit und Erwachsensein solche Freiheit als Grundzug aufweist (III, 42):

> Die geduldigen Pläne, welche für den Erwachsenen, ohne daß er es merkt, die Tage zu Monaten und Jahren zusammenketten, waren ihm noch fremd. Und ebenso jenes Abgestumpftsein ... Das Vermögen, sich jeden Tag sterben zu legen, ohne sich darüber Gedanken zu machen, hatte er noch nicht erlernt.

Diese direkte Bezogenheit auf die Erfahrung des Augenblicks (ohne ihr dabei zu verfallen), in äußerster Bereitschaft, noch frei von Routine, ergänzt

255

wirksam die Besinnlichkeit der Introvertierten, die sich sonst so leicht ins Bloß-Intellektuelle, in die Abstraktion verliert. Eines mit dem anderen konstituiert jenes »Talent des Staunens«, das dem Leser bei der ersten, ausführlicheren Begegnung mit dem Romanhelden ausdrücklich genannt wird (III, 33). Im Intervall zwischen der schlafwandlerischen Beweglichkeit des Kindes und dem schläfrigen Trott des zweckgebundenen, funktionierenden Erwachsenen rettet Törleß aus der Kindheit etwas ins weitere Leben hinüber, das der freien Anschauungsgabe ähnelt, wie sie bei Schopenhauer dem Künstler (als ›Genie‹) zugesprochen wird.

Und noch ein Wesenszug des Knaben sei hierbei berücksichtigt: die

... ihm besondere Art der sinnlichen Veranlagung, welche verborgener, mächtiger und dunkler gefärbt war als die seiner Freunde und sich schwerer äußerte (III, 25).

Solche Sinnlichkeit verbindet sich als Sensualität beim kleinen Törleß offensichtlich mit einem sehr feinen Sensorium, sowohl für Sinneseindrücke wie für Stimmungswerte. Sie verbindet sich also mit einer hohen Sensibilität. Aus diesen beiden Wurzeln wird die antiintellektualistische Tendenz seines geistigen Verhaltens gespeist, die einer großen Intelligenz übrigens durchaus nicht im Wege steht. So ist der Zögling in dreifachem Sinne ein geborener ›Sensualist‹.

In der geistigen Entwicklung dieses jungen Mannes bedeutet die Handlung des Romans nur einen Zwischenfall. Episch tritt dieser Charakter des Erzählten rein hervor. Der Romanschluß erzählt ja den Abschied vom Konvikt. Innerlich hatte Törleß sich sogar schon vorher entfernt (III, 145):

Er nahm gleichgültig Abschied von seinen Kameraden. Beinahe begann er schon ihre Namen zu vergessen.

Wie nun der Schluß des Romans genau dessen Anfang (der Bahnhofsszene) entspricht, rundet sich also die Fabel höchst plastisch als Intermezzo ab.

Die Sondergattung verlangt indessen, daß der Zwischenfall auch psychologisch als solcher klar herausgearbeitet wird. Darum hat Musil sich überaus sorgfältig bemüht. Beim Abschluß der Fabel, der am Schluß des Romans erreicht wird, bemerkt der Autor, wie den Zögling noch immer zuinnerst beschäftigt, was ihn bereits *vor* dem Zwischenfall völlig in Anspruch nahm (III, 145):

Und das, was vor der Leidenschaft dagewesen war, was von ihr nur überwuchert worden war, das Eigentliche, das Problem, saß fest.

256

Damit hebt sich die Fabel, so wie sie mit der (homo)erotischen Wirrnis zusammenhängt, als reiner Zwischenfall von dem ab, was bleibt. Genau so plastisch wie die erzählten Begebenheiten sich runden, wird auch die Verknüpfung dessen, was *vor* dem Intermezzo Törleß so wichtig war, mit dem, was sich ihm *nach* Abschluß aufdrängt, durch Musil vollzogen. Auf folgende Weise tritt unverkennbar die Dauer im Wechsel in Erscheinung: dem abschließenden Hinweis auf das Problem, das bleibt, entspricht in den einleitenden Szenen des Romans (die gemeinsam die Ouvertüre bilden) die Formel vom »obersten Problem«, mit dem Törleß ringt (III, 33). Diese Grundfrage wollen wir jetzt näher bestimmen und dazu einige Stellen besprechen, unter Berücksichtigung ihres Platzes in der Komposition. Dann werden sie in ihrem besonderen Stellenwert erfaßt.

Wenden wir uns noch einmal jenem Hinweis am Schlusse des Romans zu, so finden wir dort, direkt an die Erwähnung des Problems anschließend, folgende Charakteristik der Grundfrage (III, 145):

> Diese wechselnde seelische Perspektive je nach Ferne und Nähe, die er erlebt hatte. Dieser unfaßbare Zusammenhang, der den Ereignissen und Dingen je nach unserem Standpunkte plötzlich Werte gibt, die einander ganz unvergleichlich und fremd sind ...

Diesem Widerspruch in der *Lebens*erfahrung als *Erfahrung* entspricht offenbar auf S. 33 an der erwähnten Stelle genau die Darstellung des »obersten Problems«. Dort wird solche Widersprüchlichkeit gründlich ausgearbeitet, unter dem gleichen, ins Räumliche übersetzenden Gesichtspunkt:

> Er war dann gezwungen, Ereignisse, Menschen, Dinge, ja sich selbst häufig so zu empfinden, daß er dabei das Gefühl sowohl einer unauflöslichen Unverständlichkeit als einer unerklärlichen, nie völlig zu rechtfertigenden Verwandtschaft hatte. Sie schienen ihm zum Greifen verständlich zu sein und sich doch nie restlos in Worte und Gedanken auflösen zu lassen. Zwischen den Ereignissen und seinem Ich, ja zwischen seinen eigenen Gefühlen und irgendeinem innersten Ich, das nach ihrem Verständnis begehrte, blieb immer eine Scheidelinie, die wie ein Horizont vor seinem Verlangen zurückwich, je näher er ihr kam. Ja, je genauer er seine Empfindungen mit den Gedanken umfaßte, je bekannter sie ihm wurden, desto fremder und unverständlicher schienen sie ihm gleichzeitig zu werden, so daß es nicht einmal mehr schien, als ob sie vor ihm zurückwichen, sondern als ob er selbst sich von ihnen entfernen würde und doch die Einbildung, sich ihnen zu nähern, nicht abschütteln könnte.

Der hier so kräftig hervorgehobene, *vor*prädikative Charakter solcher Erlebnisse hat beim Romanschluß übrigens auch seine genaue Entsprechung. Nicht nur ist gleich im zweitnächsten Absatz der Hinweis auf »Wortlosigkeit« (III, 146) vielsagend, sondern auch im Gespräch mit der Untersuchungs-

kommission wird dieser Aspekt »eines Lebens, das sich nicht in Worten ausdrückt« (III, 143) nachdrücklich erwähnt.

Aus diesen Beobachtungen geht hervor, wie den Schluß ein treffendes Echo
jener ausführlichen, einleitenden Beschreibung bildet. Dabei deuten Wendungen wie ›seelisch‹, ›Erlebnis‹ an, wie sehr es hier um eine existentielle
Frage geht. Nicht anders behandelt sie die ausführliche Einleitung (III, 33),
wenn die Rede davon ist, daß jener Widerspruch »seine Seele zerreißen zu
wollen« schien. Es ist eben »ihr«, der Seele, »oberstes Problem«. Nicht unter
Vermeidung des erkenntnistheoretischen Ranges dieser Frage indessen kommt
sie zur Sprache: als »merkwürdig, schwer zugänglich« (a. a. O.) wird die
Lebensfrage als Gegenstand rationaler Aufmerksamkeit und analytischer Anstrengung anerkannt.

Vom Schluß des Romans wurden wir zurückverwiesen auf dessen Ouvertüre. Das besondere kompositorische Gewicht der erkenntnistheoretischen
Erörterung in dieser Einleitung sei dabei nicht vergessen. Kurze Episoden
bilden sie, die man nach ihrer örtlichen Bestimmung als Bahnhof — Konditorei
— Bordell bezeichnen darf. Sie sind ungefähr gleich lang (8 bis 9 Seiten),
zwischen ihnen vermittelt die Erzählung von der Ortsveränderung (jeweils
anderthalb Seite ungefähr). In der mittleren nun wird das ›Problem‹ dargelegt.
Es dominiert in dieser Szene quantitativ (ist doppelt so lang wie die übrigen
Glieder dieser Szene), und qualitativ beherrscht es sie als Pointe dieses kurzen
Beisammenseins. Die Darstellung des ›Problems‹ hat offenbar eine Schlüssel-
position inne.

Den existentiellen Charakter unterstreicht die sorgfältige Vorbereitung dieser Ausführungen mit der Beschreibung eines Erlebnisses aus Törleß' frühester
Jugend. Daran erinnert diesen, was im Augenblick selbst, am Fenster der
Konditorei, über ihn kommt (III, 31). Auf diese Weise wird ein Grundzug
seiner Lebenserfahrung sichtbar. Diese Verwurzelung im Erlebnis erscheint
um so prägnanter, als der Gesprächspartner Beineberg folgendermaßen auf
Törleß' Mitteilung reagiert (III, 31 f.):

> Ich kenne das nicht, was du meinst; aber warum sollten nicht die Dinge eine Sprache
> haben? Können wir doch nicht einmal mit Bestimmtheit behaupten, daß ihnen keine Seele
> zukommt!

Gerade gegen eine solche »spekulative Auffassung« (III, 32) setzt sich hier
sofort der Held des Romans kräftig ab. Diese Art der Abstraktion ist so gar
nicht seine Sache. Wie sollte einem da noch das Problem »die Seele zerreißen«? —
Hier sei eine ergänzende Zwischenbemerkung erlaubt, die das Gesamtbild

abrunden dürfte. Auf ähnliche Weise setzt Törleß sich nämlich von jener Form des Intellektualismus ab, die sich im wissenschaftlichen Abstraktionsverfahren so leicht durchsetzt. Als unser Zögling unmittelbar nach der Schilderung seines elementaren (kutanen) Allgemeinbefindens zurückdenkt an seinen ›Traum von Kant‹, vergleicht er mit dessen Denkweise seine eigene Erlebniswelt. Da heißt es (III, 93f.):

> Ob so gescheite Männchen wohl je in ihrem Leben so etwas bemerkt haben? Er kam sich unendlich gesichert gegen diese gescheiten Menschen vor, und zum ersten Male fühlte er, daß er in seiner Sinnlichkeit ... etwas hatte ... das ihn . . gegen alle fremde Klugheit schützte.

Hier darf an den oben analysierten, so sehr komplexen Charakter von Törleß' Sinnlichkeit erinnert werden, um diese Reflexion erkenntnistheoretisch in die richtige Perspektive zu rücken.

Aber nun zurück zum ›Problem‹! Die genaue Verzahnung der beiden programmatischen Ausführungen vor und nach der Fabel wurde soeben festgestellt. Man darf sie kompositorisch bewundern und dennoch leise Unfrieden verspüren: bei diesem weiten Abstand, am Rande des Geschehens, ist die epische Integration der Besinnung nicht erreicht, nur die reflexive Ausrichtung des ganzen Geschehens der Fabel gesichert. Echte Integration fordert aber, daß im Strome des Geschehens, nicht nur am Ufer, solche Probleme auftauchen und zwar an kompositorisch genau so prägnanter Stelle.

Das hat nun Musil in seinem Erstling auch wirklich erreicht! Denn noch einmal wird diese Grundfrage hell beleuchtet. Das geschieht im Zentrum der Fabel, halbwegs in der Erzählzeit (nach 57 von 132 Seiten), im entscheidenden Augenblick, wo sich die Törleß-Basini-Affaire endgültig anzubahnen beginnt, die erste sadistische Auslösung der Sinnlichkeit aber noch bevorsteht. An die Kindheitserinnerung wird angeknüpft, auch an die Stunde am Fenster in der Konditorei, dann heißt es (III, 71):

> Es kam wie eine Tollheit über Törleß, Dinge, Vorgänge und Menschen als etwas Doppelsinniges zu empfinden. Als etwas, das durch die Kraft irgendwelcher Erfinder an ein harmloses, erklärendes Wort gefesselt war, und als etwas ganz Fremdes, das jeden Augenblick sich davon loszureißen drohte.
> Gewiß: es gibt für alles eine einfache, natürliche Erklärung, und auch Törleß wußte sie, aber zu seinem furchtsamen Erstaunen schien sie nur eine ganz äußere Hülle fortzureißen, ohne das Innere bloßzulegen, das Törleß wie mit unnatürlich gewordenen Augen stets noch als zweite dahinter schimmern sah.

Genau wie in der Konditorei-Episode geht auch diesen Darlegungen eine Aussprache mit Beineberg vorab. Wegen ähnlicher Abwegigkeit stoßen auch jetzt die Gedanken des Pseudomystikers bei Törleß auf innere Ablehnung.

Genau so wie früher ist die Unheimlichkeit des Problemerlebnisses mit Verführung durch Sinnlichkeit verknüpft. Dort war es die Prostituierte Božena, hier ist es bald Basini. Und beides entspricht einer numinosen Erfahrung des Problems, deren Dämonie die Einleitung (an jenes frühe Kindheitserlebnis anknüpfend) bereits vor allem Geschehen, bevor der Leser überhaupt noch von Božena oder Basini weiß, auf folgende Weise zusammenfassend umschreibt (III, 32f.):

> Das war seine Art der Einsamkeit, seit man ihn damals im Stiche gelassen hatte — im Walde, wo er so weinte. Sie hatte für ihn den Reiz eines Weibes und einer Unmenschlichkeit.

So zeichnet sich Törleß' Besinnlichkeit durch eine Position aus, die weder Spekulationen ohne Lebenserfahrung noch dem ungeklärten, dumpfen Trieb verfällt, sondern im Intervall zwischen beiden, in einer Mitte, die vermittelt, Fuß faßt. Sinnlichkeit regt sich heftig im Versagen vor der seelischen Belastung. Diese Regung folgt wiederholt solchem Versagen, sie folgt *aus* diesem. Aber dieses Ausweichen in die Sinnlichkeit hat dabei eine gewisse katalytische Wirkung. Es bedeutet nämlich auch, daß Erfahrungsbereiche erschlossen werden, die dem geistigen Wachstum neue Antriebe verschaffen. Sowohl in der Einleitung (III, 38), wie in der Basini-Affaire (III, 116) zeigt es sich, wie sich dann »ein Tor zum Leben aufreißt« (a. a. O.).

Man darf feststellen, die erkenntnistheoretische Problematik ist eine lebenswichtige Frage. Ihr Aufkommen, ihr Gewicht, die Art und Weise ihrer Erörterung — das alles entspricht den Forderungen, denen ein philosophischer Roman, wie wir es einleitend erwogen, genügen soll. Der Übergang aus dem Erlebnis in die intellektuelle Analyse wird vor den Augen des Lesers vollzogen, und die Rückwirkung der Einsicht auf das Verhalten des Helden berücksichtigt. Auch die Komposition genügt durchaus jenen Forderungen, wenn sie die redliche Dosierung der Reflexion und die gleichmäßige Verteilung der problematisierenden Erörterungen über den Roman mit Geschickt besorgt.

Darstellerisch nun entwickelt Musil mit den stilistischen Mitteln seiner Zeit eine wahre *Kunst des Überganges*. Unter Anknüpfung an eine frühere Beobachtung läßt sich der Grundzug einer solchen Darstellungsweise verdeutlichen. Wir sahen, wie der Autor (III, 114) eine Schicht der Zuständlichkeit zur Sprache bringt, wo zwischen äußerem Handeln und innerem Erleben das allgemeine Körpergefühl und die Grundstimmung sich nicht mehr unterscheiden lassen. Solchem Verständnis für den inneren Konnex des Psychosomatischen entspricht es, wenn der Übergang von dem einen in den anderen Bereich durch stilistische Mittel gefördert wird. Auf Seite 51 wird vergleichsweise davon gesprochen, wie eine höchst verfängliche Frage, einem wie »ein schlankes, spitzes Stäbchen ins Gehirn hineingetrieben« wird. Einige Seiten später (III, 56) beschreibt Beineberg, wie man in Indien einem Verbrecher »einen gespitzten Bambus durch den Darm treibt«. Die Nachbarschaft dieser Aussagen, die Tatsache, daß sie sich beide auf die gleiche Person, auf den Dieb Basini beziehen, und die Ähnlichkeit ihrer Formulierung fördert zwischen ihnen eine innere Beziehung. Im Hin und Her der Vergegenwärtigung verwischt sich wiederum die Unterscheidung zwischen Physischem und Psychischem.

Auch im Gemüte selbst werden solche Übergänge zwischen den Bereichen dargestellt. Sie veranschaulichen drastisch die Verwurzelung der Reflexion im Seelenleben. Die intellektuelle Anstrengung der Kantlektüre etwa (III, 87) übt auf Törleß ihre aufwühlende Wirkung aus. Wie nun solche Gedankengänge unbewußt (unterbewußt) verarbeitet werden und dann mächtig die Phantasie anregen, das bringt der Traum von Kant (III, 92 ff.) höchst ergötzlich zum Ausdruck. — Oder die Gemütswallung als agens in der diskursiven Leistung: Törleß legt erst recht beredsam seine Ergebnisse der Untersuchungskommission vor, als er gereizt wird. »Doch Törleß war nun trotzig« (III, 141), das bildet den Übergang zur ersten Stufe seines Bekenntnisses, und die Zwischenbemerkung vor der Klimax spricht diese Art des Auftriebs noch entschiedener aus (III, 143):

Nur einer Erschütterung der Seele hatte es für Törleß bedurft, um diesen letzten Trieb in die Höhe zu treiben.

Dem entspricht (a. a. O.) die Wendung von der »beinahe dichterischen Inspiration«. Auf diese Weise wird der sokratische Dialog stilgerecht in den psychologischen Roman integriert, als ein echtes Gespräch, und nicht als nur flüchtig getarnter Essay.

In solcher Kunst des Überganges ist das Kernproblem der Darstellung die fein abgestufte Überleitung des Erlebnisses in die Reflexion. Mit Hilfe impressionistischer und symbolistischer Stilmittel hat Musil dieses Problem im Bezugssystem des psychologischen Realismus auf überzeugende Weise gelöst. Ja, eine gewisse Vorwegnahme von expressionistischen, und sogar surrealistischen Zügen läßt sich gelegentlich feststellen. Ein kurzer Überblick mag in unserem Zusammenhang genügen. (In den Zitaten wird jeweils kursiv gesetzt, was sie zur Verdeutlichung der These beitragen.)

Musil ist ein sehr genauer Beobachter. Er berichtet von der Wirklichkeit und erfaßt sie dann nicht selten in ihrer rationalen Funktionalität, in ihren Bedingungen. So heißt es gleich im ersten Absatz (III, 15):

Endlos gerade liefen vier parallele Eisenstränge nach beiden Seiten zwischen dem gelben Kies des breiten Fahrdammes; neben jedem wie ein schmutziger Schatten *der dunkle, von dem Abdampfe in den Boden gebrannte Strich.*

Bei so sachlicher Beobachtung weiß Musil sehr fein elementare Sinnesdaten zu treffen:

Der Schein des unruhig vor den Windstößen sich duckenden *Lichtes* fiel dann und wann auf eine treibende Welle und *zerfloß auf ihrem Rücken.* (III, 34)

Auf ähnliche Weise spielen sich elementare Vorgänge auf der Bühne des Bewußtseins ab. So wie oben (III, 114) der Trieb unwillkürlich die Handbewegung bestimmte, mit der Törleß den nackten Basini an sich zog, regen sich dort Gefühle:

Er verfolgte *ein Gefühl, das* melancholisch, wie ein Nebel, *in ihm aufstieg.* (III, 31)

Solche impressionistische Kunst des Treffens vermittelt gerne die Gefühlsbedeutsamkeit der Sinneseindrücke. Man vergleiche im Zitat III, 15 die Wendung vom »schmutzigen Schatten« oder die anthropomorphisierende Wendung (im vorletzten Zitat) vom Lichte, das »sich unruhig vor Windstößen duckt«. Ja bis ins *Vor*gegenständliche weiß Musils Gespür für atmosphärische Bedeutsamkeit in der Erfahrung vorzustoßen, wenn es etwa heißt (III, 23):

Es war fünf Uhr vorbei, und über die Felder *kam es ernst und kalt,* wie ein Vorbote des Abends.

»Ernst und kalt«: in dieser Formel verschmelzen sich äußere und innere Erfahrung vollkommen. Die Gegenständlichkeit, über die sich etwas aussagen ließe, sinkt ins Unbestimmbare zurück. Durch sie hindurch jedoch wird Wesentlicheres erfaßt. Nicht anders geht es der inneren Erfahrung, wenn es auf Seite 114 heißt: »... als *es* ihn fortriß ...«.

Der vorgegenständliche Charakter des Gemeinten gestattet keine direkte Prädikation. Es ist gerade das Eigentliche des Erlebnisses, was sich da der Aussage grundsätzlich entzieht. Höchstens läßt sich in figürlichen Umschreibungen darauf hinweisen. Solche deiktische Zeichensetzung kennzeichnet den Symbolismus. Das Eigentliche der Erfahrung erzwingt einen *un*eigentlichen Sprachgebrauch:

... wie *eine Insel* voll wunderbarer Sonnen und Farben hob sich *etwas in ihm aus dem Meere* grauer Empfindungen heraus ... (III, 17)

Man vergegenwärtige sich, wie wesentlich diese Redeweise den Erzählton mitbestimmt. Der Roman entspricht durchaus den Normen des Realismus. In dem Sektor der Darstellung aber, wo solche Symbolsprache angewandt wird, gilt nicht mehr der Vorrang des sachlichen, rational-analytisch verifizierbaren Berichtes. In diesem Sektor gilt es vielmehr Seelenregung, Gefühlsbedeutsamkeit um jeden Preis suggestiv zu vermitteln, mag diese Zeichensprache der rationalen Analyse auch nicht standhalten (III, 17):

> ... in die Abgeschiedenheit einer *Kapelle, in der von* hundert flammenden *Kerzen und von* hundert *Augen heiliger Bilder Weihrauch* zwischen die Schmerzen der sich selbst Geißelnden *gestreut wird.*

In dieser Schicht der Darstellung entspricht solche intensivierende Kontamination dem durch sie hindurch gemeinten Sachverhalt, wie unsachlich sie auf der Ebene des Realismus auch erscheinen mag. Der Vergleich dient der Vermittlung von Erfahrung, er zielt auf Wirklichkeit! Bereits im Törleß gilt, was Musil im folgenden aphoristischen Leitsatz einmal aussprach:

> Man soll Vergleiche immer nur um der Sache willen, nie zur Verschönerung ziehen. (III, 718)

In diesem Symbolismus verdeutlicht Äußeres das Innenleben. Umgekehrt leuchtet am Sinnesdatum innere Bedeutsamkeit auf, manchmal so grell, wie es am Vorabend des Expressionismus möglich wurde:

> Als sie an einer Kreuzung stehenblieben ... und als dort *ein morschgewordener Wegweiser schief* in die Luft hineinragte, wirkte diese, zu ihrer Umgebung in Widerspruch stehende, Linie *wie ein verzweifelter Schrei* auf Törleß. (III, 24)

Die rationale Analyse schwingt aber recht zeitgemäß auch hier noch leise mit, wenn der expressive Gehalt seine ›Erläuterung‹ mitbekommt: die Linie steht zu ihrer Umgebung (sprich: Funktion) in Widerspruch.

Zur Vergegenwärtigung von Seelenzuständen (états d'âme) trägt plastische Veranschaulichung entschieden bei. Die simple Mitteilung etwa »er wurde melancholisch« genügt weder dem Streben nach einer Kunst des psychologischen Treffens (die Erscheinungen in ihrer Unmittelbarkeit zeigen möchte), noch besitzt sie jene Anschaulichkeit, die mit Hilfe indirekter Aussagen die innere Beteiligung des Lesers fördert. An einem Zitat, das oben bereits auf seine impressionistische Struktur hin untersucht wurde, läßt sich auch die Wirkung des symbolisierenden Hinweisers ablesen: » ... ein Gefühl, ... melancholisch wie ein Nebel ... « (III, 31).

Auch in dieser Hinsicht nun weiß der junge Dichter bereits durch die Art und Weise, wie er Szenerie lokalisiert, Gefühlsbedeutungen musterhaft zu gestalten. Seine sachlich alle Ansprüche des Realismus befriedigende Beschreibungskunst versteht es, den Erlebniswert der Begebenheiten mit Hilfe ihrer Lokalisierung scharf zu profilieren. Das alte Badehaus in der Lichtung, abseits, am Flusse, wo sich die verrufene Wirtschaft befindet (III, 54f.), entspricht so ganz der Stimmung der Ereignisse. Aber das Meisterstück, das auf surrealistische Weise solche Bedeutsamkeit plastisch verräumlicht, ist die Szenerie der »roten Kammer«. In diesem Versteck spielen sich die entscheidenden Ereignisse der Fabel ab. Die Form, die Ausstattung, die Lage, vor allen Dingen auch der geheimnisvoll labyrinthische Weg dorthin, sie haben es alle in sich, Verfremdungseffekte zu erzielen, die zu den Ungeheuerlichkeiten, die sich dort abspielen, genau passen. Der innere Weg, den Törleß geht, wird einmal folgendermaßen beschrieben. Diese Beschreibung bietet das Innen zu jenem Außen und spricht sehr spät aus, was als dessen Sinn dem Leser schon nachgerade zu dämmern begonnen hatte:

> Er wußte nur, daß er etwas noch Undeutlichem auf einem Wege gefolgt war, der tief in sein Inneres führte; und er war dabei ... in die engen, winkligen Gemächer der Sinnlichkeit gelangt. Nicht aus Perversität, sondern infolge einer augenblicklich ziellosen geistigen Situation. (III, 120)

Das Bordell, die Wohn- und Klassenräume, die Lehrerwohnungen und die rote Kammer bestimmen eine Topographie der Handlung. In ihr gehen Ortsveränderungen vor sich, die durchaus sachgerecht, realistisch beschrieben werden. Aber genaue Stimmungswerte haften jeweils an diesen Örtlichkeiten. Ortsveränderung ist *ihre* Veränderung; diese versinnlicht plastisch seelische Entwicklung: Die Topographie wird symbolistisch durchsichtig auf eine Topologie der Gefühlsbedeutsamkeit.

Fassen wir das Ergebnis dieser Analyse zusammen: Nicht nur wird ein Grundproblem im Törleß als Lebensfrage erkannt und verstanden, wie es ein *psychologischer* Roman verlangt. Auch gelingt es dem Autor, den Zusammenhang von Erleben und Reflexion anschaulich zu gestalten, wie es ein psychologischer *Roman* verlangt. Das ist seine bemerkenswerte künstlerische Leistung. Musil weiß (III, 142f.):

> Eine große Erkenntnis ... ist vor allem ein Seelenzustand, auf dessen äußerster Spitze der Gedanke nur wie eine Blüte sitzt.

Das weiß unser Autor nicht nur — sein Roman demonstriert auch noch diese Wahrheit! Wenn er im bereits wiederholt zitierten Schreiben von 1906 davon spricht, daß »eine Vivifizierung intellectueller Zustände« sein Ziel gewesen sei, daß er »nicht begreiflich, sondern fühlbar machen« wolle, so bestätigt die Analyse seiner Kunstübung, auf welche verblüffende Weise der Anfänger diese Absicht verwirklicht hat.

Jene »große Erkenntnis« aber, sie war eine erkenntnistheoretische Position.

IV

»Das Problem saß fest.« Auch uns ist es längst vertraut geworden: der kleine Törleß hatte sich in die Frage nach dem Verhältnis von Bewußtsein und Wirklichkeit so gründlich verbissen, weil er an diesem Verhältnis litt. Ein eigentümlicher Widerspruch in der Erkenntnis beunruhigte ihn zutiefst: Die intellektuelle Verarbeitung der Erfahrung soll uns erschließen, was wirklich *ist*, tatsächlich aber entfernt sie uns von diesem Ziel. In der Komplexität des unmittelbaren Erlebnisses drängt sich uns ein Gefühl von Verwandtschaft mit den Dingen auf, im Erkennen jedoch werden sie uns zusehends fremd und unverständlich. In der Intimität jener Zuständlichkeit ergreift uns eine intuitive Totalitätserfahrung. Die entgegengesetzte Struktur entwickelt sich in der Erkenntnis: diskursiv entfernt sich das begriffliche Wissen, in dem sich so etwas wie Gegenständlichkeit konstituiert, immer ferner von der Wirklichkeit. Dieser Verfremdungseffekt kennzeichnet das Versagen von Vernunft und Sprache vor dem, was im Erlebnis gerade als wesentlicher Wirklichkeitsgehalt so fesselt: Sie versagen vor dem mystischen Grundzug in solcher Erfahrung, der das Innesein von Wirklichkeit als In-ihr-sein auszeichnet. Nur Gleichgültiges läßt sich in die Sprache des Begriffes fassen.

Das Motto aus Maeterlinck bringt den Leser von Musils Erstling sofort auf die richtige Spur. Ganz im Sinne der oben erörterten, symbolistischen Vergegenwärtigung des Vorgegenständlichen als des Unaussprechlichen spricht es in bildhaften Hinweisen indirekt von dem, was es meint. Wird in Maeterlincks Formulierung der Symbolismus so ganz als Neu-Romantik sichtbar, die erschütternde Grenzerfahrung ist im damaligen Schrifttum auch wiederholt mit postrealistischer Präzision und Schärfe bezeugt worden. Ja, Hofmannsthal hatte im Brief des Lord Chandos bereits auf der Schwelle des Jahrhunderts dieses Dilemma, das bis an die Wurzeln der modernen Zivilisation reicht, existentiell auf vorbildliche Weise ausgelotet: Sein Zeugnis nahm das Bewußtsein der Krise in der zweiten Hälfte des Jahrhunderts vorweg, und aus dem gleichen Jahrzehnt, da Chandos und Törleß ihr Publikum aufklärten, stammen Diltheys lapidare Aufzeichnungen:

Leben ist die Grundtatsache ... es ist das von innen Bekannte, es ist dasjenige, hinter welches nicht zurückgegangen werden kann ... das Leben ist nur da im Erleben ... Leben kann nicht vor den Richterstuhl der Vernunft gebracht werden.[3]

In diesem Zusammenhang nun entbehrt auch der Empiriokritizismus nicht der Bedeutung. Jenes Bewußtsein von den Grenzen der Vernunft ist der Kern jeder intellektuellen Skepsis. Diese braucht sich keineswegs mit metaphysischer Skepsis zu verbinden, das beweist das europäische Geistesleben um die Jahrhundertwende zur Genüge. Aber die Verbindung der beiden Aspekte ist andererseits in der Geistesgeschichte keine große Seltenheit, und eben der Empiriokritizismus vertritt sie. Er ist ja ausgesprochen ›lebensphilosophisch‹ eingestellt (wenn auch in einer Variante, die der deutsche Terminus nicht mitzumeinen pflegt): Der Empiriokritizismus gehört in die evolutionistische, an den Darwinismus orientierte Strömung des philosophischen Naturalismus. Dieser bestimmt Sinn und Wert der Erkenntnis funktional. Sie wird als Instrument zur Selbsterhaltung der Menschheit charakterisiert: um durch Anpassung an die Tatsachen diese mit dem geringsten Kraftaufwand zu beherrschen. Das ist der Gesichtspunkt, unter dem Hypothesen der Wissenschaft beurteilt werden sollten. Diesen Aspekt der Doktrin analysierte Husserl haarscharf und erledigte bei der Gelegenheit den erkenntnis*theoretischen* Anspruch.

Machs Betrachtungsweise hat sensualistische Voraussetzungen, und diese werden in einer antimetaphysischen Perspektive wirksam. Was psychologisch sich als ›Empfindung‹ bezeichnen läßt, so meint er, sei physikalisch als ›Element‹ zu bewerten. Dahinter auf Dinge als Dinge an sich zurückzugehen, sei müßig:

> Nicht die Körper erzeugen Empfindungen, sondern Elementencomplexe (Empfindungscomplexe) bilden die Körper. Erscheinen dem Physiker die Körper als das Bleibende, Wirkliche, die ›Elemente‹ hingegen als ihr flüchtiger, vorübergehender Schein, so beachtet er nicht, daß alle ›Körper‹ nur Gedankensymbole für Elementencomplexe (Empfindungscomplexe) sind.

So Mach in seinem damals epochemachenden Werk *Die Analyse der Empfindungen*[4] (AdE, S. 23), seit 1900 — in zweiter und folgender Auflage — ein Bestseller. Der Körper ist keine Grundlage, sondern eine Resultante, das zweckmäßige (!) Ergebnis der intellektuellen Konstruktion aus Elementen (Sinnesdaten):

> Die Farben, Töne, Räume, Zeiten ... sind für uns die letzten Elemente, deren gegebenen Zusammenhang wir zu erforschen haben (a. a. O.)

---

[3] Wilhelm Dilthey, Gesammelte Werke, *VII*, Berlin 1926, S. 359, 291.

[4] Ernst Mach, Die Analyse der Empfindungen und das Verhältnis des Physischen zum Psychischen, [3] Jena 1902 (im folgenden AdE abgekürzt).

Solcher Sensualismus entspricht nicht nur genauestens der Position des radikalen Impressionismus, sondern bei Mach persönlich wird darüber hinaus der Nährboden der Doktrin sichtbar. Seltsam vertraut mag er dem Autor des Törleß vorgekommen sein. Im erwähnten Werk, in einer Anmerkung zur oben zitierten Stelle, geht der Philosoph nämlich auf zwei Jugenderlebnisse ein, die über seine weiteren Gedankenwege entschieden. Das erste Erlebnis ist die Lektüre von Kants *Prolegomena*, als Fünfzehnjähriger. — Wer dachte nicht an Törleß' (allerdings vergebliche) Bemühung um die *Kritik der reinen Vernunft?* — Das zweite Erlebnis »zwei oder drei Jahre später« ist noch aufschlußreicher:

> An einem heitern Sommertage im Freien erschien mir einmal die Welt sammt meinem Ich als eine zusammenhängende Masse von Empfindungen, nur im Ich stärker zusammenhängend. Obgleich die eigentliche Reflexion sich erst später hinzugesellte, so ist doch dieser Moment für meine ganze Anschauung bestimmend geworden. Übrigens habe ich noch einen langen und harten Kampf gekämpft, bevor ich im Stande war, die gewonnene Ansicht auch in meinem Specialgebiete festzuhalten. Man nimmt mit dem Wertvollen der physikalischen Lehren notwendig eine bedeutende Dosis falscher Metaphysik auf, welche von dem, was beibehalten werden muß, recht schwer losgeht, gerade dann, wenn diese Lehren geläufig geworden. Auch die überkommenen instinctiven Auffassungen traten zeitweilig mit großer Gewalt hervor und stellten sich hemmend in den Weg.

Diese Auffassung von der »zusammenhängenden Masse der Empfindungen« ist ausgesprochen monistisch (AdE, 11). Genau diesem Monismus begegnet man im Törleß. Als sich unserem Zögling etwas aufdrängt, das ihm Seele und Körper zugleich ist (III, 93), stößt er auf die gleiche Erfahrung wie Mach, nur mit diesem Unterschied, daß die psychophysische Perspektive sich an der eigenen Leiblichkeit entfaltet. Diese Romanstelle ist repräsentativ für eine ganze Reihe solcher Äußerungen. Die Erfahrung von der universalen Wesensverwandtschaft ergänzt diese wirksam. Beides bestätigt Machs Auffassung, daß es nur eine Frage der »Betrachtungsweise« sei (AdE, 22), ob wir »von der wirklichen oder der empfundenen Welt« sprechen, zwischen denen »eine eigentliche Kluft nicht existiert« (a. a. O.). Das ist eben die Einsicht, die Musils subtile Kunst des Übergangs begründet! Ebensowenig wie unser Autor ließ der Empiriokritizismus sich (AdE, 24)

> durch die für besondere praktische temporäre und beschränkte Zwecke gebildeten Zusammenfassungen und Abgrenzungen hindern.

In diesem Zusammenhang heißt es bei Mach, unmittelbar anschließend, »die zweckmäßigsten Denkformen« müßten sich bei der Forschung dementsprechend ergeben. Dieses epistemologische Adagium läßt sich poetologisch dahin abwandeln, daß die Lebenserfahrung Anwendung der zweckmäßigsten Darstellungsform verlangt. Daher tatsächlich das Phänomen des Stilwandels.

Solche Ordnungsprinzipien wie Ich, Materie, Körper mögen praktisch nicht zu entbehren sein (AdE, 273), Wahrheitsgehalt kommt ihnen weder im idealistischen noch im realistischen Sinne zu. Kategoriale Grundbegriffe wie Substanz oder Ursache sind eben nur funktional sinnvoll, als »bloße Gedankensymbole«, »bloße Denkformen« (AdE, passim). Sie sind keineswegs transzendentallogisch grundlegend (wie im Kritizismus) und schon gar nicht ontologisch. Vielmehr sind sie völlig sekundär, aus Erfahrung abgeleitet und nur (höchst temporär und zweckgebunden) gültig, insofern sie sich dahin zurückverfolgen lassen (AdE, 277). Unsere Welt ist die Welt der Empfindungen (AdE, 9), und Wissenschaft gibt sich bei der Begriffsbildung zufrieden »mit Definitionen, die auf ein Funktionalbewußtsein sinnlicher Elemente hinauslaufen« (AdE, 277). Dem Chaos der Empfindungen werden Denkformen entgegengehalten, die man je nach der Zielsetzung wählt, wie sie dieser bequem, einfach, vorteilhaft entsprechen (AdE, 272f.). Theoretisch, in der Kosmologie, hat etwa das kopernikanische Modell Vorrang, praktisch bleiben wir Ptolemäer (a. a. O.). — Dabei ist sogar die Unterscheidung zwischen Schein und Wirklichkeit nur praktisch, nicht theoretisch als sinnvoll zu erachten (AdE, 8). Diese Unterscheidung hat im Platonismus zu einer Trennung von beiden geführt (AdE, 9), wobei die Begriffe als ideelle, wahre Wirklichkeit hypostasiert wurden, die sich vom Schein der sinnlichen Erfahrung abhebt. Dagegen wendet Mach sich darauf mit einer Charakteristik, in der zwei Wendungen kursiv hervorgehoben seien:

> Die Welt, *von der wir doch ein Stück sind*, kam uns ganz abhanden und wurde uns *in unabsehbare Ferne gerückt*. (AdE, 9)

Hier tritt zunächst der monistische Grundzug der Erfahrung auf die gleiche Weise in Erscheinung, wie es in Machs Beschreibung des Jugenderlebnisses der Fall war (und Musils Intuition entsprach). Darauf ›vivifiziert‹ Mach mit der uns aus Musils Roman so vertrauten Metapher von der ›Distanz‹ die intellektualistische Verfremdung. Mach war offenbar bei seiner Besinnung auf Erfahrung genau so empfindlich wie Musil für die Grenzen der Vernunft (III, 145), das heißt, der bloßen Verstandesoperationen.

Überhaupt stellt man bei solchem Textvergleich wiederholt die Übereinstimmung in der Grundposition unserer beiden Autoren fest. So bildet der sensualistische Monismus, den Machs Jugenderlebnis so eindrucksvoll vertritt, den Ausgangspunkt für eine (im philosophischen Sinne) naturalistische Mystik. Derart ist aber gerade der Horizont beschaffen, innerhalb dessen sich Musils mystische Ahnungen regen. Dieser Naturalismus unterscheidet ja seine geistigen Bestrebungen von Beinebergs Spekulationen:

> Wenn mich die Mathematik quält, so suche ich dahinter etwas ganz anderes als du, gar nichts Übernatürliches, gerade das Natürliche suche ich, — verstehst du? Gar nichts außer mir, — in mir suche ich etwas; in mir! etwas Natürliches! Das ich aber trotzdem nicht verstehe! (III, 90).

Oder man überlege sich, wie Musils psychologischer Impressionismus (oben wurde als Beispiel III, 31 herangezogen) in Machs Ausführungen über die Mannigfaltigkeit des Ich seine theoretische Begründung erfährt:

> ... fragen wir, »wer hat diesen Zusammenhang der Empfindungen, wer empfindet?«, so unterliegen wir der alten Gewohnheit, jedes Element (jede Empfindung) einem unanalysierten Complex einzuordnen ... Man weist wohl oft darauf hin, daß ein psychisches Erlebnis, welches nicht das Erlebnis eines bestimmten Subjects wäre, nicht denkbar sei . . Man könnte ebensogut sagen, daß ein physikalischer Vorgang, der nicht in irgend einer Umgebung, eigentlich immer in der Welt, stattfindet, nicht denkbar sei ...
>
> Man betone nicht die Einheit des Bewußtseins. Da der scheinbare Gegensatz der wirklichen und der empfundenen Welt nur in der Betrachtungsweise liegt, eine eigentliche Kluft aber nicht existiert, so ist ein mannigfaltiger zusammenhängender Inhalt des Bewußtseins um nichts schwerer zu verstehen, als der mannigfaltige Zusammenhang in der Welt (AdE, 20; 22)

Als Mach dann andernorts diese Mannigfaltigkeit des Ich als »eine *vorübergehende* Verbindung von wechselnden Elementen« darstellt (AdE, 273), winkt die Schulphilosophie der Erkenntnislehre en passant in die Weite einer philosophischen Besinnung auf unser Dasein — eine Schulphilosophie, die es nicht verschmäht, etwa den Buddhismus heranzuziehen.

Wir gehen wohl nicht weit fehl, wenn wir es solchen Ausblicken in Machs Schriften zuschreiben, daß der junge Robert dem Philosophen bereits so viel Sympathie entgegenbrachte. Die Tagebuchnotiz vom 26. Mai 1902, die sich auf Machs *Populärwissenschaftliche Vorlesungen* bezieht, rühmt »eine vorwiegend verstandliche Existenz von trotzdem hoher Bedeutung«. Nur eine so große Intelligenz, wie Musil eine war, kann sich ohne Frechheit dieses paradoxalironische ›trotzdem‹ leisten. Es stimmt auch so ganz zu der nuancierten Erfahrung, die dann bald der Roman darstellen sollte. — Und vor allen Dingen, es paßte vorzüglich zu Machs völlig undogmatischer Freiheit des Geistes, die aphoristisch mit gewandter Feder und ohne die obligate Schwerfälligkeit des Tiefsinns dem Weltbegriff der Philosophie, wie Kant ihn geprägt, gelegentlich gerne auf die artigste Weise entsprach.

269

Freilich, die zwischen Mach und Musil wahrgenommene Übereinstimmung lag ganz im Geiste des Zeitalters, dessen Exponent beide waren — sie hatte nicht so sehr privaten Charakter. Machs Reserve etwa der wissenschaftlichen Begriffsbildung gegenüber war ein Zug der Zeit, den gerade andere Denker aus dem Bereich der Naturwissenschaften gleichfalls vertraten. Man denke an Max Verworn, der mit seinem ›Konditionismus‹ den Kausalbegriff ausbannen möchte, oder an Wilhelm Ostwald, dessen ›Energetik‹ ohne transempirische Begriffe auszukommen behauptete. Ja sogar Ernst Haeckel hatte diesen Ehrgeiz; das hat man nachgerade vergessen. — Die Spitze, die die Lehre von der Mannigfaltigkeit des Bewußtseins gegen die Neukantianer wendete, paßte auch weiten intellektuellen Kreisen recht gut. (Der Begriff der transzendentalen Apperzeption als die ursprüngliche synthetische Einheit des Kategoriensystems bedeutete die Einheit des ›Bewußtseins überhaupt‹, ein Kernstück der Doktrin.) — Und nicht zuletzt ist Machs Sensualismus höchst zeitgemäß! Bereits 1902 brachte Aloys Riehl (Korreferent bei Musils Promotion!) in seiner *Philosophie der Gegenwart* dies — kritisch genug! — zur Kenntnis:

> Es gibt eine Denkrichtung in der Philosophie der Gegenwart, die von Hume ausgeht und sich ihres Gegensatzes zu der von Kant ausgehenden bewußt ist und diese bekämpft. Sie nennt sich den »Positivismus«, sollte aber eigentlich »Impressionismus« heißen, denn das einzige Reale, das sie gelten läßt, sind die Sinneseindrücke. Dem künstlerischen Impressionismus entspricht auch der Zeit nach der wissenschaftliche Impressionismus, und auch unser Urteil über beide hat ein entsprechendes zu sein ... unmöglich und ohne allen Erkenntniswert ist es, von der wissenschaftlichen Darstellung der Tatsachen die Beherrschung der Tatsachen durch die Einheit des Denkens auszuschließen.[5]

Bis in höchst bezeichnende Einzelheiten indessen geht manchmal Machs Verwandtschaft mit Musil. In der dritten Auflage der *Analyse der Empfindungen* (1902) arbeitete er z. B. einen Paragraphen genauer aus, weil er (wie das Vorwort mitteilt) an dieser Stelle — wo das Verhältnis von Sinnesempfindung und Gefühl erörtert wurde — befürchten mußte, daß man seine Position »in einseitig idealistischem Sinne« mißdeuten könnte, das heißt, erkenntnistheoretisch als subjektiven Idealismus auslegen. Deshalb ergänzte er seine Bemerkung

> Schmerz- und Lustempfindungen, mögen sie noch so schattenhaft auftreten, bilden einen wesentlichen Inhalt aller sogenannten Gefühle (AdE, 16)

um folgende Ausführung:

> Was uns sonst noch zum Bewußtsein kommt, wenn wir *von Gefühlen ergriffen* werden, können wir als *mehr oder weniger diffuse, nicht scharf lokalisierte Empfindungen* bezeichnen.

---

[5] Aloys Riehl, Philosophie der Gegenwart, Leipzig 1903, S. 245 f.

270

W. James und Th. Ribot sind *der physiologischen Mechanik der Gefühle* nachgegangen und sehen das Wesentliche in ... *Actionstendenzen des Leibes.* Nur ein Teil derselben tritt ins Bewußtsein ... Allerdings geht er [Ribot] zu weit, wenn er alles Psychische für dem Physischen bloß »surajouté«, und nur das Physische für wirksam hält. *Für uns besteht ein solcher Unterschied nicht.*

Bilden die hier kursiv gesetzten Wendungen nicht einen hübschen Kommentar zu unseren Beobachtungen an Musils Darstellung der psychophysischen Erfahrung seines Zöglings (vgl. oben III)?

Wir erfassen indessen Musils geistige Beziehung zu Mach wesentlich genauer, wenn wir nun auch noch die *Grenze* in ihrer Übereinstimmung beachten. Noch einmal sei Machs Jugenderlebnis bemüht. Wir stellten fest, hier sei der Ausgangspunkt für eine naturalistische Mystik gegeben. Den Schritt dazu vollziehen Machs Schriften aber nicht. Sie beharren vielmehr in einem radikalen Phänomenalismus. Es ist höchst bezeichnend, daß weder ›Tatsache‹ noch ›Wirklichkeit‹ im Index der *Analyse der Empfindungen* ihren Platz finden! Das bekundet einen Standpunkt, zu dem der Vers »Am farbigen Abglanz *haben* wir das Leben« nicht schlecht passen würde — besser aber noch eine Variante mit »*Im* farbigen *Glanze*« ... Oder man verweile einen Augenblick bei Machs intellektueller Skepsis. Sie hätte, wie in Musils Betrachtungen, die Aufwertung der subjektiven Erlebnisfülle bedeuten können. Denn die Begriffsbildung, das Gedankensymbol, entfernt uns von der direkten Empfindung, von dem Element der Wirklichkeit, dem Fundament und Kernstück aller Erkenntnis, die möglichst reine Erfahrung sein sollte. Aber nein! Die wissenschaftliche Bearbeitung der Sinnesdaten wird im Gegenteil bemüht, die »individuelle Zufälligkeiten« zu eliminieren (AdE, 262) und damit die »natürliche Welt« als »das gemeinschaftlich Constatirbare« zu ermitteln (a. a. O., vgl. S. 279). Törleß besaß gerade in solcher »individuellen Zufälligkeit« das Geheimnis, das ihn auszeichnete und auf das er stolz war, wenn es ihm das Leben auch erschwerte. Machs Phänomenalismus aber ist völlig in den Dienst des Szientismus gestellt, wie es dem Sinn seiner wissenschaftstheoretischen Schriften ja auch entspricht.

Das sind so generelle Differenzen. Wir wollen sie genauer erfassen, nachdem wir an Hand von Musils Doktorarbeit seine Auseinandersetzung mit Mach kennengelernt haben. Wenden wir uns also der Dissertation zu.

Eine erste, knappe Charakteristik von Machs Hauptthesen führt zur Fragestellung: Inwiefern ist sein Anspruch vertretbar, daß er nichts anderes als das Ergebnis der Entwicklung der exakten Forschung zum Ausdruck bringe —

inwiefern gilt dabei seine Behauptung, »dieses blendendste und lockendste Versprechen des Positivismus« (D, 11), daß die Wissenschaft längst in dessen Bahnen sich entwickle? Beides wird die Dissertation ablehnen und dabei die Inkonsistenz der Machschen Doktrin nachweisen. Die respektvolle Schlußwendung (D, 124) kann über Musils fundamentale Kritik an Machs Prinzipien nicht hinwegtäuschen: als Erkenntnistheoretiker hat er versagt.

Mach war unermüdlich, seinen Standpunkt dahin zu charakterisieren, daß »jedes wissenschaftliche Interesse als ein unmittelbar biologisches Interesse aufzufassen« sei (D, 14). Sollte man nun seine diesbezüglichen Darlegungen so deuten, daß sie neben der Erkenntnistheorie — als Lehre von den Gründen und Kriterien der Erkenntnis — auftreten, oder daß sie diese Lehre *ersetzen* möchten? Während jenes Nebeneinander durchaus statthaft ist (und bei Mach auch manchmal durchblickt), zeigen viele Ausführungen Machs jedoch deutlich die Tendenz, eine neue, und zwar recht aggressive Erkenntnistheorie anzubieten.

Hiergegen wendet Musils Dissertation sich ebenso hartnäckig, wie scharfsinnig. Warum? In dem Falle läßt sich zwischen Erkenntnis und subjektiver Meinung nicht mehr unterscheiden. Wissenschaft erscheint dann nur noch als »praktische, erhaltungsförderliche Konvention« (D, 24). Unbedingte Gültigkeit von Aussagen wird überhaupt abgelehnt, nur von relativer Gültigkeit kann noch die Rede sein. Bieten aber Machs Ausführungen für eine so skeptische Auffassung von der Erkenntnis eine Grundlage? Nein, aus Musils Analyse geht hervor, daß sie nur deren Hintergrund bilden. (Diese Unterscheidung ist nicht nur elegant, sie ist auch sachlich begründet.) Musil wird nachweisen.

daß die allgemeinen erkenntnistheoretischen Gesichtspunkte selbst nicht so begründet sind, daß die skeptische Haltung aus ihnen gefolgert werden kann. (D, 26)

Mach bringt nirgends die Gründe bei,

die jede andere, auf ein höheres Erkenntnisideal gerichtete Induktionstheorie ausschließen, (a. a. O.)

Mach lehnte es ja ab, eine »allgemeine Theorie der Theorie« zu versuchen (D, 31), und seine Prinzipien besitzen keinen »erkenntnisbegründenden Wert« (ebd.). Damit ist die aggressive Wendung seiner denkökonomischen Betrachtung hinfällig.

In diesem Zusammenhang nun beschäftigt Musil die spezielle Einschränkung der Tragweite induktiver Erkenntnis, die Mach vornehmen möchte. Sein agnostizistischer Phänomenalismus bezieht die Begriffsbildung ausschließlich auf Sinnesdaten,

... dahin zielend, daß es überhaupt nicht möglich sei, etwas aus den Erfahrungen zu erschließen (und einen entsprechenden physikalischen Begriff sinnvoll zu bilden), das nicht selbst unmittelbar sinnlich erfahrbar ist. (D, 53)

Tatsächlich wurde Machs Denken völlig durch jenen Sensualismus bestimmt,

für den nur die sinnlichen Erscheinungen das Reale sind und für den alle wissenschaftlichen Begriffe nur dazu da sind, um zwischen ihnen zu orientieren, ohne irgend etwas mehr besagen zu können. (a. a. O.)

Musil aber weist auf die Diskrepanz hin, die zwischen diesem radikalen Minimumprogramm und dem wirklichen Vorgehen der physikalischen Forschung besteht. Machs Deutung der Forschung steht

im Gegensatz ... sowohl zu der Auffassung, die in den Hypothesen der mechanischen Physik das hinter den Erscheinungen [= Beobachtungsergebnissen] liegende *wahre Geschehen* zu erschließen hofft, wie zu den (davon unabhängigen) Bemühungen, durch fortschreitende Verschärfung der aus den Erscheinungen [s. o.] entnommenen Begriffe, die *wahre Struktur dieses Geschehens* zu erfassen ... (D, 33)

Die hier kursiv gesetzten Wendungen bilden den springenden Punkt in seiner weiteren Analyse. Von ihnen abzusehen, das ist die phänomenalistische »Einschränkung des Erkenntnisideals«, die zu rügen Musil nicht müde wird: Theorie von der Wirklichkeit, das ist das Ziel der Forschung. Beherrschung von Tatsachen ist ein Nebeneffekt dieser Zielsetzung.

In drei Gängen tut unser junger Doktor Machs skeptische Absicht dar. Nacheinander kommt dessen Kritik an der mechanistischen Physik, am Kausalitätsbegriff und an dem Begriff der Naturnotwendigkeit zur Sprache — und wird bestritten. Diese Reihenfolge ist systematisch und didaktisch recht ergiebig: über ein Spezialgebiet der Physik wird der Leser in allgemeine Fragen der Erkenntnislehre geführt und erreicht zuletzt die Herzkammer der Naturphilosophie. In dreifacher Wiederholung legt Musil dar, was erkenntnistheoretisch an Machs Auffassung von der Induktion richtig sei, bedeute nichts Neues, seine Neuerung dagegen sei nicht wirklich begründet und insofern unrichtig.

Der Haupteinwand gegen die aggressive, skeptische Wendung des denkökonomischen Arguments ist, daß dabei der *Stand* der Forschung mit ihrer Möglichkeit überhaupt verwechselt wird:

Denn Schwierigkeiten und tatsächliche Fehlschläge sind noch keine Unmöglichkeiten. (D, 53)

Physikalische Aufstellungen sind eben ein Provisorium, insofern sie — wie Mach selber es formuliert (AdE, 268) —

auf teilweiser Unkenntnis gewisser maßgebender, uns unzugänglicher unabhängig Variablen beruhen. (D, 55)

An Machs eigenen Gedankengängen läßt sich mithin nachweisen, wie sie in sinnvoller Weise Erfahrung überschreiten. Auf solche transzendierenden Aussagen in der Forschung bezieht Musil sich wiederholt. Er betrachtet sie als Impulse zum Weiterschreiten in der Erkenntnistheorie und »was Mach verlangt als ein Ignorieren derselben« (D, 55):

Man wird niemandem zumuten, so etwas hinzunehmen, wenn nicht zwingende Gründe vorhanden sind oder — wenn als Ersatz eine andere, die Schwierigkeiten ausschaltende erkenntnistheoretische Haltung zu Gebote steht. (D, 56)

Etwas anders gewendet, vollzieht Musil die gleiche Abwehr des Phänomenalismus bei der Analyse des Funktionsbegriffs (man beachte die kursiv gesetzten Wendungen):

Was ist den funktionalen Gleichungen denn eigentlich zu *entnehmen*? Sie zielen auf die Berechnung gewisser Merkmale auseinander; Mach wendet dies so, daß diese Abhängigkeit nur als *logische* erscheint ... Aber dies ist eine *unvollständige* Betrachtungsweise. Denn selbstverständlich entspricht auch der in einer funktionalen Gleichung ausgedrückten Verknüpfung *eine reale Abhängigkeit in der Natur* ... Eine *tatsächliche Grundlage* der so einfach ausgemerzten Begriffe Substanz, Kausalität ist also jedenfalls doch vorhanden ... Mach übersieht, daß auch eine logische Verknüpfung nur dann einen *Erkenntnisgrund* abgeben kann, wenn sie durch eine *sachliche Grundlage gerechtfertigt* ist. (D, 75 f., 78, 79)

Musil gibt eben die Idee der Wahrheit als der Übereinstimmung (adaequatio) zwischen Bewußtsein und Wirklichkeit nicht preis,

... jene sachlich (in gewissen genau zu präzisierenden Hinsichten) mit objektiver Notwendigkeit begründete, eindeutige Bestimmtheit ... (D, 24)

Die fortschreitende Mathematisierung ist gewiß *a*-metaphysisch, aber Mach gibt ihr eine *anti*metaphysische Spitze (D, 63). Die moderne Physik befaßt sich mit ihrem Forschungsgebiet auf ihre Weise und wandelt dabei gewisse Begriffe ab oder klammert sie sogar aus. Damit fallen sie aber noch nicht überhaupt weg, damit sind sie noch nicht auf Grund der Sachlage unmöglich und überflüssig (D, 75).

Ja, in seiner antimetaphysischen Tendenz impliziert Machs Husarenritt gegen die Sachhaltigkeit des Kategorialsystems sogar eine metaphysische Position: der Fluß der Erscheinungen erinnert an das heraklitische ›panta rhei‹.

Wenn dem so ist, so meint Musil aber:

Der Fluß der Erscheinungen zeigt gewisse Eigentümlichkeiten der Strömung, die die Annahme fester, richtunggebender Gefüge erschließen lassen, auch wenn diese nicht unmittelbar sichtbar sind. Dem entgegen betont Mach Anhaltspunkte, die auf eine immer weitere Auflösung hinweisen. Aber ... berücksichtigt man ... die stets übrig gebliebenen Möglichkeiten des Andersseins, so ergeben sich ... keine stringenten Nachweise. (D, 78f.)

Den wesentlichen Widerspruch indessen in Machs Ausführungen entwickelt das Schlußkapitel der Dissertation. Mach leugnet Naturnotwendigkeit. Bei seiner Polarisierung von reiner Erfahrung und begrifflicher Ordnung ist die Flut der Empfindungen das reine Chaos, und die Ordnung bloße Fiktion. Die Gleichungen der mathematischen Physik enthalten gar keine Natur-Gesetze. Diese Ordnung nun besitzt logische Notwendigkeit. Diese jedoch reduziert das Prinzip der Denkökonomie auf psychologische Gesetzmäßigkeit, das heißt die logische Notwendigkeit wird als psychologische Notwendigkeit durchschaut. Sie wurzelt in der Verfassung des Menschen, in seiner Natur: sie ist — eine Naturnotwendigkeit! Aber die leugnet Mach gerade, denn die begriffliche Ordnung der Erfahrung faßt er als bewußtseinsimmanent auf. Wenn sich aus seinen Schriften auch Äußerungen anführen lassen, die weniger extrem sind, so beweist das nur, daß sein aphoristisches Philosophieren (so zwischen den physikalischen Erörterungen hindurch) in sich uneinig ist. Aber auf die radikale Stellungnahme nagelt Musils Analyse Machs Doktrin fest. Denn nur sie bestimmt dessen eigenen (und offenbar verfehlten) Beitrag zur Erkenntnistheorie.

Aus dieser Analyse von Musils Doktorarbeit dürfte hervorgehen, daß der Autor namentlich folgende Grundgedanken bei Mach ablehnte, weil er dafür hielt, daß diese zu schwach oder überhaupt nicht begründet seien. Es handelte sich da um Machs Anspruch, mit der Lehre von der Denkökonomie einen entscheidenden Beitrag zur Erkenntnistheorie zu liefern — um die skeptizistischen Konsequenzen dieses Anspruches — um Machs phänomenalistische Interpretation der Erkenntnis — um die antimetaphysische Wendung seines Agnostizismus — um die Widersprüchlichkeit seiner Leugnung von Naturnotwendigkeit, wo er doch logische Notwendigkeit psychologistisch interpretierte. Wie paßte dieser Gedankenkomplex in die damalige Lage der mitteleuropäischen Philosophie? Bei der Beantwortung dieser Frage läßt sich Musils Position noch etwas genauer entwickeln, zugleich gewinnt man einen Eindruck davon, was seine Doktorarbeit zur Diskussion um Mach beitrug.

Mit dem zuletzt genannten Einwand rührte der junge Doktor nicht nur gehaltlich an den Nerv der Machschen Doktrin, hier enthüllte sich auch deren logische Schwäche. Mach besinnt sich auf Erkenntnis, aber er versäumt es, sich dabei auch noch zu besinnen auf — seine eigene Besinnung, die ja beansprucht, Erkenntnis zu sein. Solche Reflexion zweiten Grades macht aber den Philosophen. Hier nähert Musils Kritik sich Husserls Analyse des Empiriokritizismus auch im Duktus am meisten (ohne übrigens irgendwelche Anleihen bei Husserl zu machen). Die Doktorarbeit thematisiert — anders als die *Logischen Untersuchungen* — nicht an erster Stelle die selbstzerstörerische Tendenz der Machschen Theorie *als* Theorie, hier im Schlußkapitel aber kommt unerbittlich ans Licht, daß diese sich selbst aufheben muß. Man hätte denn auch im Jahre 1908 irgendeinen Hinweis auf Husserls Darlegungen von der Jahrhundertwende erwartet, zumindest in diesem Kapitel. Aber bereits 1905 hatte sich in Stumpfs Akademieabhandlung *Zur Einteilung der Wissenschaften* die latente Spannung zwischen seinem Philosophieren und der Phänomenologie Husserlscher Prägung offenbart. (In seiner *Erkenntnislehre* führte sie dann später zu einer scharfen Ablehnung von Husserls weiterer Entwicklung.) Wie schnell hatte sich das freundschaftliche Verhältnis getrübt, das sich in Halle gegen 1890 so gut anließ und 1900 darin gipfelte, daß die *Logischen Untersuchungen* Stumpf gewidmet wurden.

Auf diese eine Begegnung mit Husserls Gedankengängen indessen beschränkte sich der Anklang keineswegs, ebensowenig beschränkte sich solcher Anklang auf Husserl. Vielmehr dürfte dem damaligen Leser das Fazit von Musils Überlegungen vertraut, fast allzu vertraut vorgekommen sein. Ihre Ergebnisse verschafften seiner sauberen, präzisen Arbeit kein eigenes Gesicht. Das erhielt sie schon eher durch die Detailkenntnisse auf dem Gebiete der physikalischen Theorie, deren sie sich bediente.

Mit Husserl verband Musil nicht nur der Nachweis der fundamentalen Widersprüchlichkeit von Machs Doktrin, sondern auch die scharfe Ablehnung des erkenntnistheoretischen Anspruchs und der skeptischen Konsequenz daraus. Innerhalb denkpsychologischer Grenzen ließen beide die Denkökonomie schon gelten:

> Die Irrtümer dieser denkökonomischen Richtung entspringen schließlich daraus, daß das Erkenntnisinteresse ihrer Vertreter — wie der Psychologisten überhaupt — an der empirischen Seite der Wissenschaft hängen bleibt. Sie sehen gewissermaßen vor lauter Bäumen den Wald nicht. Sie mühen sich mit der Wissenschaft als biologischer Erscheinung und merken nicht, daß sie das erkenntnistheoretische Problem der Wissenschaft als einer idealen Einheit objektiver Wahrheit gar nicht berühren.

So faßte Husserl (S. 210) sein Ergebnis zusammen, und diese Sätze hätten Musils Motto bilden können!

Sie entsprachen übrigens auch Stumpfs Auffassung von diesen Dingen, so etwa in seiner Selbstdarstellung (1924), wo er sich folgendermaßen äußerte (man beachte besonders die hier hervorgehobenen Wendungen):

> ... der Begriff der Wahrheit wurzelt natürlich im *Urteilsgebiete*. Wahr ist, was unmittelbar oder mittelbar *einleuchtet* ... Man kann auch sagen: Wahrheit ist die Eigenschaft von Bewußtseinsinhalten, aus sich heraus, *durch sachliche Motive*, Anerkennung zu erzwingen ... Evidenz und Wahrheit sind korrelative Begriffe, Evidenz sozusagen die subjektive Seite der Wahrheit, diese selbst in gewissem Sinne etwas Objektives, nämlich *unabhängig vom individuellen Bewußtseinsakt*, eine Funktion dessen, *was vorgestellt wird*, nicht des vorstellenden Subjektes. Alle *positivistischen* Wahrheitstheorien, auch der Pragmatismus, *drehen sich im Kreise*. Nur als *Maximen des Denkens bleiben Ökonomie und Nützlichkeit immer beherzigenswert*. (S. 33)

Mit Stumpfs philosophischem Standpunkt stand sodann Musils realistische Interpretation der Erkenntnis (auch ein Kernpunkt der Kontroverse mit Mach) völlig im Einklang. Stumpf erkannte Wirklichkeit als »Wirkungsfähigkeit« an:

> Wären wir nicht innerlich aktiv, so hätten wir kein Wirklichkeitsbewußtsein. In zweiter Linie statuieren wir äußere Dinge (psychische wie physische) als wirklich, sofern wir Wirkungen von ihnen auf uns beobachten. Wer die Gottheit als »allerrealstes Wesen« bezeichnet, denkt sie eben auch als Urursache. Allgemeine Gesetze dagegen sind zwar wahr, aber nicht wirklich, weil sie nicht wirkungsfähig sind. (a. a. O.)

Mit diesem letzten Satz vergleiche man einmal Machs Auffassung der physikalischen Gesetze, die ja den Begriff der aufgelösten Körperlichkeit ablösen: »An Stelle der beständigen Körper tritt das beständige Gesetz« (AdE, 274)!

Nicht nur das, Stumpfs Empirismus machte sich auch noch anheischig, eine *Wahrnehmungsgrundlage* der Kategorien zu verschaffen:

> So läßt sich in Hinsicht des Ding- oder Substanzbegriffes darauf hinweisen, daß wir in bestimmten Anschauungen die innige Durchdringung von Teilen eines Ganzen direkt wahrnehmen. Schon in jeder Sinnesempfindung bilden die »Attribute«: Qualität, Intensität, Ausdehnung usw. nicht eine Summe, sondern ein Ganzes, ja die Teile sind nur nachträgliche Abstraktionen. Im Gebiete der psychischen Funktionen sind intellektuelle und emotionelle Funktionen und überhaupt alle gleichzeitig gegebenen Bewußtseinszustände innerlichst verknüpft (Einheit des Bewußtseins) und werden in dieser Einheitlichkeit direkt wahrgenommen. Humes Forschungsprinzip war also nicht falsch, aber er hat nicht sorgfältig genug beobachtet, sonst hätte er die Substanz nicht als ein Bündel, sondern als ein Ganzes von Eigenschaften oder Zuständen definieren müssen. (S. 31f.)

Nicht anders interpretierte Stumpf Kausalität und Notwendigkeit. Zwar hatte der junge Robert sich offenbar dieser Auffassung nicht verschrieben, denn er verzichtete darauf, sie in seiner Dissertation auch nur im Umriß darzustellen, obwohl seine Andeutung einer Alternative für Mach, einer »auf ein höheres

Erkenntnisideal gerichteten Induktionstheorie« (D, 26, vgl. D, 55, 78), höchst zwanglos dazu den Übergang hätten bilden können. Seine Hinweise auf den transzendenten Gebrauch des Kategorialsystems indessen entsprechen bestens Stumpfs ontologischer Ausrichtung der Erkenntnis.

Der Kritizismus pflegte die Tradition eines erkenntnistheoretischen Modells, in dem die ›reine‹ Form der Verstandesbegriffe den ›bloßen‹ Stoff der Sinne als Material bewältigte. Der Empiriokritizismus legte die Akzente genau umgekehrt: alles Schwergewicht fiel jetzt auf den ›reinen‹ Stoff, während die intellektuelle Form zur ›bloßen‹ Form, zum Gedankensymbol herabsank. Carl Stumpf aber nahm eine dritte Position ein.

Die ›reinen‹ Begriffe betrachtete er nicht mehr als so *völlig* rein (von Erfahrung), und die Sinnesqualitäten bildeten dann auch nicht mehr das ›bloße‹ Material der Erkenntnis. Vielmehr *präfigurierten* sie die Begrifflichkeit der Kategorien, ermöglichten deren Bildung und rechtfertigten sie ontologisch. Das ist die Perspektive, in der sich Musils Andeutung (die uns oben beschäftigte), im Strome der Erscheinungen ließen sich doch gewisse Eigentümlichkeiten erfassen (D, 78), erst voll entfalten mag. In einer solchen Perspektive läßt sich dann auch vom »wahren Geschehen« reden (D, 33), das die Wissenschaft zu ergründen strebt.

Trennte sein Realismus Musil in der Dissertation auch von Mach, sein Monismus entsprach dessen Interpretation des Sensualismus. Das vermochten wir bereits vor der Analyse der Doktorarbeit festzustellen. Diese Tatsache indessen steht Musils Affinität zu Stumpf durchaus nicht im Wege. Denn auch Stumpf vertrat die monistische Tendenz. Gegenüber dem Dualismus im System der Wissenschaften, die sich entweder mit der Geisteswelt oder der Welt der materiellen Erscheinungen verschreiben, erhob er nicht die Forderung einer Reduktion, sei es im spiritualistischen oder im materialistischen Sinne. Vielmehr ging seine Reflexion in eine Schicht zurück, die *vor* dieser Entzweiung liegt und beide Forschungsrichtungen erst ermöglicht: die Schicht der »Sinneserscheinungen« überhaupt, aus denen Bewußtseinsakte »Gebilde« schaffen. Die Erforschung dieser Schicht war keineswegs der Psychologie vorbehalten (der Lehre der psychischen Funktionen), ebensowenig der Physik (als Lehre der gesetzmäßigen, funktionalen Verknüpfung), sondern der Phänomenologie (im Stumpfschen Wortgebrauch soeben, 1905, für diese Betrachtungsweise eingeführt), die man getrost als Ansatz zu einer Fundamentalontologie bezeichnen darf.

Man braucht diesen Entwurf einer Gliederung der theoretischen Erkenntnis nur mit Machs aphoristischen Geistesblitzen zu vergleichen, um festzustellen, daß ein Stumpf, in seiner systematischen Besinnung auf diese *ur*phänomenale Grundlage der Erkenntnis, hier weiter vorwärts zu dringen vermochte.

Und was dem einen Doktorvater recht war, sieh', es war dem andern billig! Alois Riehl hatte bereits auf der Schwelle des 20. Jahrhunderts gegen den naturwissenschaftlichen Monismus Einspruch erhoben und einen philosophischen befürwortet. Letzteren hatte er nicht an Hand einer Analyse des naturwissenschaftlichen Dualismus von Materie und Energie zu entwickeln versucht, nein, es ging ihm in seiner *Philosophie der Gegenwart* (S. 150 ff.) um einen »ursprünglicheren Dualismus«, dessen Aufhebung ihm ein wichtigeres Problem zu sein erschien, das unmittelbar unsere geistigen Interessen berühre. Es ging Riehl um den Dualismus von Leib und Seele, und seine Ausführungen gestatteten ihm die Schlußfolgerung (S. 164),

daß in Wirklichkeit nicht zwei Vorgänge, ein psychischer und ein physiologischer, gegeben sind, sondern nur zwei verschiedene Betrachtungsweisen eines einzigen Vorganges, welche Betrachtungsweisen auch jederzeit auf zwei verschiedene Subjekte verteilt sind. Wir schließen auf die Identität des realen Vorganges, der dieser doppelseitigen Erscheinung zu Grunde liegt. Die Welt ist nur einmal da; aber sie ist dem objektiven, auf die äußeren Dinge bezogenen Bewußtsein als Zusammenhang quantitativer physischer Vorgänge und Dinge gegeben, während ein Teil derselben Welt einem bestimmten organischen Individuum als seine bewußten Funktionen und deren Zusammenhang gegeben ist.

Dieser Weg zum Monismus läßt sich direkt mit dem Gang von Törleß' Lebenserfahrung vergleichen, so wie wir ihn oben kennenlernten. Und er verbindet sich bei Riehl mit einer entwicklungsgeschichtlichen Perspektive, die gleichfalls Musils Betrachtungsweise entspricht. Wenn schon unser Motto Erkenntnis als Blüte des Gefühlslebens kennzeichnet, so hat die frühere Analyse des Romans gerade den Blick für die Gefühlswelt in ihrer leiblichen Erscheinungsweise geschärft. Dahin zielt aber auch Riehls evolutiver Monismus, wenn es etwa heißt:

So viel ich sehe, stimmt dieser Monismus auch mit unseren natürlichen und unverschulten Überzeugungen überein ... Endlich werden wir, wie es auch allein der unbefangenen Beobachtung entspricht, das psychische Leben als Produkt der organischen Entwicklung ansehen können ... An diese qualitative Wirksamkeit in der Natur, die mit dem Hervortreten der Beschaffenheiten der Empfindungen zu Neuem führt, denken wir uns auch die Entstehung der psychischen Affektionen und Tätigkeiten, des Fühlens, Vorstellens, Wollens geknüpft. (S. 164, 165, 166)

Dieser Monismus nun besitzt bei Riehl ein ausgesprochen realistisches Gepräge — wie bei Stumpf!

279

Es ist dieselbe Wirklichkeit, aus der unsere Sinne stammen und die Dinge, die auf unsere Sinne wirken. Die nämliche schaffende Macht, die schon in den einfachsten Dingen am Werke ist, setzt ihr Werk in uns, durch uns fort. Sie ist die gemeinsame Quelle von Natur und Verstand ... Aber nur bis zur Voraussetzung dieser Einheit dringt unser Denken. Sie selbst in ihrem Wesen bleibt transcendent. Das Geheimnis des Daseins ist durch das Denken nicht zu ergründen; das Prinzip des Daseins geht dem Denken voran: erst Sein, dann Denken. (S. 167 f.)

Riehl hatte innerhalb des Kantianismus seiner Zeit eine Position inne, die sich deutlich von der Marburger und der Südwestdeutschen Schule unterschied, die eines Realisten eben. Auf Grund der Ergebnisse seiner eigenen Reflexion konnte er denn auch Kants Lehre von der Anschauung in einem höchst orthodoxen Sinne durchdenken. Noch in unseren Tagen hat Martin Heidegger in seinem Werke *Die Frage nach dem Ding* Riehls Gedankenschärfe und vorbildliche Texttreue rühmend hervorgehoben. So kam es auch, daß Riehl sich in der *Philosophie der Gegenwart* (S. 154 f.) in unserem Zusammenhang auf seinen Meister berief und diesen folgendermaßen (Kritik der reinen Vernunft, A 379 f,) zitierte:

Das transcendentale Objekt (das Reale), welches den äußeren Erscheinungen, ingleichen das, was der inneren Anschauung zum Grunde liegt, ist an sich selbst weder Materie noch ein denkendes Wesen, sondern ein uns unbekannter Grund der Erscheinungen, die den empirischen Begriff von der ersten sowohl als zweiten Art (Dinge) an die Hand geben.

Hier haben wir einen Monismus vor uns, der geradezu als Antipode von Machs sensualistischem Phänomenalismus gelten darf. Und überhaupt hatte Riehl in diesem Werk, das bereits vor Musils Studienzeit in Berlin weitere Verbreitung fand, den Empiriokritizismus kompromißlos abgelehnt (vgl. oben, das Zitat von S. 245), als eine Strömung, die unter Berufung auf »reine Erfahrung« die Vernunft wegkritisieren möchte. Ähnlich wie Husserl und Stumpf setzte Riehl sich kräftig gegen Hume und dessen Nachfolge ab, zu der er mit vollstem Recht auch den Empiriokritizismus rechnete (S. 101). Die Haupttendenz in seiner Wissenschaftslehre war es ja, daß weder aus reinen Begriffen allein, noch allein »aus reiner Erfahrung ... Wissenschaft entspringen« könne (S. 244).

Der allgemeine Weg der theoretischen Naturwissenschaft ... hält die rechte Mitte von bloßer Spekulation und reiner Erfahrung ... Denken ist die Voraussetzung aller Erfahrung; eine Erfahrung ohne Denken ist nicht möglich ... Gewiß sind ›Gesetze‹ der Natur auch Ableitungsformeln für Tatsachen; aber sie sind dies nicht allein, noch ist dies ihre wichtigste, ihre wertvollste Funktion. Kenntnis und Erkenntnis bleibt zweierlei ... Kein Gesetz kann in eine Tatsache rein aufgehen. (S. 243 ff.)

Kehren wir aber zu unserem Zögling zurück! Gegen Ende seiner so kurzen, wie gründlichen Infernoreise verspürt der kleine, verhetzte Törleß nur noch eine leidenschaftliche Sehnsucht, aus diesen wirren, trubelnden [sic] Verhältnissen herauszukommen, eine Sehnsucht nach Stille, nach Büchern war in ihm. (III, 134)

Er sieht sich selber im »Bilde des Gärtners« (a. a. O.), dessen kundige Pflege eine Periode geistigen Wachstums bedeuten mag. Dieser Vorsatz nun bezeichnet so ganz das Klima, in dem das Studium der Philosophie gedeihen und die Doktorarbeit zeitigen sollte.

So erläutert die Problematik des Romans, wie es zum akademischen Werdegang seines Autors kam. Umgekehrt zeichnen sich im Lichte von Musils Philosophieren gewisse Eigentümlichkeiten schärfer ab.

In einem frühen Brief (vom 22. März 1905), den wir Karl Dinklage (im Sammelwerk *Robert Musil*, S. 276) verdanken, spottet der gereiftere Dichter im Rückblick auf seinen Erstling, daß seine Internatsbuben »wie Bücher reden«. Damit übertreibt er gewiß. (Wir versuchten gerade die Kontinuität der realistischen Gesprächsführung bis in den sokratischen Dialog hinein nachzuweisen). Aber das Niveau der Reflexion seiner Romangestalten fällt natürlich auf. Es entspricht nicht selten der Schulung ihres Schöpfers. Wer möchte das bedauern? Wer wagte es, das zu beanstanden?

Noch einen Einwand enthält jener Brief (a. a. O.). Der soeben abgeschlossene Erstling sei eine psychologische Konstruktion (»es findet sich keine reale Psychologie«), der Autor habe nicht gefragt:

ist dieser Mensch auch möglich? Im Gegenteil: ich frug, ist dieser Mensch konsequent? Und ist er es, so ist es mir desto lieber, je unmöglicher er ist.

Nun beschäftigte uns die typologische Profilierung der Protagonisten bereits einen Augenblick (in III). Es zeigte sich, daß sie so viel dem psychologischen Realismus verdanken, daß sie dessen Rahmen keineswegs sprengen. Indessen, solche Typologie wird aus der Besinnung auf lebensanschauliche Alternativen genährt. Die psychologische Linienführung strafft sich. Die »Kombinatorik« (bei Dinklage, S. 276f.), die Betonung der »inneren Konsequenz«, sie führen zu »einer phantastischen Form des Romans«, die die Grenze der realistischen Erzählkunst berührt. So wie die symbolistischen Stilmittel den Bereich des Darstellbaren wesentlich erweitern, so atmet der Leser im äußeren und inneren Dialog manchmal bereits die dünnere Luft der Vergeistigung, die seit der Mitte unseres Jahrhunderts den Roman-Essay kennzeichnet. Musil bezeichnete später einmal »das geistig Typische, das Gespenstische des Geschehens« als seinen eigentlichen Stoff (I, 785, aus 1926). Das läßt sich hier durchaus auf seine Schilderung der Romanfiguren anwenden.

Wie sich nun Roman und Doktorarbeit in ihrer Konstellation gegenseitig erhellen, dabei sei noch einen Augenblick verweilt. Indem wir den Abstand zwischen Törleß und Mach genauer bestimmen, wird sich auch Musils Position zwischen Maeterlinck und Mach weiter klären. Gut positivistisch ließ Mach keine Rätsel gelten, nur Probleme.

Im Verzichten auf die Beantwortung als sinnlos erkannter Fragen liegt durchaus keine Resignation, sondern ... das einzig vernünftige Verhalten des Forschers ... auch in allgemeineren philosophischen Fragen. Die Probleme werden entweder gelöst oder als nichtig erkannt ... Meine Auffassung schaltet alle metaphysischen Fragen aus. (AdE, 278f.)

Wer hört hier nicht bereits das Wittgensteinsche Timbre jener selbstgefälligen Beschränktheit heraus, die besonders unter den Kärrnern dieses Königs (übrigens auch aus Altösterreich!) grassiert?

Törleß aber ist aus einem anderen Geschlecht. Die Erfahrung, die ihn zutiefst ergriffen hat, geht ihm über alles. Er verficht keine spekulative Mystik, weil sich etwa in seinem Geiste, nach Nietzsches Worten, Sehnsucht (nach dem Absoluten) und Skepsis (hinsichtlich der Grenze der Erkenntnis) begattet hätten. Vielmehr ist ihm in seltenen Stunden eine Fülle des Erlebens vertraut geworden, in der die Subjekt-Objekt-Spaltung gleichsam verdämmert. Diese Fülle versucht er nun gegen Verfremdungseffekte der intellektuellen Analyse zu beschützen, um sie sich zu erhalten. Solche »empfindsamen Erkenntnisse« (III, 33) bedeuten ihm eine grundsätzliche Lebensbereicherung, ja, das wahre Leben. Nicht sehr viel später (II, 776, aus 1913) werden sie in Musils Selbstbetrachtung als »Gefühlserkenntnis« auftreten. In ihr hört man, wie später Ulrich und Agathe, »den Traumreden der Stille« zu (I, 1118).

Machs Phänomenalismus paßt zu seiner szientistischen Selbstbeschränkung, aber dem jungen Doktor paßt er sowenig wie unserem Zögling. Dessen Sehnsucht nach Wirklichkeit und Wahrheit sträubt sich dagegen, ewig dem Schein des rationalen Bewußtseins verhaftet zu bleiben. Er strengt sich immer wieder an, über diese Grenze zu stoßen. Sein Sensualismus ist nicht phänomenalistisch, für ihn braucht man die Verszeile aus Faust II nicht umzuschreiben: an den Erscheinungen selbst erfährt er Wirklichkeit.

Man vergegenwärtige es sich noch einmal, es ist ein Ingenieur, der sich in seiner Kritik an Mach so hartnäckig weigert, die Beschränkung auf den Schein hinzunehmen. In seiner Praxis ist ihm bei der Beurteilung von Theorien der Erfolg ihrer Anwendung entscheidend. Technologische Bewältigung des Lebens führt leicht zu einer pragmatischen, denkökonomischen Betrachtung der Erkenntnis. Trotzdem beunruhigt Dr. v. Musil die Wahrheitsfrage in streng realistischem Sinne. Er will objektive Gültigkeit nicht preisgeben. Täuschend sieht er da dem kleinen Törleß ähnlich. Der hatte keinen Frieden mit den imaginären Zahlen (III, 80 ff.). Einen Pragmatisten brauchen diese nicht zu stören. Denn ihn beschäftigt nicht ihr eklatanter Widerspruch mit den Prinzipien des numerischen Systems, sondern die Operation, die sich mit ihrer Hilfe vollziehen läßt. $\sqrt{-1}$ mag schon un-denkbar sein, man tut als ob, mit dieser Undenkbarkeit läßt sich dann erfolgreich über Vorgänge rechnen, »und zum Schlusse ist ein greifbares Resultat vorhanden« (III, 81). Mag »die Sache gegen den Verstand gehen« (III, 88), zur Bewältigung von Tatsachen taugt sie vorzüglich; dabei läßt die pragmatische Überlegung es bewenden.

Törleß aber beunruhigt dieser eigentümliche Vorrang der Operation vor dem darin auftretenden Werte (III, 80). Diese Unruhe betrifft das Verhältnis von Ratio und Wirklichkeit überhaupt: Unser Denken hat keinen gleichmäßig festen, sicheren Boden, es geht über Löcher hinweg (III, 123). Um im Bilde zu bleiben, über große Löcher hilft nur eine Art von Brücke. Die Denkakte bilden eine solche, da erweist es sich an den imaginären Zahlen, wie gespenstisch sie beschaffen ist:

> Ist das nicht wie eine Brücke, von der nur Anfangs- und Endpfeiler vorhanden sind und die man dennoch so sicher überschreitet, als ob sie ganz dastünde? ... Das eigentlich Unheimliche ist mir aber die Kraft, die in solch einer Rechnung steckt und einen so festhält, daß man doch wieder richtig landet. (III, 81)

Der prinzipiell unbegründete und fragmentarische Charakter der intellektuellen Erkenntnis wurde soeben im Bilde ihrer Bodenlosigkeit und Lückenhaftigkeit vergegenwärtigt. Das geschieht auch folgendermaßen z. B.:

> ... unser Wissen ist auf allen Gebieten von ... Abgründen durchzogen, nichts wie Bruchstücke, die in einem unergründlichen Ozean teiben (III, 123).

Es ist der spekulative Beineberg, der hier redet. Seine Folgerungen wird Törleß auch diesmal nicht anerkennen. Aber ihren Ausgangspunkt haben sie gemeinsam in dieser Skepsis. Die Art und Weise, wie Musil ihn hier bildlich darstellt, wird auch später auftreten, wenn es etwa 1918 (II, 782 f.) heißt, daß der Boden aller wissenschaftlich systematisierbaren Erkenntnis zuunterst schwanke, und daß ihr Raster von Gesetzen und Formeln einem Sieb gleiche, bei dessen Anwendung (hier: in der Ethik) die Löcher nicht weniger wichtig seien als das feste Geflecht. —

Diese Reserve der Wissenschaft gegenüber geht bei Törleß also Hand in Hand mit seiner Ablehnung des Phänomenalismus. Welche anthropologische

Schlußfolgerung des Empiriokritizisten muß ihm dabei besonders fern liegen? An markanten Stellen formulierte der glänzende Stilist, der Mach war, gerne mit lapidarer Wucht eine umwälzende Konsequenz seiner Lehre von der Empfindung als Element: die »Unrettbarkeit des Ich« (AdE, 19), »die Forderung, sein Ich nichts zu achten« (AdE, 273). Wir stellten oben fest, daß Mach diese These mit dem Pluralismus der Bewußtseinsinhalte begründet (AdE, 22), und wie dieser Pluralismus dem psychologischen Impressionismus unseres Autors entspricht.

Der Pluralismus also paßte Robert Musil gewiß, aber keineswegs Machs Schlußfolgerung! Denn Törleß unterscheidet in den Eingangsszenen des Romans, die kompositorisch Thematik und Perspektive des Ganzen so glänzend bestimmen, unzweideutig (man beachte die hier hervorgehobene Wendung) zwischen

den Ereignissen und seinem Ich, ja zwischen seinen eigenen Gefühlen und *irgendeinem innersten Ich*, das nach ihrem Verständnis begehrte ... (III, 33)

Diese Unterscheidung wird andernorts auch mit dem Hinweis auf »etwas Dunkles unter allen Gedanken« (III, 143) angedeutet, wiederum an einer kompositorisch entscheidenden Stelle, in den Schlußüberlegungen. Und Musils ungemein eindringliche Charakteristik der Formen zwischenmenschlicher Erkenntnis (III, 19) illustriert, wie man in der Erscheinungsweise eines Menschen »die geistige Persönlichkeit ... vorwegnimmt«.

Die beiden Hinweise (III, 33, 143) verdinglichen keineswegs das Ich, aber sie halten substantiell daran fest, indem sie Ausblick auf seine Dynamik verschaffen: als »ein Leben, das sich nicht in Worten ausdrückt und das doch mein Leben ist« (III, 143), weist es in einen rätselhaften Erfahrungsbereich (auf dessen Schwelle Machs Ausführungen gerade Halt machten). Den Zögling, diesmal einen rechten Zögling der Lebensphilosophie, fesselt aber gerade diese Dimension der Erfahrung so mächtig! Hier besinnt er sich auf sie, in Wendungen, die kursiv hervorgehoben seien, wo sie, anklingend an früher Zitiertes, dessen Aussagekraft verstärken:

Ist es ein allgemeines Gesetz, daß *etwas in uns ist*, das *stärker*, größer, schöner, *leidenschaftlicher, dunkler* ist als wir? (III, 99)

Hat man sich diesen Grundzug in der Darstellung des Ich vergegenwärtigt, so wird man auch die im folgenden Zitat gegen Ende auftretende Metaphorik nicht als Verdinglichung der Substanz, begreifen, sondern sie als Hinweis auf die Dauer im Wechsel auffassen:

284

Das aber, was man als Charakter ... eines Menschen fühlt ... dasjenige, wogegen die Gedanken, Entschlüsse und Handlungen ... auswechselbar erscheinen ... *dieser letzte, unbewegliche Hintergrund* ... (III, 21 f.)

Machs Preisgabe des Ich im ontologischen Sinne paßte vorzüglich zu seiner aufgeräumten Eliminierung von subjektiven Variablen aus der Erkenntnis (vgl. oben zu AdE, 262). Umgekehrt sind auch Musils Auffassung vom Ich und seine hohe Bewertung der Unmittelbarkeit der Erfahrung aus einem Guß. Dem »schmerzlich-nichtigen Geheimnis der Individualität (II, 781, aus 1918) sollte er auch späterhin entscheidende Bedeutung beimessen. Hiermit befand er sich übrigens wiederum im besten Einverständnis mit Doktorvater Riehl. Dieser hatte ja bereits in seiner *Philosophie der Gegenwart*, also vor den literarisch-philosophischen Ansätzen unseres Autors, mit vollem Verständnis für eine (hier hervorgehobene) Hierarchie von Erfahrungen erklärt:

> Nur *der bloße Gedanke Ich*, der Begriff des Subjektseins, ist immer und überall derselbe Gedanke, die nämliche Form des Bewußtseins überhaupt; das empirische Selbstbewußtsein aber, *das konkrete Ich*, ist so reich und mannigfaltig, *so verschieden an Ausdehnung und Gehalt*, wie es die *individuellen Unterschiede der Begabung und der Erlebnisse* mit sich bringen. (S. 167)

Im Bewußtsein solcher eigenen, höchst eigentümlichen Lebenserfahrung konnte der kleine Törleß sich nicht bequemen, diese brav, aus irgendwelcher »wissenschaftlichen« Rücksicht, zu verleugnen. Vielmehr ging es ihm darum, für dasjenige, was sich ihm da eröffnete, eine Vermittlung zu schaffen, so daß es in seiner Eigentümlichkeit auch auf eigene Weise *inter*subjektiv bedeutsam werde. Die »Tür« finden (III, 99), zu dem, was sich ihm so geheimnisvoll kundtat — die »Brücke« bauen (III, 72), über die es sich erreichen ließe: das war Törleß' Anliegen. Und nicht von ungefähr war die Lebensmacht, die das Element bildete, in dem sich solche Erkenntnis vollzog, der Eros, wie er überhaupt Gemeinschaft stiftet! Dieser Sensualist, wir stellten es bereits fest, huldigte einem potenzierten Sensualismus.

Ernst Mach war eine fesselnde Gestalt, nicht zuletzt in seinem etwas schillernden Wesen. Er war in seiner höchst produktiven Vielseitigkeit dem dichterisch so erstaunlich begabten Ingenieur, dem es der Weltbegriff der Philosophie (als Welt-Weisheit) angetan hatte, durchaus kongenial. In seiner impressionistischen Art nun philosophierte Mach nicht immer an Musils Anliegen, wie Törleß es bekundet, völlig vorbei.

Während die *Analyse der Empfindungen* sich gerne damit großtut, mit allem ›Instinktiven‹ schlankweg abzurechnen, kommt andernorts bei Mach manchmal etwas zum Ausdruck, das in eine andere Richtung weist. So

285

heißt es in den *Populärwissenschaftlichen Vorlesungen* (die Musil so gut gefielen) einmal:

Die wichtigsten Fortschritte haben sich stets ergeben, wenn es gelang, instinktiv längst Erkanntes in mitteilbare Form zu bringen. (S. 220)

Wie Machs herrliches Jugenderlebnis (AdE, 23) hatte eine solche Stelle es in sich, beim jungen Musil innersten Anklang zu erregen. Der Ausdruck »instinktiv« deutet hier ja wohl nicht so sehr das Gebiet des biologischen Instinkts, sondern in einem laxeren Sinne den ganzen Bereich von Ahnungen und Vermutungen an. Die möchte man aus der Unerschütterlichkeit ihrer unmittelbaren Evidenz, die eher eine Angelegenheit des Gespürs als der Überlegung ist (wie viel Verstandestätigkeit sie auch vorbereitet haben mag), in die kommunikative Sphäre hinüberleiten. Dem Naturwissenschaftler Mach stand dazu der diskursive Weg der Ratio offen. Nur ab und zu, am Rande seiner Darlegungen sozusagen, zeigte er sein Talent zu recht evokativer Vergegenwärtigung. Letzteres gelang dem Dichter Musil nun gerade so meisterhaft: mit Hilfe seines postrealistischen Symbolismus. Das stolze Wort, das er 1926 zu Osacar Fontana sprach (II, 788), bezeichnete ebenso schlicht wie selbstbewußt die Leistung eines sehr großen Schriftstellers: »Stil ist für mich exakte Herausarbeitung eines Gedankens«!

Der Dualismus in der Erkenntnis tritt im Törleß kräftig in Erscheinung. Die Subjekt-Objekt-Spaltung als Feld der Vergegenständlichung im vorstellenden Denken besitzt dort nur noch beschränkte Geltung, wo man sich vergegenwärtigt hat,

daß es feine, leicht verlöschbare Grenzen rings um den Menschen gibt. (III, 146)

Aber dieses Thema, solche Perspektive, sie fehlen in der Dissertation völlig, sie fehlen dort grundsätzlich! Eine Doktorarbeit, die sich als Beitrag zur bloßen Wissenschaftstheorie gibt und sich dabei auch noch sehr bewußt mit immanenter Kritik der Machschen Doktrin bescheidet, darf ja der Erörterung solcher *a*rationalen Dimension des subjektiven Erlebens überhaupt keinen Platz bieten. Innerhalb der kritischen Analyse aber Ausblicke auf die Transzendenz der theoretischen Erkenntnis selber erschließen, und damit den Phänomenalismus als Voreingenommenheit enthüllen, das sprengt die Grenzen einer epistemologischen Studie nicht. Von dieser Freiheit machte der Doktorand denn auch den richtigen Gebrauch, das heißt er hält an solchem Transzendieren als feststellbarer Intention und gelegentlichem Resultat der Naturwissenschaften fest, vollzieht aber nicht den geringsten Schritt zur philosophischen Rechtfertigung eines realistischen Kritizismus im Sinne seiner beiden Lehrer. Die Transzendenz, die Robert Musil vorschwebte, war offensichtlich nicht der ihrige.

Als Romancier dagegen brauchte er sich solche Beschränkung nicht aufzuerlegen. Er durfte in seiner Erzählkunst getrost einen transrationalen Dualismus entfalten. Das tat er denn auch, auf die einprägsame und aufschlußreiche Weise, deren stilistische Feinheiten uns beschäftigen.

In seiner Darstellung wurde die Komplementarität von zwei Erkenntnisarten offenbar. Nicht nur das, auch ihre Rangordnung trat unmißverständlich ans Licht. In der eindrucksvollen Rede vor der Kommission (III, 139 ff.), die über zwei Stufen der Erregung ihrem Höhepunkt zustrebt, entwickelt Törleß daselbst den Unterschied zwischen einem »toten« und einem »lebendigen« Gedanken. Einerseits spielt sich an der Oberfläche ein Denken ab, »das jederzeit an dem Faden der Kausalität nachgezählt werden kann« (III, 142). Andererseits aber, so erläutert er seinen erstaunten Lehrern, wird ein Gedanke

erst in dem Momente lebendig, da etwas, das nicht mehr Denken, nicht mehr logisch ist, zu ihm hinzutritt, so daß wir seine Wahrheit fühlen, jenseits von aller Rechtfertigung ... (III, 142)

Solche lebendigen Gedanken betrachtete Törleß als die »große Erkenntnis« (a. a. O.). Die Doktorarbeit jedoch beschäftigt sich nur damit, wie jenes Kausalitätsdenken beschaffen und was ihm als Wahrheit über Wirklichkeit zuzusprechen sei. Nicht so sehr viel — und der Verzicht, hier auf gebahntem, kritizistischem oder phänomenologischem Wege voranzukommen, läßt aufhorchen. Ja, aber doch nur, wenn man die Konfiguration mit dem Roman nicht berücksichtigt. In diesem Zusammenhang nämlich erscheint die Dissertation zwar nach wie vor als eine drastische Ablehnung des Phänomenalismus. Wir stellten jedoch fest, daß in dieser Schrift — wo die Alleinherrschaft der theoretischen Vernunft im Bereich der Wahrheit sachgemäß gewahrt wird — Musils Versuch, den Phänomenalismus aus der Wissenschaftstheorie zu vertreiben, nur wenig Substanz besitzt. Die Rationalität wahren und der Transzendenz stattgeben — beides zu vereinigen, das brachte ihn offensichtlich in Verlegenheit. Auf diesen Tatbestand aber wirft der Roman sein Licht: Der Durchbruch zur Wirklichkeit wird der Ratio letzten Endes nicht zugetraut, ein anderes Erkenntnisvermögen muß sie ergänzen. Dafür hat die Doktorarbeit keinen Platz, der Roman um so mehr.

Insofern gibt die Konfiguration der beiden Schriften Mach mehr zu, als die Dissertation allein wahrhaben möchte. Und die Entwicklung der Epistemologie seitdem hat die grundsätzliche Richtigkeit dieser verklausulierten Konzession eher bestätigt. Damit ist indessen die Doktorarbeit noch keineswegs um ihr Ergebnis betrogen: Die Lehre von der Komplementarität der Erkenntnisvermögen wurde wohl von keinem Dichter je mit so genauer Kenntnis der positivistischen Gegenposition vertreten. Deshalb bildet dieses fachphilosophische Intermezzo eine entscheidende Stufe zu Musils Lebenswerk.

Die Etappen dorthin markieren essayistische Aperçus, die den Törleß bestätigen. Musils Auffassung von der »Erkenntnis des Dichters« (1918) unterscheidet wiederum die rationale Erkenntnis von der Erkenntnis überhaupt und erkennt an, auf dem »nicht ratioiden Gebiet« sei

das Verständnis jedes Urteils, der Sinn jedes Begriffs von einer zarteren Erfahrungshülle umgeben als Äther, von einer persönlichen Willkür und nach Sekunden wechselnden persönlichen Unwillkür. Die Tatsachen dieses Gebiets und darum ihre Beziehungen sind unendlich und unberechenbar. (II, 783)

Dabei vertritt unser Autor die Auffassung, daß beide Erkenntnisarten eine rationale Komponente besitzen, und seine Betonung der Lebenserfahrung (»die größte Tatsachenkenntnis« — II, 784) sowie seine Ablehnung »irgendeiner Verwachsenheit der Vernunft« (a. a. O.) machen es klar, daß er nach wie vor abstrusen Spekulationen à la Beineberg abhold ist.

Diese Ausführungen leiten über zu den Hinweisen auf den »anderen Zustand«, wie sie seit Heft 21 in den Tagebüchern auftreten (II, 226 ff.). Daraus entfalten sich dann die Darlegungen im *Mann ohne Eigenschaften* 1. Buch, 62. Kapitel und in den Fortsetzungen. Mit ihnen stehen die lichtvollen, erkenntnistheoretischen und anthropologischen Bemerkungen im besten Einklang, zu denen Musil 1925 die Erörterung des Symbolbegriffs (im Film) veranlaßte (II, 667 ff.). Wenn Ulrich einmal mitteilt, daß er mit 26 Jahren seine Position erreicht habe, und man andererseits feststellt, daß 1906 der Roman fertig und die Doktorarbeit im Kommen war, so darf man Törleß als Ulrichs Präfiguration, oder Ulrich als den intellektuell gereifteren, durch Schicksale geistig bereicherten Törleß betrachten. Die Lektüre des Lebenswerkes bestätigt das, wenn Musil etwa das ekstatische Wissen der Geschwister folgendermaßen als ein leiblich-sinnliches Zustandsgefühl charakterisiert:

... nicht der Mund schwärmt, sondern der Körper, vom Kopf bis zu den Füßen, ist über dem Dunkel der Erde und unter dem Licht des Himmels in eine Erregung eingespannt, die zwischen zwei Gestirnen schwingt. Und das Flüstern mit den Gefährten ist voll einer ganz unbekannten Sinnlichkeit, die nicht die Sinnlichkeit einer Person ist, sondern die des Irdischen, des in die Empfindung Dringenden überhaupt, die plötzlich enthüllte Zärtlichkeit der Welt, die unaufhörlich alle unsere Sinne berührt und von unseren Sinnen berührt wird. (I, 1108)

Im Umgang mit unserem Zögling wurde uns die Leistung des Dichters als eines Erkennenden (II, 781) vertraut. Die Realität, die geschildert wurde, war offensichtlich nur ein Vorwand (II, 776, aus 1913). So leistete Robert Musil bereits in jungen Jahren einen »Beitrag zur geistigen Bewältigung der Welt« (II, 788, aus 1926). Er war *der* Dichter, der 1926 im Gespräch mit Fontana so nachdrücklich das Problem betonte, wie sich ein geistiger Mensch zur Realität verhalten solle, daß diese Wendung im Satz hervorgehoben wurde (II, 786).

Oben wurde eingangs der Aphorismus zitiert, der den Roman des sokratischen Dialogs als die zeitgemäße Form der Erzählkunst hinstellte (III, 722). Das Zitat war unvollständig, es folgt noch ein Zusatz:

In diese liberale Form hat sich die Lebensweisheit vor der Schulweisheit geflüchtet.

Jetzt, am Ende unserer Betrachtung, dürfen wir feststellen, auch diesem Zusatz entspricht Musils Erstling bereits durchaus. Das zeigt sich, wenn man diesen Roman in seiner inneren Beziehung zur Dissertation analysiert. Lebensweisheit, die geistige Bewältigung der Lebenserfahrung, setzt aber Schulweisheit voraus, will sie dem Weltbegriff der Philosophie einigermaßen genügen. Auch diese Forderung erfüllte Musils Jugendwerk auf die glücklichste Weise.

Nachschrift. — Das hier erörterte Thema behandelte ich einige Male im Rahmen von Vorlesungen über deutsche Erzählkunst um die Jahrhundertwende — zuerst 1962 in der Vorlesung an der Universität Leiden, zuletzt während einer Gastprofessur in Köln (S. S. 1969), sowie in einer Gastvorlesung an der Universität Stockholm (1970).

Musils Doktorarbeit erschien 1908 im Dissertationsverlag Carl Arnold, Berlin-Wilmersdorf. S. 274 berichtigte ich stillschweigend das fehlerhafte Zitat AdE, 268 (vgl. D, 55).

In einem engeren Zusammenhang mit unserem Thema stehen im Schrifttum über Robert Musil Gerhart Baumanns Darstellung des Törleß in Robert Musil: Zur Erkenntnis der Dichtung (Bern und München 1965), S. 119—130, sowie der Exkurs über Ernst Mach bei Dieter Kühn, Analogie und Variation (Bonn 1965), S. 21—26.

Die oben auf S. 241, S. 282, S. 288 gestreifte Aktualität von Ernst Machs Grundgedanken bestätigen einige neuere Veröffentlichungen: K. D. Heller, Ernst Mach. Wegbereiter der modernen Physik (Berlin 1964), Symposion aus Anlaß des 50. Todestages von Ernst Mach (o. Verl, o. J.: Ernst Mach Institut, Freiburg i. B. 1966), Gert König, Der Wissenschaftsbegriff bei Helmholtz und

Mach (in: Beiträge zur Entwicklung der Wissenschaftstheorie im 19. Jhrt., hrgg. v. A. Diemer, Meisenheim a. Glan 1968).

Frau Käte Hamburger ist in philosophicis eine regelrechte Hamburgerin: Ernst Cassirer saß sie zu Füßen! Das ergibt einen engeren Konnex dieser Studie mit ihrer intellektuellen Biographie. Denn Cassirer unterzog 1927 im 3. Bande seiner Philosophie der symbolischen Formen ([4]Darmstadt 1964) Machs Auffassung einer grundsätzlichen, kritischen Analyse unter erkenntnistheoretischem Gesichtspunkt, die durchaus vom Range der logischen Analyse bei Edmund Husserl ist. Ja, das Problem, das so »fest saß« (oben S. 265), es war Cassirer zutiefst vertraut. Sein blendender Essay on man (New Haven 1944 u. ö.) formuliert es so: »...reality seems to recede in proportion as man's symbolic activity advances«. Ist das nicht wie aus dem Törleß »übersetzt«?

DORRIT COHN

PSYCHO-ANALOGIES:
A MEANS FOR RENDERING CONSCIOUSNESS IN FICTION

As Käte Hamburger was the first to demonstrate, presentation of the inner life of created characters is a generic hallmark of narrative fiction: »Die epische Fiktion ist der einzige erkenntnistheoretische Ort, wo die Ich-Originität (oder Subjektivität) einer dritten Person als einer dritten dargestellt werden kann.«[1] In actual practice, writers of fiction were slow to take full advantage of this possibility. Even the great nineteenth century novelists, as a rule, opened up their characters' minds only intermittently and indirectly. The turning point came at the turn of the century, with the first narratives extensively, and sometimes exclusively, filled with the quick of the mind of fictional characters. From their slim sources in such works as *Les lauriers sont coupés*, *Leutnant Gustl* and *Der Tod Georgs*, streams of consciousness grew in the next decades to the full breadth of *Ulysses*, *Mrs. Dalloway*, and *Der Tod des Vergil*. The two main techniques associated with this development, the interior monologue and the narrated monologue *(erlebte Rede)*, have been frequently studied by critics of the modern novel. I plan to draw attention in this paper to a less celebrated stylistic device which supplements, and on occasion supplants, the rendering of inner discourse in modern novels of consciousness: the use of similes, or what I propose to call psycho-analogies.

One finds this device employed throughout an early story by Robert Musil, »Die Vollendung der Liebe«, one of the most remarkable, and least remarked, early probes into a fictional mind[2]. It portrays the mind of a woman involved in a paradoxical experience: during a brief voyage she »perfects her love« for her husband by way of a sordid affair with a random stranger. Musil's own summation: »eine Untreue kann in einer tieferen Innenzone eine Vereinigung

---

[1] Die Logik der Dichtung, zweite Auflage, Stuttgart 1968, p. 73.

[2] This story was first published in 1911, paired with Die Versuchung der stillen Veronika, in the volume entitled Vereinigungen (Zwei Erzählungen). It is reprinted in Prosa, Dramen, späte Briefe, Hamburg 1957, pp. 162—199.

sein«[3], points to the deep stratum of the psyche which is the exclusive site of the story. Its unusual idiom is exemplified in the following passage:

> Sie wußte nicht mehr, was sie dachte, nur ganz still faßte sie eine Lust am Alleinsein mit fremden Erlebnissen; es war *wie ein Spiel leichtester, unfaßbarster Trübungen und großer danach tastender, schattenhafter Bewegungen der Seele*. Sie suchte sich ihres Mannes zu erinnern, aber sie fand von ihrer fast vergangenen Liebe nur eine wunderliche Vorstellung *wie von einem Zimmer mit lange geschlossenen Fenstern*. Sie mühte sich, das abzuschütteln, aber es wich nur ganz wenig und blieb irgendwo in der Nähe wieder liegen. Und die Welt war so angenehm kühl *wie ein Bett, in dem man allein zurückbleibt* ... Da war ihr, als stünde ihr eine Entscheidung bevor, und sie wußte nicht, warum sie es so empfand, und sie war nicht glücklich und nicht entrüstet, sie fühlte bloß, daß sie nichts tun und nichts hindern wollte, und ihre Gedanken wanderten langsam draußen in den Schnee hinein, ohne zurückzusehen, immer weiter und weiter, *wie wenn man zu müde ist um umzukehren und geht und geht.*[4]

This text (the heroine, Claudine, is alone in a train) focuses exclusively and extensively on inner happenings, and it does so without recourse to inner discourse, either in the form of interior or of narrated monologue. As we are twice informed, the mental activity bypasses not only self-articulation, but also self-consciousness and self-understanding: »Sie wußte nicht mehr, was sie dachte«, »sie wußte nicht, warum sie es so empfand«. A profusion of verbs and nouns (*wissen, denken, empfinden, fühlen, Lust, Entscheidung, Gedanken*, etc.) indicates that the narrating voice bears the function of reporting and elucidating, and in this sense the technique seems to conform to the authorial analysis of traditional fiction. But analysis hardly seems the *mot juste* in this case; for the narrating voice evokes and complicates more than it orders or clarifies. Not only does it underline the vague and contradictory nature of thoughts and feelings, it also persistently resorts to all manners of conceits, objectifying, animalizing and personifying psychic forces. Significantly, its favorite figure of speech is the syntactically most indirect way of saying something, the simile: a comparative *wie* introduces the final clause of nearly every sentence, and the analogues range from unfathomable abstractions (»wie ein Spiel leichtester, unfaßbarster Trübungen ... der Seele«) to bold concretions (»wie ein Bett, in dem man allein zurückbleibt«).

This hypertrophy of analogies prevails throughout the story. Its author himself likened it to the statue of an unknown deity densely covered with hieroglyphics[5], a comparison that is amply confirmed by one scholar's count

---

[3] Tagebücher, Aphorismen, Essays und Reden. Hamburg 1955, p. 131.

[4] Prosa, etc., p. 173—174 (my emphasis).

[5] »Eigensinnig kahl in der Linie, glich sie, von einer engen Bilderschrift bedeckt, dem Mal einer unbekannten Gottheit ...« (Tagebücher, etc., p. 775).

of 337 similes in its 38 pages, not including other tropes[6]. Musil thus seems to have used in this work a deliberate psycho-analogical method for rendering consciousness, in lieu of the traditional technique of authorial analysis on the one hand, and the modern techniques of interior discourse on the other.

This method is arresting in more ways than one, not least of all in a literal sense: the similes draw attention to themselves, and away from the temporal progression of the narrative. They side-track or impede the sequence of recounted events, slowing the pace by continually expanding the time of narration *(Erzählzeit)* over the narrated time *(erzählte Zeit)*. Since this slow-motion is maintained throughout the story, it results not only in the absence of all summary, but also in what Musil himself described as »ein aufs genaueste ausgeführtes Vorerleben ohne tote Strecke«[7]. The enlargement through similes of each minute inner event is the main stylistic feature that imbues the text with an anti-narrative, nearly stationary quality, making it »unreadable« in the ordinary sense of the word. Musil was only slightly facetious when he recommended it for simultaneous viewing in lieu of successive reading: »Der Fehler dieses Buches ist, ein Buch zu sein. Daß es einen Einband hat, Rücken, Paginierung. Man sollte zwischen Glasplatten ein paar Seiten davon ausbreiten und sie von Zeit zu Zeit wechseln. Dann würde man sehen, was es ist.«[8]

The anti-narrative quality of Musil's similes is reinforced by their verbal structure. In all the comparative clauses of the passage we have quoted, the narrative past gives way either to the present, or to noun phrases with participial modifiers: »wie wenn man zu müde ist um umzukehren und geht und geht«; »wie von einem Zimmer mit lange geschlossenen Fenstern«. Elsewhere in the story, and somewhat less frequently, Musil uses comparative *als* clauses, with the required conditional: »schal und unnachgiebig lag ein Widerstand darüber, als sähe sie durch eine dünne, milchige Widrigkeit hindurch«[9]; or combinations of *als* and *wie*: »Zuweilen war ihr dann, als brennten ihre Schmerzen wie kleine Flammen in ihr«[10]. All these possible verb forms lead

---

[6] Jürgen Schröder, Am Grenzwert der Sprache: Zu Musils Vereinigungen, in: Euphorion 60 (1966), p. 311. This study gives particular attention to stylistic problems in Die Vollendung der Liebe.

[7] Tagebücher, etc., p. 812. The prefix *Vor-* in *Vorerleben* must obviously be understood in a spatial rather than a temporal sense, as in Vorstellung. Cf. also Musil's description of his method as »maximal belasteter Weg ... Weg der kleinsten Schritte« (op. cit., p. 811).

[8] Tagebücher, etc., p. 188.

[9] Prosa, etc., p. 172.

[10] op. cit., p. 168.

the text away from the specific temporal account into a generalized, omni-temporal realm, which is further underscored by the frequent use of impersonal pronouns within the comparative clauses: »wie ein Bett, in dem *man* allein zurückbleibt«, »wie wenn *man* zu müde ist um umzukehren«.

This generalizing effect of the similes brings up the problem of their rela-tionship to the narrative situation. Since the gnomic present is ordinarily used in emphatically authorial narration, for the statement of sententious verities, it is surprising to find that the similes here have quite the contrary effect: they seem to induce a fusion between the narrating and the figural consciousness by blurring the line that separates them. One can never tell with certainty whether the analogical association originates in the mind of the narrator or in Claudine's own. In the clause »sie fand von ihrer fast vergangenen Liebe nur eine wunderliche Vorstellung wie von einem Zimmer mit lange geschlossenen Fenstern«, for example, the comparative conjunction acts as a kind of hinge between authorial evocation and figural imagination, with both partaking in the timeless present that reigns within the simile. As two further examples will illustrate, this cohesion is the more pronounced the longer the simile and the more distinctively imagistic its content:

> Ihr war, als lebte sie mit ihrem Mann in der Welt wie in einer schäumenden Kugel voll Perlen und Blasen und federleichter, rauschender Wölkchen.[11]
>
> ... und es rührte sie ganz leise etwas an, wie es einen Kletterer an einer Wand faßt, und es kam ein ganz kalter, stiller Augenblick, wo sie sich selbst hörte wie ein kleines, unverständ-liches Geräusch an der ungeheuren Fläche ...[12]

The realms from which Musil takes his analogical terms are extremely varied, but one soon notices the predominance of certain leitmetaphors. Among these a privileged role is given to spatial configurations. In fact, as we can merely indicate here, one can discern in the entire story a complex dialectic between enclosed and wide open spaces that provides an important key to its meaning. Claudine's first impulses toward infidelity, for example, are repeatedly described as a movement out of confining spaces: »wie wenn ein genesender, an das Zimmer gewöhnter Körper die ersten Schritte im Freien tun soll«[13]; »es war, wie wenn man eine Tür, deren man sich nie anders als geschlossen entsinnt, einmal offen findet«[14]. The compelling urge toward copulation with an indifferent stranger, on the other hand, is consistently

---

[11] op. cit., p. 169.
[12] op. cit., p. 172.
[13] op. cit., p. 168.
[14] op. cit., p. 169.

pictured as an entrapment: »Er versperrte ihren Gedanken den Weg, die zurück wollten. Wie wenn ein Tor zugefallen wäre«[15]; »Es war, als ob sie etwas packte und zu einer Tür zerrte, und sie wußte, diese Tür wird zufallen«[16]. In exact counterpoint, the spiritual, mystic reunion with the husband she paradoxically seeks by way of the promiscuous act is presented in terms of an abstracted, rarified, and infinitely distant spatial configuration. This site is described in the following sentence, which will serve also to illustrate the extent to which Musil carries catachresis in some of the more complex moments of the story:

> Und während sie ihr Herz schlagen fühlte, als trüge sie ein Tier in der Brust, — verstört, irgendwoher in sie verflogen, — hob sich seltsam ihr Leib in seinem stillen Schwanken und schloß sich wie eine große, fremde, nickende Blume darum, durch die plötzlich der in unsichtbare Weiten gespannte Rausch einer geheimnisvollen Vereinigung schaudert, und sie hörte leise das ferne Herz des Geliebten wandern, unstet, ruhelos, heimatlos in die Stille klingend wie ein Ton einer über Grenzen verwehten, fremdher wie Sternlicht flackernden Musik, von der unheimlichen Einsamkeit dieses sie suchenden Gleichklangs wie von einer ungeheuren Verschlingung ergriffen, weit über alles Wohnland der Seelen hinaus.[17]

It would be a major task, for which we lack space here, to analyse the geography, the fauna and flora, and the accoustics of this surreal site, not to mention the exact mechanics of the spiritual union that takes place there. We will note only that the final metaphor »weit über alles Wohnland der Seelen hinaus« caps the spatial dialectic contained in the entire story.

This brief sampling will have sufficiently indicated the consistency and complexity of Musil's psycho-analogic method. Since its salient difference with other modern psychological novels lies in the avoidance of interior and narrated monologues, we are led to ask why Musil turned his back on these techniques.

The reason very probably lies in Musil's attitude toward language. He belongs, we must remember, not only to the generation of Leutnant Gustl, but also to that of Lord Chandos. With the latter he shares the notion that language is an impediment, rather than an instrument, for self-expression. This problem had determined the theme, though not yet the form, of his first novel, *Die Verwirrungen des Zöglings Törleß*[18]. The introspective and paradoxically loqua-

---

[15] op. cit., p. 175.

[16] op. cit., p. 186.

[17] op. cit., p. 179.

[18] Though Musil on occasion used psycho-analogies in *Törleß*, they do not constitute the predominant technique for rendering consciousness. In this work he alternates between authorial analysis and both narrated and interior monologue.

cious young Törleß repeatedly refers to an indefinable »Etwas«, »ein Etwas,
... vor dem alles, was ich darüber denke, mir belanglos erscheint«; »Es ist
etwas Dunkles in mir, unter allen Gedanken, das ich mit den Gedanken nicht
ausmessen kann, ein Leben, das sich nicht in Worten ausdrückt und das doch
mein Leben ist«[19]. The authoritative voice of the narrator validates this
individual experience as a universal truth: »Immer aber ist es so, daß das, was
wir in einem Augenblick ungeteilt und ohne Fragen erleben, unverständlich
und verwirrt wird, wenn wir es mit den Ketten der Gedanken in unserem
bleibenden Besitze fesseln wollen«[20]. But in this same work Musil places in
the mind of his protagonist the seed of a possible stylistic solution for this
verbal dilemma: »Er hatte das Bedürfnis, rastlos nach einer Brücke, einem
Zusammenhang, *einem Vergleich* zu suchen — zwischen sich und dem, was
wortlos vor seinem Geiste stand«[21]. The narrator of »Die Vollendung der
Liebe« thus seems to pick up Törleß' suggestion, when he launches into his
untiring search for similes. Since he operates solely at these speechless nether
depths — »eine Untreue kann in einer tieferen Innenzone eine Vereinigung
sein« — interior discourse has to be detoured, and the greatest indirection
yields the most direct approach.

Musil departed from the exclusive inner focus in subsequent works. But he
was retrospectively aware that his *Vereinigungen* were a pioneering work in the
stream-of-consciousness vein. In 1931, after the publication of *Der Mann ohne
Eigenschaften* (Part I), and at a time when several of the great stream- of-con-
sciousness novels were already widely known, he wrote that he might have
become a founding father of modernism in fiction if he had amplified the
narrative style of the earlier work in his *magnum opus*[22]. But even within its
limited compass, »Die Vollendung der Liebe« is a landmark in the inward
turning of modern narrative art.

While I know of no other work besides Musil's *Vereinigungen* which uses
the analogic approach to consciousness as a deliberate overall method, many
modern novels are interlaced with psycho-analogies — and they are generally

---

[19] Prosa, etc., pp. 138 and 143.
[20] op. cit., p. 72.
[21] loc. cit. (my emphasis).
[22] »... es hätte einen neuen Erzählungsstil gegeben, worin das äußerlich Kausale zu
Gunsten phänomenaler und motivischer Zusammenhänge ganz aufgelöst worden wäre. Es
hätte sicher Eindruck gemacht. Ich hätte die Linie der Vereinigungen weitergebaut und wäre
irgendwie ein Erzvater der neuen Erzählungskunst geworden.« (*Prosa*, etc., pp. 725—726)

used for similar reasons and with similar effects as in Musil's work. One is most apt to find them in third-person narrative situations which reduce or efface the distance between their narrating and their figural media, and in which therefore the narrated monologue is the prevailing method for rendering consciousness. Yet the use of similes implies that the author, without necessarily sharing Musil's overbearing skepticism toward the language of the mind, is unwilling to entrust the presentation of the inner life at all times to the character's own verbal competence.

We may note in passing that, like the interior and the narrated monologue, psycho-analogies were not entirely unknown to nineteenth century novelists. But they tended to use this device in a more pronouncedly authorial manner than Musil and other moderns: for summaries of long-range psychological situations rather than for instantaneous views. The Realist novel that most persistently displays this stylistic mode is Flaubert's *Madame Bovary*:

Dès lors, ce souvenir de Léon fut comme le centre de son ennui; il y pétillait plus fort que, dans une steppe de Russie, un feu de voyageurs abandonné sur la neige.[23]
Quant au souvenir de Rodolphe, elle l'avait descendu tout au fond de son cœur; et il restait là, plus solennel et plus immobile qu'une momie de roi dans un souterrain.[24]

Flaubert's employment of the imperfect tense (rather than the *passé simple*) to introduce these similes signals the durative situation they circumscribe, while their brevity, their clarity, and their hyperbolic quality mark them as authorial glosses. At other times Flaubert even injects an ironic note:

Mais l'anxiété d'un état nouveau ... avait suffi à lui faire croire qu'elle possédait enfin cette passion merveilleuse qui jusqu'alors s'était tenue comme un grand oiseau au plumage rose planant dans la splendeur des ciels poétiques.[25]

As Leon Edel has pointed out, Henry James is another pre-stream-of-consciousness novelist who uses metaphoric figures increasingly »as he pushes more deeply into the minds and feelings of his characters«. He quotes a remarkable example of an extended simile from *The Golden Bowl* which, though still used in an authorial context, comes very close to rendering »the mood or tone of contemplation and reverie«:

This situation had been occupying, for months and months, the very center of the garden of her life, but it had reared itself there like some strange, tall tower of ivory, or perhaps

---

[23] Œuvres I, Paris (édition Pléiade) 1951, p. 438.
[24] op. cit., p. 521.
[25] op. cit., p. 361.

rather some wonderful, beautiful, but outlandish pagoda, a structure plated with hard, bright porcelain, coloured and figured and adorned, at the over-hanging eaves, with silver bells that tinkled, ever so charmingly, when stirred by chance airs.[26]

The phrase »for months and months« here underlines the durative state depicted via the simile, which is precisely matched by the static spatial structure detailed in the analogue.

A more kinetic, instantaneous use of similes had to await the next generation of novelists and their determined endeavour to »trace the pattern ... which each sight or incident scores upon the consciousness«[27]. Among the writers of major stream-of-consciousness novels, Virginia Woolf is the one in whose works psycho-analogies are most numerous. She generally uses the narrated monologue (in preference to the interior monologue) to render her characters' inner worlds, but this basic stylistic mode often abruptly gives way to elaborate indirection:

> But — but — why did she suddenly feel, for no reason that she could discover, desparately unhappy? As a person who has dropped some grain of pearl or diamond into the grass and parts the tall blades very carefully, this way and that, and searches here and there vainly, and at last spies it there at the roots, so she went through one thing and another ...[28]

> What then was this terror, this hatred? Turning back among the many leaves which the past had folded in him, peering into the heart of that forest where light and shade so chequer each other that all shape is distorted, and one blunders, now with the sun in one's eyes, now with a dark shadow, he sought an image to cool and detach and round off his feeling in a concrete shape.[29]

In both these passages, the narrated thoughts remain suspended in a question, and the verbal flow is diverted into tangential vignettes: searches through complicated landscapes of the mind, syntactically too complex to be attributed to inner speech. Whether the simile is explicit, as in the first example, or implicit as in the second, the tense in both instances shifts to the present for the duration of the analogic excursus, and the usual third-person pronouns are replaced by impersonal subjects (»a person«, »one«). After which the sentence reverts to the punctual narrative past and the specific figural psyche (»so she went«, »he sought«).

We noticed in connection with the Musil text that the constant use of similes has a peculiar power to fuse the narrating voice with the figural

---

[26] Leon Edel, The Modern Psychological Novel, New York 1925, pp. 124—125.

[27] »Modern Fiction«, in The Common Reader, New York 1925, p. 213.

[28] Mrs. Dalloway, New York 1953, p. 182.

[29] To the Lighthouse, New York 1955, p. 275.

consciousness into a single verbal flow. When used less frequently, and in the context of narrated monologues, the effect of the similes is slightly different: since they interrupt the interior discourse, they draw attention to the narrator's presence on the scene, and to his imaginative role in creating the figural mind. Lengthy sections of the text would have to be quoted to demonstrate this contrast convincingly. But the following passage, in which psycho-analogies alternate with brief snatches of monologue, will serve as minimal illustration:

> He had escaped! was utterly free — as happens in the downfall of habit when the mind, like an unguarded flame, bows and bends and seems about to blow from its holding. I haven't felt so young for years! thought Peter, escaping (only of course for an hour or so) from being precisely what he was, and feeling like a child who runs out of doors, and sees, as he runs, his old nurse waving at the wrong window.[30]

Here it is quite clear that the narrator, not the character (Peter) is the originator of the two images: the first image is clearly set off from the narrated monologue phrases »He had escaped! was utterly free« by the authorial explanation »as happens in the downfall of habit ... «; and the second image is even more clearly set off from the interior monologue phrase »I haven't felt so young in years« by the inquit formula »thought Peter«.

On occasion Virginia Woolf maintains the past tense within the similes, which then has the contrary effect of imperceptibly blending the analogic digression into the surrounding narrated monologue. In the following passage, Clarissa (the heroine of *Mrs. Dalloway*) indulges in a lengthy meditation concerning her erotically tinged relationship with other women:

> ... she could not resist sometimes yielding to the charm of a woman ... she did undoubtedly then feel what men felt. Only for a moment; but it was enough. It was a sudden revelation, a tinge like a blush which one tried to check and then, as it spread, one yielded to its expansion, and rushed to the farthest verge and there quivered and felt the world come closer, swollen with some astonishing significance, some pressure of rapture, which split its thin skin and gushed and poured with an extraordinary alleviation over the cracks and sores![31]

As the past tense continues after the simile is introduced (»like a blush which one *tried* to check ...«), it joins with several other stylistic features (the breathless rhythm of the syntax, the musing vagueness and the emotional intensity of the vocabulary) to fully erase all explanatory, authorial overtones from the analogic rendering of the »sudden revelation«.

---

[30] Mrs. Dalloway, p. 78.
[31] op. cit., pp. 46—47.

A number of critics have found fault with these metaphoric elaborations in Woolf's style, reproaching her with preciosity, disparity, and incongruity; one of them quotes a simile that he finds »too highly wrought for the sequence it describes«[32]. But these strictures are based on the assumption that sequential narration is the essential aim of the novel. This assumption was precisely put in question by the generation of Musil and Woolf. The term »stream of consciousness« tends to obscure the fact that the novel type it denotes does not generally depict life as a linear series of consecutive events, but as a medium for timeless moments of consciousness. Woolf emphasised this in her famous essay »Modern Fiction«, which may be regarded as a manifesto for the novelists of her generation: »Life is not a series of gig lamps symmetrically arranged; but a luminous halo, a semi-transparent envelope surrounding us from the beginning of consciousness to the end.«[33] As we have seen in connection with Musil, the similistic approach to the psyche is symptomatic of this deliberate anti-narrative tendency. While psycho-analogies are by no means the only device that counteracts the sequential development of modern novels of consciousness — reflexive references, space and time montage, mythological superstructures and mystic epiphanies are structurally and thematically more important[34] — they bear a unique potential for instilling a timeless element into the stylistic texture itself, and thereby momentarily suspending the time flow within the created consciousness.

Whereas Musil and Woolf use psycho-analogies without ever questioning the narrator's intimate knowledge of the figural psyche, other writers sometimes use them more self-consciously: as a deliberate gambit to penetrate a seemingly impenetrable mind. We shall see from the following example that this approach can be particularly effective when applied to an impaired or sub-normal psyche.

In the last volume of Hermann Broch's trilogy *Die Schlafwandler*, the narrator places himself before an enigma of his own making. He tells of a

---

[32] Wendell V. Harris, Style and the Twentieth Century Novel in: Shiv K. Kumar and Keith McKean (eds.), Critical Approaches to Fiction, New York 1968, p. 138. Cf. also Philip Rahv's mention of Woolf in his negative appraisal of »ornamental prose« (Fiction and the Criticism of Fiction, in: The Novel. Modern Essays in Criticism, Englewood Cliffs, N. J., 1969, p. 117).

[33] Modern Fiction, p. 212.

[34] On this subject see Joseph Frank, Spatial Form in Modern Literature, in: The Widening Gyre, New Brunswick, N. J., 1963.

soldier (Goedicke by name) who is rescued more dead than alive from a caved-in trench. After the doctors revive and reconstitute his body, Goedicke shows by various emphatic gestures that his soul does not acquiesce to a return to business as usual. Reiterated formulae stress the narrator's ignorance or the conjectural nature of his speculations about the happenings within this man's mute mind: »Es ist also durchaus ununterscheidbar, ob ...«[35], »es war jetzt — oder man kann sich vorstellen, daß es so war — als würde ...«[36], and so forth. At one specific moment, as the narrator tries to account for Goedicke's strange panic when he receives a postcard from his wife, he first tries authorial analysis: »Voll Schrecken fühlte er, hätte er es auch nicht zu formulieren gewußt, daß jeder Einbruch in irgendeinen Teil der Seele alle anderen Teile in Mitleidenschaft zog ...«[37] But this translation of wordless feelings into an intellectual idiom evidently does not yield the desired result. Empathy can be achieved only by more devious means, and so the narrator resorts to the indirection of similes:

> Es war wie ein Dröhnen in seinen Ohren, ein Dröhnen der Seele ..., aber es war auch, wie wenn man einen Erdknebel unter die Zunge geschoben bekam, einen erstickenden Knebel, der einem alle Gedanken veränderte. Oder vielleicht war es auch anders ... Es war, als wollte man den Mörtel auf eine Ziegellage aufstreichen und der Mörtel erstarrte schon auf der Kelle. Es war als gäbe es hier einen Baupolier, der zu einer unstatthaften und unmöglichen Eile antrieb und die Ziegel in rasender Eile auf das Gerüst schaffen ließ, so daß sie sich türmten und nicht aufzuarbeiten waren.[38]

The narrator's successful artifice here consists in taking his analogues not from the authorial, but from the figural sphere: Goedicke is a mason by pre-war profession, and therefore the successive masonic images sound like convincing approximations to the inner happenings. With each analogic probe the narrator seems to gather confidence, until finally — via yet another image taken from Goedicke's trade, a scaffolding — he fuses entirely with the figural psyche, to depict Goedicke's escape from anguish into the wish-dream of a bizarre apotheosis:

> ... da war es ihm, als würden ihm solcherart die Kräfte wachsen, als könnten die wachsenden Kräfte das Gerüst immer höher und immer lichter bauen, als wäre er selber allgegenwärtig auf jedem Stockwerk und auf jeder Ebene des Gerüstes und als würde er schließlich

---

[35] Die Schlafwandler, Zürich 1952, p. 409.
[36] op. cit., p. 378.
[37] op. cit., p. 466.
[38] loc. cit.

doch ganz allein im obersten Stockwerk, an des Gerüstes Spitze stehen, stehen können, stehen dürfen, schmerzlos und gelöst, singend, wie er immer droben gesungen hatte.[39]

Note that Broch avoids the present tense in this entire sequence of similes, using instead the conditional combined with the preterite. This indicates that his aim is not to draw the figural medium into the authorial realm, but obversely, to draw the narrating medium into the figural realm. As a result, the style of these passages comes very close to the narrated monologue, without however presuming that the intricate verbal pattern itself originates in Goedicke's rudimentary mind.

We might finally note that Broch's approach in the Goedicke story is the exact opposite of Faulkner's approach to a similarly speechless mind in the first section of *The Sound and the Fury*, the idiot Benjy's monologue. Since Benjy's mental growth has been arrested at the pre-speech level, his act of locution — despite the simplified verbal patterns he uses — acutely strains the reader's willingness to suspend disbelief. While the unreal quality of the inner discourse hardly invalidates Faulkner's *tour de force*, it does point up again a previously noted advantage of the more indirect methods for rendering the mind.

The foregoing study has tried to display the varied potential of the analogic method in portraying the inner world of fictional characters. Whether used to plumb the inarticulate strata of consciousness, as in Musil's »Die Vollendung der Liebe«, or to complement figural self-articulation, as in Woolf's novels, or to portray mute alienation, as in Broch's Goedicke story, the little word »like« offers signal aid to the novelist who creates the likeness of a mind.

---

[39] op. cit., p. 467.

Ingrid Strohschneider-Kohrs

ERZÄHLLOGIK UND VERSTEHENSPROZESS
IN KAFKAS GLEICHNIS
›VON DEN GLEICHNISSEN‹

Von den Gleichnissen

Viele beklagen sich, daß die Worte der Weisen immer wieder nur Gleichnisse seien, aber unverwendbar im täglichen Leben, und nur dieses allein haben wir. Wenn der Weise sagt: ›Gehe hinüber‹, so meint er nicht, daß man auf die andere Seite hinübergehen solle, was man immerhin noch leisten könnte, wenn das Ergebnis des Weges wert wäre, sondern er meint irgendein sagenhaftes Drüben, etwas, das wir nicht kennen, das auch von ihm nicht näher zu bezeichnen ist und das uns also hier gar nichts helfen kann. Alle diese Gleichnisse wollen eigentlich nur sagen, daß das Unfaßbare unfaßbar ist, und das haben wir gewußt. Aber das, womit wir uns jeden Tag abmühen, sind andere Dinge.

Darauf sagte einer: ›Warum wehrt ihr euch? Würdet ihr den Gleichnissen folgen, dann wäret ihr selbst Gleichnisse geworden und damit schon der täglichen Mühe frei.‹

Ein anderer sagte: ›Ich wette, daß auch das ein Gleichnis ist.‹

Der erste sagte: ›Du hast gewonnen.‹

Der zweite sagte: ›Aber leider nur im Gleichnis.‹

Der erste sagte: ›Nein, in Wirklichkeit; im Gleichnis hast du verloren.‹

Der Text ›Von den Gleichnissen‹, aus den nachgelassenen Handschriften ediert, gehört zu den spät: »wahrscheinlich 1922/23«[1] entstandenen Dichtungen Kafkas. Den Titel hat nicht Kafka, sondern Max Brod formuliert. Wie bei einigen anderen der ›Erzählungen und Skizzen aus dem Nachlaß‹ ist dieser Titel gewählt nach einem augenfällig im Text selbst verwendeten Wort, das hier jedoch — anders als bei den aus knappstem Stichwort-Zitat bestehenden Titeln[2] — um einen geringfügigen Zusatz erweitert worden ist. Mag dieser umschreibende Zusatz als angemessen oder glücklich gewählt erscheinen, so lassen sich doch auch andere Wendungen für die Überschrift erwägen — etwa: ›Gespräch über Gleichnisse‹ oder wieder das reine Zitat: ›Gleichnisse‹

---

[1] M. Pasley u. K. Wagenbach, Versuch einer Datierung sämtlicher Texte Franz Kafkas, in: DVjs, 38, 1964, S. 161.

Der Text wird zitiert nach: Franz Kafka, Die Erzählungen. Hg. v. K. Wagenbach, Frankfurt/Main 1961, S. 328.

[2] Z. B. ›Die Prüfung‹; ›Fürsprecher‹; ›Gibs auf‹ u. a.

oder ›Nur Gleichnisse‹. Titel dieser Art böten vielleicht Anlaß, das Augenmerk in erhöhtem Maße auf die Literarität und auf den Gattungscharakter des Textes zu lenken, dessen gedanklicher Gehalt gleichwohl gravierend genug ist, um in nahezu jeglicher Art von Textauslegung die Aufmerksamkeit und Deutungsbemühung auf sich zu ziehen.

Den bisherigen Interpretationen[3] ist zu entnehmen, daß sie vornehmlich den dunklen, den änigmatischen Charakter des Textes und die ›Unauflösbarkeit seiner Antithetik‹ zu kennzeichnen für nötig halten. Die äußerste Reduktion auf eine Frage nach dem ›Inhalt‹ des Textes nimmt Helmut Richter vor. Er sieht in der »dialogisierten Betrachtung« eine »erkenntnistheoretische Problematik« des Sinnes: »Der lehrhafte Charakter des Gleichnisses, seine Anwendbarkeit und Verbindlichkeit werden geleugnet«; es trete eine »Wirklichkeit« zutage, »zu deren Bewältigung keine Orientierungsmittel vorhanden sind«. »Die Wurzel des Übels ist der Zustand einer Welt, in der keine Ordnungsbegriffe wirksam gesehen werden.«[4]

Beda Allemann[5] geht von der Beobachtung aus, daß Kafka in diesem Text — wie »in allen Erzählungen und den Romanen«[6] — einen »Effekt der Verfremdung, der labyrinthischen Ausweglosigkeit«[7] entstehen lasse. Wenn Allemann

---

[3] Neben den Einzelinterpretationen (Allemann, Arntzen, Philippi), zu denen im folgenden Stellung genommen wird, sollen die in der Kafka-Literatur nur beiläufig im Zusammenhang von Gesamtwerkdeutungen gebotenen Hinweise auf diesen Text unerörtert bleiben, zumal sie zu einer strengeren Texterläuterung kaum etwas beitragen.

Das Buch von Dieter Hasselblatt (Zauber und Logik. Eine Kafka-Studie, Köln 1964), das den Text zum »Angel- und Ausgangspunkt« (S. 34) seiner schweifenden Darstellung wählt, gelangt über einige Paraphrasierungen nicht hinaus. Hasselblatt gibt das (auch bei Emrich [Franz Kafka. 3. Aufl., Frankfurt/M. 1961, S. 97 ff.] anzutreffende) Stichwort, Gleichnisse seien »nichts anderes als die Dichtung« (S. 172, 175 u. ö.); im Text sei »von der grundsätzlichen Fremdheit der Dichtung in der Welt die Rede« (S. 177); Gleichnisse seien die »Kundgabe der Unfaßbarkeit des Unfaßbaren« (S. 173), — »heißende Einräumung einer weltimmanenten Unfaßbarkeit« (S. 184).

Der These wird keine präzisere Formulierung gegeben. — Auch der Schlußhinweis in Arntzens Interpretation (Helmut Arntzen, Franz Kafka: Von den Gleichnissen, in: ZdPh, 83, 1964, Sonderheft, S. 106—112), der Text enthalte »die harte Frage, die jedem Denken aufgegeben ist, ... vor allem dem Denken, das der Dichtung gilt. Dieser Text ist eines seiner Grundgesetze« (S. 112), führt nur an die Schwelle einer Überlegung, entbehrt aber der Grundlage, bleibt vage Andeutung.

[4] Helmut Richter, Franz Kafka. Werk und Entwurf, (Ost-)Berlin 1962, S. 220.

[5] Beda Allemann, Kafka: Von den Gleichnissen, in: ZdPh, 83, 1964, Sonderheft, S. 97 bis 106.

[6] Allemann, a. a. O., S. 97 f.

[7] Ebd., S. 98.

betont, daß ein ›ursprünglicher‹ und ›naiver‹ Sinn von Gleichnis »in sein Gegenteil, die pure Unfaßlichkeit« pervertiert werde[8], so weist er zugleich auf das Kunstmittel und den »strukturierenden Sinn« der Antithesen hin: »ein Mittel, den Gedanken im Kreis herumzujagen«[9]. Das Stück dürfe mit seiner »immanenten Antithetik« als ein »reines Paradigma der Kafkaschen Dichtung« gelten, da es »*modellhaft* den stehenden Sturmlauf vor dem unerreichbaren Ziel, als dessen Beschreibung das Gesamtwerk Kafkas verstanden werden darf«[10], verdeutliche. Unter den Voraussetzungen einer anderen Ausgangsfrage, die das parabolische Erzählen nach gattungstypischen, konstanten Formen und geschichtlichen Varianten ihrer Verwendung zu charakterisieren sucht, erörtert K.-P. Philippi[11] einige der generisch bedingten Probleme, die auch für die Erläuterung des Kafka-Textes von hohem Belang sind. Leitlinie und Frageziel dieser differenzierten und förderlichen Untersuchung ist die Bemühung um eine glaubensgeschichtliche Ortsbestimmung der modernen parabolischen Erzählung — wie denn Philippi seine Kafka-Auslegung nicht nur über einen Kierkegaard-Exkurs führt, sondern auch an theologischinhaltlichen Begriffen orientiert[12], die ihm Kafkas Erzählung mit biblischer Gleichnisrede zu vergleichen und den Aussagesinn des Kafka-Textes abzugrenzen ermöglichen. So deutet Philippi: Die Frage des Textes werde wohl »eindrücklich«, aber als unlösbar »zum Bewußtsein« gebracht[13]. »Nur Spekulation ..., formalisierte Reflexion ohne den konkreten Inhalt der Offenbarung ist bei Kafka sichtbar.«[14] Auch die form-, die gattungsgeschichtliche Problematik, die Philippi mit gewichtigen Hinweisen für Kafkas Text zu umreißen beginnt[15], wird am Ende dahin beantwortet: »Die Form dient nicht

---

[8] Ebd., S. 100.

[9] Ebd., S. 103.

[10] Ebd., S. 106. Die Wendung ›stehender Sturmlauf‹ ist aus einer Tagebuchnotiz Kafkas zitiert; vgl. Allemann S. 103.

[11] K.-P. Philippi, Parabolisches Erzählen. Anmerkungen zu Form und möglicher Geschichte, in: DVjs, 43, 1969, S. 297—332.

[12] Philippi, a. a. O.: »Verheißung« (S. 317), »Trennung von Immanenz und Transzendenz«, »Gegenwart im Vorgriff auf die Zukunft« (S. 318), »Zukunft schaffende Glaubensentscheidung«, »Glaubensverlust«, »Transzendenz ist ... leer« (S. 320), »Problematik möglichen Glaubens«, »Inhalt der Offenbarung« (S. 324) u. a.

[13] Ebd., S. 321.

[14] Ebd., S. 324. »Nur noch formal ist die Problematik möglichen Glaubens entfaltet«; »das Paradox [ist] auf einen bloßen Gegensatz reduziert«, S. 324.

[15] Ebd., S. 317: »Das Problem der Faßbarkeit der Gleichnisse ist selbst Gegenstand der Parabel« — »Dabei steckt das *Beispiel* eines Gleichnisses in der Parabel.«

mehr der prospektiven Einheit, sondern führt den Zerfall vor; einheitlich kann nur mehr die Einsicht in diesen Zustand sein.«[16]

So erhellend Philippis Erörterungen sind, — so sehr ihm beizupflichten ist darin, daß »die Form der Parabel ... mehr als Formales, mehr als Literarisches« intendiere[17], so meldet sich doch ein Zweifel, ob die Leitlinie dieser Deutung in eine zureichende, dem Problem des Textes angemessene Explikation geführt hat; kurz: ob genug gesagt ist mit dem Hinweis, bei Kafka diene die »Verwendung der Parabel (als angemessener Ausdruck des Paradoxes) zum Ausdruck des unkorrigierbaren Gegensatzes, gerade wo Glauben verlangt oder angeboten wird«[18].

Auch wenn ich mit meinem Auslegungsversuch anderen Fragen Raum geben möchte, sollen die bislang beschriebenen Texteigentümlichkeiten keineswegs übersehen oder in ihrer Bedeutung angezweifelt werden. Es möchte vielmehr möglich und geboten sein, eben auch solche Phänomene wie Antithetik und Paradoxie, den Schein des Änigmatischen, die Verweigerung von expliziten Sinnaussagen und die Offenheit des Textschlusses nach ihren Funktionen für einen Strukturzusammenhang zu befragen, dessen strenge Fügung, Kohärenz und logisch-gedankliche Dimension nicht zuletzt darauf zu beruhen scheinen, daß die Sprache des Textes von nicht allein denotativer Bedeutung ist.

Da Struktureigentümlichkeiten sich schwerlich ohne Rekurs auf Fragen nach den Gattungsbedingungen bestimmen lassen, bedarf es wohl eines Hinweises auf die in dieser Auslegung gewählte Genus-Bezeichnung ›Gleichnis‹ — statt der so oft in Kafka-Auslegungen bevorzugten der ›Parabel‹. — Die Grenzen zwischen Gleichnis und Parabel werden einesteils »fließend« genannt[19], andernteils mit unterschiedlichen Kriterien zu bestimmen versucht. Klarere Unterscheidungen ergeben sich erst dann, wenn die gemeinsamen Züge aus dem ›genus proximum‹ genannt werden und dann von dieser Ebene aus die ›differentia specifica‹ erwogen wird. Gleichnis und Parabel stimmen als Sonderformen bildlicher Erzählrede überein in einer gewissen Kürze und Bündigkeit, in ihrer Eignung, Absicht oder Zweckbestimmung, »übersinnliche Wirklichkeit« zu veranschaulichen[20], was mit Hilfe eines ›tertium com-

---

[16] Ebd., S. 326.

[17] Ebd., S. 332.

[18] Ebd., S. 326.

[19] Die Religion in Geschichte und Gegenwart (RGG), 3. Auflage, Tübingen 1958, Bd. 2, Spalte 1617.

[20] Ebd., Sp. 1614.

parationis‹, im ›Analogieschluß‹ oder in vergleichender Übertragung zu erfolgen vermag. Die differentia specifica erscheint nur wenig scharf umrissen, wenn als Merkmal der Parabel eine »erdichtete Geschichte«[21], als das des Gleichnisses die »direkte Verknüpfung (so:wie) mit dem zu erläuternden Objekt«[22] genannt wird. Eine bessere Distinktion ergibt sich aus Hinweisen wie denen, die die Parabel ein »zur Erzählung ausgebildetes, episch gewordenes Gleichnis« nennen und als eine ›erweiterte‹ Form charakterisieren, »die eine Reihe von belegenden Momenten, eine Reihe von Vergleichspunkten enthält«[23]. Zu Fragen der Sujetbehandlung gehen auch die Kennzeichnungen über, die — angesichts der Vielfalt biblischer ›Gleichnisreden‹[24], unter denen die *Parabel* ›Vom verlorenen Sohn‹ und das *Gleichnis* ›Von viererlei Acker‹ als Beispielformen dienen können, — im Gleichnis »einen typischen Zustand oder typischen bzw. regelmäßigen Vorgang«, in der Parabel »einen interessierenden Einzelfall« sehen[25]; dieser Unterschied wird des näheren charakterisiert: »Das Gleichnis beruft sich auf Allgemeingültiges, die Parabel auf einmal Vorgekommenes ... Durch ihre Anschaulichkeit ersetzt die Parabel, was das Gleichnis durch die Autorität des allgemein Bekannten und Anerkannten

---

[21] Ebd., Sp. 1617: in der neutestamentlichen Forschung spreche man von Gleichnis, »wo ein regelmäßiger Vorgang, von P(arabel) (oder Gleichniserzählung), wo eine erdichtete Geschichte als Bildhälfte dient«.

[22] G. v. Wilpert, Sachwörterbuch der Literatur, 4. Auflage, Stuttgart 1964, S. 490; auch S. 250: »... die ausdeutend direkt hinzugefügt wird (... etwa ›so ... wie‹)«. Aber es heißt zugleich übers Gleichnis: »Vorangehen des Vergleichsbereichs ohne Andeutung der Beziehung dient der Spannungssteigerung«, S. 250.
Die in der Kafka-Literatur von H. Hillmann (Franz Kafka. Dichtungstheorie und Dichtungsgestalt, Bonn 1964) skizzierte Unterscheidung: das Gleichnis enthalte »deutlich voneinander abgegrenzt, Modell und Realsituation«, während die Parabel »nur das Modell« zeige (S. 168) (Modell: eine »schematisch-generelle und bildhafte Situation von sinnenfälliger Einfachheit«, S. 164), ist nicht so klar und überzeugend (gewiß auch formuliert in Hinsicht auf einzelne Werke Kafkas), daß sie zum Ausgangspunkt genauerer Erörterungen dienen könnte.

[23] F. Th. Vischer, Ästhetik oder Wissenschaft des Schönen, 2. Aufl., Bd. 6, München 1923, S. 369. Die Parabel, so heißt es im vollen Wortlaut, sei ein Gleichnis, »aber ein entwickeltes, zur Erzählung ausgebildetes, episch gewordenes Gleichnis, und diese Entwicklung hat ihren Grund darin, daß die vorzutragende Lehre nicht einfach, sondern vielseitig ist, eine Reihe von belegenden Momenten, eine Reihe von Vergleichsmomenten fordert«.
Diese Kennzeichnung wird in kurzer Form in vielen Definitionen wiederholt: vgl. RGG, a. a. O., Sp. 1614: »Die Parabel ist ein zur Erzählung erweitertes Gleichnis ...« u. a.

[24] A. Jülicher (Die Gleichnisreden Jesu, 2 Bde., Tübingen 1910) faßt unter diesen Begriff sowohl ›Gleichnisse‹, ›Parabeln‹ als auch ›Beispielerzählungen‹ des Neuen Testaments.

[25] R. Bultmann, Die Geschichte der synoptischen Tradition, 3. Aufl., Göttingen 1957, S. 188.

voraus hat. ... Das Gleichnis operiert mit ›niemand‹, mit ›kein‹, mit ›jeder Mensch‹, mit ›wann immer‹, ›so oft nur‹ usw., es sucht den Hörer durch die Wucht des ›Überhaupt‹, des ›semper, ubique et ab omnibus‹ gleichsam zu erdrücken.«[26]

Diese Unterscheidungen geben für eine zunächst vorläufige Orientierung auf zureichende Weise Anlaß, den Kafka-Text wegen einiger Grundzüge seines Erzählstils, der ins Typische und Allgemeine weisenden Sujetbehandlung und der Anonymität der redenden Figuren als Gleichnis zu sehen. Daß mit einer solchen Kennzeichnung selbstverständlich *alle* für Parabel und Gleichnis gemeinsamen Eigentümlichkeiten im Blick bleiben müssen, bedarf wohl ebensowenig der genaueren Hervorhebung wie der Umstand, daß erst die Texterläuterung als solche die Besonderheit eben *dieses* Gleichnisses aufzuzeigen vermag.

I

Der Text zeigt in seinem äußeren Aufbau zwei Abschnitte, die sich in der Darbietungsweise (berichtete Einzelrede und berichteter Dialog), im (scheinbaren) Tempuswechsel und mit der im zweiten Teil erst anhebenden Benennung sprechender Personen unterscheiden lassen. Gleichwohl handelt es sich um einen bruchlos linear durchgeführten Darstellungszusammenhang, in dem ein Erzähler ohne Abstand, ohne sich mit eigenen Reflexionen bemerkbar zu machen, mit »einfachen«, »schmucklosen« Worten[27] von einer fiktional zu nennenden Situation berichtet. Der Zusammenhang der Erzählabschnitte ist durch die präteritale inquit-Formel, die den neuen Erzähleinsatz mit einem ›darauf‹ an den ersten Abschnitt bindet, hergestellt, so daß dieser — der Anfang des erzählten Ganzen — als eine Aussage aus der gleichen, unveränderten Gesamtsituation zu verstehen ist.

Die Aussage zu Beginn des Textes, die nicht vorbehaltlos allgemeinen oder lehrhaft apodiktischen Charakters ist, erweist sich als mitgeteilte Meinung, als berichtete Gedankenfolge eines — wenn auch nicht eigens benannten, so doch zu imaginierenden — Sprechers. Seine Mitteilung geht vom Hinweis auf die

---

[26] Eta Linnemann (Gleichnisse Jesu. Einführung und Auslegung, 2. Aufl., Göttingen 1962, S. 14) gibt hier ein Jülicher-Zitat mit geringfügigen Abweichungen (vgl. Linnemann, S. 137, Anm. 4) wieder. — Jülicher I, S. 93: »Das Gleichnis weist hin auf Dinge, die jeden Tag geschehen, auf Verhältnisse, deren Dasein der schlechteste Wille anerkennen muß.«

[27] Fr. Beißner, Der Erzähler Franz Kafka, 4. Aufl., Stuttgart 1961, S. 51; vgl. auch unten Anm. 37.

Klage der Vielen sogleich zur Stellung- und Anteilnahme, zur Identifikation mit dieser Klage über: sie setzt das ›wir‹ ein, das bis zum Ende des ersten Erzählabschnitts nicht aufgegeben, sondern mit gesteigerter Dringlichkeit beibehalten wird. Diese Rede nennt denn auch nicht nur in der indirekten Form des ersten reihenden Satzgefüges das, worüber die Vielen sich beklagen, sondern demonstriert und begründet den Anlaß zur Klage; zunächst zitierend, dann argumentierend wird die ›Unverwendbarkeit‹ und ›Unfaßbarkeit‹ der Worte der Weisen dargetan. Die Mitteilung kreist um den Gegensatz zwischen Gleichnissen als den »Worten der Weisen« und dem »täglichen Leben«.

Es ist bemerkenswert, daß die Schärfe dieses Gegensatzes mit einem betonten ›nur‹ für die beiden, vermeintlich unvereinbaren ›Dinge‹ hervorgehoben wird (›nur Gleichnisse‹ — ›nur dieses‹ tägliche Leben); es ist weiterhin bemerkenswert, daß der vorletzte Satz dieser den Klageanlaß demonstrierenden Rede ein solches ›nur‹ wie in einer conclusio wiederholt, wobei nicht der Konjunktiv der indirekten Rede, sondern die harte Behauptungsformel verwendet wird (›... eigentlich nur sagen, daß das Unfaßbare unfaßbar *ist* ...‹). Ein erneutes ›nur‹ steht mit wiederum ohrenfälliger Betonung auch am Ende des zweiten Erzählabschnitts. Mögen die syntaktischen Zuordnungen, mag der engere Kontext des ›nur‹ verschieden sein, so zeigt diese Wortwiederholung doch ein skeptisches Insistieren an, — ist Zeichen beharrlicher Abwehr sowohl im ersten wie im zweiten Erzählabschnitt und ist Zeichen auch dafür, daß eine Annäherung oder Verständigung der hier dargestellten Redepartner nicht stattgefunden hat.

Das klare ›Nein‹ in der letzten Replik unterstreicht mit Deutlichkeit, wie weit die Urteile der Redenden über ›gewonnen‹ oder ›verloren‹ auseinandergehen. — Der Erzähler gibt keinerlei Andeutung, fügt keine Erläuterung hinzu, wie es mit der Erfahrung des Dialogpartners aussehen möchte, der diese Replik hören muß. Der Dialog bricht ab.

Hat er ›nur‹ die Bedeutung, — erfüllt er keine andere Funktion als die, den schon zu Beginn des Textes genannten Gegensatz zu bestätigen? —

II

Die im Erzählbericht dargebotene Situation, der hier mitgeteilte Vorgang erscheinen in der knappsten, auf jeden Zusatz, jede Ausschmückung verzichtenden Form. Es gibt keine Ortsbeschreibung, keine Zeitcharakterisierung — keinerlei Detail. Neben der Mitteilung von ›Redeinhalten‹ existiert der Erzählbericht explicite nur in den kurzen, mit kargen Präzisierungen versehenen inquit-Formeln. So herrscht in dieser Erzählung eine nahezu unüberbietbare Einfachheit, — die indes nicht den Eindruck einer Schematisierung oder den der Abstraktion erweckt.

Auch die Art der hier gewählten Sprache — die Sprach*schicht* ist zunächst gemeint, nicht die Art der syntaktischen Strukturen — ist von größter Einfachheit; die im Text gewählten Worte sind nicht ungewöhnlich oder dunkel, sie bleiben im Umkreis des allgemeinen Sprachgebrauchs — bis auf zwei Ausnahmen, die — so einfach und bekannt auch sie als Worte sind — dem Erzählten das ›Thema‹, eine bestimmte Atmosphäre und auch das Problem geben: ›die Weisen‹ und ›Gleichnisse‹. Es ist symptomatisch, daß sie mit dem Erzählbeginn nicht nur als gleichsam selbstverständlich, ohne erklärenden Zusatz gebraucht, sondern auch als eng zusammengehörend genannt werden: ›Worte der Weisen sind Gleichnisse‹; und es ist erneut symptomatisch, daß der näher ausführende Satz den Hinweis auf die Worte der Weisen mit einer imaginierten Anrede-Situation demonstriert, die für den Redenden, für die ›Vielen‹ als vertraut, als »immer wieder« erfahren gilt. Es wird auf einen altbekannten Umstand, eine nachgerade ›ritualisierte‹ Erfahrung hingewiesen.

Auch der Leser ist (im Normalfall) mit dem Erzählbeginn zureichend verständigt[28]. Er erkennt die hier gebrauchten Worte, die hier berufene Erzähl-, Anrede- oder Unterweisungs-Situation wieder — wenn auch nicht aus eigenen Realsituationen, so doch aus dem Überlieferungswissen, das daran zu erinnern vermag, daß in älteren —, daß in nahezu allen Gemeinden der Weltreligionen die Sprechweise gleichnishafter Rede von Wissenden und Lehrern geübt worden ist, wie vor allem und mit weitestem Bekanntheitsgrad die Bibel von Mitteilungsformen und Unterweisungen durch Gleichnisse berichtet. Selbst dann, wenn der Leser diese Überlieferungsreminiszenzen nicht für sich abruft, so ergibt sich für ihn aufgrund der Mitteilungen des Textes ein literarisch-sprachliches Vorverständnis — mag es sich nun im Fortgang der Erzählung bestätigen oder verwirren — zunächst dergestalt, es werde hier von einer ›Art zu reden‹ gehandelt, deren Eigentümlichkeiten in den nachfolgenden Hinweisen angedeutet, umschrieben und ›angeklagt‹ werden.

Für die enge Verknüpfung von: ›Gleichnisse — Worte der Weisen‹ bedarf es allerdings wohl der Anmerkung, daß sie nicht auf ein unbestimmtes

---

[28] Der Leser braucht jedenfalls für die hier verwendeten ›Vokabeln‹ zunächst — anders als Allemann betont (vgl. a a. O., S. 98) — keine zusätzliche »Aufklärung«.

sprachlich-literarisches Vorverständnis und nicht allein auf die neutestament-
liche Vorstellungswelt[29] zurückgeht, sondern z. T. auf Wendungen des Alten
Testaments, auf Topoi vor allem aus der Sprachwelt der palästinensischen
Rabbinen und der ›Erzählungen der Chassidim‹[30]. Es mag an dieser Stelle auch
erwähnt sein, daß bei den Rabbinen »mit einer Reihe von Gleichnissen selbst
wiederum die Verwendung eines Gleichnisses in der Exegese begründet«
wurde[31], wobei ›Gleichnis‹ eben nicht in einer Definition erklärt, sondern —
wie das angemerkte Beispiel[32] zeigt — nach seinem Wert (»nichts Geringes«)
und seiner möglichen Wirkung charakterisiert wird.

Doch zurück zum Text selbst. Der Hinweis auf die oder den ›Weisen‹
erfolgt nur zu Beginn des Erzählberichts. Daß der ›eine‹, der im Dialogteil das
Wort ergreift, nicht als Weiser bezeichnet wird, obwohl er aus dem Einverständnis mit ihnen und ihrer Art zu reden spricht, gehört zu den notwendigen[33]

---

[29] Vgl. Matthäus, 13, 54: Die Frage der Schriftgelehrten: »Woher kommt diesem solche
Weisheit . . .« darf als Hinweis gelten auf die auch im Neuen Testament noch präsente Auffassung der ›Gleichnisrede‹ als Weisheitsrede.

[30] Die Wendungen: ›Unsere Weisen sagen . . .‹ und ›Rabbi . . . erzählte dieses Gleichnis . . .‹ gehören zu den oft wiederkehrenden Einleitungsformeln in den chassidischen
Erzählungen, mit denen Kafka — nicht zuletzt auch durch die Vermittlung Martin Bubers —
in hohem Maße vertraut gewesen ist.

[31] R. Bultmann im Artikel ›Gleichnis und Parabel: II. In der Bibel‹, in: RGG, 2. Auflage,
Tübingen 1928, Bd. 2, Spalte 1239.

[32] Eines der höchst aufschlußreichen Beispiele, auf das später erneut hinzuweisen sein
wird, ist das folgende: »Nicht sei das Gleichnis etwas Geringes in deinen Augen, denn durch
ein Gleichnis kann der Mensch zum Verständnis der Worte der Tora gelangen. Gleich einem
König, der ein Goldstück in seinem Hause oder eine kostbare Perle verloren hat; kann er sie
nicht durch einen Docht im Werte eines Asses wiederfinden? So sei auch ein Gleichnis nichts
Geringes in deinen Augen.«
Mitgeteilt in: H. L. Strack und P. Billerbeck, Kommentar zum Neuen Testament aus
Talmud und Midrasch, Bd. I, 3. Aufl., München 1961, S. 654.

[33] ›Notwendig‹ — damit sei hier auch eine bestimmte Sinnesart und Verhaltensweise
gekennzeichnet. Anders als im ersten Abschnitt des Textes, in dem fragend, zweifelnd und
anklagend von den ›Worten der Weisen‹ die Rede ist, kann der erste der Redenden im
Dialogteil nicht als ›Weiser‹ bezeichnet werden, wenn die gebotene Zurückhaltung der
›Wissenden‹, das Eigentümliche der ›Demut‹ nicht verletzt erscheinen soll. Diese Art von
›Demut‹ gilt »im Chassidismus als eine der Haupttugenden« (M. Buber s. u. S. 889). Sie
wird — wie in der Erzählung »Demut kein Gebot« dargetan ist — wegen ihrer durch Wollen
und vorwegnehmendes Wissen verletzbaren und verfehlbaren Eigenart in der Tora »nicht . . .
geboten«. (Auf die Frage »Was bedeutet dieses Verschweigen?« wird in der Erzählung vom
Rabbi geantwortet: »Wollte einer . . . Demut üben, ein Gebot zu erfüllen, er würde nie zur
wahren Demut gelangen.« Das Verschweigen hindert, daß »der Mensch . . . das vermeintliche Gebot« vollzieht und »auch noch damit seinen Hochmut« . . . »füttert«.) Die Erzäh-

Aussparungen dieses Textes, in dem keine der mitgeteilten Aussagen oder Verstehensweisen präjudiziert wird, — in dem der Erzähler nichts »korrigiert« und auch nicht einem »möglichen«, vielleicht »unvermeidbaren Irrtum«[34] zuvorzukommen sich anschickt.

Das Wort ›Gleichnis‹ dagegen durchzieht den gesamten Text; und zwar erscheint es in immer neuartigen Kontextwendungen auf eine Weise, die nicht allein den dargestellten Redenden, sondern auch dem aufnehmenden Leser als fragwürdig erscheinen muß. Dreimal ist mit je eigener Sprachgeste von Gleichnissen die Rede. Das erste Mal am ausführlichsten, aber vorwaltend mit Erläuterungen in der Negationsform, die verdeutlichen sollen, was der erste Satz mitteilt: daß nämlich die Worte der Weisen nichts im *Wort*sinn sagen und deshalb im täglichen Leben »unverwendbar« seien, »also hier« nichts helfen könnten. Der negierende Sprachgestus hindert nicht, daß diese Mitteilungen einige Merkmale gleichnishafter Rede angeben: sie nennen einen appellativen, einen *Aufforderungscharakter*, zitieren mit dem Beispielsatz einen konkret und *einfach klingenden Wortlaut*, und sie charakterisieren eine *Verweisungsgeste*, eine Verweisung auf ›Gemeintes‹, die aber als verwirrend, nutzlos und leer verworfen wird, weil sie keinen *Aufweis* des Bezugs (*wo*-hinüber?), keine tatsächliche Eindeutigkeit enthält. Das zweite Mal wird zu Beginn des Dialogs in der direkten Rede eines Anwesenden von Gleichnissen gesprochen; nicht jedoch ›über‹ Gleichnisse, nicht beschreibend, nicht urteilend, nicht einmal mit indikativischem Hinweis. Der hier Sprechende knüpft an die vorausgegangene Mitteilung an, — daran des genaueren, daß ein Gebot, eine Aufforderung aus den Worten der Weisen — wenn auch nicht dem Sinne nach verstanden, so doch herausgehört worden ist. Darauf stützt sich die Entgegnung: ›Würdet ihr folgen ...‹ — den Gleichnissen (statt: dem, was ›diese Gleichnisse sagen‹), so heißt es hier in verkürzender, aber auch sinnschwerer Wendung. Im weiterführenden Satz wird das Wort ›Gleichnisse‹ in ungewöhnlicher, fremder, in änigmatischer Weise gebraucht. An dieser Stelle des Textes, die offenbar als besonders gewichtig aufzufassen nötig ist, da sie von einer möglichen Verbindung zwischen den zuvor als ›nur‹ gegensätzlich gedeuteten ›Dingen‹, Gleichnissen und täglichem Leben zu sprechen scheint, klingt die Rede dunkel, — jedenfalls einer Auslegung bedürftig, die der Text selbst nicht expliziert. — Ein drittes Mal ist von Gleichnissen am Ende des Textes die

lungen der Chassidim, in: Martin Buber, Werke, 3. Bd.: Schriften zum Chassidismus, München/Heidelberg 1963, S. 262.

[34] Beißner, a. a. O., S. 32.

Rede, nun nur noch in einer stark abbreviierten Form, in ›formelhaften Wendungen‹, die trotz gleichen Wortklangs zweierlei Bedeutung haben und antithetisch gegeneinanderstehen.

Obwohl es für die Verwendung des Wortes ›Gleichnis‹ infolge des ihm jeweils zugehörenden Kontextes beobachtbar sein mag, daß sie von Mal zu Mal konkreter, singulärer und (das gilt, wie zu erläutern sein wird, auch für die letzte formelhafte Wendung) ›inhaltsreicher‹ geworden, auch fester an die partnerhafte Kommunikationsweise gebunden ist, so ist zugleich kaum zweifelhaft, daß der Grad der Dunkelheit der hier explizit gebotenen Rede vom Beginn zum Textende hin zugenommen hat und in eben dem Maße dem Verständnis gesteigerte, wenn nicht gar unübersteigliche Schwierigkeiten bietet.

Hat also der Text als ganzer keine andere Bedeutung, — erfüllt er keine andere Funktion als die, die Dunkelheit der Rede von Gleichnissen wahrnehmen zu lassen? Soll er den Leser dazu führen, die Abwehrgeste nun für sich selber zu wiederholen — mit der vielleicht gesteigerten Tautologie, daß Unverstehbares eben unverstehbar ist? —

III

Nicht ohne Absicht ist jetzt das Wort ›unverstehbar‹ und nicht das des Textes ›unfaßbar‹ gebraucht worden. Es soll auf eine neue Überlegung weiterführen, auf ein Problem aufmerksam machen.

Wie es wohl für jeden Vorgang der Rezeption von literarischen Texten gelten darf, daß der Lesende um einen angemessenen, auch seine Lesererwartung befriedigenden Zugang, um eine zureichende ›Realisation‹ oder ›Konkretisation‹[35] im Rezipieren bemüht ist, so darf als nachgerade sicher angenommen werden, daß gerade der vorliegende Text den Leser nicht mit nur geringfügigem Anspruch entläßt, — daß er ihm den Eindruck und die ›Erwartung‹ vermittelt, die expressis verbis mitgeteilte Auskunft, »daß das Unfaßbare unfaßbar ist«, dürfe dem Verstehensanspruch *nicht* schon genügen.

Spürbar genug läßt dieser Text als »ein lückenlos strukturiertes Kunstgebilde der Sprache«[36] eine Faszination entstehen, die gerade als eine Faszi-

---

[35] Diese Begriffe werden hier zunächst in der allgemeinen, noch nicht (wie später in dieser Auslegung) speziell auf das Verstehen von ›Gleichnissen‹ bezogenen Bedeutung verwendet — so wie sie von Roman Ingarden in seiner Erörterung »Vom Erkennen des literarischen Kunstwerks« (Tübingen 1968) gebraucht werden.

[36] Beißner, a. a. O., S. 42.

nation des ›Logischen‹, das in der — bei allen Aussparungen — strengen Fügung denotativer Einzelelemente existiert, zur rationalen Entschlüsselung auffordert; oder, wenn es anderer Formulierung bedarf: der Text bietet in seiner Sprachgebärde und einzelnen seiner Mitteilungsformen eben gerade solche einer rational-expliziten Dechiffrierung widerstrebenden Elemente, daß der Leser nach Anhaltspunkten und deiktischen Besonderheiten für das in der sprachlichen Denotation Enthaltene und *Vor*enthaltene suchen und sich zu genaueren Erwägungen bereitfinden muß. Ein derartiges Reflektieren hebt im Prozeß des Textlesens sehr bald an. Der vorbereitungslose Erzählanfang benennt ja nicht nur die Meinung einer Gruppe von ›Vielen‹, eine plausibel klingende communis opinio, sondern bietet mit dem schon im ersten Satzgefüge auftauchenden ›wir‹ dem Leser eine Brücke, mit dem hier Sprechenden zu denken, — die ausgesagte Meinung mit der eigenen zu verbinden[37]. Dieser mögliche Identifikationsprozeß reicht höchstens bis zum Ende des ersten Erzählteils, — wird mit Beginn des Dialogteils vor eine neuartige Orientierung geführt, wobei nicht auszuschließen ist, daß die Überzeugungskraft der bisherigen, so plausiblen Redemitteilung weiterwirkt und den Leser dazu veranlaßt, den abwehrenden, den ›Sinn‹ von Gleichnissen bezweifelnden Standpunkt zu übernehmen und auch angesichts der dialogisch sich fortsetzenden Textaussage zu verteidigen und zu vertreten. Denn das ›wir‹ des ersten Erzählteils birgt zugleich auch diese Möglichkeit: es nimmt den die ›Identifikationsbrücke‹ betretenden Leser mit hinein in die ›Selbstverständlichkeit‹ des Redens von Gleichnissen, — überträgt auf ihn den gewissen Bekanntheits- oder Vertrautheitsgrad der Erfahrung, von der hier die Rede ist.

Für *den* Leser, der die Identifikation mit dem ›wir‹ nicht vollzieht, der mit dem Bewußtsein von der Fiktionalität des Erzählten den Leser-Abstand wahrt, geschieht — wenn auch nur in einem Punkt und möglicherweise unter anderen Vorzeichen — Vergleichbares: er wird bei der Aufnahme des Satzmitteilungssinnes zu einem Verständnis des Worts ›Gleichnis‹ herausgefordert; das Wort wird aus dem zunächst allgemeinen Sprach- und Vorverständnis oder Gedächtnisvorrat abgerufen und ›zitiert‹; es beginnt, mit der Aktualisierung des ihm inhärenten semantischen Potentials, mit der von ihm ange-

---

[37] Diese Möglichkeit entspricht den Besonderheiten des Kafkaschen Erzählstils, die gerade F. Beißner (a. a. O.) eigens betont hat: »Kafka läßt dem Erzähler keinen Raum neben oder über den Gestalten, keinen Abstand von dem Vorgang ... Es gibt nur den sich selbst ... erzählenden Vorgang: daher beim Leser das Gefühl der Unausweichlichkeit ...« (S. 35). »Kafka verwandelt ... nicht nur sich, sondern auch den Leser in die Hauptgestalt« (S. 36).

zeigten ›Bedingung der Möglichkeit der Erfahrung‹ einen Erwartungshorizont für den Leseprozeß zu bestimmen, der auch darin seine Eigenart haben kann, daß er einer neuartigen Orientierung und Information durch den Text gewärtig ist, der aber auch darauf drängt, das Gesagte, die *gesamte* Mitteilungsfolge des Textes möchte sich als transparent und in begreifbarer Weise in allen Teilen als kohärent erweisen. Dem diesen Text aufnehmenden Leser wird aber in der hier erzählten Folge von Aussagen deutlich, daß mit dem Wort ›Gleichnis‹ nur erst ein *Code*-Wort gegeben ist, dem unterschiedliche Mitteilungshinweise zugeordnet sind, — mit dem divergierende ›Nachrichten‹ in der Rede[38], im Textganzen aufeinandertreffen.

Der Erzähltext läßt eine Situation wahrnehmen, in der zwei ›Positionen‹ gegeneinanderstehen; es scheint indes, daß diese Positionen nicht völlig unvereinbar bleiben müßten; darf es doch als eine wichtige Voraussetzung für das ›Problem‹ des Textes gelten, daß auch die sich wehrenden ›Vielen‹ Gleichnisse kennen; sie leugnen weder deren Existenz noch Eigenart, auch wenn der ›Signalwert‹ des von ihnen gebrauchten Worts ›Gleichnis‹ einer bestimmten, eingeschränkten Auslegung unterworfen bleibt[30]. Die Positionen sind nicht

---

[38] Zur Terminologie vgl. A. Martinet, Grundzüge der Allgemeinen Sprachwissenschaft, 4. Aufl., Stuttgart/Berlin/Köln/Mainz 1970, S. 33.

[39] Die Kontextdeterminationen, die Auslegungsweisen des Worts ›Gleichnis‹ erscheinen nicht als ›paradigmatisch‹ voneinander ausgeschlossen; die Auslegungen, die ›Positionen‹ stehen nicht schon in einem strengen ›Oppositionsverhältnis‹ zueinander; sie beziehen sich allerdings auf verschiedene Erfahrungsbereiche.

Da es als das im Text angezeigte Problem gelten muß (wie es auch mit dem gewichtigen Mittelsatz: ›Würdet ihr folgen . . .‹ umschrieben wird), diese Erfahrungsbereiche zu erkennen und zu- oder in-einander zu fügen, ist es unangemessen, den Gegensatz, den der Text zu bedenken aufgibt, ins ›Absolute‹ zu verschärfen — wie es mit den folgenden Formulierungen von Allemann nahegelegt wird: »Das Gleichnis steht ihr [der vergänglichen Wirklichkeit der täglichen Mühsal] vielmehr immer schon als absoluter Gegensatz in absoluter Unzugänglichkeit gegenüber« (a. a. O., S. 104); und: »es gibt vom Boden der alltäglichen Wirklichkeit aus keinen Zugang zu den Gleichnissen« (a. a. O., S. 104).

Ein solcher — auch von anderen Interpreten vorgetragener — Gedanke führt zu Auffassungen von der grundsätzlichen Trennung oder Trennbarkeit von ›Wirklichkeit‹, ›Alltag‹ und ›Sinn‹; dies aber sind Auffassungen, die nicht zuletzt — und dies ist kein Zusatz- oder Scheinargument — von gerade der chassidischen Vorstellungswelt streng und klar zurückgewiesen werden.

Martin Buber betont in seinen Schriften über den Chassidismus oft und unmißverständlich gerade den Gedanken von der Bedeutung des Alltags, der Weltzuwendung, der konkreten Einzeldinge — die »antiasketische Tendenz« (a. a. O., S. 810) der chassidischen Glaubenslehre und Frömmigkeitshaltung: die »Erneuerung der Beziehung zur Wirklichkeit« (S. 801). Es gelte, »den Umgang mit allen Dingen und Wesen im Leben des Alltags zu heiligen«

unbedingt in einem strengen, sich ausschließenden Gegensatz, — das heißt: einem wirklichen ›Oppositionsverhältnis‹ zu denken, sondern unterscheiden sich vornehmlich nach interpretativen Gesichtspunkten auf dem Grunde eines gleichen Problems. So obliegt es dem Leser wohl, einen möglichen dem ›Wortlaut‹ zugrundeliegenden oder ihn übergreifenden Gedankenzusammenhang aufzufinden, von dem her sich die Intentionalität des Textganzen erschließen ließe.

Ein solcher Versuch bietet sich umso dringlicher an, als im ersten Textabschnitt offenbar eine Reihe wichtiger Informationen zum Wort ›Gleichnis‹ gegeben werden und dort, wo im zweiten Textabschnitt in änigmatischer, verhüllter Weise von Gleichnissen die Rede ist, diese Informationen nicht bestritten, sondern ›aufgenommen‹ erscheinen, so daß sich hier ein antwortendes, ›weitergreifendes‹ Verständnis bekundet, das die Position der Vielen mitversteht. — Damit ist gesagt, daß der Leser für seinen Verstehensprozeß das Gesamtfeld interpretativer Gesichtspunkte aufzudecken suchen muß, — daß er die der einen wie der anderen Position nicht auslassen darf und dementsprechend alle für sein Code-Wort gebotenen Kontextdeterminationen wägend zu befragen hat.

Da es sich vorerst um ein ›Probandum‹ möglichen Leserverstehens handeln soll, wird für das Wort ›Gleichnis‹ zunächst die — gewiß wenig genaue — Wendung ›sinnhafte Rede‹ eingesetzt. Der Versuch zielt darauf, möglichst viel des Textes zu erhellen, seine Logizität und Kohärenz aufzuzeigen, — seines intentionalen Zusammenhangs ansichtig zu werden. So mag denn das Tentamen lauten:

Der im ersten Textabschnitt zu imaginierende Redende handelt von der Eigenart der Gleichnisse deshalb ex negativo, weil er sie nur als einen ›Wortlaut‹ hört, der ihm keinen Sinn und Zweck von tatsächlicher Eindeutigkeit und Anwendbarkeit angibt. Da er ein anderes ›Meinen‹ solcher Worte einräumt, aber eines damit angesprochenen Sinnes entbehrt, sich somit zu »nichts« geführt sieht, bezeichnet er ein so Gemeintes als »unfaßbar«. Dem vom Problem sinnhafter Rede ausgehenden Leser fallen besondere Genauigkeiten in Wortwahl und Wortfügungen der hier mitgeteilten Aussage ins Auge: zur generalisierenden Sprechweise — in ›Viele‹ und ›wir‹ — gehört das gesteigert anonyme ›man‹; es gehören aber auch die Wendungen »sagenhaftes Drüben« und »das Unfaßbare« zu dieser Sprechweise. Sie sind konventionalisierter, hier

---

(S. 802). »Es gilt nicht ein neues, seiner Materie nach sakrales oder mystisches Tun zu gewinnen; es gilt, das einem Zugewiesene, das Gewohnte und Selbstverständliche in seiner Wahrheit und in seinem Sinn, ... zu tun« (S. 812) u. ö.

316

peiorativ verwendeter Ausdruck, klischeehaft rhetorisiert; sind im Grunde verblaßte, abgesunkene, unmerklich gewordene Metaphern. Nach eingeschliffenem, zur Trivialform neigendem Gebrauch meint ›sagenhaftes Drüben‹ hier ›chimärisches Drüben‹, und doch ließe sich der Kern der Metapher mit willentlich anderem Sprachsinn noch hervorheben: ein aus der ›Sage‹ hervorgehendes, der Sprache aufruhendes, von ihr ›erzeugtes‹ Drüben. Ähnlich, sogar um vieles deutlicher und hier im semantischen Umfeld von beachtenswerter Schärfe ist es mit ›unfaßbar‹: in der konventionalisierten Form steht es für ›unverstehbar‹, ›dunkel‹, ›unglaublich‹ — und spricht nach seinem Wortkern doch von ›sinnenhaftem Greifen‹, ›Hand-zugreifen‹, ›packen‹; es enthält also einen Sinn, der den Forderungen täglichen Lebens entspricht. Das empirisch orientierte Verhalten, das praktisch Verwendbares aus dem Redewortlaut einfordert, spricht damit offenbar zu Recht von der ›Unfaßbarkeit‹ dessen, was in ›sinnhafter Rede‹ dem empirisch nutzbarzumachenden ›Zugreifen‹ sich als unverfügbar, nicht handhabbar entzieht. — Bemerkenswert sind nicht allein diese semantischen Einzelheiten als solche, sondern die Art von Genauigkeit in der Textaussage, die mit den Wortverwendungen einen Sprecherstandpunkt bestätigt oder enthüllt, der bestimmte Redegewohnheiten, abgesunkene metaphorische Formeln bevorzugt und damit eine Art rhetorischen Redens von nur vermeintlichem und trivialisiertem Wirklichkeitsbezug verrät. —

Die im Dialogteil folgende Entgegnung gibt, wie schon angemerkt, keine Erklärung oder deskriptive Aussage über das, was Gleichnisse sind, sein sollen oder über die Art ihres Wortlauts, sondern einen auf den Dialogpartner bezogenen Hinweis auf die mögliche Wirkung von befolgter, realisierter Gleichnisrede. Da es sich um einen aussparend-andeutenden Hinweis und ein *im Wortlaut* selbst nicht anzutreffendes *Problem* handelt, läßt sich zunächst nur eine amplifizierende Umschreibung geben: Würdet ihr dem in Gleichnissen Gesagten — sie als sinnhafte Rede verstehend — folgen, dann wäret ihr selbst zu der Art von ›etwas Sinnhaftem‹, von sinnhafter Existenzweise geworden und wäret in dieser Art zu sein (»damit schon«) frei von der je wieder neuen (»täglichen«), euch von ›faßbar‹ scheinenden ›Dingen‹ sich herleitenden Mühe. — Da es sich bei diesen Worten um vergleichende Andeutung, auch um deiktische und appellative Rede handelt, wird die nachfolgende Kennzeichnung, daß dies ›ein Gleichnis sei‹, bestätigt — in einer Redeweise (»du hast gewonnen«), die allerdings nicht das von dem hier Redenden inhaltlich Gemeinte, — nicht die vorher genannte Deutung von Gleichnis (›nur Gleichnis‹, das »hier gar nichts helfen kann«) einzuschließen braucht.

Am Schluß des Textes erscheinen die beiden identisch lautenden Wendungen »im Gleichnis« in der Weise gegeneinandergestellt, daß die erste wiederum als gängige, konventionalisierte Formel erkennbar ist — also des Sinnes: ›nicht eigentlich‹, nicht realiter, ›nur bildlich genommen‹, womit, wie die adversative Anknüpfung sagt, das ›Gewonnen-Haben‹ bezweifelt und als von eingeschränkter, unzulänglicher, nur schemenhafter Bedeutung bedauert wird. — Diesen Bezug verneint die Antwort: der Ausdruck ›gewonnen‹ sei ›eigentlich‹, sei ›ernst‹, ›proprie‹ zu nehmen. Da aber nicht mit einem einfachen ›wirklich‹ geantwortet wird, — da zudem der Ausdruck ›in Wirklichkeit‹ als Gegensatz zu ›im Gleichnis‹ betont ist, taucht hier ein anderer Bezug, ein anderer Gedanke auf. Es bietet sich, da anstelle von ›wirklich‹ als Trivialformel der ›So-ist-es‹-Bestätigung hier die umständlichere präpositionale Wendung mit der Lokativ-Bedeutung steht, eine konkrete, bestimmtere Vorstellung an: ›im Bereich der Wirklichkeit‹; da sich damit überdies eine dem Grammatischen inhärente besondere Kontextgenauigkeit verbindet (ein Dativ neben Partizipium Perfekti bezeichnet meist »ein Ergebnis . . ., dessen Wirkung fortdauert«[40]), ließe sich der hier enthaltene Gedanke wie folgt formulieren: ›du hast im Bereich der Wirklichkeit, in der du lebst und aus der du urteilst, gewonnen‹; und er erlaubt die Fortsetzung: ›im Bereich des Gleichnisses als eines sinnhaften Zusammenhangs und Existierens hast du verloren‹. Anders gewendet: der ›andere‹ ist in die von ihm erfragte und bezweifelte Dimension dessen, was er selbst mit dem Wort ›Gleichnis‹ bezeichnet, nicht hineingelangt. Die Erfahrung, daß Gleichnisse ihm nichts in konkretem Sinne sagen, hat sich bestätigt; seine letzte Bemerkung »nur im Gleichnis« weist auf den ihm mangelnden ›Sinn‹, auf *nur* ein *Wortlaut*verständnis, wie es schon zu Beginn des Textes augenfällig ist[41].

Der Versuch dieser paraphrasierenden Erläuterung erlaubt, einige Beobachtungen zu resümieren:

1. Der Text gibt mit der erzählten Rede nicht allein zwei Positionen zu erkennen und zwei divergierende Auslegungen oder ›Nachrichten‹ zum Code-Wort ›Gleichnis‹, sondern läßt diese Divergenz auch — übereinstimmend mit

---

[40] Hermann Paul, Deutsche Grammatik, Bd. IV, Halle/Saale 1920, S. 12.

[41] Es ist hier ein ›Wortlaut-Hören‹ gemeint, dem kein ›*Geschehen*‹ folgt; mit solchen Worten ist ein im Problemsinn ähnlicher Gegensatz angedeutet in dem 1918 entstandenen Text Kafkas aus dem ›Vierten Oktavheft‹: hier wird in einem Dialog davon gesprochen, es sei »nicht möglich . . ., daß du dieses Gebot nur hörst und sonst nichts geschieht.«

Franz Kafka: Hochzeitsvorbereitungen auf dem Lande und andere Prosa aus dem Nachlaß, Frankfurt/Main 1966, S. 110/111.

der Reihe implizierter interpretativer Gesichtspunkte — in der Rede*weise*, in der *Sprachart*, im Verhältnis der hier Redenden zur Sprache wahrnehmen. Die eine der Redeweisen, deren Tendenz als Plausibilität und Enthüllung zu bezeichnen ist, zeigt signifikante Züge im gewöhnlichen, verfremdungsfreien Wortgebrauch und Satzbau, zeigt damit auch konventionalisierte, dem Trivialen zuneigende klischeehaft-rhetorisierte Wendungen, deren metaphorische Nuancen bedeutungs- und reflexionslos eingeebnet erscheinen. Die Tendenz der anderen Redeweise darf als die der Verhüllung, aber auch als die der Konkretisation beschrieben werden; ihre Merkmale liegen in der ›bezogenen‹, existentielle und anschauungsgeleitete Vorstellungen intendierenden, komplexeren Wortwahl und Satzfügungsform.

2. Beiden Redeweisen ist nicht nur das Code-Wort gemeinsam, sondern auch — obschon unter andersartigen interpretativen Voraussetzungen — der Umstand, daß ihrer Aussage *eine Grenze* gesetzt ist. Keine der Redemitteilungen gibt eine voll explizite Erklärung darüber, was ein Gleichnis sei. Der Text als ganzer deutet etwas davon an, macht aber mit gediegener Strenge vor einer solchen Aussage halt. Er umkreist vielmehr das Problem des Verstehens von Gleichnissen.

3. Das Leseverstehen, das aus den unterschiedlichen Hinweisen und Sprachformen des Textes möglichst viele Informationen aufnimmt, wird dieses Problems inne — und zwar dergestalt, daß es mit einer weiter ausgreifenden, wenn auch noch des näheren unbestimmten Intention für das Code-Wort einen Gedankenzusammenhang zu entwerfen sich anschickt, der die Gesamtlinie des Textes, seine logische, in sich kohärente Struktur wahrzunehmen erlaubt. Das aufgrund der eigenen Intention —: Gleichnis sei sinnhafte, appellative und deiktische Rede — vorgehende Leserverstehen erweist sich als *konstitutives Moment* für den Problemzusammenhang des Textes.

Dieser Umstand, daß das Leserverstehen in hohem, noch der näheren Bestimmung bedürftigem Grade konstitutive Bedeutung für die strukturelle Einheit des Erzählganzen besitzt, ist gravierend auch für die Überlegungen, die dem Genus des vorliegenden Textes gelten. Sie erst können den Gedankengang, der dem Code-Wort gilt, vervollständigen; das heißt: mit der genaueren Wahrnehmung der die Erzählgattung tragenden Bedingungen wird die Intentionalität dieser Dichtung erst zur Gänze erkennbar.

319

IV

Es ist möglich und nützlich, eine Sonderfrage zur näheren Bestimmung der Erzählgattung zu streifen, die auch die Klärung von Art und Bedeutung des Leserverstehens betrifft[42].

Es gibt in einigen ›einfachen Formen‹ der Erzählgattung ein jeweils spezifisches »Verhältnis zur Frage«[43]. Die Form z. B. des ›Kasus‹ zeigt eine Eigentümlichkeit, die A. Jolles dahin beschreibt, »daß sie zwar die Frage stellt, aber die Antwort nicht geben kann, daß sie uns die Pflicht der Entscheidung auferlegt, aber die Entscheidung selbst nicht enthält — was sich in ihr verwirklicht, ist das Wägen, aber nicht das Resultat des Wägens«[44]. Es mag auf den ersten Blick so scheinen, als träfe gerade dies für den Kafka-Text zu; doch die angeführte Formulierung weist auch auf einen gravierenden Unterschied. Er ist mit dem Begriff ›Entscheidung‹ angezeigt, der der »Welt der Normen«[44] zugehört und einen »Maßstab bei der Bewertung von Handlungen«[45] vorauszusetzen nötigt. Mag ein ›Kasus‹ dadurch charakterisiert sein, daß er ›unentscheidbar‹, daß er nur ›wägbar‹ ist[46], so steht doch fest, »diese Erwägung enthält die Frage: wo liegt das Gewicht, nach welcher Norm ist zu werten?«[47]. Das heißt, der ›Kasus‹ muß hervorgehen »aus einer solchen Welt, in der sich das Leben als ein nach Normen Wertbares und Beurteilbares vollzieht«[48].

Diese Voraussetzung ist für Kafkas Text *nicht* gegeben, — auch darin nicht, daß der Leser die im Text erkennbaren Positionen und deren interpretative Gesichtspunkte für das Wort ›Gleichnis‹ zu erwägen sucht. Dieser Verstehensversuch ist, da er nicht auf ›paradigmatische‹ *Vorgegebenheiten*, nicht auf ein sprachlich voll expliziertes Exemplum zurückgreifen kann, charakteri-

---

[42] Überlegungen, die die Erzählform des ›Kasus‹ vom gleichnishaften Erzählen abgrenzen, scheinen auch darum angebracht, da es Hinweise gibt, die das moderne parabolische Erzählen in die Nähe des ›Kasus‹ rücken; so spricht C. Heselhaus (Artikel ›Parabel‹ in: RL, 2. Aufl., 3. Bd., S. 10) davon, es gebe die »phänomenologische Kasus-Parabel des 20. Jahrhunderts«; außerdem weist Heselhaus in seinem Aufsatz ›Kafkas Erzählformen‹ (DVjs, 26, 1952, S. 371/2) auf das »kasuistische Denkspielen« als eine Voraussetzung für Kafkas literarische Formen hin.

[43] André Jolles, Einfache Formen, 2. Aufl. Tübingen 1958, S. 190.

[44] Ebd., S. 191.

[45] Ebd., S. 190.

[46] Ebd., S. 191: »Und so ist es dann auch die Eigentümlichkeit des Kasus, daß er dort aufhört, ganz er selbst zu sein, wo durch eine positive Entscheidung die Pflicht der Entscheidung aufgehoben wird.«

[47] Ebd., S. 190.

[48] Ebd., S. 193.

sierbar als eben ein konstitutives Moment *der* Art, das im Leseprozeß selbst zum Tragen kommen muß; das heißt: bestimmte Möglichkeiten des Verstehens können sich erst als mehr oder weniger zureichende Realisationsformen der Erzählintention erweisen.

Für die Struktur und Bedeutung von Gleichnisreden sind Probleme und Zusammenhänge dieser Art — sensu stricto — namhaft zu machen. Sie lassen sich mit Hilfe der Begriffe, die seit langem zur Kennzeichnung der generischen Besonderheiten eingeführt und erprobt worden sind[49], präzisieren. In der Strukturbeschreibung von Gleichnissen wird eine »Bildhälfte« von einer »Sachhälfte« unterschieden; mit Bildhälfte wird das bezeichnet, »was erzählt wird«, — mit Sachhälfte das, »was das Erzählte meint«[50]: der ›Gleichnissinn‹. Damit ist, um es eigens hervorzuheben, stets auch die besondere Verbindung zwischen beiden zu denken nötig: »Die Bildhälfte muß sich auf die Sachhälfte beziehen lassen«[51]; so sind denn diese Begriffe, wie mit Recht betont worden ist, »auf die Blickrichtung des Auslegers zugeschnitten und nur in dieser sinnvoll«[52].

Diese Unterscheidungsbegriffe machen klar, daß es ungemäß wäre, wollte man sie auf einen ›Teil‹ der Kafkaschen Erzählung — *einen* der Erzählabschnitte oder *eine* der Redeweisen — anwenden. Die Erzählung als ganze ist die ›Bildhälfte‹ des hier vorliegenden Gleichnisses. Was erzählt wird, ist eine Unterredung, die als solche einfach dargeboten und anschaulich vorstellbar wird, obschon deren Problematik oder ›Gegenstand‹ subtil genug ist: die »Verstehbarkeit der Gleichnisse«[53]. Dabei verschärft sich diese in die Bildhälfte, in die Gesamterzählung einbezogene Thematik insofern zum ›Problem‹, da die Verstehbarkeit von Gleichnissen gerade darin sich ausweisen soll, daß sie als deren Verwirklichung, als die Verwirklichung des Gleichnis*sinnes* erscheinen müßte und als solche angesprochen wird.

Es ist an dieser Stelle nicht überflüssig anzumerken, daß das Erzählte nicht darum schon als ›Bildhälfte‹ zu bezeichnen ist, weil ihm das in vielen Gleichnisreden mit den Einleitungs- oder Schlußformeln verbundene ›so — wie‹ fehlt; solche Wendungen bedeuten auch sonst nicht mehr als einen Vergleichshinweis, der einen Verstehensschlüssel darreicht, nicht aber schon das Ver-

---

[49] Sie sind ausführlich dargelegt bei A. Jülicher: vgl. oben Fußnote 24.

[50] Philippi (a. a. O., S. 309) unter Berufung auf Jülicher und Linnemann (vgl. Fußnote 52).

[51] Philippi, a. a. O., S. 309.

[52] Eta Linnemann, Gleichnisse Jesu. Einführung und Auslegung, 2. Aufl., Göttingen, 1962, S. 33.

[53] Philippi, a. a. O., S. 317.

321

stehen selbst, noch weniger die Realisation des Gemeinten darstellt. Das weist darauf, daß das, was ›Sachhälfte‹ als das von Gleichnissen Gemeinte genannt wird, *nicht* schon als explizierte Aussage der Texte existiert, sondern — generell nach den Bedingungen der Gattung — dem Hörer-Verstehen anheimgestellt, ihm zur Realisation überantwortet wird.

Obwohl in Kafkas Text das Problem der Verstehbarkeit von Gleichnissen thematisiert wird, wäre es doch irreführend zu sagen, »Bildhälfte und Sachhälfte [fallen] im Ganzen des Textes zusammen«[54]; denn, und wiederum ist auf die bestimmenden Gattungsmerkmale hinzuweisen, wenn Bildhälfte und Sachhälfte zusammenfallen, »hätte der Erzähler damit auf die Kraft der Analogie verzichtet« und das Erzählte »um die gewünschte Wirkung gebracht«[55]; das heißt, es wäre der Übergang in ein anderes Rede- oder Erzählgenus vollzogen.

Es muß vielmehr auch für Kafkas Text eine Beziehung herzustellen sein zwischen Bildhälfte und Sachhälfte, — zwischen Erzähltem und Intentionalem; und es gibt Anhaltspunkte für solche Beziehungsmöglichkeit im Text. In der erzählten Unterredung über die Verstehbarkeit von Gleichnissen erscheint dies Thema nicht nur vielfach reflektiert, die deiktischen Elemente in Umschreibung, Frage und Antwort deuten auch auf das Problem der Sinnverwirklichung von Gleichnisrede vor allem mit den als appellativ und postulativ erkennbaren Worten: ›Gehe hinüber‹ — und ›würdet ihr folgen‹. — Hier liegt in der Tat ein »Angelpunkt der Reflexion«[56]; und trotz der Offenheit und Unbestimmtheit der Worte liegt in ihnen mehr als nur ein »völlig formalisierter Gehalt der Aufforderung«[57]. Für die dargestellte Unterredung liegt hier zunächst ein deutlich hervorgehobenes, wichtiges — von beiden Redepartnern auch als solches aufgefaßtes — Hinweiszeichen auf den *Vollzugs*charakter des mit Gleichnissen Gemeinten. — Für den aufnehmenden Leser ist damit auch ein Analogon, ein denkbares ›tertium comparationis‹ angezeigt, das für das »Gesamtverständnis«, das heißt: für die herzustellende Beziehung zwischen Sachhälfte und Bildhälfte von Bedeutung sein kann, — wie denn solche

---

[54] Ebd., S. 317; es sei denn, Philippis Hinweis: sie »fallen scheinbar ... zusammen, indem der Gegensatz als Problem thematisiert wird«, will mehr sagen, als daß es sich um ein ›nur theoretisches‹, ein ›Reflexionsproblem‹ (darauf gründet sich seine Deutung; vgl. unten) handle.

[55] Linnemann, a. a. O., S. 36.

[56] Philippi, a. a. O., S. 317. Bei Linnemann heißt es allgemein zur Gleichnisauslegung: »Dieser Vergleichspunkt, das ›tertium comparationis‹ ist der Angelpunkt, der das Gleichnis und die Sache, auf die es gemünzt ist, ... verbindet.« (a. a. O., S. 32)

[57] Philippi, a. a. O., S. 317.

Beziehung, ein solches »Verbindende nur ein erschließbarer Grundzug der Bildhälfte sein« kann[58].

Das heißt des genaueren: der Aufnehmende liest im Wortlaut der hier erzählten Geschichte einen Hinweis, dessen mehrdeutig-besonderer Gehalt sein Textverständnis zunächst allgemein, das heißt: auf der — gleichsam ersten — Ebene der informativen Sprachmitteilung beschäftigen muß, es aber auch in erhöhtem Maße — auf einer gleichsam zweiten Ebene — herausfordert, wenn er den Text selbst und als ganzen als ›gleichnishafte Rede‹ zu verstehen beginnt, — wenn er den ›Gleichnissinn‹ (die Sachhälfte) des hier Erzählten mitbedenkt. Mit nochmals anderen, zugeschärfteren Worten: hier wird eine besondere Art des Verstehens, ein Verstehensprozeß oder -akt des Lesers herausgefordert, der dem *Text als Gleichnis* zu folgen imstande und angemessen wäre.

Wenn generell über »Grundsätzliches zur Gleichnisauslegung«[59] gesagt werden kann, es dürfe als eine der wichtigsten Funktionen von der — der »Kraft der Sprache«[60] anvertrauten — Gleichnisrede gelten, daß sie »etwas als etwas anzusprechen« vermag[61], so läßt sich das für den Kafka-Text konkretisieren: hier wird das Gleichnis *als* Gleichnis angesprochen — dergestalt, daß der Gleichnis*sinn* (Sachhälfte) als das im Wortlaut nicht Gegebene, aber in dessen Beziehungsumfeld als Analogie Enthaltene nun zur ›Sache‹ des Verstehens werden müßte, — genauer: eines Verstehens*prozesses*, als etwas, das ›in actu‹, als ›praktischer‹ Vorgang einzusetzen hat; denn die Brücke des Analogieschlusses, der ›denkbaren‹ Beziehung muß zum Weg der *Erfahrung* sprachverstehend-sinnhaften Vollzugs gemacht werden.

Für den in seinen Sprachzeichen als Gleichnis erscheinenden Text wird der Gleichnis*sinn*, die Intentionalität des Gesagten, die Sachhälfte diesem Verstehensprozeß als einem Akt der Realisation übertragen. Das meint nichts anderes, als daß das Textverständnis sich hier als ein Sprachverstehen besonderen Grades zu realisieren vermöchte — als, und das liegt in der besonderen Signatur dieses Textes: ein Verständnis hic et nunc *in litteris*, nicht aber extra litteras, so als gelte es einen gesonderten, herauslösbaren, vielleicht moralischen oder religiösen Inhalt in eine spätere Tat umzusetzen, ›irgendwo‹ in der Zukunft zu realisieren[62].

---

[58] Ebd., S. 309.

[59] Linnemann, a. a. O.; Überschrift des ersten Buch-Abschnitts.

[60] Ebd., S. 40.

[61] Ebd., S. 36.

[62] Der Gedanke, daß das, wovon der Text handle, einen ›utopischen‹ oder ›zukünftigen‹ Charakter zeige, ist in den bisherigen Interpretationen wiederholt — wenn auch unter

Eine solche Problemkonstellation ist darin angezeigt und davon getragen, daß Kafkas Text nicht allein den Erfordernissen der Gattung gemäß von größter Einfachheit in Aufbau, Wortwahl und der entworfenen Redesituation, nicht nur in potenzierter Form anonym und allgemein in der Erzähldarstellung ist, sondern daß dieser Text — anders als das oben angemerkte rabbinische Gleichnis — zu seinem Sujet, zum Thema und ›Bildprojekt‹ eben ein Gleichnis in litteris gewählt hat; daß er es in seiner Buchstaben-, Rede- und Hinweisfolge, in der sprachlichen Darstellung selbst vor-stellt und als Hör- und Verstehensweise umschreibt. Diese Besonderheit wird mit dem Blick auf das Rabbinen-Gleichnis vom Gleichnis nochmals präzise wahrnehmbar: dieses verdeutlicht Wert und Wirkung von Gleichnissen mit dem Bild vom Lampendocht, der helfen könne, eine kostbare Perle zu finden; hier können und sollen Gleichnisse als Mittel und Weg verstanden werden, um »zum Verständnis der Worte der Tora zu gelangen«[63]. Der Kafka-Text erlegt auf, das Gleichnishafte selbst und nicht dessen Mittelbarkeit für etwas außerhalb seiner Liegendes zu verstehen. Damit verlangt der Text als Gleichnis von Gleichnissen eine Art des Verstehens, die sich als ein actus realisationis des intendierten, im Wortlaut des Erzählten enthaltenen, aber auch der wörtlichen ›Aussage‹ *vor*enthaltenen Sinnes erweisen kann. Das ist ein Sinn, der nicht auf ›irgendein Jenseitiges‹, auf nichts außerhalb des vorliegenden literarischen, intentionalen ›Gegenstandes‹ auszugreifen braucht, aber in litteris auf den actus intellectualis realisationis angewiesen ist.

Es kommt nicht wenig darauf an, daß das Wort ›Realisation‹ sensu stricto genommen wird; erst dann tritt die volle Bedeutung des Textes, der ein Grundmuster sprachlich-literarischer, geistiger Erfahrung in sich trägt, zu Tage. Dies Problem gilt es nochmals zu unterstreichen.

Was der Gleichnisrede in der bekanntesten ihrer Ausformungen als sprachliche Mitteilung im Bereich der religiösen oder sittlichen Unterweisung zugehört und sie in vollem Verstande charakterisiert: daß die in ein bildlich-

---

verschiedenem Aspekt — betont worden. Allemann (a. a. O., S. 106): »Die Worte der Weisen tragen, weil sie gleichnishaft sind, utopischen Charakter.« — Auch Arntzen hat »seinen Standpunkt dahingehend« präzisiert, die »Utopie« sei »hier als der Fluchtpunkt der Perspektive ... zu verstehen« (a. a. O., S. 113).

Da Philippi für den »Gehalt des biblischen Redens in Parabeln« betont, er liege in der »Zukunft schaffenden Glaubensentscheidung«, gilt ihm gerade dies als ein Kriterium dafür, daß Kafka diese Möglichkeit der Parabel nicht gefaßt habe: dieser Gehalt sei bei Kafka »außer Kraft gesetzt«; *diese* Zukunft hat keinen Horizont« (a. a. O., S. 320).

[63] Vgl. Fußnote 32.

324

entsprechendes Wort oder eine anschaulich vorstellbare Erzählung gefaßte Mitteilung einen deiktischen und postulativen Sinn enthält und diesen dem Aufnehmenden zur Verwirklichung, zur Umsetzung in das eigene Tun, die eigene Existenzweise anheimstellt, — als ein ›eigentliches‹ Sinnbegreifen auferlegt, — das ist ein signifikanter Zug auch des Kafka-Textes.

Seine Besonderheit erscheint darin, daß die Realisation dessen, wovon der Text in der von ihm dargestellten Unterredung — unter doppeltem Aspekt — spricht: die Verstehbarkeit von Gleichnissen, nicht als ›Thema‹, ›Sujet‹ oder nur beredetes und nur reflektierbares Problem stehenbleiben muß, sondern in statu legendi ein-treten, im Akt des Verstehens vollzogen werden kann. Die Bedingung einer solchen Verwirklichung des Gemeinten ist geboten mit eben dem Umstand, daß dieser Gleichnistext nicht mit Bildworten wie Acker und Weizen, Fischnetz oder Lampendocht auf ein sittliches Verhalten hinweist und zu dessen Verwirklichung in der ferneren Lebenshaltung oder Tätigkeit auffordert, sondern von Verstehensmöglichkeiten der Gleichnissprache, des Gleichnisses selbst handelt, — von Möglichkeiten genau der Art, die schon dieser Gleichnistext für sich herauszufordern imstande ist: von einem Sprachverstehen, vom ›literarischen‹ Verstehen, das in dem gegenwärtigen Leseaugenblick in einen ›actus‹, in einen status realisationis *übergehen* kann; es wäre der die ›Sachhälfte‹, der die in den Strukturzusammenhang als ein Relationsgefüge eingelassene Intentionalität, der den Gleichnis*sinn* aufnehmende und eben die vorliegende Gleichnisrede realisierende Vorgang.

Es bedarf nur einer kurzen Erwähnung, daß der Text keinerlei Zwang zu einem solchen Verstehensprozeß ausübt; der Text bleibt offen und läßt frei auch zu der Art von Verstehen, das aus der Wortlaut- und Satzfolge nur die Teile aufnimmt, die als plausibel, denotativ und als direkte Mitteilungsform akzeptabel erscheinen. Daß diese ›Teile‹ mit dem Gesamttext einer Befragung oder Konfrontierung unterworfen werden, die dem Wortlautverständnis als Ärgernis oder ›Dunkelrede‹ erscheinen, wäre kaum zu leugnen; es entsteht ein Gegensatz, der sich der strukturellen, auch das Intentionale umgreifenden Einheit des Textes nicht einfügt[64].

---

[64] Unter dem Gesichtspunkt, daß »Gleichnisse als Sprachgeschehen« zu verstehen seien — als ein »Ereignis, das die Situation entscheidend verändert«, hat Linnemann für die biblischen Gleichnisse betont, sie seien »auch dann von Bedeutung, wenn das Einverständnis nicht zustande kommt«, es bleibe nicht »alles beim Alten«. »Dadurch, daß [dem Angeredeten] eine echte Möglichkeit eröffnet wurde, seine bisherige Einstellung aufzugeben, hat diese ihre Selbstverständlichkeit verloren.« »Das Beharren ... wird zum ausdrücklichen Gegensatz.« (a. a. O., S. 38)

Die Offenheit des Textes auch für diese Art der Rezeption läßt die oben erläuterte Besonderheit des Verstehensprozesses, der in actu et in litteris eine Realisation des Intentionalen, des Gleichnissinnes vollzieht, umso deutlicher auch als einen spontanen Vorgang literarisch-geistiger Erfahrung vor Augen treten.

Es gibt Gelegenheit, diese mit dem Textauslegungsversuch verbundene These von der Erfahrungsqualität des aktualen Verstehensprozesses nochmals zu überprüfen und zum Schluß erneut zu explizieren.

Ansätze zu einer ähnlichen Fragestellung sind auch in der Interpretation von Philippi zu erkennen. — Es bleibt zunächst im Bereich der im Text dargestellten Unterredung, wenn Philippi davon spricht, daß für die ›Vielen‹ mit der »Spannung des Paradoxes« eine »mögliche . . . Entscheidung« existiere[65]; »zu wagen, was indirekt gefordert ist, und so den Unterschied im konkreten Tun aufzuheben, wäre die Realisierung« des Wortes der Weisen[66]. Philippi spricht aber mit Deutlichkeit von einem »Problem auch für den Interpreten«; er könne das Paradox, das das Gleichnis Kafkas »ausdrücklich« thematisiere, zu lösen versuchen[66]. Für die Aufhebung des Gegensatzes sei »in der Gegenwart aber *keine* Basis — anders als beim Hörer Jesu« — gegeben[67]. Wenn Philippi betont, es sei »begreifbar am Ganzen dieser Geschichte . . ., daß man sie nicht mehr im Sinne eines übergreifenden, die Gegensätze aufhebenden Verständnisses interpretieren kann«[68], so ist das für ihn darin begründet, daß bei Kafka ein »Verzicht auf eine bestimmbare Sachhälfte«[68] zu beobachten wäre: »das Angebot der Weisen ist inhaltslos«[69], — »die Verheißung leer«[70]. Die Gegensätze würden aber auflösbar — »stellt man sich auch als Interpret — wie immer — auf den Boden der Weisen, macht man die eigene Existenz zum Gleichnis« — in einem »Entschluß zur Praxis«: dem werde hier jedoch »kein theoretischer Boden bereitet«[71].

Wenn es an einer Stelle so scheint, als nähere sich Philippi einer anderen Deutung mit dem Hinweis: »im Vollzug der Reflexion realisiert diese Sachhälfte sich«, so meint er doch damit nur wieder eine ›leere Reflexion‹; er meint »die Position dessen, dem nur die Reflexion über, aber nicht der ›transzen-

---

[65] Philippi, a. a. O., S. 317.
[66] Ebd., S. 319.
[67] Ebd., S. 320.
[68] Ebd., S. 321.
[69] Ebd., S. 320.
[70] Ebd., S. 317.
[71] Ebd., S. 321.

dierende‹ Sprung in das Gleichnis als Möglichkeit gegeben ist«[72]. Der Grund
für diese Umkehr auf halbem Deutungswege liegt, wie mir scheint, darin, daß
Philippi — entgegen seinen allgemeinen Ausführungen zur Parabel[73] — eine
religiös-inhaltliche Aufforderung und Transzendenzvorstellung nach den
Auslegungen neutestamentlicher Gleichnisse vor Augen hat, — Vorstellungen,
denen gegenüber Kafkas Text den Ort und die Aussage des Glaubensverlusts[74]
anzuzeigen vermöchte.

Die Auslegung, die ich zu geben versuche, sieht dagegen auch und *schon*
im Sprachverstehen einen Vollzugs- und Realisationszusammenhang. Für die
Eigenart solchen Verstehens wäre wohl zu betonen, daß es — der zusätzlichen,
moralischen oder religiösen Inhalte entbehrend — keinen Mangel an geistiger

---

[72] Ebd., S. 321.

[73] »Die Gleichnisse ... liefern aber das Ergebnis nicht expressis verbis mit« (ebd., S. 308).
»Die Form realisiert sich erst im Hörer (oder Leser). ... Erst wenn sie verstanden worden
ist, ist sie ganz erfüllt.« (ebd., S. 310) — Die Parabel brauche »Offenheit für die Freiheit des
Verstehens ...« (ebd., S. 310) u. a.

[74] Ebd., S. 320. Philippi weist — anläßlich seiner Deutung, Kafkas Parabel sei Mittel
nur der Reflexion (ein »Mittel, den Charakter der Parabel selbst herauszustellen«, S. 321) —
auf ein solches geschichtliches Problem auch mit den Worten hin: »hier könnte man fast an
Kontrafaktur und Zurücknahme der christlichen Parabel denken, ihrer theologischen
Erfülltheit« (S. 321).
Aber gerade dem Begriff der »theologischen Erfülltheit« der biblischen Gleichnisse
gegenüber ließe sich an die Erörterungen von Linnemann erinnern: L. weist auf den Unterschied hin, den die Gleichnisse »als geschriebener Bibeltext« (S. 49) schon »im Zusammenhang der Evangelien« (S. 53) und das heißt als »Auslegungen dieser Texte durch die kirchliche
Überlieferung« (S. 53), »in der Urkirche« (S. 52) und mit »einem theologischen Motiv«
(S. 51) besitzen. »Das Ärgernis, das Skandalon, das die Gleichnisse Jesu für seine ersten
Hörer bedeuteten, geht verloren« (S. 50); sie werden zur »Offenbarungsrede des Christus
über Gott und sein Reich«, dienen »zu einer Belehrung oder Ermahnung, die schon auf
diesem grundsätzlichen Einverständnis beruht« (S. 50). »Indem an die Stelle des tiefgreifenden
Gegensatzes, über den hinweg das Gleichnis ursprünglich zum Einverständnis führen sollte,
das grundsätzliche Einverständnis gesetzt wurde, änderten die Gleichnisse ihre Struktur.«
(S. 50/51)
Wenn es denn — in theologicis — gelten möchte, daß aufgrund dieser Zusammenhänge
»kritisch hinter die Evangelien zurück[zu]gehen« (ebd., S. 53) nötig ist, um in die ursprüngliche Gleichnisrede-Situation zurückzudenken, so wird die These Philippis von der »Zurücknahme« der »theologischen Erfülltheit« von Parabeln (oder Gleichnissen) bei Kafka höchst
problematisch.
Ohne spezielle theologische Problematik ließe sich sogar die These vertreten, daß Kafkas
Gleichnis ›Von den Gleichnissen‹ — trotz und in all seiner subtilen geistigen Problematik —
etwas von der Ursprünglichkeit, ja ein Grundmodell des Sprechens durch Gleichnisse zurückgewonnen, wieder freigelegt hat.

oder auch existentieller Bedeutung leiden muß (wäre doch die Möglichkeit der Kommunikation in Sprache keine der geringsten von solchen Bedeutungen) und daß es auch die im Text dargestellten und mit dem Text sich auftuenden Gegensätze nicht in harmloser Vereinfachung überspringt.

Die Verstehensart, die dem Gleichnis*sinn* dieses Textes zu folgen, ihn zu realisieren sich anschickt, wird eines Problems inne, das ein Grundmuster geistiger Erfahrung birgt und im Modell sprachlich-literarischen Verstehens anzeigt. Daß dies in Kafkas Text erkennbare Grundmuster der Erfahrung von Sprachverstehen möglicherweise auch andersartige Vorstellungen und Inhaltsbilder für das ›transcende‹ zuläßt, — für sie offen ist, soll nicht geleugnet sein.

Das Ungewöhnliche aber, die außerordentliche Grundsignatur und künstlerisch-sprachliche Kraft des Textes ›Von den Gleichnissen‹ erscheint nicht zuletzt darin, daß er in den Zeichen der Sprache auf eine ›nicht-aussagende‹, nicht allein denotative Weise eine Erfahrung und ein Verstehen von SprachSinn anberaumt, — eine Verstehenserfahrung, die die Fragwürdigkeit, den Spannungsraum und die Erkenntnis von der ›Aussageverweigerung‹ in der Dimension expliziter Sprache durchschreiten muß.

Es wird ein Verstehen von Sprachmitteilung anberaumt, das die Spannung zwischen Wortlaut und Gemeintem, zwischen Zeichen und Bezeichnetem, Redenden und Hörenden, aber auch zwischen litterae und realitas wahrnimmt und als eben ein Problem, eine Aufgabe des Sinnbegreifens auf sich nimmt.

So scheint es begreifbar und auf das genaueste begründet, daß Kafkas Text nur von einer Unterredung und der in ihr offenbleibenden Frage erzählt, daß er nur ein Gleichnis darstellt. Und wiederum kann es deswegen als aufs genaueste begründet erscheinen, daß in der künstlerischen Fügung und im poetischen Wortgebrauch des Textes ein Problem des Sprachverstehens auch damit zum Vorschein kommt, daß in der einen Redeweise der hier dargestellten Unterredung das ›Wortlautverstehen‹ vorherrscht und eine konventionalisierte und nur dem Schein nach wirklichkeitsorientierte Verwendung von Sprache bevorzugt ist, und daß davon eine andere Redeart sich unterscheidet mit einer ins Konkrete sich wendenden, eigen-sinnigen, komplexere Vorstellungen einbegreifenden Sprachweise. Es ist eben die Art von Differenz, sind die Arten des Sprachverstehens, von denen der Text mit seinem Thema, in seiner gleichnishaften ›Geschichte‹ im ganzen handelt.

Auf solche Weise gleichnishaft von Gleichnissen zu sprechen und den Möglichkeiten von Sprache und Verstehen Raum zu geben, — ihnen eine Realisation *in litteris* anheimzustellen, führt auch zu dem Bewußtsein hin, dem

Sprachverstehen möchte eine Wirklichkeitsbedeutung zukommen, — wenn es denn in actu, in statu realisationis sich zu vollziehen vermag.

Es ist vielleicht ein solches Bewußtsein, das Kafka zu schreiben veranlaßte: »es ist nicht mitteilbar, weil es nicht faßbar ist, und es drängt zur Mitteilung aus demselben Grunde.«[75]

---

[75] Franz Kafka, Hochzeitsvorbereitungen auf dem Lande und andere Prosa aus dem Nachlaß, Frankfurt/Main 1966, S. 111/112, vgl. Fußnote 41.

MAX BENSE

WAS ERZÄHLT GERTRUDE STEIN?

Literarischer Raum

Auch der literarische Raum wird durch Freiheitsgrade bestimmt, durch die Freiheiten, die man sich beim Schreiben herausnimmt und natürlich auch durch die Freiheiten, die der Leser, das Publikum vom Schreibenden erwartet.

Beschränken wir uns bei der Betrachtung dieser literarischen Freiheitsgrade auf die der Schriftsteller und ihrer Prosa und ziehen als eigentliches Objekt den *Text* in Betracht, dann läßt sich leicht zwischen der syntaktischen, der semantischen und der ontologischen Dimension dieser literarischen Freiheit unterscheiden.

Die *syntaktische* Freiheit bezieht sich auf den Text als eine gegliederte Menge von Elementen; ihr Feld ist die lineare oder flächige Anordnung der Wörter, der Phrasen, der Sätze und Absätze, sofern sie als pures Material linguistischer Bewegungen aufgefaßt werden; ihre Prozesse sind demnach grammatischer, logischer, statistischer und algebraischer Natur.

Die *semantische* Freiheit hingegen betrifft die Auswahl der Wörter hinsichtlich ihrer Rolle als Bezeichnungen und Bedeutungen; hinsichtlich ihrer Rolle als Beschreibung, Behauptung oder Verneinung von Sachverhalten, die in Sätzen wiedergegeben und beurteilt werden sollen; sie betrifft, kurz gesagt, den inhaltlichen Aspekt des Textes.

Die *ontologische* Freiheit endlich reflektiert auf das Auftreten, Einbeziehen oder Wirksamwerden der Seinsthematiken, Seinsmodalitäten und Seinsschichten im Text; sie manipuliert zwischen Wirklichkeitsbezügen und Möglichkeitsbezügen, zwischen Außenwelthorizonten und Innenwelthorizonten, zwischen Fakten und Fiktionen, zwischen subjektiver und objektiver, zwischen abstrakter und konkreter, zwischen platonischer und nominalistischer Darstellung der Welt in der Sprache.

Freiheiten und damit Erneuerungen und Erweiterungen des ursprünglichen Horizontes der Texte sind in jeder Hinsicht möglich, und mit den Freiheiten auf der syntaktischen, semantischen oder ontologischen Ebene kommt es zu

330

jenen ästhetischen Innovationen und Kreationen im Text und seiner Sprache, die zum Sinn und zum Reiz der Literatur gehören[1].

Der literarische Raum moderner Prosa

Der literarische Raum nun, in dem moderne Prosa, Texte, zu ihrer Gestalt und Wirkung gelangen, wird im wesentlichen durch die Freiheiten im Schreiben bestimmt, die wir Autoren wie James Joyce, Franz Kafka und Getrude Stein verdanken. Sie sind sicherlich nicht die einzigen, denen diese Freiheiten wichtig waren, aber ihr Werk hat wohl am sichtbarlichsten zu ihrem Gewinn beigetragen.

James Joyce hat eine bemerkenswerte Erweiterung des ontologischen Horizontes der Prosa erreicht, indem er den Zustand des Bewußtseins seiner Figuren, ihren Bewußtseinsstrom, seine Kontinuität, seine Intermittienz, seinen assoziativen Automatismus in die Darstellung einbezog und als Quelle der sprachlichen Aktion beanspruchte.

Bloom ging unbeachtet an seinem Hain entlang, vorbei an traurigen Engeln, Kreuzen, zerbrochenen Säulen, Familiengewölben, steineren Hoffnungen, die mit aufwärtsgerichteten Augen beteten, alt Irlands Herzen und Hände. Sollte mit dem Geld lieber irgendwie den Lebendigen helfen. Betet für die Ruhe der Seele des. Tut das wirklich jemand? Rin mit ihm ins Loch, und dann ist es aus. Wie in ein Kellerloch. Schmeißen sie dann zusammen, wollen Zeit sparen. Allerseelen. Am 27. werde ich an seinem Grabe stehen. Zehn Schilling für den Gärtner. Hält es frei von Unkraut. Auch schon ein alter Mann.[2]

Franz Kafka hingegen erweiterte den semantischen Horizont der Texte, indem er in geringerem Maße als üblich von der Bezeichnungsfunktion der Wörter und Ausdrücke ausging, sondern schreibend ihre Bedeutungsfunktion verstärkte, also ihre Abhängigkeit vom Kontext ausnützte. Seine Texte sind vor allem Kontexte. Nicht das Wort, sondern der Satz macht den Text. Er schreibt vom Satz, nicht vom Wort her, und die Sätze können gleichermaßen den Sinn von Urteilen und von mächtigen Metaphern annehmen. Seine Prosa läßt offenbar werden, was es heißt, wie Sartre später formulierte, daß die Prosa das Reich der Bedeutungen sei.

Wenn man doch ein Indianer wäre, gleich bereit, und auf dem rennenden Pferde, schief in der Luft, immer wieder kurz erzitterte über dem zitternden Boden, bis man die Sporen ließ, denn es gab keine Sporen, bis man die Zügel wegwarf, denn es gab keine Zügel, und kaum das Land vor sich als glattgemähte Heide sah, schon ohne Pferdehals und Pferdekopf.[3]

---

[1] M. Bense, Theorie der Texte, Köln 1962.
[2] J. Joyce, Ulysses, dtsch. Übers. G. Goyert, 2 Bd. 1927.
[3] F. Kafka, Erzählungen und Kleine Prosa, Berlin 1935.

Gertrude Stein schließlich, auf die wir uns nun endlich konzentrieren können, nützt dort, wo sie original, wo sie typisch schreibt, vor allem die syntaktischen, die strukturellen Möglichkeiten, die syntaktischen Bindewörter in den Sätzen und zwischen ihnen als stilbildendes Mittel aus. Sie entdeckte und erprobte vielleicht als erste die ästhetischen Möglichkeiten der Sprache auf deren syntaktischer Ebene.

Wie und wie vielleicht und vielleicht vielleicht und vielleicht wie und wie.[4]

Man versteht die moderne Prosa nicht, wenn man sie nicht in diesem Raum ontologischer, semantischer und syntaktischer Erneuerungen sieht, die durch James Joyce, Franz Kafka und Gertrude Stein wirksam geworden sind, und man versteht auch Gertrude Steins merkwürdige Texte nicht, wenn man sie außerhalb dieses literarischen Zusammenhangs verstehen will.

Ausgangspunkte

Man wird mindestens drei Einflußnahmen hervorheben müssen, um die Anfänge, die Ausgangspunkte der Literatur Gertrude Steins bezeichnen zu können[5].

Zunächst gibt es so etwas wie eine wissenschaftliche Wurzel ihrer Schriftstellerei. Von 1893 bis 1900 studierte Gertrude Stein am Radcliffe-College in Baltimore und später auch an der Johns Hopkins Medical School. Unter dem intensiven Einfluß von William James, dem Philosophen und Psychologen, beschäftigte sie sich auch mit psychologischen Experimenten, die vor allem Probleme der Automatismen des Bewußtseins betrafen und etwa die »Erinnerung«, das »wache Bewußtsein« und die »Sättigung der Farben« zum Gegenstand hatten. Diese Forschungen führten Gertrude Stein und ihren damaligen Freund und Mitarbeiter schließlich auf das Phänomen der spontanen Schreibbewegungen, die während des Lesens einer Geschichte sich vollziehen konnten. Solche experimentell erzeugten spontanen Schreibbewegungen führten zu Texten, die aus Wörtern, Wortteilen und Satzresten oder Sätzen bestanden, die während des Lesens aus der Geschichte spontan in den Text, den man während des Lesens schrieb, eindrangen. Dieses ursprüngliche, wissenschaftliche und experimentelle Interesse an spontanen Schreibbewe-

---

[4] G. Stein, Lipschitz, in: Portraits and Prayers, dtsch. in: Was ist englische Literatur?, Zürich (Verlag Arche) 1965, S. 143.

[5] J. M. Brinnin, The Third Rose, Boston 1959, dtsch. Die Dritte Rose, Stuttgart (Goverts).

gungen und automatistisch wie von selbst entstandenen Texten hängt ohne Zweifel zusammen mit der bewußten Schreibtechnik der wie stotternd sich vollziehenden Wortrepetition, die später literarisches Stilprinzip wurde.

> Wenn Napoleon, wenn ich es ihm sagte, wenn ich es ihm sagte, wenn Napoleon. Hätte er es gern, wenn ich es ihm sagte, wenn ich es ihm sagte, wenn Napoleon. Hätte er es gern, wenn Napoleon, wenn Napoleon, wenn ich es ihm sagte. Wenn ich es ihm sagte, wenn Napoleon, wenn Napoleon, wenn ich es ihm sagte. Wenn ich es ihm sagte, hätte er es gern, hätte er es gern, wenn ich es ihm sagte.[6]

Die zweite Einflußnahme, auf die hinzuweisen wäre, hängt mit den langen Pariser Aufenthalten Gertrude Steins zusammen. Im Jahre 1903 übersiedelte sie für fast dreißig Jahre nach Paris. Ihre Wohnung in der Rue de Fleurus wurde zu einem Mittelpunkt geistiger und künstlerischer Gesellenlebens, zumal Gertrude Stein und ihr Bruder Leo es liebten, als Mäzene der neuen Malerei aufzutreten. Es war die bewegende Zeit des werdenden Kubismus, dessen ästhetische Theorie später Kahnweiler in seinem schönen Buch über »Juan Gris« darstellen sollte. Picasso, Braque, Juan Gris, überhaupt die Künstler des Bateau Lavoir, aber auch Schriftsteller wie Apollinaire, Max Jacob und Pierre Reverdy gehörten bald zum Kreis in der Rue de Fleurus 27. Aber auch James Joyce, Cummings, Hemingway und Thornton Wilder stießen dazu. Nun gehört es zur ästhetischen Theorie des Kubismus, daß als Ziel der Malerei »Bilder«, nicht »Abbilder« zu gelten hatten. Bilder als autonome koexistende Kompositionen aus Farben und Formen, hinter denen die Darstellung, die Abbildung eines Weltobjektes zurücktrat. Gertrude Stein, die Kahnweiler mit Recht zu den kubistischen Schriftstellern rechnet, hatte sehr bald die Absicht, das kubistische Schema der Konstruktion eines Bildes als koexistente Komposition aus dem Visuellen in das Verbale zu übertragen und so begann sie, den Text als autonome konsekutive Wortkomposition aufzufassen, hinter dessen sprachlicher Materialität die beschriebene Wirklichkeit oder Unwirklichkeit unwesentlich wurde. So schuf sie also ihr berühmtes »Porträt Picassos« als materiale Wortkomposition, wie die kubistischen Maler ihre Porträts als Kompositionen aus visuellen Elementen konstruierten. Das »Porträt Picassos« war nicht als verbale Beschreibung Picassos gedacht, es war als verbales Analogon zur visuellen Struktur kubistischer Bilder gedacht. Das wissenschaftlich gewonnene Prinzip der motorischen, automatistischen Sprachbewegung verfeinerte sich unter dem Einfluß der kubistischen Ästhetik zu

---

[6] G. Stein, Wenn ich es ihm sagte. Ein vollendetes Porträt von Picasso, in: Portraits and Prayers, 1943, dtsch. M.-A. Stiebel in: Was ist englische Literatur?

einer strukturellen, musikalischen, rhythmischen, fugenartigen Schreibweise, für die eben das »Porträt Picassos« beispielhaft ist.

> Wenn ich es ihm sagte, hätte er es gern. Hätte er es gern, wenn ich es ihm sagte. Hätte er es gern, hätte Napoleon, hätte Napoleon, hätte, hätte er es gern.
> Wenn Napoleon, wenn ich es ihm sagte, wenn ich es ihm sagte, wenn Napoleon. Hätte er es gern, wenn ich es ihm sagte, wenn ich es ihm sagte, wenn Napoleon. Hätte er es gern, wenn Napoleon, wenn Napoleon, wenn ich es ihm sagte.
> Wenn ich es ihm sagte, wenn Napoleon, wenn Napoleon, wenn ich es ihm sagte. Wenn ich es ihm sagte, hätte er es gern, hätte er es gern, wenn ich es ihm sagte.
> Schlösser schließen und öffnen sich wie Königinnen es tun. Schlösser schließen und Schlösser und so schließen Schlösser und Schlösser und so und so Schlösser, und so schließen Schlösser und so schließen Schlösser und Schlösser und so. Und so schließen Schlösser und so und also. Und also und so und so und also. Lassen Sie mich erzählen, was Geschichte lehrt, Geschichte lehrt.[7]

Zweifellos empfand Gertrude Stein, daß dieser Text einer ihrer wichtigsten ist. Immer wieder hat sie ihn vorgetragen, so daß er, auf einer Sprechplatte fixiert, noch in ihrer Stimme erhalten ist. Sie hat ihn in einer vollendeten Weise vorgetragen, derart, daß wie sein kubistischer Konstruktivismus auch die automatistische Sprachbewegung, das rhythmisierende Fugenprinzip und die psalmodierende Akzentuierung alter syllabischer Sprechgesänge zum Ausdruck gelangt und die Aufeinanderfolge der Wörter und Wortstrukturen ebenso rhapsodisch wie narrativ nur der Selbstdarstellung sprachlicher Materialien gewidmet scheint.

Doch gibt es, wie ich bereits erwähnte, noch einen dritten Ausgangspunkt der Literatur Gertrude Steins. Auch er hängt mit ihrer Liebe zu Frankreich und mit der Tatsache zusammen, daß sie trotz ihrer wissenschaftlichen Ambitionen vor allem eine künstlerische Natur war. Im Jahre 1909 publizierte Gertrude Stein ihr erstes Buch »Three Lives«. Es handelt sich um drei Geschichten »Die gute Anna«, »Melanctha« und »Die sanfte Lena«. Beide, Gertrude Stein und ihr Bruder Leo, waren begeisterte Leser Flauberts geworden und Gertrude Stein hatte sogar die »Trois Contes« des französischen Autors übersetzt. Es steht fest, daß Flauberts Buch Gertrude Stein zu ihrem Versuch, Erzählungen zu schreiben, angeregt hat. John Malcolm Brinnin bemerkt in seiner Biographie der amerikanischen Schriftstellerin, daß Flauberts Leidenschaft für sprachliche Genauigkeit, Harmonie der Komposition und analytische Denkweise während des Schreibens der Vorstellung Gertrude Steins von einem epischen Meisterwerk entsprachen.

---

[7] Ebd.

334

Auch der Sinn des französischen Autors für die vitale oder existentielle Totalität eines individuellen oder gesellschaftlichen Daseins erschien Gertrude Stein als unerläßliche Voraussetzung möglicher eigner epischer Konzeption. Wie ihre ersten Geschichten, die sie, wie gesagt, unter dem Titel »Drei Leben« schrieb und herausgab, ist dann ihr großer Roman »The Making of Americans«, der von 1905 bis 1908 geschrieben, aber erst 1925 veröffentlicht wurde, sicherlich ohne das Interesse und Wohlgefallen an Flaubert nicht denkbar[8].

Komposition als Erklärung

Umfang, Konzeption, Aufbau und Stellung des Romans »The Making of Americans« innerhalb des Gesamtwerkes von Gertrude Stein rechtfertigt eine ausführlichere Darlegung. Diese Darlegung kann mit einem Hinweis auf den im Jahre 1925 in England gehaltenen Vortrag »Composition as Explanation«, der 1926 publiziert wurde, beginnen. Denn dieser Vortrag, der zweifellos ein Prinzip der Ästhetik Gertrude Steins entwickelt, bezieht sich auch auf den im Jahr der Englandreise erschienenen Roman, davon abgesehen, daß dieser im Vortrag erwähnt wird.

Offenbar will Gertrude Stein in ihrem Vortrag die Komposition als narratives Prinzip verstehen. Das bedeutet für sie jedoch, daß die Komposition eines Inhaltes zugleich seine Erzählung ist oder, anders gesprochen, daß die Verwortung eines Inhaltes im stringenten Sinne eine Vergegenwärtigung ist und der Sinn des Erzählens in der Umwandlung einer zurücklaufenden Vergangenheit in die beständige Gegenwart besteht. Epische Komposition ist die Komposition von Vergangenem als Gegenwärtigem. William James' »stream of thought« verwandelt sich in ihren zentralen epischen Begriff »continuous present«; der psychologische Prozeß des Bewußtseinsstromes, der die Epik der Henry James, James Joyce und Proust kennzeichnet, schlägt um in den sprachlichen Prozeß der »stetigen Gegenwart«, deren Komposition für Gertrude Stein zur Aufgabe des Romans wird.

Jedenfalls ist »continuous present«, »stetige Gegenwart« einer der zentralen Begriffe in »Composition as Explanation«.

After that I did a book called The Making of Americans it is a long book about a thousand pages. Here again it was all so natural to me and more and more complicatedly a continuous

---

[8] G. Stein, The Making of Americans, Paris 1925, New York (Something Else Press) 1966.

present. A continuous present is a continuous present. I made almost a thousand pages of a continuous present.[9]

Wenn nun Gertrude Stein von der »stetigen Gegenwart« im Sinne der Komposition einer fortlaufenden, dauernden, beständigen Vergegenwärtigung durch Wörter spricht, dann ist es fast selbstverständlich, daß sie dabei auf die grammatische Form des »Making« anspielt, die bereits im Titel ihres Romans auftritt. Tatsächlich wird in der englischen Schulgrammatik diese Form als »expanding form« oder als Form der »progressive present tense« bezeichnet, worin »tense« so viel wie die »grammatische Zeit« meint. Es ist die grammatische Form des Verbs, in der sich das, was Gertrude Stein die »continuous present«, die »stetige Gegenwart« nennt, sprachlich ausdrückt, und jeder, der einmal in ihrem Roman geblättert hat oder überhaupt in ihren Text las, weiß, daß die amerikanische Autorin diese Form liebt und daß die oft erwähnte Girlandenstruktur ihrer Texte auch mit der Anhäufung dieser »expanding form« zusammenhängt.

Any one being one being in any family living is being one having been saying something. Any one being one being living is one having been saying something. Any one being in any family living is one having been saying something again. Any one being living is one having been something again. Any one being in any family living is one saying something again.[10]

In gewisser Hinsicht wird mit der strukturellen Einführung dieser Zustandsform der beständigen Gegenwart der Textfluß als Bildkonfiguration abgefangen; die von Lessing im »Laokoon« einstmals aufgerissenen Grenzen der Poesie gegen die Malerei, der Konsekution gegen die Koexistenz, des Textes gegen das Bild werden in einer bestimmten Grammatik der Vergegenwärtigung durch das Wort wieder verwischt, und das Kompositionsprinzip des »continuous present« versucht, den Wortfluß im Bildzustand erstarren zu lassen. Sicherlich ist auch darin eine Nachwirkung der kubistischen Kompositionstechnik im Bereich der Sprache, der Poesie und der Prosa, zu sehen. Donald Sutherland, ein Freund und ausgezeichneter Kenner der Literatur Gertrude Steins, schrieb 1951 eine »Biographie ihres Werks« und klassifizierte darin »The Making of Americans« unter dem Begriffspaar »Naturalism and the Continuous Present«. Er will damit zum Ausdruck bringen, daß in dem Roman die Vergegenwärtigung der Dinge durch ihre Verwortung auf linguistischen Strukturen basiert, in deren Gefüge, Raum und Zeit eine »Union« eingehen. Der Prozeß des Daseins wird als Zustand des Daseins dargestellt, und seit wir

---

[9] G. Stein, Composition as Explanation, in: What are Masterpieces, Los Angeles (Conference Press) 1944.

[10] G. Stein, The Making ...

wissen, daß alles Ästhetische vom Charakter des Zustandes ist, bedeutet der kompositorische oder strukturelle Naturalismus in »The Making of Americans« zugleich auch die Demonstration eines ästhetischen Zustandes.

Roman eines »Themas«, nicht eines »Helden«[11]

Es handelt sich um einen Roman, aber nicht eines Helden, sondern eines Themas, und das Thema umfaßt Werden und Sein amerikanischer Menschen und damit der Amerikaner schlechthin, also eine Art allgemeingültiger Geschichte ihrer fundamentalen menschlichen Typen.

> The old people in a new world, the new people made out of the old, that is the story that I mean to tell, for that is what really is and what I really know. (p. 3)

Es sind einzelne, ausgewählte amerikanische Menschen, die geschildert werden. Ihr Leben, sofern es als eine Totalität, nicht als Detail des Lebens überhaupt begriffen werden kann und ihr Dasein, sofern es als individuelles Wesen einen Charakter und als gesellschaftliches Wesen familiäre Beziehungen spiegelt.

> but only certain men and women and the children they had in them, to make many generations for them, will fill up this history for us of a family and its progress. (p. 4)

Damit verfolgt der Roman ein historisches Interesse. Es ist ein historischer Roman ohne historische Persönlichkeiten; ein historischer Roman trivialer Persönlichkeiten, daher ist das historische Interesse auch nur ein subjektives, kein objektives; die Geschichte wird erzählt, nicht festgestellt, narrative Historie, die Geschichte durch Geschichten erzählt, die nichthistorische Personen betreffen. Der Roman ist daher auf das letzte Kapitel hin angelegt und das ist mit dem kennzeichnenden Titel überschrieben: *History of a Family's Progress* (p. 905).

Doch die Geschichte der geschilderten Personen ist keine Geschichte von Ereignissen, sondern eine Geschichte von Charakteren. Charaktere werden erzählt, nicht Ereignisse. Daher werden hier Charaktere auch wieder nur in Beziehungen zu anderen Charakteren sichtbar. Familien und Generationen sind solche Netze von Relationen, in denen personale Charaktere wie menschliche Typen wahrgenommen werden können. Der Roman als Geschichte wird zur Geschichte generierter und familiärer Charaktere.

---

[11] Die im Folgenden auftretenden Seitenangaben beziehen sich auf die angegebene Ausgabe von »The Making of Americans«.

Situation und Charakter

Hegel hat in seiner »Ästhetik«[12] den Begriff der Situation eingeführt, um mit seiner Hilfe die Kollision als Voraussetzung der dramatischen Handlung und die Totalität als Bedingung der epischen Charaktere zu beschreiben. Vom Standpunkt Hegels aus gesehen, zeichnet sich die in »The Making of Americans« dargestellte Welt fast durch Situationslosigkeit aus, dafür aber treten die Menschen markant als epische Charaktere hervor. Es gehöre, bemerkt Hegel über Hauptgestalten im Epos, wesentlich zu ihnen, »daß sie in sich selbst eine Totalität von Zügen, ganze Menschen sind, und deshalb an ihnen alle Seiten des Gemütes überhaupt und näher der nationalen Gesinnung und Art des Handelns entwickelt zeigen«. Eine solche epische Konzeption ihrer Hauptgestalten, Mr. Hissen, David Hersland, Martha Hersland, Henri Dehning, Julia Dehning, und der mit ihnen verbundenen Familien war genau das Thema des Romans Gertrude Steins. Es ging ihr um die epische Konzeption einer Handvoll Menschen in vier Familien als amerikanische Charaktere im Sinne von Gründern einer neuen Welt. »The Making of Americans« läßt erkennen, wie nahe ein Roman einem Epos stehen kann, wenn auch der von Hegel dem Epos abverlangte »Weltzustand«, gewissermaßen aufgesaugt von den personalen Charakteren, hinter den Figuren und ihren Familien zurücktritt. Es ist eine gekappte Form des Epos, die hier den Roman konstituiert, würde wohl Hegel dazu bemerken. Sofern jedoch die Charaktere, indem sie Kollisionen ermöglichen, stets die Quellen dramatischer Situationen sind und Gertrude Steins Roman zwar gänzlich auf Charaktere, aber nicht auf deren Kollision gerichtet ist, die Ereignisse also zugunsten der Figuren ausspart, gerät der Roman in eine merkwürdige Zwischenstellung, in das epische Kontinuum, das den klassischen Roman vom klassischen Drama trennt. Die berühmte Bemerkung Hegels, »der Roman im modernen Sinne« setze »eine bereits zur Prosa geordnete Wirklichkeit voraus«, wäre im Hinblick auf »The Making of Americans« dahingehend zu ergänzen, daß in diesem Roman die geordnete Wirklichkeit eine geordnete Totalität der Charaktere ist.

»Every one is doing very well being living« (p. 914), sagte Gertrude Stein von ihren Charakteren. Hegel, beinah die strukturelle Sprache der Amerikanerin vorwegnehmend, definiert die »großen Charaktere« durch den Satz: »Sie sind das, was sie sind, und ewig dies ...«

---

[12] G. W. F. Hegel, Vorlesungen über die Ästhetik, Frankfurt (Ed. Europ. Verlagsanstalt) 1956, S. 178, 196 ff.

Jeder Charakter, den Gertrude Stein in dieser Weise in ihrem Roman hervorhebt, kann nur als existierendes Selbst verstanden werden. Ihr Selbst ist die epische Situation, um die es der Autorin geht, und dieses Selbst ist eine relationale Bestimmung, es existiert im Verhältnis zu anderen und dieses Netz von Relationen ist der epische Weltzustand, nicht Landschaft, nicht Stadt, nicht Handlung; die Generationen sind die zeitliche, die Familien die räumliche relationale Umwelt. Im ganzen eine Seinsthematik der Subjektivitäten in Raum und Zeit, in der gewissermaßen nur Kollisionen mit dem Dasein als solchem, ontologische Kollisionen, Geburt und Tod, ausgetragen werden. Vielleicht sollte man von einer gewissen Vorläuferschaft zur Existenzialontologie sprechen, in der es für jedes Selbst das Sein zum Anfang und das Sein zum Ende gibt, also den vollständigen Horizont der Zeitlichkeit.

> Any one coming to be an old enough one comes then to be a dead one. Every one coming to be an old enough one comes then to be a dead one. Certainly old ones come to be dead ones. Certainly any one not coming to be a dead one before coming to be an old enough one comes to be an old enough one to come to be a dead one. Old ones come to be dead. (p. 923f.)

Die strukturelle Sprache bezeichnet dieses Existieren fast als Schema. Der Schematismus des Daseins im vollständigen Horizont der Zeitlichkeit zwingt zur strukturellen Sprache, zur ornamentalen Schreibweise, zu einem Rapport der satzerzeugenden Phrasen, zu Schlüsselworten, die wie »beginning«, »feeling«, »being«, »happening«, »living«, »dead«, »existing«, »again« ganze Abschnitte, ganze Teiltexte des Romans bestimmen. Es ist sicher nicht falsch, den Roman, vom Standpunkt seiner generalisierenden und strukturellen Ausdrucksweise her, als einen abstrakten Roman zu bezeichnen.

Wirklichkeit des Modells

Es gibt in diesem Roman eine Reihe von formalen Merkmalen, die den Eindruck, daß hier ein erster abstrakter Roman geschrieben wurde, verstärken.

Im Grunde handelt es sich um einen Roman aus Teilromanen, nicht im Sinne von Rahmenerzählungen, sondern von Ausschnitten, so wie es Bilder gibt, aus denen man Teilbilder herausschneiden kann. Eine Geschichte aus Geschichten, wie ich schon sagte. Ein Text aus einzelnen Kontexten. Jede der vier großen Familien, die dargestellt werden, bildet eine Geschichte, eine Familiengeschichte, die als episch selbständig gedacht werden kann. Familiengeschichte als Typus amerikanischer Familien und diese wieder aufgebaut über

339

der Geschichte eines typischen amerikanischen Charakters. Das Ganze, ich meine den gesamten Roman als Ensemble der Teilromane, ist gedacht als Gründungsgeschichte einer amerikanischen Zivilisation. Der Horizont der raumzeitlichen Wirklichkeit ist gänzlich auf Menschen und ihre Beziehungen reduziert. Die Familie wird als Modell dieses Horizontes einer raum-zeitlichen Wirklichkeit menschlicher Beziehungen dargestellt. Selbst die Charaktere, aus denen jede dieser Familien aufgebaut wird, sind weniger konkrete Charaktere als vielmehr abstrakte Personalitäten, die dem Schema eines amerikanischen Daseinsstils unterliegen, und dieser Daseinsstil, der so wenig Ambivalenz, aber viel Entschiedenheit aufweist, hinterläßt im Leser den Eindruck, als würde er als ein geschichtlich wirksames strategisches Spiel aufgebaut. Epik, Narration als ausgedrückte Strategie eines Spiels der Familien in den Generationen. Der Text dient der Entwirrung der labyrinthischen Verflechtung der Charaktere zu Familien und der Familien zur Gesellschaft der Amerikaner. In diesem Sinne ist der Text auch Plan der Untersuchung eines aus möglichen Familien konstituierten realen Volkes; zugleich gewinnt er damit die Dimension eines individuellen und gesellschaftlichen Index der Bewußtseinslage, einer Bewußtseinslage, die methodisch an der vitalen und intelligiblen Generierung eines bestimmten menschlichen Daseins interessiert ist.

And these four women and the husbands they had with them and the children born and unborn in them will make up the history for us for a family and its progress.

Other kinds of men and women and the children they had with them, came at different times to know them; some, poor things, who never found how they could make a living, some who dreamed while others fought a way to help them, some whose children went to pieces with them, some who thought and thought and then their children rose to greatness through them, and some of all these kinds of men and women and the children they had in them will help to make the history for us of this family and its progress ... Our mothers, fathers, grandmothers and grandfathers; in the histories, and the stories, all the others, they all are always little babies grown old men and women or as children for us. No, old generations and past ages never have grown young men and women in them. So long ago they were, why they must be old grown men and women or as babies or as children. No, them we never can feel as young grown men and women. Such only are ourselves and our friends with whom we have been living. (p. 5 f.)

Syntaktische Narration

Vor allem im letzten Teil des Romans, der den Titel »History of a family's progress« trägt, fällt das Verschwinden konkret benannter oder beschriebener Figuren auf. Es ist nicht mehr von Mrs. Hersland, von Julia Dehning, von

Martha, Frank oder Helen die Rede, sondern, wenn von Personen gesprochen wird, und es wird ja beständig von ihnen gesprochen, werden sie durch unbestimmte Pronomen wie »any one«, »many«, »very many«, »not every«, »some one«, »each one«, »all«, »ones« und dergleichen eingeführt. Logisch gesehen fungieren diese grammatischen Ausdrücke wie die sogenannten Quantoren »alle«, »einige« oder »nur ein«, die den Umfang der Menge von Substantiven bzw. grammatischen Subjekten bestimmen, auf die eine prädikative Aussage zutrifft oder nicht zutrifft.

Some are doing something.
Any one is doing something. (p. 918)
Not every one has come to be a dead one. (p. 907)
Every one being living is not understanding everything. (p 916)

Mit solchen quantifikatorisch den Umfang des Zutreffens oder Nichtzutreffens eines Prädikats bestimmenden Sätzen wird die Familienwelt nicht inhaltlich, personell auf der Ebene der vitalen Gesellschaft dargestellt, sondern auf der seinsthematischen, ontologischen Ebene. Es geht gewissermaßen jetzt nicht mehr darum zu sagen, wer so ist, sondern einfach, daß etwas ist, das so ist oder nicht so ist. Quine, der amerikanische Logiker, hat, einmal nach einem Kriterium für Existenz gefragt, geantwortet, »Sein« sei nichts anderes als der Wert einer Variablen zu sein, »to be is to be the value of a variable«. Mir scheint, daß Gertrude Stein im Schlußkapitel ihres Romans diese seinsthematische Ebene ihres epischen Themas erreicht hat.

Diese Entwicklung des Inhalts des Romans von einer epischen Thematik (amerikanische Charaktere in amerikanischen Familien) zur ontologischen Thematik zeichnet das Werk aus. Das letzte Kapitel stellt sozusagen die seinsthematische Quintessenz des Romans dar, eine Art narrativ erzeugter Konklusion, die das Spezielle im Allgemeinen, das Epische im Ontologischen abfängt.

Diese Prosa — des letzten Kapitels des Romans —, die wesentlich aus Existenzsätzen besteht, aus Sätzen, die lediglich die Existenz oder Nichtexistenz gewisser Handlungen gewisser Personen behaupten, kann als generalisierende Prosa bezeichnet werden. Da diese Prosa gleichwohl berichtenden, erzählenden Charakter besitzt, wäre auch von generalisierender Epik zu sprechen. Es sind vor allem syntaktische Sprachmittel, die zu ihrer Schreibweise notwendig sind, also sprachliche Partikel, sogenannte synkategorematische Wörter, die außer der Eigenschaft, daß sie sprachliche Verbindungen zwischen den Wörtern herstellen, nichts bezeichnen, die also nur eine innersprachliche, keine außersprachliche Rolle spielen. Diese synkategorematischen Schemawörter, die in »The Making of Americans«, denkt man an das abschließende Kapitel, den Sprachfluß dirigieren, lassen zwangsläufig von *syntaktischer Narration* sprechen, die natürlich der bereits hervorgehobenen strukturellen Textkonzeption dienlich ist.

Epik und Meta-Epik

Wenn Epik eine Form sprachlicher Darstellung ist, bezieht sie sich auf darstellbare Welt, die real oder fiktiv aus Charakteren, Dingen, Ereignissen, Handlungen, Gefühlen, Ideen usw. besteht. Nun zeichnet sich »The Making of Americans« dadurch aus, daß das Erzählen sich gelegentlich nicht mehr auf die darstellbare Welt, sondern auf die Darstellung, also nicht auf die sprachliche Außenwelt, sondern auf die sprachliche Eigenwelt bezieht. In diesen Fällen sprechen wir von Meta-Epik.

I am writing for myself and strangers. This is the only way that I can do it.

Everybody is a real one to me, everybody is like some one else too to me. No one of them that I know can want to know it and so I write for myself and strangers. (p. 289)

There will then be soon much description of every way one can think of men and women, in their beginning, in their middle living, and their ending.

Every one then is an individual being. Every one then is like many others always living, there are many ways of thinking of every one, this is now a description of all of them. There must then be a whole history of each one of them. There must then now be a description of all repeating. Now I will tell all the meaning to me in repeating, the loving there is in me for repeating. (p. 290)

Die meta-epischen Passagen des Romans beziehen sich, wie man erkennt, auf die Art der Darstellung und auf die Welt der Darstellung. Auch die Autorin wird einbezogen, und solche Stellen deuten selbstverständlich den starken autobiographischen Gehalt der dargestellten Welt an. Die Geschichte der dargestellten Familien ist stets auch Geschichte der Familie, aus der Gertrude Stein stammt. Die dargestellte Welt ist immer auch die Welt der eigenen Erfahrung.

Ästhetik und Kinostil

Die Vorlesungen, die Gertrude Stein in England und vor allem in Amerika gehalten hat, letztere kamen unter dem Titel »Lectures in America« heraus, lassen die ästhetischen und poetischen Auffassungen der Autorin deutlich hervortreten. Was im Zusammenhang mit ihren theoretischen Darlegungen zur Kenntnis ihrer Texte besonders wichtig und interessant ist, ist die scharfe linguistische Trennung, die sie zwischen Poesie und Prosa macht. Poesie ist für Gertrude Stein in erster Linie eine Sprache, die aus Substantiven besteht, Prosa hingegen wird vor allem von den Verben getragen.

> Poesie ist ich sage es vor allem Wortschatz gerade so wie Prosa es grundlegend nicht ist ... Es ist ein Wortschatz ganz und gar auf dem Substantiv beruhend wie Prosa wesentlich und entschieden und kraftvoll nicht auf dem Substantiv beruht.[13]

Von dieser Unterscheidung aus erläutert sie den Begriff Prosa etwa folgendermaßen:

> Nun wenn es das ist was Prosa ist und das ist unzweifelhaft das was Prosa ist, können Sie sehen daß Prosa wirkliche Prosa wirklich große geschriebene Prosa unbedingt mehr aus Verben Adverbien Präpositionen präpositionalen Nebensätzen und Konjunktionen gemacht ist als aus Substantiven.[14]

Wie der Satz, so ist auch der Absatz wesentlich am Bau der Prosa beteiligt.

> Prosa ist das Gleichgewicht das emotionale Gleichgewicht das die Realität von Absätzen macht und das nicht emotionale Gleichgewicht das die Realität von Sätzen macht und wenn man sich klar wurde vollständig klar wurde daß Sätze nicht emotional sind während Absätze es sind, kann Prosa das grundlegende Gleichgewicht sein das innerhalb von etwas gebildet wird das den Satz und den Absatz verbindet ...[15]

Man erwartet förmlich, daß Gertrude Stein in diesen »Lectures« auch von »The Making of Americans« spricht, von diesem ihrem Hauptwerk in Prosa. Tatsächlich charakterisiert sie das Werk dann auch vom Standpunkt ihrer Prosakonzeption.

> In »The Making of Americans« einem langen sehr langen Prosabuch bestehend aus Sätzen und Absätzen und dem neuen Etwas das etwas war was weder der Satz noch der Absatz jeder allein oder zusammen je getan hatten, sagte ich ich sei Substantive und Adjektive so viel als möglich losgeworden durch die Methode in Adverbien in Verben in Pronomina zu leben, in adverbialen Nebensätzen geschrieben oder angedeutet und in Konjunktionen.[16]

Diese poetologischen oder texttheoretischen Überlegungen ergänzen natürlich die allgemeineren kompositionstheoretischen in »Composition as Explanation«. Aber vielleicht lassen erst die Bemerkungen, die Gertrude Stein

---

[13] G. Stein (Lectures), Was ist englische Literatur?, S. 177.
[14] Ebd. S. 176.
[15] Ebd. S. 177.
[16] Ebd. S. 174/175.

gelegentlich über den Zusammenhang zwischen Film und ihrer Prosa macht, von einer Textästhetik dieser Schriftstellerin sprechen. In den »Lectures« findet sich ein besonderer Essay, der dem Problem ihrer Schreibweise vom Standpunkt des Filmischen aus unter dem Titel »Porträts und Wiederholung« gewidmet ist. Der Essay beginnt wiederum mit dem kompositionellen Problem in »Composition as Explanation«, um dann sogleich die Frage der »Wiederholung« im Unterschied zur »Beharrung« aufzurollen, eine Frage, die ihrer Meinung nach bei der Abfassung eines sprachlichen Porträts, wie sie es schrieb, immer wieder zur Erörterung stünde. Im Verlauf der Darlegung findet sie dann eine filmische Auffassung von ihrer Prosa in »The Making of Americans«:

> ... ich tat was der Film tat, ich machte eine unaufhörliche Folge von der Darstellung dessen was jene Person war bis ich nicht viele Dinge hatte sondern ein Ding ...
>
> Sie sehen nun was ich tat als ich begann Porträts zu schreiben und Sie verstehen auch was ich meine wenn ich sage es gab da keine Wiederholung. Im Film sind nie zwei Bilder gleich jedes ist gerade um etwas verschieden vom vorhergehenden, und so gab es in jenen frühen Porträts wie sie sicher begreifen werden wenn ich sie Ihnen vorlese ebenso wie in The Making of Americans keine Wiederholung.[17]

Tender Buttons

Man tut vielleicht gut, »The Making of Americans« zum Verständnis ein anderes Werk Gertrude Steins gegenüberzustellen. Sie selbst hat den Roman immer wieder mit den kleinen »Texten« in »Tender Buttons« verglichen, einem wenig umfangreichen Werk, das aus höchst merkwürdigen, meist kurzen Texten besteht und das kurz nach der Fertigstellung von »The Making of Americans«, also nach 1910, geschrieben wurde. »Tender Buttons«, die »Zärtlichen Knöpfe«, erschien übrigens bereits 1914, während »The Making of Americans« erstmals 1925, und zwar in Frankreich herauskam.

Der Roman war für Gertrude Stein ein Prosaproblem, langzeilige Sätze und Kon-Sätze (Mit-Sätze, wie man sagen sollte) über Verben aufzubauen. In »Tender Buttons« hingegen sollte es jedoch um Poesie gehen, um Poesie, die nach ihrer Theorie wesentlich aus Substantiven aufgebaut würde. Nun sollte es sich aber in beiden Fällen, inhaltlich gesehen, um »Porträts« handeln; in »The Making of Americans« um das »Porträt« gewisser amerikanischer Familien und Charaktere und in »Tender Buttons« um das »Porträt« von einfachen, alltäglichen »Dingen«.

---

[17] Ebd., S. 130 ff.

Gertrude Stein hat, sich selbst kommentierend, ohne dabei »unter ihr Niveau« zu gehen, mehrfach zu dieser Aufgabe Stellung genommen, vor allem in den »Lectures«:

So also machte ich in »Tender Buttons« Poesie aber und es beunruhigte mich ernsthaft, dumpf wußte ich daß Substantive Poesie machen aber in Prosa brauchte ich nicht länger die Hilfe von Substantiven und brauchte ich in Poesie die Hilfe von Substantiven. Gab es nicht eine Art Dinge mit Namen zu nennen die nicht Namen erfinden würde, sondern Namen meinte ohne sie zu nennen . . .

Ich war immer sehr beeindruckt seit meiner frühsten Jugend als man mir erzählte und ich es dann später selber fühlte daß Shakespeare mit dem Wald von Arden einen Wald geschaffen hatte ohne die Dinge zu erwähnen die einen Wald machen . . .

Ich kämpfte ich kämpfte verzweifelt mit der Wiedererschaffung und der Vermeidung von Substantiven als Substantive und doch während Poesie Poesie ist, sind Substantive Substantive.[18]

»Tender Buttons« besteht aus drei thematischen Teilen, deren einzelne Texte als »Objects«, »Food« und »Rooms« zusammengefaßt sind. Charakteristisch für »Objects« scheint mir folgender Text zu sein, der den Titel »A Dog« trägt, aber den »Hund« namentlich ausspart, ihn vielmehr in einem Kontext »porträtiert«, der durch die Substantive »Affe« und »Esel« und die Verben »gehen« und »seufzen« gebildet wird. Vielleicht sagt man wiederum genauer, daß das namentliche Wort »Hund« lediglich durch gewisse Konwörter, die einen Kontext bilden, ersetzt wird, um zu einem Text *für* »Hund«, nicht über den Hund zu gelangen.

A Dog. A little monkey goes like a donkey that means to say that means to say that more sighs last goes. Leave with it. A little monkey goes like a donkey.
(Ein kleiner Affe geht wie ein Esel das heißt das heißt was mehr seufzt, geht schließlich. Laß es dabei. Ein kleiner Affe geht wie ein Esel.)[19]

Offenbar interessiert an diesen Texten zunächst nicht die Syntax, sondern die Semantik. Es sind semantische Texte, und die Semantik ist eine Frage des Zusammenhangs von Wörtern, des Kontexts, der wiederum aus Konwörtern, aus Mitwörtern, aufgebaut wird, und Gertrude Stein demonstriert, daß auch ein solcher Kontext die Rolle eines Namens übernehmen kann.

Sie vertritt diese linguistisch begründbare Auffassung so konsequent, daß das »Objekt«, hier der »Hund«, keine außersprachliche Realität mehr besitzt, sondern nur noch eine innersprachliche, es ist gänzlich zum Textobjekt geworden, das nur sprachliche Realität, materiale Textrealität besitzt, ähnlich

---

[18] Ebd. S. 182.
[19] G. Stein, Tender Buttons, 1914, S. 26; dtsch. M.-A. Stiebel, in: Was ist englische Literatur?, S. 141.

wie ein industrielles Designobjekt nur im Rahmen einer Gebrauchsfunktion materiale Realität hat. Francis Ponge, der französische Autor, der gewisse Berührungspunkte mit der Textkonzeption Gertrude Steins besitzt, über die gleich noch ein paar Worte zu sagen sind, spricht in diesem Falle gern von »matérialisme sémantique«.

Solche Texte wie in »Tender Buttons« sind deshalb Texte hoher ästhetischer Mitteilung, weil sie einen hohen Grad konwortlicher und kontextlicher Unwahrscheinlichkeit besitzen; sie sind als Ganzes höchst singuläre (Super-) Zeichen, sehr preziös und fragil, daher wenig geeignet zur Kommunikation, weder zur Kommunikation im Sinne des Verständnisses noch zur Kommunikation im Sinne der Übertragung.

Man bemerkt hier, daß Gertrude Stein nicht nur die syntaktische Dimension der modernen Literatur erweitert hat und kreativ ausnützt, auch das, was wir eingangs dieser Betrachtung die semantische Freiheit der modernen Schreibweise nannten, erfährt in »Tender Buttons« eine Bereicherung, die weit über Kafka hinausgeht.

In dem Teil, der in »Tender Buttons« mit »Food« überschrieben ist, findet sich ein Text mit dem Titel »Eating« (Essend) und darin die Teile

> Is it so, is it so, is it so,
> is it so is it so is it so.[20]

Die sich wiederholende Kau- und Schluckbewegungen während des »Eating« werden durch eine strukturelle Anordnung dreier aus drei gleichen einsilbigen Wörtern bestehender Phrasen dargestellt und damit bezeichnet. Das Weglassen der Kommas zwischen den dreiwortigen Phrasen nach den ersten drei Phrasen bringt das Schnellerwerden oder das Vernachlässigen der Eßbewegung während des Essens zur Darstellung. Eine solche Form des Textes kann als Konkrete Poesie bezeichnet werden, als die poetische Vertextung eines Sachverhaltes als Sprache, die die verbale, akustische und visuelle Materialität dieses Mediums gleichermaßen ausnützt.

In einem anderen Text, überschrieben mit »Chicken« (Küken) heißt es:

> Stick stick call then, stick stick sticking, sticking with a chicken. Sticking in a extra succession, sticking in.[21]

Auch hier handelt es sich um eine semantische Materialität der Sprache und der Poesie, aber stärker verschoben in Richtung eines Lautgedichtes. Tat-

---

[20] Ebd.
[21] Ebd.

346

sächlich hat Gertrude Stein nicht nur die heutige Konkrete Poesie, sondern auch das moderne Lautgedicht, wie sie etwa Ernst Jandl in »Laut und Louise« publiziert hat, beeinflußt.

Ich wies in diesem Zusammenhang bereits auf Francis Ponge hin. Er ist einer der wenigen bedeutenden gegenwärtigen Autoren Frankreichs, der durch seine Vorliebe für den berühmten malherbeschen Akademismus in der Literatur nicht daran gehindert wurde, syntaktische und semantische Innovationen in der Sprache, in Poesie und Prosa, zu erproben. Er ging schon in den frühen Texten »Le parti pris des choses« von der Einsicht aus, daß noch in jedem simplen Gegenstand eine endlose Menge ungesagter Sätze stecken, die der Schriftsteller auszusagen hätte. Zweifellos ist diese Intention auch geeignet, die Texte Gertrude Steins in »Tender Buttons« wenigstens, was ihre Entstehung, ihre Absicht angeht, verständlich zu machen. Die Vorliebe für die kubistische Malerei, die bei Ponge auf Braque und bei Gertrude Stein auf Picasso und Gris konzentriert ist, könnte als Begründung der losen kreativen Nachbarschaft gelten. Bei beiden Autoren entspricht dem kubistischen »Bildobjekt« das konkrete »Textobjekt«.

Ich komme zum Schluß meiner analytischen Betrachtungen über die Texte Gertrude Steins. Ich hob »The Making of Americans« und »Tender Buttons« deshalb hervor, weil diese beiden Werke am deutlichsten die poetologischen, texttheoretischen und ästhetischen Errungenschaften unserer Autorin bezeichnen. Es handelt sich zweifellos um eine Art Literatur, die der technischen Realität unserer Zivilisation entspricht. Das Technische der Sprache liegt ja vorwiegend in ihren syntaktischen Möglichkeiten. Daher geht die gegenwärtige Beschäftigung mit der Sprache geradezu von einer neuen, höchst technischen Konzeption der Grammatik und der Syntax aus. Darüber hinaus aber wird gerade durch die dichterisch oder wissenschaftlich gewonnene Erweiterung und Erneuerung der syntaktischen Momente der Sprache Linguistik als Feld des Experiments gewonnen. Gerade mit Gertrude Stein wird der Begriff des Experiments zu einem Begriff der Literatur, der Sprachkunst. Im Bereich der wissenschaftlichen Erkenntnis war er es schon immer. Der Begriff des Schöpferischen wird fast austauschbar mit dem Begriff des Versuchs. Gertrude Stein hat selbstverständlich die metaphysische Weltkonzeption im Künstlerischen genauso hinter sich gelassen wie die Wissenschaft mit der technischen Realität, die sie auf ihren theoretischen Grundlagen errichtet, und es scheint sich die Vermutung Nietzsches zu bestätigen, daß die »antimetaphysische Weltbetrachtung« eine »artistische» hervorruft.

Helmut Kreuzer

EXISTENTIELLE PROSA, SPIRITUELLER ANARCHISMUS

ZUM »AUGENBLICK DER FREIHEIT« VON JENS BJØRNEBOE

»Der Augenblick der Freiheit«[1] zählt zu den wenigen außergewöhnlichen norwegischen Romanen, die seit den Tagen Hamsuns das deutsche Lesepublikum erreicht haben. Das Original — »Frihetens øyeblikk« — erhielt den norwegischen Literaturpreis 1966. Die deutsche Kritik hat die Übersetzung (1968) beachtet, aber anscheinend keine Spuren im literarischen Bewußtsein hinterlassen. Umfragen — auch in germanistischen Seminaren — haben bisher nur negative Resultate ergeben: Weder das Buch noch sein Titel noch der Name seines Verfassers (von dem doch schon mehrere Romane und Dramen auch in deutscher Übersetzung vorliegen) waren auch nur einem der Befragten bekannt. Diese Tatsachen mögen es rechtfertigen, das Werk hier in relativer Ausführlichkeit beschreibend und zitierend vorzustellen und in seiner Problematik zu diskutieren.

Jens Ingvald Bjørneboe — Maler, Lyriker, Erzähler, Dramatiker, Publizist — wurde am 9. 10. 1920 als Sohn eines Reeders in Kristianssand an der Südspitze Norwegens geboren. Seinen Werdegang skizziert er selber wie folgt:

> Ausbildung: Als ganz junger Mann kurze Zeit zur See, dann eine vorbereitende Philosophieprüfung an der Universität in Oslo, dann Ausbildung als Maler an den Kunsthochschulen in Oslo und Stockholm. (...) Von 1951 bis 1957 war ich Lehrer. Seit dann nur Schriftsteller.[2]

1951 erschien sein erster Lyrikband (»Dikt«), 1952 sein erster Roman (»Før hanen galer«; dt. »Ehe der Hahn kräht«, 1969). Zahlreiche weitere Romane, Lyrik- und Essaybände folgten, seit der zweiten Hälfte der 60er Jahre auch Schauspiele[3].

---

[1] Alle Quellennachweise zum »Augenblick der Freiheit« werden doppelt gegeben; der jeweils erste bezieht sich auf die deutsche Ausgabe (Merlin Verlag), der zweite auf die norwegische (Gyldendal Norsk Forlag).

[2] Brief v. 23. 11. 1970 an den Vf. Für Auskünfte habe ich auch dem Merlin-Verlag, der Übersetzerin Anni Dröge, Gunhild Krantz und Oskar Bandle zu danken.

[3] Dazu die briefl. Mitteilung vom 1. 9. 1970 an den Vf.: »Meine Produktion besteht bis

Diese Fakten sind in unserem Zusammenhang relevant, da der namenlose Erzähler des »Augenblicks der Freiheit« Alter und Herkunft, übrigens auch die äußere Erscheinung aufs genaueste mit Bjørneboe teilt, ebenso die Professionen des Malers und Schriftstellers. Das verweist auf die autobiographische Prägung des Romans, die sein Verfasser ausdrücklich selber bestätigt hat[4]. Dem entspricht die gewählte Perspektive: das Erzählen in der ersten grammatischen Person, das (wie uns Käte Hamburger gelehrt hat) eine Form der Wirklichkeitsaussage ist[5]. Dennoch verblüfft es, mit welcher Selbstverständlichkeit die Rezensenten das Erzähler-Ich und den Autor identisch setzen — auch solche deutsche Kritiker, die offenbar ohne Kenntnis der erwähnten Parallelen sind. Ich-Romane sind ja nur *fingierte* Wirklichkeitsaussagen und lassen uns in den meisten Fällen ihre Erzählerfiguren als ›bloße‹ Romanfiguren erleben, die niemand mit dem Autor verwechselt. Und der »Augenblick der Freiheit« wird nicht nur von seinem Verfasser ganz ebenso unter die Zahl seiner Romane gerechnet wie etwa der Er-Roman »Jonas« (1955, dt. 1958); er gibt sich auch dem Leser von Anfang an durch ›romanhafte‹ Erfindungen, Sprachstil und Bauform (die Erzählexperimente zwischen Naturalismus und Existentialismus voraussetzt) als Dichtung zu erkennen.

Der Ich-Erzähler, Konsulssohn, ist (wie Bjørneboe) »jahrelang als ein geachteter und wohlbekannter Mann in angesehener und finanziell unabhängiger Stellung« in der Welt herumgereist und schrieb in dieser Zeit »eine Anzahl Bücher, die zum Teil Beachtung fanden und in mehrere Sprachen übersetzt wurden«[6]. Daß der Autor dem Erzähler danach ohne irgendeine ›realistische‹ Erklärung den Beruf eines subalternen Gerichtsdieners in »Heiligenberg« zu-

---

jetzt aus 4 Gedichtbänden, 4 Schauspielen, 2 Essaysammlungen und 11 Romanen.« Nur sechs dieser Werke waren mir vor Abschluß dieses Aufsatzes zugänglich.

[4] »›Der Augenblick der Freiheit‹ ist essentiell entschieden selbstbiographisch — vor allem natürlich als erlebtes ›ich‹, aber auch die meisten Episoden habe ich erlebt, z. B. die Bordellgeschichte mit Roald Amundsen, — natürlich nicht genau so wie sie dort beschrieben wird, aber immerhin ist die Wirklichkeit der Ausgangspunkt. Selbstbiographisch sind auch die langen Aufenthalte in Schweden, Italien, Schweiz und West- und Ostteutonien. Ich bin auch einige Jahre im Auto kreuz und quer durch Europa gefahren. *Wichtig*, glaube ich, ist auch die Tatsache, daß das Buch eine wirkliche, klinische, fast zehnjährige Depression von innen beschreibt.« Briefl. Mitteilung vom 1. 9. 1970.

[5] Vgl. Käte Hamburger, Die Logik der Dichtung. Stuttgart 1957; 2., stark veränderte Aufl. 1968.

[6] Bjørneboe, Der Augenblick der Freiheit. Dt. von Anni Dröge, Hamburg 1968 [künftig nur zitiert als: »Augenblick«], S. 16; Frihetens øyeblikk. Heiligenberg-Manuskriptet, Oslo 1966 [künftig nur zitiert als: »Frihetens«], S. 15.

diktiert, »diesem Alpenstädtchen des kleinen Fürstentums«, gehört zu den Erfindungen, die den Rahmen autobiographischer Aufzeichnungen sprengen, um so mehr, als das Dasein des Gerichtsdieners (der am Ende seines Arbeitstages »das blutige Sägemehl vom Fußboden« des Gerichtssaales aufzuwischen hat[7]) mit grotesken und skurrilen, zum Teil archaisierenden Zügen ausgestattet ist. Das konnte keinem der Rezensenten entgehen, die das Buch dennoch unbedenklich als autobiographisches Dokument genommen und die Urteile des Ich-Erzählers — etwa über zeitgeschichtliche Ereignisse oder Nationen — ohne weiteres dem Autor selber als echte Wirklichkeitsaussagen angerechnet haben. Mir scheint, daß diese Rezeption durch Bjørneboes Abweichungen vom Milieurealismus und von äußerer Wahrscheinlichkeit der Motivierung und Handlung nicht erschwert, sondern tatsächlich erleichtert wird: sie lassen die Symbolfunktion der romanhaft gesetzten ›Fakten‹ unverhüllter ins Auge springen; diese können so von vornherein als bloße Zeichen für innere Zustände aufgefaßt werden, für ein Weltverhältnis, auf dessen Vermittlung es eigentlich ankommt.

Auf die Idee der ›ich‹-Person bin ich gekommen, [schreibt Bjørneboe in einem Brief] weil ich einmal nach einem Prozeß, den mir die norw. Behörden machten, ziemlich lange mit einem wirklichen Gerichtsdiener sprach. Andererseits fand ich die Stellung natürlich, weil ich sehr oft mit dem Rechtswesen zu tun hatte, als Angeklagter, aber vor allem als Kritiker des Systems. Ich habe zwei Romane und ein Schauspiel über diesen sklerotischen Apparat herausgegeben und auch eine Menge von polemischen Artikeln zu demselben Thema geschrieben.[8]

Aber auch der »Apparat« der Justiz weist im Buch noch über sich hinaus.

Alles in mir war Chaos und Dunkelheit — voller gewaltiger und wilder, allzu starker Sinneseindrücke, ohne die Sprache der Begriffe (...) Erst in meiner Stellung als Gerichtsdiener wurde das anders (...) Der Sinn meines Lebens ist meine Gegenwart im Gerichtssaal, während die Gerichtsverhandlungen stattfinden. Hier drinnen, in dem kleinen, halbdunklen und düsteren, altmodischen Gerichtssaal wurde das Leben immer und immer wieder vor mir aufgerollt; das Land Chaos ist hier drinnen in aller Ewigkeit entstanden: Tinte, Protokolle, Menschenschicksale. Alle Leidenschaften, alle Eigenschaften, die niedrigsten und die edelsten, hier drinnen wird alles dem ewigen, unzerstörbaren und heiligen Unrecht unterworfen.[9]

---

[7] »Augenblick«, S. 21; »Frihetens«, S. 19.

[8] Brief v. 1. 9. 70. Übersetzte Beispiele: das Schauspiel »Die Vogelfreunde«. Merlin Verlag Hamburg o. J. (Bühnenmanuskript) und der Roman »Viel Glück, Tonnie!« Hinstorff Verlag, Rostock, 1965 (nach dem briefl. Urteil des Autors v. 23. 11. 70 »ein anti-Polizei-Pamphlet und kein ›guter Roman‹«).

[9] »Augenblick«, S. 7, 8, 9; »Frihetens«, S. 7, 8.

Der Gerichtsdiener arbeitet nach Dienstschluß (wenn er nicht gerade im Wirtshaus ist) an einem »riesigen, kolossalen, zwölfbändigen Werk« mit dem Titel

»Die Geschichte der Bestialität

von

Von wem?«[10]

Das ist die Frage, die ihn quält und die seinen »Papieren« (und damit dem Buch von Bjørneboe, das nur aus ihnen besteht) ihre therapeutische Funktion und ihren Motivationszusammenhang gibt. Es sind »Protokolle« einer Suche nach der Identität, die sich im »Augenblick der Freiheit« verwirklicht, nach dem »vergessenen« Namen, der gültig ist und das gleichgültige Etikett ersetzen könnte, unter dem der Erzähler als »Gerichtsdiener« seine unauffällige soziale Rolle spielt. Sie sind nicht final gebaut, etwa zu einem pointierten Schluß hin, der die Probleme löst, sondern stellen als Ganzes den Versuch einer Antwort dar, einer fortsetzbar fragmentarischen, die auch das letzte Protokoll (oder seine etwaige Fortsetzung) noch nicht vollenden kann, sondern nur der unwiderrufliche »Augenblick der Wahrheit«, — »el momento de la verdad« in der Terminologie des Stierkampfs[11], der zu den Erzähl- und Reflexions-motiven gehört, die im »Teppich«-Muster[12] dieses Buches, sich repetierend, einverflochten sind.

Seine ersten Abschnitte machen uns mit dem Gerichtsdiener, seinem Identitätsproblem und Gedächtnisleiden bekannt und beschreiben den sozialen Mikrokosmos von Heiligenberg und dem zwielichtigen Gebirgsfürstentum, das in manchem an Liechtenstein erinnert und zugleich Züge eines satirisierten Schweizer Alpenkantons hat. Auch diese Ortswahl hat ihren symbolischen Aspekt. Sie plaziert den Gerichtsdiener zwischen die »Toscana« und »Teuto-Germania« — geographische Regionen, aber auch mehr als das: »Germania« ist »überhaupt kein Land«, sondern Zeichen für einen »lemurischen« Bereich, der »alle lebenden Menschen« berührt[13]; die Toscana und die Namen ihrer Renaissance-Genies stehen für das »Lachen«, das kalte Gelächter illusionsloser Welterkenntnis und der Kraft, sie stoisch-distanzierend hinzunehmen (»das Lachen über mißhandelte Tiere und Kinder, das Lachen über alles. Ohne das

---

[10] »Augenblick«, S. 22;   »Frihetens«, S. 19.
[11] »Augenblick«, S. 18;   »Frihetens«, S. 19.
[12] »Augenblick«, S. 124;   »Frihetens«, S. 108.
[13] »Augenblick«, S. 210;   »Frihetens«, S. 183.

florentinische Lachen wird man verrückt.«)[14]. Die letzten Abschnitte berichten lakonisch von Heiligenberger Massenmorden und beschreiben, wie der Gerichtsdiener das letzte Protokoll beendet. So ergibt sich eine Klammer für die drei Teile mit den Überschriften »Städte«, »Die Praiano-Papiere«, »Lemuria«.

Der erste führt in Erinnerungen und Reflexionen vor allem nach Norwegen (in die engere Heimat, die Kindheit und Jugend des Erzählers), in das Schweden der Kriegszeit (mit seinen internationalen Emigrantenzirkeln), nach »Germania« (als dem Land, das in der Lebenszeit des Erzählers viel zur ›zwölfbändigen Geschichte der Bestialität‹ beigetragen hat): Hitlerdeutschland (»Marschstiefel und Pflastersteine«[15]); die Wirtschaftswunder-BRD (»Die Welt ist mein Frühstück«)[16]; die DDR (»Nach dem Tod kommen die Deutschen in die DDR«. Hier werden sie »zu dem gezwungen, was für sie schlimmer ist als der Tod: *arm zu sein.*«)[17]. Der letzte Teil kehrt an dieselben Schauplätze zurück, aber berührt auch, im Netz der Erinnerung, die Landschaft der Tundra und die Schlachtfelder Frankreichs, Brooklyn und die Bilder des Wahl-Toscaners Jacques Callot, die Scheinregionen des Alptraums und der Halluzination, die touristisch erschlossene Unheimlichkeit der römischen Katakomben. In teils grotesken, teils humoristischen Bordell-Episoden spiegelt der Erzähler sich selbst und kontrastierende deutsche und italienische Zeitmilieus. »In gewisser Weise dreht sich alles um Teuto-Germania (. . .) das Kreuz, an das ich genagelt bin (. . .) eine Art unfreiwilliger Wahl-Germane.«[18] Der relativ geschlossene Mittelteil (die »Praiano-Papiere«) erzählt italienische Episoden und beschwört eine Traumstadt »ohne Lüge«[19], »eine ganz rote, sehr alte Stadt aus Ziegelsteinen«[20], von mittelalterlicher Architektur und italienischem Ambiente. So filtert das Buch im ganzen, in lyrischer, epischer, reflektorischer Prosa, aufgerührte Gedächtnissedimente von Jahrzehnten; es sucht das Spurenmuster eines zwiespältigen Daseins in den Erfahrungen von Innenwelt und Außenwelt; es vermittelt suggestiv die erlebte Schönheit im grauenhaften »Lande Chaos«, die erkannten Zeugnisse der Menschlichkeit und mehr noch der Unmenschlichkeit seiner Bewohner: »Mord, Krieg, Konzentrationslager,

---

[14] »Augenblick«, S. 144.   »Frihetens«, S. 125.
[15] »Augenblick«, S. 36;   »Frihetens«, S. 32.
[16] »Augenblick«, S. 34;   »Frihetens«, S. 31.
[17] »Augenblick«, S. 40;   »Frihetens«, S. 36.
[18] »Augenblick«, S. 210;   »Frihetens«, S. 183.
[19] »Augenblick«, S. 108;   »Frihetens«, S. 95.
[20] »Augenblick«, S. 104;   »Frihetens«, S. 91.

Tortur, Sklavenarbeit, Hinrichtungen, ausgebombte Städte und halbverbrannte Kinderleichen.«[21]

Dieser Befund ermöglicht keine bruchlose Einordnung in geläufige Gattungsgrenzen, wie sich schon an den Rezensionen ablesen läßt. »Es ist ein Buch außerhalb der Kategorien«, schrieb Marianne Kesting in der »Zeit«, »fast ein Tagebuch, das unwirsch hin und her springt zwischen der Aufzeichnung von Erfahrungen, Gedanken, Visionen, Träumen und wieder Erlebnissen.«[22] Und ein anderer Kritiker registrierte, daß sich hier »Urteile in Sentenzen mit anschaulichen Erlebnisberichten mischen. Genreszenen wechseln mit allegorischen, apokalyptischen Kürzeln, hochtrabende Deduktionen mit dumpfer Selbstreflexion. Abstraktion durchbricht die persönliche Wendung an die Leser; stilisierte, gelassene Aufzeichnungen werden von Partien voller sarkastischer Ausbrüche umrahmt.«[23] Aus zutreffenden Beobachtungen zog enttäuschte Erwartung unangemessene Schlüsse. »So wenig Ordnung in Bjørneboes Kopf stecken mag, so wenig Ordnung gibt es in seinen (sic!) Papieren.« So Marianne Kesting[24]; und Wilhelm Krüger verbreitete, in teutonischem Zorn über Bjørneboes Teutonen-Satire, über die Deutsche Presseagentur die Philisterdiagnose, das Buch sei »so wirr« und enthalte »so viel Nonsens, daß der Verdacht eines paranoiden Gedankenverfalls naheliegt, den der Verfasser (sic!) übrigens mit seinen Klagen über Gedächtnislücken selber nährt.«[25]

»Wirr« erscheint das Buch, wenn wir es an konventionellen Schemata messen. Seine Abbrüche, Sprünge, Neuansätze, Repetitionen und Variationen erklären sich aber nicht nur werkimmanent-psychologisch aus der Krisensituation, den Gedächtnisstörungen, den Erinnerungsschüben des schreibenden Ich, sondern auch aus weltanschaulichen Motiven des Autors, von denen noch zu sprechen sein wird und die zur praktischen Orientierung an einer Ästhetik des Irrationalen führen, tendierend zu Paradox und Schock, zur provokanten Metapher und Kombination, zu einer pamphletischen und skatologischen Diktion (die punktuell an Léon Bloy gemahnt), zur assoziativen Verknüpfung,

---

[21] »Augenblick«, S. 22;   »Frihetens«, S. 20.

[22] M. Kesting, Geschichte der Bestialität? Die merkwürdigen Erinnerungen eines Norwegers, Die Zeit, 18. 10. 1968.

[23] Dietmar N. Schmidt, Im Zerrspiegel. Jens Bjørneboes Abrechnung mit dem Pack, das sich Menschheit nennt, Frankfurter Rundschau, 31. 5. 1968.

[24] Kesting, a. a. O.

[25] dpa — Buchbrief/Kultur vom 8. 7. 1969. Krüger wirft Bjørneboe (der mit einer Deutschen verheiratet war, Deutschland oft besucht und hier lange gelebt hat) vor, er kenne hier »Land und Leute« nicht und urteile nur aus der »Bordellperspektive«. Die Übersetzung des »Augenblicks« sei nicht nur »nutzlos und fruchtlos (. . .) sondern sogar schädlich«.

zur Indifferenz gegen kollektive Erwartung und vorgegebene Norm. Das zeigt sich schon innerhalb einzelner Sätze.

»Gleichzeitig darf man niemals vergessen, daß die Substanz des Rechts das Unrecht ist«[26], schreibt der Gerichtsdiener, und an anderer Stelle: »Es gibt keinen normalen Menschen, der etwas Nützliches (. . .) geschaffen hat«[27]. Eine Satzfolge lautet: »Theresienstadt wurde geleert, und die Krematorien wurden gefüllt. Stockholm hatte auch eine bedeutende Rembrandt-Sammlung und andere erstklassige Arbeiten von Matisse und Cézanne. In Germania schloß man Experimente mit Vivisektionen, Frostversuchen und Transplantationen an Menschen ab. Neben der Malerei beschäftigte ich mich beinahe nur mit Metaphysik; mein Interesse für Engel erwachte (. . .)«[28]. Eine andere Partie: »Das war meine erste Begegnung mit Mozarts Land, mit diesem heiligen Germanien, unserer Mutter — der Mutter Hölderlins und Walthers von der Vogelweide. Oh, Süßigkeit der ersten Begegnung. Sogar im Bordell in München war den Juden der Zutritt verboten (. . .)«[29].

Zu dieser irritierenden Begriffs- und Motivverknüpfung stimmen in zeitlicher Hinsicht die Sprünge des achronologischen Berichts. Daß ein Protokoll der quälenden Erinnerungen und Assoziationen, eine Reflexion auf das eigene »wunde« Bewußtsein keinen chronologisch geordneten Zusammenhang zutage fördert, erscheint plausibel. Das relativ freie Schalten mit Rückblenden auf den Vater, die Kindheit, die Reisejahre und Zeitereignisse entspricht aber auch einer autobiographisch-künstlerischen Intention, die nicht primär auf kausalgenetische Erklärung und entwicklungsgeschichtliche Darstellung der eigenen Situation gerichtet ist, sondern auf die reflektorische Rechtfertigung und literarische Ausschöpfung des »Augenblicks der Freiheit«, in dem nicht nur Vergangenheit, sondern auch Zukunft der Introspektion »begegnet«[30]: im inneren Selbstentwurf, der noch die biologischen Determinanten umschließt, so daß das Erzähler-Ich sich an das eigene Alter »vorwärts zu erinnern« vermag[31]. Bjørneboe scheut bei seinen Zeitsprüngen surreale Effekte nicht: sie überspringen zuweilen Jahrhunderte und zählen schon damit zu den Gestaltelementen, die die Form der Autobiographie zersprengen. »Als Rabbiner«, läßt er den Glöckner von St. Anna, einen Freund des Gerichtsdieners, sagen,

---

26 »Augenblick«, S. 20;   »Frihetens«, S. 18.
27 »Augenblick«, S. 41 f., »Frihetens«, S. 18.
28 »Augenblick«, S. 177; »Frihetens«, S. 154.
29 »Augenblick«, S. 40;   »Frihetens«, S. 36.
30 »Augenblick«, S. 165; »Frihetens«, S. 144.
31 »Augenblick«, ebda.;   »Frihetens«, S. 144.

»sammelte ich die Reste meiner Gemeinde zusammen und verließ das heilige Rußland, um nach Westen zu ziehen. Seitdem sind ja Jahrhunderte vergangen, aber wir fanden tatsächlich bei den Gojims in Deutschland Zuflucht.«[32] Und der Ich-Erzähler selber berichtet: »Nein, damals in Stockholm — vor 109 Jahren — war ich das erstemal in meinem Leben im Osten.«[33]

Auf diese Weise entsteht kein Werk-Organismus mit unveränderbarer Folge der Teile. Nicht wenige Episoden und Reflexionen — vor allem des ersten und dritten Teils (der mittlere scheint partiell unabhängig von ihnen entstanden und älter zu sein)* — ließen sich austauschen oder doch versetzen. Die künstlerische Ambition richtet sich nicht auf eine kausale, logische, chronologische Tektonik, wohl aber auf Intensität, Spontaneität und Radikalität des Ausdrucks, auf gefühlte Präsenz des Subjekts im Einzelelement wie im Ganzen und auf appellative Wucht. Die Summe der beschriebenen Stilzüge ergibt daher »keine wortreich erkünstelte Spielerei in Manieren«[34], sondern wird zum Vehikel der Provokation und Konfession, der Exhibition einer sensiblen und leidenden Existenz. Das Bild des zerrissenen Gewebes, das Bjørneboe mehrmals wiederkehren läßt, wird zum ikonischen Symbol der Darstellung wie des dargestellten »perforierten«[35] Bewußtseins, des Gedächtnisses mit »großen blutgeränderten Löcher(n)«[36].

Der Teppich, der eine Art zusammenhängendes Gewebe von Bildern ergeben sollte, ist in Stücke zerrissen. Ich kann nicht genau sagen, was es ist, aber es ist etwas anderes (...) Ich werde matt und kraftlos wie eine Gallertmasse, wenn ich versuche, die Wunden mit der Hand zu berühren und sie zu erforschen (...) Trotzdem muß ich es immer wieder tun.[37]

Er muß es tun, um der Drohung des Selbstverlustes zu entrinnen. Die sie beschreibende Bildersprache zielt nicht nur auf den poetischen Effekt für den Leser, sondern ermöglicht auch dem Erzähler, seinen Fall als persönlichen zu reflektieren. Nicht zufällig vermeidet er wissenschaftliche Termini:

---

[32] »Augenblick«, S. 61; »Frihetens«, S. 54. An solchen Stellen mag auch die Reinkarnationslehre der Anthroposophie mit im Spiel sein. Bjørneboe war Lehrer an der Rudolf-Steiner-Schule in Oslo.

[33] »Augenblick«, S. 83; »Frihetens«, S. 72.

[34] Dietmar N. Schmidt, a. a. O. Weitere deutsche Rezensionen schrieben Elke Fedder (»Welt der Literatur«, 19. 9. 68); »Der Spiegel«, 2. 12. 68; Karlheinz Deschner (»Münchener Abendzeitung«, 11. 9. 69); Wilhelm Grasshoff (»Deutsches Allgemeines Sonntagsblatt«, 15. 12. 68); Roland Ziersch (»Christ und Welt«, 6. 12. 68); Werner Hehl (»Stuttgarter Nachrichten«, 14. 9. 68).

[35] »Augenblick«, S. 92; »Frihetens«, S. 80.

[36] »Augenblick«, S. 186; »Frihetens«, S. 161.

[37] »Augenblick«, S. 124; »Frihetens«, S. 108.

* Diese Vermutung wurde von J. Bjørneboe während des Korrekturgangs bestätigt.

Eins ist es, ob man in einer Welt lebt, in der das Blut von den Fensterpfosten herunterrinnt, von den Bergen und vom Himmel, etwas anderes, ob man das mit einem kleinen lateinischen Wort bezeichnet.[38]

Die Krankheit ist hier nicht als solche relevant, sondern als existentielles Problem. Das Buch beschreibt nicht nur den Kampf mit ihr, sondern *vollzieht* ihn; es *ist* dieser Kampf. Nicht nur als Notation vergangener und Suche verlorener Fakten, sondern auch als ethische, gesellschaftskritische, metaphysische Reflexion. Die Frage nach der Ursache der Bewußtseins-»Lücke« transformiert sich in die Frage nach der Schuld an ihr. »Ich fühle, daß ich — oder irgend etwas in meinem Bewußtsein — lieber sterben würde, als sich zu erinnern, was in Stockholm geschah.«[39] Dem Erzähler muß — so seine »Arbeitstheorie« — »solche geistige Erniedrigung« widerfahren sein, »daß der Verlust des Gedächtnisses sich barmherzig über die Schande legte«[40]; die Schande einer Sünde, »für die es keine Vergebung gibt. *Die Sünde wider den Heiligen Geist* (. . .)«[41]. Damit ist gemeint: die Flucht — aus Angst vor der »Wahrheit« und der »Freiheit« — in die »Lüge« und die heteronome Existenz (die ihr »eigenes (. . .) Leben opfern und ein anderes Leben oder das Leben *anderer* statt dessen leben muß«[42]).

Der Kern der »Wahrheit« ist das *vollkommene Todesbewußtsein*[43]; der Inbegriff der »Lüge« ist die sozial nützliche und angepaßte Existenz, das Produkt erfolgreicher Enkulturation. »Seit ich atmen konnte (. . .) bin ich zum Lügen angelernt (. . .) worden. Von der Wiege an, im Kindergarten, in der Elementarschule, auf dem Gymnasium (. . .) Ich habe Hochschulausbildung im Lügen«, das heißt »im Etwas-Anderes-Sein als ich bin.«[44] »Lüge« macht zum Glied der Gesellschaft, »Wahrheit« ermöglicht »Freiheit«, im Bestehen von »Angst« und »Einsamkeit«.

Im äußersten einsamen Augenblick beim Sprung in die Freiheit hat man den Tod als Freund an seiner Seite — aber man erlebt seine Nähe als Angst.[45]

Im letzten Stadium der Entfremdung, wenn man sich nicht mehr als zu sich selbst gehörig empfindet, ersteht die Freiheit: alle Dinge abzuschätzen, den Mord und die Lebensrettung, von neuem und unabhängig von jedem Kodex: auf eigene Rechnung, hier und jetzt.[46]

---

[38] »Augenblick«, S. 116; »Frihetens«, S. 101f.
[39] »Augenblick«, S. 86; »Frihetens«, S. 75.
[40] »Augenblick«, ebda.; »Frihetens«, S. 75.
[41] »Augenblick«, S. 86; »Frihetens«, S. 75.
[42] »Augenblick«, ebda.; »Frihetens«, S. 75.
[43] »Augenblick«, S. 18; »Frihetens«, S. 16.
[44] »Augenblick«, S. 84f.; »Augenblick«, S. 74.
[45] »Augenblick«, S. 216; »Frihetens«, S. 188.
[46] »Augenblick«, S. 217; »Frihetens«, S. 188.

»Freiheit bedeutet, keinen Maßstab außerhalb des eigenen Bewußtseins zu haben, aber alle Verantwortung selbst zu tragen«[47], »eine *Wahl hier und jetzt* — und ohne Rat und Hilfe«[48] (wobei die Zeitrechnung »unwesentlich« ist: »Selbst das intensivste Bewußtsein der Existenz *hier* und *jetzt* bedeutet nur, daß *Hier* überall ist und daß dieses *Jetzt* alle Zeiten ist«[49]).

Man sieht: das Postulat des ›Werde, der du bist‹ erscheint hier in existentialistischer, anarchistischer und zugleich spiritualistisch-mystischer Färbung (so daß mit Grund Meister Eckhart wie Max Stirner zu den Lieblingsautoren des Verfassers gehören). »Freiheit ist nicht etwas, was man bekommt, es ist etwas, was man sich selber *nimmt*, ohne irgend jemanden zu fragen, ob das, was man tut, richtig oder moralisch oder schädlich oder gut ist.«[50] In seinen anarcho-ethischen Überzeugungen findet die praktische Ästhetik dieses Buches: seine Paradoxien und Schocks, Spontanismen und satirischen Provokationen — eine trans-ästhetische Begründung. »Sincérité« ist als die Qualität beschrieben worden, die politischen Anarchismus und »moderne Kunst« verbinde, die letztere zum ästhetischen Äquivalent des ersteren mache[51], eine These, die wenn nicht generell, so doch für den »Augenblick der Freiheit« zutrifft. Diese Einstellung verstrickt den Autor in eine Problematik, die die Teilnahme an seiner existentiellen Prosa nicht mindert, aber zur Auseinandersetzung nötigt. Gilt die Emanzipation von jedem Kodex nicht nur als elitäres Prinzip für das humane Erzähler-Ich, sondern für jedermann (und so ist es gemeint), was spricht dafür, daß die Verwirklichung der jeweils »eigenen Nuance« (um einen Lieblingsbegriff des Con-Stirnerianers Sternheim zu zitieren) auch nur soviel an mitmenschlicher Duldung und Stützung hervorbringt wie ein geltender Kodex? Spricht sich hier eine immoralistische Ideologie aus, die die Differenz zwischen »Mord« und »Lebensrettung«[52], Hilfe und Haß, Schöpfung und Zerstörung aufzuheben trachtet zugunsten eines sozial-darwinistischen Laissez-aller, Laissez-faire, das nur im Interesse des Stärkeren liegt? Stellenweise könnte man es meinen. An seinem Vater — großbürgerlicher Kaufmann — fasziniert den Erzähler »eine Mischung aus Brutalität und Eleganz«, »Melancholie« und »Raserei«, das »Raubtierglitzern« seiner Augen[53]. Und in einem

---

[47] »Augenblick«, S. 169; »Frihetens«, S. 148.

[48] »Augenblick«, S. 215; »Frihetens«, S. 187.

[49] »Augenblick«, S. 205; »Frihetens«, S. 178.

[50] »Augenblick«, ebda.; »Frihetens«, S. 179.

[51] Vgl. Peter Heintz, Anarchismus und Gegenwart, Zürich 1951, S. 102 u. a.

[52] S. o. Fußnote 46.

[53] »Augenblick«, S. 30; »Frihetens«, S. 27.

Briefzitat des Buches heißt es: »Ich habe die Rolle gespielt, die die anderen von mir erwarteten oder verlangten. Dafür habe ich gelebt, und ich wäre lieber der größte Verbrecher gewesen, aber ich hätte meine Verbrechen selbst begangen.«[54] Doch eine isolierte Interpretation solcher verbaler Bezüge zu Brutalität und Verbrechen würde dem Erzähler nicht gerecht. Er fürchtet den »Tiger-Menschen« in uns[55]; er leidet unter dem Unrecht mit, das anderen widerfährt; er entzieht sich dennoch nicht der »Protokollierung« menschlicher »Bestialität« — gleich Bjørneboe, der schon 1952 in seinem ersten Roman die Menschenversuche in den deutschen Konzentrationslagern behandelt und sich 1969, im Vorwort der deutschen Ausgabe desselben Buches, über Hiroshima und Vietnam als kriegswissenschaftliche »Versuchsfelder« entsetzt hat.

Anarchismus im Sinne Bjørneboes und des Erzählers (der sich ausdrücklich als »anarchistischer Individualist« bekennt[56]) setzt die spontane Güte des befreiten Menschen voraus, jenseits der Entstellungen seiner Natur, der Entfremdung von seiner Bestimmung durch die sozialen Institutionen und Autoritäten. In der Tat erscheint im »Augenblick der Freiheit« die Selbstverwirklichung des Menschen als spirituelle Manifestation einer kosmischen Ordnung, die durch die soziale Chaotik gestört ist, aber auch die Naturgegebenheiten transzendiert; erst in der Realisation der Freiheit wird der »Schöpfungsakt vollstreckt«[57]. Dem entspricht, daß die Heteronomie, wie wir sahen, als »Sünde wider den Heiligen Geist« verdammt wird: »denn sie verleugnet die Absicht des Sternenhimmels und der Erde«[58]. »Sternenhimmel« im physikalischen Sinne figuriert nur als Materie, die in einer »gigantischen Explosion« begriffen ist[59]; und die empirische »Natur« der »Erde« spielt in den Protokollen des Gerichtsdieners kaum eine andere Rolle als die empirische Räson der Staaten. »Die Taschenkrebse kletterten im Netz von Fisch zu Fisch und fraßen ihnen der Reihe nach die Augen aus; wahrscheinlich sind Fisch-

---

[54] »Augenblick«, S. 215; »Frihetens«, S. 187.

[55] Vgl. »Augenblick«, S. 254; »Frihetens«, S. 221.

[56] Vgl. »Augenblick«, S. 69; »Frihetens«, S. 60. Bemerkenswert ist in diesem Zusammenhang, daß Bjørneboe an einem Schauspiel über die amerikanischen Anarchisten Alexander Berkman und Emma Goldman (die u. a. Henry Miller beeinflußt hat) arbeitet. »Seit Jahren habe ich Material über den russisch-amerikanischen Anarchismus gesammelt. Auch Hans Jaeger erwärmt mein Herz!« (Brief v. 30. 10. 70).

[57] »Augenblick«, S. 164; »Frihetens«, S. 143.

[58] »Augenblick«, S. 86; »Frihetens«, S. 75.

[59] »Augenblick«, S. 142; »Frihetens«, S. 123.

augen für die Taschenkrebse eine Art Delikatesse wie für uns Kükenherzen oder Gänseleber.«[60]

Bjørneboes KZ-Ärzte-Roman von 1952 streift in einem Dialog eine »theologische« Lösung des schon dort umkreisten Problems, daß die Spannung (und paradoxe Verkehrung!) von »Krankheit« und »Gesundheit« im natürlichen wie im geschichtlichen Dasein erscheine. »Die Natur heilt nicht, denn die Natur ist selbst krank (...) die gefallene Natur wartet selbst auf den großen Arzt.«[61] Die »gesündesten« Menschen (wie immer die medizinisch-psychologische Diagnose im übrigen lautet) sind die aus innerstem Bedürfnis, aus eigenster »Lust« in tätiger Menschenhilfe und humaner Weltveränderung Engagierten, die »kränksten« die ganz »Normalen«, die im Zustande der Entfremdung und im Angesicht der zeitgeschichtlichen Bestalitäten nicht einmal der Krankheit im medizinischen oder der Anomalie im psychologischen Sinn verfallen. Der Ich-Erzähler dieses Buches fühlt sich selbst »in einer äußerst zweideutigen Position, irgendwo in der Mitte«[62]; er ist ein Vorläufer des »Gerichtsdieners«, wenngleich dieser sich stärker, unmittelbarer von der Krankheit bedroht weiß (im psychiatrischen Sinn wie im existentiellen des Selbstverlusts) und unter ihrem Stachel vehementer reagiert: in den symbolischen Aggressionen seiner Protokolle, und mit dem neuen produktiven Selbstgefühl zugleich die Hoffnung spürt, daß auch in ihm ein »Prozeß in Bewegung gesetzt ist«, die »Bildung eines Kernes« begonnen hat, des »mikroskopischen ersten Punktes der realen absoluten Existenz«, die »*die Sonnen übersteht*«[63] (wie es in Anlehnung an Rilke-Verse heißt).

Von einer historischen Befreiung der Gesellschaft ist nicht die Rede. In dem Schulroman »Jonas« hatte sich — mit der Enttäuschung durch den bestehenden — die Hoffnung auf einen künftigen, einen weiterentwickelten Sozialismus geregt[64], auch auf das Anwachsen von Zahl und Wirkung der relativ ›Gesun-

---

[60] »Augenblick«, S. 185; »Frihetens«, S. 160 f.

[61] Bjørneboe, Ehe der Hahn kräht. (Deutsch von Ursula Gunsilius). Merlin Verlag, Hamburg 1969, S. 38. Das Motto: »Dieses Buch wurde geschrieben zur Erinnerung an die Opfer der Blindheit des Herzens und der Kälte des Geistes der modernen Naturwissenschaft« weicht insofern vom Inhalt ab, als dies Buch *einen* Typ des Naturwissenschaftlers (der nicht als alleinmöglicher Typ erscheint) und seinen ›Einsatz‹ durch das NS-System darstellt. Einen positiven Gegentyp präsentiert Bjørneboes späteres Schauspiel »Semmelweis« (Merlin Verlag, Hamburg o. J., Bühnenmanuskript).

[62] Ebd., S. 37.

[63] Vgl. »Augenblick«, S. 164 f.; »Frihetens«, S. 143.

[64] Vgl. Bjørneboe, Jonas und das Fräulein (Deutsch von Elisabeth Ihle), Ewalt Skulima Verlag, Heidelberg 1958, S. 167.

den‹ (ob auch medizinisch Kranken)[65]. Eine Gruppe von positiven Lehrer-figuren wirkte in diesem Sinn. Im »Augenblick der Freiheit« ist die Pädagogik als positive Kraft nicht existent (unter den Berufen, die Bjørneboe und der Gerichtsdiener teilen, ist gerade der des Lehrers *nicht*). Und der soziale Gegen-satz zwischen den vereinzelten »Eschatologen« und der Masse von »Lemuren«, zwischen »Apokalyptikern« und »kleinen Bären« (das soll heißen: zwischen den wenigen, die sich befreien, und dem Kollektiv der angepaßten, *damit* heteronomen Existenzen) erscheint als zeitlose Konstante[66]. Das mag Bjørne-boes persönliches Engagement nicht beeinträchtigen, auch in politischer Hinsicht. Gilt das für alle Leser? Jedenfalls ist historischer Pessimismus kaum ein taugliches Mittel zur Kräftigung des Impulses, »die Welt zu *verändern*«[67], der dem ersten Roman so wichtig war. Fragen wir nach konkreten Repräsen-tanten der beiden Menschheits-Typen, so finden wir auf der einen Seite (der »Eschatologen«) ausschließlich die Namen künstlerisch-intellektueller Ge-nies[68]: Dichter, Maler, Philosophen, auf der anderen (»lemurischen«) aber

---

[65] Vgl. ebd., S. 215.

[66] Das Buch widerspricht allerdings seiner ahistorischen Typologik praktisch durch die Darstellung der Phänomene. Das *kollektive* Bild der Deutschen zwischen Krieg und Währungsreform unterscheidet sich im »Augenblick« eindrucksvoll und positiv (»Ich habe niemals so menschliche Menschen getroffen wie die Deutschen damals zwischen den Ruinen«, S. 232, »Frihetens«, S. 202) vom satirischen Deutschenstereotyp des Erzählers (das bestimmte soziale Typen vor allem der 30er und 50er Jahre karikiert und genau besehen eine nations-bezogene Spielart seiner Bourgeoissatire ist). Derart erweisen sich, im Wandel ihrer typisierten Erscheinungsbilder, gerade die Kollektive auch in diesem Buch als historisch korrumpierbar *und* humanisierungsfähig. Auch das »Lachen« der Toscana und seine Folgen erscheinen im Buch mit Grund als historisch-epochale Phänomene.

[67] Bjørneboe, Ehe der Hahn kräht (s. Fußnote 60), S. 37. Vgl. zum Wirkungsaspekt des »Gerichtsdiener«-Pessimismus auch die schwedische Kritik von Erik Santin, Den Fria Grymheten, in: Bonniers Litterära Magasin, Jg. 36, 1967.

[68] »Ich wohne in den Freudenhäusern und lese meinen Meister Ekkehard, meinen Thomas von Kempis, meinen Dante oder meinen Novalis — oder meinen geliebten Hölderlin —, manchmal natürlich auch Stendhal und Swift und Aphorismen von Lichtenberg. Sie gehören selbstverständlich alle zu meiner Reisebibliothek, die ich in ein paar Koffern immer in meinem Auto mit mir herumschleppe. Max Stirner, Feuerbach, der junge Marx und das Johannes-Evangelium gehören auch zu meiner Bordell-Lektüre.« (»Augenblick«, S. 120; »Frihetens«, S. 104). Vgl. auch »Augenblick« S. 16 (»Frihetens«, S. 15) das Lob der Bücher, die »über Sokrates oder von Lichtenberg oder Stendhal oder Stirner oder Rochefoucauld oder von den alten Römern oder von Swift geschrieben wurden«. Dazu kommen als bewunderte Maler Callot und die »Toscaner« Leonardo, Castagno, Pisanello, del Sarto (vgl. u. a. »Augenblick« S. 186f; »Frihetens« S. 161) und schließlich — aber nicht zuletzt — als religiöses Genie Jesus (über das Verhältnis zu ihm vgl. auch »Jonas und das Fräulein«, a. a. O., S. 205).

360

namenlose Inkarnationen des Philisterstereotyps, wie es von Sturm und Drang und Romantik kreiert und besonders von der internationalen Boheme des 19. und 20. Jahrhunderts tradiert und jeweils aktualisiert worden ist[69]. Es sind Seßhafte »ohne Lieder, ohne Folklore, ohne Musik und Tanz. Sie haben ihre Kirchen, aber keine Religion (...) Wenn sie lesen, sind es keine Märchen, Gedichte oder Lieder. Sie lesen ihre Bankbücher. Oder zur Not ihre Gesetze — damit sie wissen, welche Übergriffe sie sich leisten können. Alle liegen im Streit mit allen, und trotzdem halten sie auf eine merkwürdige Weise zusammen. Es ist ein lemurischer Zusammenhalt. Sie haben Richter hervorgebracht, und sogar auch Ärzte, nicht zu vergessen die Oberingenieure. Aber sie lesen nicht Dante (...)«[70].

Nicht weniger genau entsprechen die Attribute des Ich-Erzählers dem romantisch-bohemischen Autostereotyp des Literaturzigeuners. Er stellt sich als »Seemann, Globetrotter, Sänger, Apokalyptiker und Spielmann« vor[71], dessen festes Reisegepäck aus Werken frommer Mystiker und frecher Satiriker, romantischer Dichter und kritischer Philosophen besteht[72]. Kultur ist für ihn identisch mit den schöpferischen Werken der Genies, und das Genie ist für ihn Träger des abweichenden Geistes, bionegativ und anomal.

> Was wäre (...) aus unserem geliebten, stinkenden, schönen Europa geworden ohne unsere Narkotiker, Trinker, Homosexuellen, Tuberkulosen, Geisteskranken, Syphilitiker, Bettnässer, Kriminellen und Epileptiker? Unsere ganze Kultur ist von Verbrechern, Wahnsinnigen und Kranken geschaffen worden.[73]

Es fehlt nicht viel, und wir könnten den »Augenblick der Freiheit« als Bohemeroman klassifizieren, als autobiographischen Reflexionsroman der »durativen« Boheme-Existenz, ein Typus, den innerhalb der norwegischen Literaturtradition Hans Jaegers »Kristiania-Boheme« (1885) prototypisch vertritt[74]. Bjørneboe kennt und schätzt sie und macht keinen Hehl daraus[75].

---

[69] Vgl. Herman Meyer, Der Bildungsphilister, in: Zarte Empirie. Studien zur Literaturgeschichte, Stuttgart 1963; Karl Heisig, Dt. Philister = Spießbürger, in: Zs. f. dt. Philologie, Bd. 83, H. 3, 1964; Helmut Kreuzer, Die Boheme. Beiträge zu ihrer Beschreibung, Stuttgart 1968, S. 141—154.

[70] »Augenblick«, S. 10; »Frihetens«, S. 9f.

[71] »Augenblick«, S. 11; »Frihetens«, S. 10.

[72] Vgl. Fußnote 68.

[73] »Augenblick«, S. 41; »Frihetens«, S. 37.

[74] Vgl. Kreuzer, Die Boheme (s. Fußnote 69), S. 117—122.

[75] In dem Brief vom 1. 9. 70 heißt es zu Hans Jaeger und zu ihm verwandten Autoren, deren Namen zugleich von Interesse für die typologische und literarhistorisch-komparatistische Ortsbestimmung des »Augenblicks der Freiheit« sind: »Für mich hat er [Jaeger]

Man gestatte mir, eine Charakteristik des »Romans der durativen Boheme-Existenz« aus einer Arbeit zu übernehmen, die ohne Kenntnis Bjørneboes geschrieben wurde. Es ist

ein existentieller Binnenroman aus der Welt des Bohemetums, in dem reflexive Subjektivität über deskriptive Objektivität dominiert. Die Spiegelung sozialen Lebens, die an empirischer Wirklichkeit meßbar wäre, wird (...) verdrängt von der Präsentation eines sich selber spiegelnden Ich und seines Bewußtseinsinhalts. Wiewohl mehr oder weniger biographisch-autobiographischer Roman, fehlen ihm strenge Linearität wie Finalität (...) Denn er drückt eine Daseinszuständlichkeit aus, die unter den im Roman gegebenen Verhältnissen für das dargestellte Subjekt (und nach der Meinung des Autors) im wesentlichen nicht überwindbar ist. (...) In der Zuständlichkeit des sich manifestierenden Bohemetums liegt der inhaltliche Grund für das Desinteresse an fragiler Tektonik, deren Elemente als unselbständige, unvertausch-, unvermehr- und unreduzierbare Glieder wirken müßten (wovon hier keine Rede sein kann). Die künstlerische Intention richtet sich stärker als auf die Komposition auf die Sprache (die zu rhapsodischem Lyrismus und drastischem Pamphletismus drängt) und verfolgt das Ideal der Intensität und Kühnheit, der Spontaneität und Eigentümlichkeit. Erzählte Denkbewegungen (unsystematisch, sprunghaft-assoziativ oder ruhelos kreisend) und Gefühlsumschläge überwuchern nicht selten die erzählten Handlungen; Denken, Fühlen, Handeln des Ich und des Anderen werden an einem absoluten Sein gemessen, an dem das Ich teilzuhaben verlangt. Daraus ergeben sich Ekstatik wie Depressionen, Radikalität der Gesellschafts- wie der Selbstkritik, Utopismus wie Pessimismus (...) der Helden (und Autoren). Das Ich spricht aus der Erfahrung der Einsamkeit (noch inmitten der Kameraderie der Boheme) und aus der Besessenheit von Liebe und Sexus (...) Kein Kollektiv (auch nicht das revolutionäre) eröffnet einen Ausweg aus der Einsamkeit der monologisch-egozentrischen Existenz. Jedem organisierten Kollektiv wird eine »verfluchte« Gemeinschaft von auserwählten Einsamen, von »höheren Naturen« entgegengesetzt. Das Leiden ist ein Grund der Klage, aber auch des Stolzes (...) zugleich ein Grund der Anklage gegen die Gesellschaft der »Bürger«. Der Autor projiziert eine eigene, persönliche Existenzproblematik in den Helden (...) die autofiktive Gestaltung (...) geht bis zur totalen Identifikation (was ein ambivalentes Verhältnis nicht ausschließt).[76]

viel bedeutet — nicht nur weil er der erste große Anarchist in Norwegen war, sondern auch weil er ein persönliches Schicksal hatte, das archetypisch — oder urbildlich — war. Er war ein naher Freund von Edvard Munch, und Munch verbrachte seine letzte Nacht damit, Hans Jaegers Portrait noch einmal zu zeichnen. Kennen Sie dieses Bild? Das allerletzte, das der etwa 80jährige Munch machte? Selber habe ich ein *langes* Gedicht über Hans Jaeger geschrieben. Er war ein Mensch, und er wurde zu früh geboren. — Natürlich ist er mit Céline, de Sade und Jean Genet verwandt. Komischerweise habe ich eben eine erste, norwegische Übersetzung von dem großen Marquis abgeschlossen. Von der ersten Version der »Justine«, oder »Les Infortunes de la Vertu«. Es war eine furchtbare Arbeit, aber man wird davon nicht dümmer. Genet habe ich auch ein Schauspiel gewidmet, d. h. ein Chanson in einem Schauspiel (...) Miller, Genet, Céline habe ich erst spät gelesen, Céline sogar erst nach »Augenblick der Freiheit« (...) Die »Boheme«-Zeit um die Jahrhundertwende — mit Jaeger, Krogh, Edvard Munch und Strindberg — hat mich immer sehr fasziniert.« Vgl. auch Fußnote 56.

[76] Vgl. Kreuzer, Die Boheme (s. Fußnote 69), S. 74 f.

Die strukturellen Gemeinsamkeiten mit dem »Augenblick der Freiheit« liegen nach dem bisher Gesagten auf der Hand. Einer Klassifikation als Bohemeroman steht freilich die Rolle des Gerichtsdieners entgegen, das heißt der Umstand, daß Bjørneboe ihm die Profession des Malers und freien Schriftstellers nur für die erinnerte Zeit beläßt, nicht aber für die Heiligenberger Erzählgegenwart, wie er auch seine intellektuellen Trinkkumpane im Wirtshaus »Zum Henker« in die sozialen Rollen des »Glöckners von St. Anna« und des »Kirchendieners« versetzt (der eine, ein emigrierter russischer Jude und republikanischer Spanienkämpfer, Verfechter einer christlich-idealistischen Metaphysik; der andere, äußerlich eine »Mischung aus Emile Zola und Paul Cézanne mit seinem französischen schwarzen Bart«[77], korrespondiert mit dem Moskauer Autor eines mehrbändigen Oeuvres von »gesammelten Selbstkritiken«[78]). Was hielt den Autor von einem unverstellten Bohemeroman zurück? Vermutlich das Bedürfnis, die Gerichtsmotivik als solche für sein Buch auszunutzen, die zugleich erleichtert, wie wir anfangs sahen, die Autobiographie ins Romanhafte zu verfremden und damit auch ins Symbolische auszuweiten. Vielleicht spielte auch das Bewußtsein mit, daß »der pathetisierende Gegensatz von Künstlertum und Bürgerlichkeit« (mit Thomas Manns »Doktor Faustus« zu sprechen[79]) in der Gegenwart zeitfremd-historisch anmuten könnte (ungeachtet aller objektiv bohemischen Phänomene etwa in der Beat-Generation oder auch in manchen Hippie-Kommunen), zumal immer mehr Manifeste den Kunst- und Künstlerbegriff des bürgerlichen Zeitalters als Affirmation statt als Negation des Bürgerlichen denunzieren, so daß ein individualistisch-gegenbürgerlicher »Rebell« und Außenseiter von heute — wie immer es tatsächlich um sein Bohemetum stehen mag — »is more likely to think coolly of his way as ›marginal‹ than as ›bohemian‹«[80]. Spuren des anti-ästhetischen Mißtrauens finden sich auch in Bjørneboes Werk: in Reminiszenzen an den alten Tolstoj, in den Ausfällen gegen einen formalistischen Modernismus[81], in Selbstvorwürfen des »Gerichtsdieners« gegen die eigene frühe Malerei, daß sie eine »Mauer« vor der Wirklichkeit errichtet habe[82]:

---

[77] »Augenblick«, S. 169; »Frihetens«, S. 147.

[78] »Augenblick«, S. 168; »Frihetens«, S. 146.

[79] Thomas Manns »Doktor Faustus« (1947) ist hier zitiert nach der Ausgabe von 1967, Frankfurt/M. und Hamburg, S. 28.

[80] Kingsley Widmer, The Literary Rebel, 2. Aufl., London und Amsterdam 1966, S. 149.

[81] Vgl. z. B. »Jonas und das Fräulein«, a. a. O., S. 163 f.; »Ehe der Hahn kräht«, a. a. O., S. VII.

[82] Vgl. »Augenblick«, S. 92, 172; »Frihetens«, S. 80, 149 f.

daß ich in Stockholm herumging und Blumentöpfe malte, Äpfel und Landschaften, während die ganze Welt um mich herum in Flammen stand: Sie enthüllte sich als die furchtbare Mischung aus Latrine und Folterkammer, die sie ist. Auch meine eigenen inneren Bilder der Welt waren eine Apokalypse: Mir war die Tatsache vertraut, daß die Welt ein Krematorium war. Aber ich wagte es nicht zu sagen.[83]

Doch ungeachtet der historischen Differenzen zwischen dem Emanzipatismus von heute und einer Künstlerboheme um 1900 hilft der Blick auf den Traditionsstrang der Bohemeliteratur, den für manche Rezensenten so inkommensurablen Ausbruch der Künstlerindividualität Jens Bjørneboes in bestimmter Hinsicht kommensurabel zu machen und kritischen Fragen auszusetzen. Wie sich an der Bohemeliteratur erweisen läßt, daß der in ihr gespiegelte Lebensstil keine Alternativkultur für alle darstellt, sondern ein gleichsam lizenziertes Komplementärphänomen der bürgerlichen Wirtschaftsgesellschaft, einen systemabhängigen Freiheitsraum (und Gefahrenraum) für eine Minorität, der den unbohemischen Lebensstil einer Majorität faktisch voraussetzt, so eröffnet der spirituelle Anarchismus des »Augenblicks der Freiheit« keine historische Hoffnung für die menschlichen Kollektive, trotz Bjørneboes Sympathie für den Syndikalismus, die von spezifisch bürgerlichen Erfahrungen genährt wird: Sie ist nicht unabhängig von einem Bankrott seines Vaters nach dem ersten Weltkrieg, als der Friede »ausbrach« und den »glücklichen Jahren« des Geschäfts mit dem Kriege ein konjunkturell bitteres Ende setzte, »bis Hitler kam und es mit den Marktverhältnissen der Schiffahrt wieder bergauf ging«[84].

Mehr als irgendeine andere Bevölkerungsschicht sind es die Geschäftsleute, die unter der verfluchten Herrschaft des Geldes leiden (...) Ich werde jedesmal ein echter Syndikalist, ein tieffühlender Anarcho-Kommunist, wenn ich einem Geschäftsmann in die Augen sehe. Denn ich kenne seine tiefe, tiefe Verzweiflung, seine Ahnung, sein Leben auf Sand gebaut zu haben.[85]

Bjørneboe kritisiert leidenschaftlich die historisch entstandenen Systeme der Gegenwart und ihre keineswegs unvermeidbaren Beiträge zur »Geschichte der Bestialität« (in West und Ost); aber er erhebt diese gleichzeitig doch zu unverändert bleibender Gegebenheit: insofern als er Freiheit, Selbstsein, Abweichung einerseits, Unfreiheit, Heteronomie, soziale Integration andererseits in ahistorischer Allgemeinheit identisch setzt und damit ein Außenseiter-

---

[83] Vgl. »Augenblick«, S. 177;   »Frihetens«, S. 154.
[84] Vgl. »Augenblick«, S. 26;   »Frihetens«, S. 24.
[85] Vgl. »Augenblick«, S. 27;   »Frihetens«, S. 25.

tum propagiert, das als solches — von literarisch-künstlerisch tätigen Intellektuellen einmal abgesehen (dem traditionellen Boheme-Reservoir) — nur einer Minorität von Menschen offensteht, die aus der alltäglichen Arbeitswelt der Massen mehr oder weniger ausgeschieden sind, auf deren Vorhandensein aber angewiesen bleiben. Wie die »Künstlerboheme um 1900« (und frühere Bohemen) versteht sich der Emanzipatismus Bjørneboes als radikale Antithese zur Wirtschaftsgesellschaft seiner Umwelt und ist es auch. Wie die Boheme, in deren Traditionen er steht, bleibt er dennoch gleichzeitig Produkt und Element des von ihm verworfenen Systems — auch er nicht ohne fragwürdige Züge.

Dafür ein sexualliterarisches Exempel. Wie auch bekannte deutsche Autoren der »antiautoritären Bewegung« hat Bjørneboe mit der linken Hand einen sexualaufklärerischen Popularroman veröffentlicht[86] (nach dem Brief vom 1. 9. 70 »eine Art practical joke in Form eines pornographischen ›Bildungs‹-romanes (wofür ich tatsächlich vom höchsten Gericht Norwegens verurteilt wurde)«). Darin übernimmt u. a. die Heldin einen »Job« als Kameraobjekt für Pornofilme, ohne daß der Autor zeigen würde oder ihm bewußt schiene, daß sie sich damit aufs brauchbarste dem Sozialtyp anpaßt, den der »Augenblick der Freiheit« rigoros verurteilt, weil für ihn »alles Handel ist. Alles (...) Hurenhaus«[87]. Im »Augenblick« wird zwar auch thesenhaft gesagt, »Unsittlichkeit, Obszönität und Pornographie« seien »an und für sich lebenserhaltende und aufbauende« Phänomene[88]; aber die Erzählpartien relativieren diesen Satz aufs wirksamste, indem sie z. B. den Erzähler mit nicht geringem Grauen die Pornobildersammlung eines so gnadenlosen wie prominenten Richters entdecken lassen und aufzeigen, wie dessen juristische, erotische und pornographische Aktivitäten zusammengehören, einander bedingen. »Ich war verzweifelt und aufgerührt (...) alles kam mir unglaublich lemurisch vor. Die Hand, die das Bild des Mädchens mit dem Hund hielt, zitterte, und ich legte alle Photographien weg.«[89]

Der fatale Zwiespalt, der sich in diesen simultanen Produktionen zeigt, hebt noch nicht auf, wovon wir ausgegangen sind: daß »Der Augenblick der Freiheit« ein rhapsodisch bewegendes Buch ist, existentielle Prosa[90], die sich aus-

---

[86] Uten en träd. Dt.: Nackt im Hemd, Hamburg 1970.

[87] »Augenblick«, S. 40; »Frihetens«, S. 24.

[88] »Augenblick«, S. 186; »Frihetens«, S. 162.

[89] »Augenblick«, S. 53f.; »Frihetens«, S. 47f.

[90] Käte Hamburger hat in der ersten Ausgabe ihrer »Logik der Dichtung« (1957) die Lyrik generell als die »existentielle« Gattung der Dichtung bezeichnet, damit aber Mißverständnisse der Rezipienten nahegelegt, die in der 2. Auflage (1968) zur Eliminierung

zeichnet durch Aufrichtigkeit und Spontaneität. Es wäre kein schlechtes Zeichen, wenn die Sensibilität, mit der es auf »lemurische« Politik reagiert, mehr Echo bei uns fände als bisher, ohne den Mißton nationaler Empfindlichkeit.

---

dieses Terminus beigetragen haben dürften. So erscheint es berechtigt, von Käte Hamburgers gattungstheoretischem Begriffsgebrauch nunmehr abzusehen und das Adjektiv »existentiell« literaturwissenschaftlich auf die konfessionalen, autobiographisch-reflektorischen Darbietungsformen anzuwenden, wie sie seit Rousseau eine besondere Rolle spielen. In diesem Sinne hat bereits Max Bense den Begriff der »existentiellen Prosa« zur Erschließung von Jean Genets »Tagebuch eines Diebes« genutzt. Vgl. seine Einleitung in der deutschen Ausgabe des Merlin Verlags, Hamburg 1961.

Reinhard Döhl

VORLÄUFIGER BERICHT
ÜBER ERZÄHLER UND ERZÄHLEN IM HÖRSPIEL

I

1954 gab Otto Heinrich Kühner als einer der ersten Autoren nach dem Kriege eine Sammlung eigener Hörspiele heraus[1], der er »Eine Dramaturgie des Hörspiels, der Funkerzählung und des Features« anhängte, die nach Auffassung Dieter Hasselblatts »zum Knappsten und Besten« gehört, »was zur Charakterisierung der funkeigenen Kunstformen bislang vorliegt«[2], während Eugen Kurt Fischer von »Faustregeln« spricht, »wie sie etwa Otto-Heinrich Kühner aus der Praxis des Schreibens und Hörens heraus entwickelt hat, aber kaum eine dieser Regeln ist allgemeingültig«[3]. Sieht man einmal von der langjährigen Kontroverse zwischen Heinz Schwitzke und Friedrich Knilli um literarisches Hörspiel versus totales Schallspiel ab[4], wobei Knilli seiner temperamentvoll vorgetragenen Auffassung heute selbst nicht mehr ganz zu folgen bereit scheint[5], so ist der von Kühner vorgeschlagenen Typologie bis heute eigentlich nie ernsthaft widersprochen worden[6], dagegen

---

[1] Otto Heinrich Kühner, Mein Zimmer grenzt an Babylon. Hörspiel Funkerzählung Feature, München (Albert Langen, Georg Müller) 1954.

[2] Günter Rüber und Dieter Hasselblatt, (Hrsg.), Funkerzählungen, mit einem Nachwort von Dieter Hasselblatt, Köln (Jakob Hegner) 1963. Zit. nach der Taschenbuchausgabe Frankfurt/Main und Hamburg (Fischer Bücherei) 1966 (Fischer Bücherei 749), S. 163.

[3] Eugen Kurt Fischer, Das Hörspiel. Form und Funktion, Stuttgart (Alfred Kröner) 1964, S. 37.

[4] Friedrich Knilli, Das Hörspiel. Mittel und Möglichkeiten eines totalen Schallspiels, Stuttgart (W. Kohlhammer) 1961, (Urban-Bücher 58); Heinz Schwitzke: Gibt es ein ›Totales Schallspiel‹, in: Heinz Schwitzke, Das Hörspiel. Dramaturgie und Geschichte, Köln und Berlin (Kiepenheuer und Witsch) 1963, S. 233—240.

[5] Friedrich Knilli, Deutsche Lautsprecher. Versuche zu einer Semiotik des Radios, Stuttgart (Metzlersche Verlagsbuchhandlung) 1970. (Texte Metzler 11).

[6] So bleibt z. B. Gero von Wilpert durchaus noch im Rahmen der Kühnerschen Typologie, wenn er in seinem Sachwörterbuch der Literatur (Stuttgart: [Kröner] ⁵1969, S. 334) schreibt: »Halbepische Mischformen des Hörspiels dagegen sind die sog. Funknovelle als Erzählung mit eingeblendeten Dialogen oder die Hörfolge (Feature) als Reihung geschlossener, meist dokumentarischer Einzelszenen.«

367

wurde sie im einzelnen kritisiert, differenziert und gewichtet. So gilt Schwitzke das Feature nur als »ein Zweig am großen Stamm des Hörspiels«, als eine »temperamentvolle und lebenstüchtige, mehr jounalistische Schwesterform«, von der allerdings »besonders formal und methodisch« das eigentliche Hörspiel in seiner historischen Entwicklung »vielerlei wichtige Impulse erhalten« habe[7]. Der Funkerzählung begegnet Schwitzke mit Mißtrauen: »Auch im Hörspiel gibt es gelegentlich Beispiele dafür, daß der Autor als ›Erzähler‹ oder ›Sprecher‹ zwischen den Szenen selbst in Erscheinung tritt. Die Methode wird bisweilen durch die Etikettierung als ›Funkerzählung‹ entschuldigt, kann aber wohl nie als künstlerisch ganz zureichend empfunden werden.«[8] Oder an anderer Stelle: »Ich muß gestehen, daß ich hier Kühner nicht folgen kann, daß ich eine episch-dialogische Mischform immer als bequem, halbgar und chimärisch empfinde, wenn nicht wenigstens der Erzähler auch für den Hörer selbst Figur und Schicksal wird.«[9] Schwitzke nimmt dabei zum einen Wolfgang Hildesheimers »Das Opfer Helena« als »Sonderfall«[10], zum anderen »Kühners unvergeßliche Hörspiel-Geschichte ›Die Übungspatrone‹« als »formal vorbildlich«[11] aus seiner Kritik ausdrücklich aus.

Kühner ist von Schwitzkes Hörspielauffassung zunächst gar nicht so weit entfernt, wenn er feststellt: »Da man im Hörspiel das Geschehen nur in einer Art Phantasieraum erlebt, muß man es ohnedies mehr als anderswo von innen her erleben. Dies wird von außen her durch den Wechsel der Darstellungsarten, nämlich des Dramatischen, Epischen und Lyrischen unterstützt.«[12] »Entscheidend für das einzelne Hörspiel wird es sein, ob der Stoff einen dramatischen, epischen oder lyrischen Kern enthält.«[13] Trotz der zugestandenen Schwierigkeit, die »Grenzen zwischen dem Hörspiel und der Funkerzählung (...) zu ziehen«, vermutet Kühner: »Vielleicht liegt der Unterschied

---

[7] Heinz Schwitzke, Das Hörspiel, S. 279.

[8] Heinz Schwitzke (Hrsg.), Sprich, damit ich dich sehe. Sechs Hörspiele und ein Bericht über eine junge Kunstform, München (Paul List) 1960, (Listbücher 164), S. 20.

[9] Heinz Schwitzke, Das Hörspiel, S. 348.

[10] Heinz Schwitzke, Sprich, damit ich dich sehe, S. 20.

[11] Heinz Schwitzke, Das Hörspiel, S. 348.

[12] Heinrich Otto Kühner, Mein Zimmer grenzt an Babylon, S. 204. — Vgl. z. B. Heinz Schwitzke, Sprich, damit ich dich sehe, S. 18: »Versteht man das Hörspiel — einerseits als Mischung von lautwerdenden und sogleich verlöschenden Worten und Klängen durch das Mittel der technisch-elektronischen Produktion — andererseits als ganz unkörperliche, bloß spirituelle ›Anschauung‹ im Innern des Zuhörers, so kennt man eigentlich bereits alle Gründe seines Reichtums und sein ganzes, wunderbar einfaches und einheitliches Kunstprinzip.«

[13] Heinrich Otto Kühner, Mein Zimmer grenzt an Babylon, S. 204.

nur darin, daß bei dem epischen Hörspiel der Dialog, bei der Funkerzählung —
oder der Funknovelle — dagegen der Sprechertext überwiegt«[14], wobei ihm
interessanterweise die von Schwitzke als »Hörspiel-Geschichte« eingestufte
»Übungspatrone« als Beispiel für die Schwierigkeit der Grenzziehung gilt. Ja
sie führt sogar im Druck die Gruppe der »Hörspiele« an[15].

Auch für Hasselblatt ist »die Funkerzählung (...) keine Misch- oder
Grenzgattung. Sie ist auch nicht aus zufälligen Gelegenheitstreffern von
Hörspielautoren zu erklären. In der Funkerzählung manifestiert sich eine
eigene Weise des Erzählens, die ohne den Funk kaum in der heute feststellbaren
Gestalt aufgetreten wäre.«[16] Dabei bedarf es »genau genommen keiner Ur-
sprungserörterung, um nachzuweisen, daß es nicht nur Funk-Erzählungen[17],
sondern die Funkerzählung längst und recht eigenständig gibt. Das Erzählen
hat im modernen technischen Publikationsmedium seinen festen Platz und seine
nach Hunderttausenden zählende Zuhörerschaft.«[18] In der Tat hat das, was
Kühner und Hasselblatt Funkerzählung nennen, inzwischen nicht nur durch
Rüber und Hasselblatt seine anthologische Sammlung gefunden, sondern sich
auch in den Programmen einiger Rundfunkanstalten so etwas wie einen festen
Programmplatz erobert.

Wesentlich differenzierter als Kühner unterscheidet Fischer für das »Originalhörspiel«, das er in »Die Gattungen des einsinnigen Spiels« vom
»Hörspiel als Reproduktion«[19] abhebt, zwischen dem »dramatischen Hörspiel«,
der »hörszenischen Reportage«, dem »epischen Hörspiel«, dem »lyrischen
Hörspiel«, »Mischformen aus dramatischen, epischen und lyrischen Elementen« und dem »Feature«.[20] Dabei behandelt er die Funkerzählung wohl nicht
von ungefähr sowohl unter dem Aspekt des »epischen Hörspiels« (»Das
Originalhörspiel«), wobei er interessanterweise die Bezeichnung Funkerzählung fast gänzlich meidet, als auch unter dem Aspekt der »adaptierten
Epik als dramatisches Spiel «(»Das Hörspiel als Reproduktion«): »Einen Schritt
weiter« als die Bearbeiter einer epischen Vorlage »gehen die Autoren von
Funkerzählungen, die nicht nur formal, sondern auch in der Wahl des Gegen-

---

[14] Ebd., S. 232.

[15] Ebd., S. 11—31.

[16] Günter Rüber, Dieter Hasselblatt, Funkerzählungen, S. 163.

[17] »Die Funk-Erzählung als eigene Programmsparte wird meist durch Lesung von bereits
gedruckt vorliegenden Texten beschickt.« (ebd., S. 164)

[18] Ebd., S. 162.

[19] Zu »Reproduktion« vgl. Helmut Jedeles grundsätzliche Unterscheidung von »Reproduktivität und Produktivität im Rundfunk« in seiner gleichnamigen Dissertation, Mainz 1952.

[20] Eugen Kurt Fischer, Das Hörspiel, S. 67 ff.

standes selbständige Gebilde sind, also überhaupt nichts mehr mit Adaptierung zu tun haben, sondern genau wie das Originalhörspiel freie Dichtungen sind.«[21] Auch für Fischer ist eine Grenzziehung schwierig: »Die Stimme, die etwas funkgemäß ausspricht, das nicht Literatur sein will und auch nicht Bericht, ist dem Hörspiel und der Funkerzählung gemeinsam. Die Übergänge sind zahlreich. So wollen wir abwarten, ob die praktische Rundfunkdramaturgie mit der Zeit zur reinlichen Scheidung zweier autonomer Kunstformen kommt, oder ob innerhalb der so vielfältigen Möglichkeiten des Hörspiels nicht doch auch weiterhin Raum bleibt für seine Sonderform Funkerzählung.«[22]

II

Der bisherige Überblick macht deutlich[23], daß keiner der zitierten Autoren die Existenz einer Funkerzählung eigentlich in Frage stellt, er zeigt aber

---

[21] Ebd., S. 65.

[22] Ebd., S. 66.

[23] Ein auch historisch umfangreicherer Überblick würde außer weiteren Differenzierungen keine wesentlich neuen Aspekte beibringen. Vorweggenommen scheint mir Kühners Unterscheidung von Funkerzählung und Hörspiel in einem weder bei ihm noch bei Fischer, allerdings bei Hasselblatt erwähnten Aufsatz Werner Brinks »Die Funkerzählung« (Rufer und Hörer, H. 4, Juli 1933), in dem u. a. festgehalten wird, daß — im Gegensatz zur Darstellung des Geschehens im Dialog — die Funkerzählung das Geschehen als das vom Hörer gleichsam belauschte Selbstgespräch des Erzählers vermittle. Als weitere Autoren wären in diesem Zusammenhang noch zu nennen Franz Fassbind (Dramaturgie des Hörspiels, Zürich 1945) und Armin P. Frank (Das Hörspiel. Vergleichende Beschreibung und Analyse einer neuen Kunstform (...), Heidelberg 1963, Frankfurter Arbeiten aus dem Gebiete der Anglistik und der Amerika-Studien 8), die beide dem epischen Hörspiel (im Sinne Fischers) eine größere Beachtung schenken, wobei ich allerdings nicht nur im Hinblick auf den Aufsatz Brinks bezweifeln möchte, daß »Fassbind (...) dem epischen Hörspiel (...) wohl als erster bereits große Bedeutung« zugemessen habe (Fischer). Nicht zugänglich waren mir bisher die Arbeiten der Engländer Philip Hope-Wallace — der das Hörspiel als einen »roman parlé« und deshalb als eine Form des »fiction writing« auffassen möchte — und Donald McWhinnie, dem die Dissertation Franks manches verdankt. Wesentliche Gedankengänge eines Aufsatzes von Hasselblatt, »Das Monologisch-Erzählerische im Hörspiel« (Rundfunk und Fernsehen, Jg. 5, 1957, S. 357—365), kehren modifiziert und auf die Funkerzählung bezogen im Nachwort zur Rüber-Hasselblattchen Anthologie wieder, während Kühners Aufsatz »Über die Funkerzählung« (Rundfunk und Fernsehen, Jg. 9, 1961, S. 361—365) schließlich eine Weiterführung des in »Mein Zimmer grenzt an Babylon« bereits Gesagten ist: »In unserem Zusammenhang ist nun danach gefragt, was eine Funkerzählung ist und inwiefern sie sich von der gewöhnlichen Leseerzählung unterscheidet oder von dem epischen Hörspiel, das ja ebenfalls einen Erzähler aufweist.« (S. 361)

zugleich Unsicherheiten in ihrer typologischen Einschätzung als Sonderform, als Mischform, als eigenständige Gattung. Die Daten der Erstsendungen der von Rüber und Hasselblatt gesammelten Funkerzählungen — 1956–1963 — lassen zwar seit spätestens Mitte der fünfziger Jahre[24] eine umfangreichere und bewußte Produktion von Funkerzählungen sowohl bei Autoren als auch bei den Runkfunkanstalten erkennen, aber während einzelne Rundfunkanstalten — so z. B. der Süddeutsche Rundfunk — der Funkerzählung einen festen Platz in ihrem Hörspielprogramm zugewiesen haben, zeigen sich andere Rundfunkanstalten gegenüber der Funkerzählung äußerst enthaltsam — so z. B. der Norddeutsche Rundfunk. Das läßt den Schluß zu, daß sich die Funkerzählung als eigenständiger Hörspieltyp bisher noch nicht ganz durchzusetzen vermochte, wobei zu fragen wäre, wieweit hier das Hörspielverständnis einzelner Hörspieldramaturgien als Sperre mitgewirkt hat[25]. Aus einem solchen unterschiedlichen Hörspielverständnis erklärt sich auch leicht eine oft kontroverse Bewertung früher, in unserem Zusammenhang interessanter Hörspiele: »Längst und noch einige Jahrzehnte davor gab es Hermann Kessers psychologische

---

[24] Es scheint mir allerdings ohne Schwierigkeiten möglich, für die Hörspielgeschichte nach 1945 noch weiter zurückzudatieren. Nicht ganz deutlich ist mir, warum Hasselblatt in seinem Aufsatz über »Das Monologisch-Erzählerische im Hörspiel« annimmt, daß man seit 1952 wisse, daß neben dem bisher bevorzugten Dialogischen das Erzählerische eine zumindest gleichwertige Möglichkeit sei. Denn diese Gleichwertigkeit weist ja schon Kühners »Die Übungspatrone« (1950) aus. Überhaupt scheint mir das Jahr 1950 und seine Hörspielproduktion für Kühners vorgeschlagene Hörspieltypologie recht interessant, da es für jeden dieser drei Hörspieltypen mit Günter Eichs »Geh nicht nach El Kuwehd oder Der zweifache Tod des Kaufmanns Mohallab« (eigentliches Dialoghörspiel), mit Ernst Schnabels »Ein Tag wie morgen« (Feature) und Kühners »Die Übungspatrone« (wenn man sie trotz der Kühnerschen Einschränkung, und das mit gewissem Recht, einmal als Funkerzählung auffaßt) ein illustratives Beispiel liefert.

[25] Ich habe bereits in anderem Zusammenhang darauf hingewiesen, daß es bis heute eine verbindliche Poetik des Hörspiels nicht gibt, daß man statt dessen vielleicht von einer Bevorzugung bestimmter Hörspieltypen durch die Hörspieldramaturgien der einzelnen Rundfunkanstalten sprechen könnte. (Versuch einer Geschichte und Typologie des Hörspiels in Lektionen, I, Westdeutscher Rundfunk, III. Programm, 26. 3. 1970). — Ähnlich notiert auch Johann M. Kamps: »Dabei sollte man nicht unterschätzen, welche Rolle dem Kunstverstand des Redakteurs zukommt. Die Bewertung einer Sendung hängt zunächst von ihm und seinen Kollegen ab und erst dann von der spärlichen Kritik (...). Unaufgefordert eingereichte Manuskripte gelangen nach der Prüfung durch das Lektorat seltener bis zur Produktion als Auftragsarbeiten, die aus einer Absprache zwischen Autor und Dramaturgie hervorgehen und deren Entstehung und Veränderung vom Dramaturgen betreut werden.« (Aspekte des Hörspiels, in: Thomas Koebner, Tendenzen der deutschen Literatur seit 1945, Stuttgart (Kröner), erscheint demnächst.

Monologerzählung ›Schwester Henriette‹, eine unverkennbare Fortführung der von Arthur Schnitzler mit ›Leutnant Gustl‹ oder ›Fräulein Julie‹ eingeschlagenen Richtung des monologue intérieur. Aber auch Hermann Kessers ›Straßenmann‹ (1930) zeigt eine dramaturgische Prädominanz des Erzählerischen.«[26] Fischer zitiert zwar diese Auffassung Hasselblatts[27], rechnet selbst aber den »Straßenmann« zum Typ des dramatischen Hörspiels[28], weist in seiner Analyse des Features auf dessen »Reportagecharakter« hin[29] und begreift »Schwester Henriette« wesentlich als monologisches Spiel[30]. Schwitzke schließlich notiert zwar, daß die Hörspiele Kessers »ursprünglich als Prosaarbeit niedergeschrieben« waren, empfindet aber beim »Straßenmann« die — »vielleicht als ein Relikt der Erzählfassung« zu verstehende — »›Stimme des Autors‹, die den breitesten Raum einnimmt«, als »fragwürdig«[31]. Für »Schwester Henriette« ist es ihm sogar »fast unbegreiflich, daß der Text des Stückes nicht mit dem Blick auf die Hörspielverwirklichung, sondern zuerst als Novelle geschrieben wurde«[32].

[26] Günter Rüber, Dieter Hasselblatt, Funkerzählungen, S. 163. — Ähnlich weist auch Fischer auf Schnitzler hin: »Neuerdings schreibt man ohne literarische Vorlagen, wie erwähnt, Funkerzählungen und Funknovellen, die sich meist derselben Mittel bedienen wie die genannten Prosabearbeitungen (...). Sie sind aber nicht ohne Vorbilder: Arthur Schnitzlers ›Leutnant Gustl‹ könnte für den Runkfunk geschrieben sein.« (Das Hörspiel, S. 73)

[27] Ebd., S. 65 f.

[28] Ebd., S. 68.

[29] Ebd., S. 82.

[30] Ebd., S. 114 f.

[31] Schwitzke, Das Hörspiel, S. 146.

[32] Ebd., S. 166. — Die Novellenfassung erschien u. d. T. Schwester, Frankfurt (Rütten und Loening) 1926. Das Erscheinungsjahr erweist — wenn man sich vergegenwärtigt, daß die Hörspielgeschichte erst seit 1924 datiert — das »fast unbegreiflich« Schwitzkes als rhetorische Floskel. Seine Vermutung: »Offensichtlich nahmen Kessers Novellen unter den Händen des Autors unabsichtlich die Form des gesprochenen Wort-Werks an« bezieht, wenigstens für »Schwester«, ihren Anstoß aus dem Schlüsselwert, den Schwitzke der »Schwester Henriette« als einem »neuen, endgültigen Anfang« der Hörspielgeschichte beimißt, als erstem Musterbeispiel für den Inneren Monolog im Hörspiel. Sachlich berechtigt ist eine weitere Feststellung Schwitzkes: »Dergleichen lag damals in der Luft« und sein Hinweis auf Schnitzler: »Grenzfälle zwischen Erzählung und psychodramatischer Selbstdarstellung einer erfundenen Figur wie Schnitzlers ›Fräulein Else‹« (ebd.). Vgl. dazu auch Fußn. 26. — Im übrigen sind solche Doppelungen von Prosafassung und Hörspielfassung bis heute keine Seltenheit. Vgl. etwa Rolf Beckers Prosa »Die weiße Fahne« (in: Rolf Schroers (Hrsg.), Auf den Spuren der Zeit. Junge deutsche Prosa, München (Paul List) 1959, (List-Bücher 137), S. 26—32) mit der Hörspielfassung »Ausnahmezustand«, Erstsendung Norddeutscher Rundfunk 1960, (Druck in: Süddeutscher Rundfunk (Hrsg.), Hörspielbuch 1961, Frankfurt/Main: Europäische Verlagsanstalt) o. J. (1961), S. 133—165).

Es kann hier nicht darum gehen, die divergierenden und kontroversen Auffassungen im einzelnen zu analysieren, wozu auch der zur Verfügung stehende Raum nicht ausreichen würde. Es kann auch nicht darum gehen, in der Auseinandersetzung mit ihnen eine wissenschaftlich stichhaltige Theorie der sogenannten Funkerzählung herauszuarbeiten. Dafür ist die Geschichte des Hörspiels noch viel zu unübersichtlich. Was ich statt dessen versuchen will und kann, ist, einige Teilaspekte herauszustellen, einige historische Voraussetzungen zu beschreiben, um so die Frage nach der sogenannten Funkerzählung noch einmal neu zu stellen und damit vielleicht — wenigstens für einen Teilaspekt — eine wissenschaftliche Hörspielforschung, zumindest im Ansatz, anzudeuten.

III

Jeder Versuch, etwas über das Hörspiel wie auch immer auszusagen, setzt mindestens drei Prämissen voraus, die zwar bekannt, gelegentlich aber zugunsten einer nur am Literarischen des Hörspiels interessierten, bei einer werkimmanenten Analyse und Interpretation des Hörspiels stehenbleibenden Auseinandersetzung in Vergessenheit gerieten, bis Helmut Heißenbüttel sie auf der »Internationalen Hörspieltagung« in Frankfurt/Main (1968)[32a] und vor allem in seinem Aufsatz »Hörspielpraxis und Hörspielhypothese« wieder einmal nachdrücklich in Erinnerung brachte, wobei er dem Feature innerhalb der Hörspielentwicklung eine zentrale, da mediumspezifische Rolle zuweist: »Wenn der Hörspielentwicklung etwas abzulesen ist, das mediumeigene Gesetzlichkeiten reflektiert, so ist es zunächst nur die Verbindung, die sich von der grundsätzlichen Aufgabe der Information zum illusionären Spiel ziehen läßt. Im Gebrauchscharakter einer populären Hörspielform, die unmittelbar ins Feature übergeht und literarisch-ästhetische Kriterien nur als grob handwerkliche Regeln anerkennen kann, zeigt sich die erste legitime Form, die sich aus dem Medium entwickelt.«[33]

Folgende 3 Prämissen müssen also allen weiteren Überlegungen vorangestellt werden:

1. »Das Hörspiel verdankt sein Entstehen einer Auftragssituation. (...)

[32a] Helmut Heißenbüttel, Horoskop des Hörspiels, in: Klaus Schöning (Hrsg.), Neues Hörspiel. Essays, Analysen, Gespräche, Frankfurt/Main (Suhrkamp), 1970, S. 18—36, (edition suhrkamp 476).

[33] Helmut Heißenbüttel, Hörspielpraxis und Hörspielhypothese, in: Akzente, Jg. 16, 1969, H. 1, S. 25. Vgl. auch Horoskop des Hörspiels, S. 24.

Die Auftragssituation, aus der das Hörspiel entstand, entsprach den Anfängen der Rundfunkprogramme etwa in Deutschland und England.«[34] Diese Auftragssituation gilt aber nicht nur für die Entstehungszeit des Hörspiels, sie gilt eigentlich bis heute. Entsprechend kann Johann M. Kamps davon sprechen, daß »unaufgefordert eingereichte Manuskripte (...) nach der Prüfung durch das Lektorat seltener bis zur Produktion« gelangen »als Auftragsarbeiten«[35], und Kühner kann einer augenscheinlich für die Autoren der Hörspieldramaturgie des Süddeutschen Rundfunks bestimmten Vervielfältigung seines Aufsatzes »Über die Funkerzählung« den einleitenden Abschnitt vorschalten: »Die Hörspielabteilung des Süddeutschen Rundfunks plant, im Winterhalbjahr 1961/62 eine Reihe von Funkerzählungen zu senden, und will zu diesem Zweck einigen Autoren entsprechende Aufträge erteilen. In diesem Zusammenhang scheint es angebracht, eine Definition der Funkerzählung zu versuchen, vor allem ihrer Abgrenzung gegenüber dem epischen Hörspiel auf der einen und der Leseerzählung auf der anderen Seite.«[36]

2. »Das Hörspiel hat einen bestimmten (oder nach Tages- und Tageszeitenterminen variierenden) Platz in einem Programm, das ganz bestimmten Schematisierungsregeln unterworfen ist. Kein Hörspielleiter oder Dramaturg kann sich darüber hinwegsetzen, daß er das Hörspiel placieren muß. Alle ästhetischen und werkimmanenten Kriterien müssen auf diesen Placierungszwang bezogen werden. Denn ungesendet ist das Hörspiel nichts als ein Manuskript unter anderen. Hier sind zunächst die Differenzen zu sehen, die das Hörspiel als Literatur von der übrigen literarischen Szene scheiden.«[37] Das heißt, jede Analyse und Interpretation wird angeben müssen, von welcher Sorte Hörspiel sie eigentlich spricht, bzw. welche Programmsparte sie meint: denn was unter Hörspiel angeboten wird, reicht vom »angewandten Hörspiel«[38] über die sogenannte Soap Opera, als Spiel aufbereiteten Lehrstoff, auf Stimmen verteilte Texte des Kinderfunks, über Dialekt-, Kriminal-, Science-Fiction-

---

[34] Hörspielpraxis und Hörspielhypothese, S. 23.

[35] Zitatnachweis Fußn. 25, Schluß.

[36] Diese Vervielfältigung, dieser Definitions- und Abgrenzungsversuch scheinen mir auch so etwas wie ein Beleg für das, was Kamps mit der Rolle des Kunstverstandes des Redakteurs für die Hörspielproduktion, mit »Absprache zwischen Autor und Dramaturgie« meint. (Vollständiges Zitat und -nachweis Fußn. 25)

[37] Helmut Heißenbüttel, Hörspielpraxis und Hörspielhypothese, S. 25.

[38] Auf der Sitzung des Programmausschusses der deutschen Rundfunkgesellschaften, Wiesbaden 1928, von Dürre vorgeschlagene Bezeichnung für Vorträge in Gesprächsform

Hörspiele[39] bis zu ambitionierten literarischen Hörspielen, und nur das wenigste wird von den Hörspieldramaturgien betreut. Ja selbst zwischen den Sendetagen und -zeiten und den Programmen müßte man unterscheiden[40].

3. Neben der speziellen Auftragssituation und dem spezifischen Stellenwert des Hörspiels im Programm wird die Analyse und Interpretation bei literarisch ambitionierten Hörspielen auch das literarische Panorama der Zeit mit berücksichtigen müssen, etwa bei der Analyse der Hörspiele Michel Butors, auf die Heißenbüttel in seinem Vortrag rekurriert, den theoretischen Hintergrund des nouveau roman, der auch in unserem Zusammenhang eine Rolle spielen wird, mehr jedenfalls als die wiederholt zitierten Erzählungen Schnitzlers.

Diese drei genannten Gesichtspunkte machen einsichtig, wie kompliziert jede Hörspielanalyse und Interpretation sein muß, und, warum die bisher vorliegende Hörspielliteratur, vor allem bei nicht genügender Berücksichtigung einzelner dieser Aspekte, notwendig widersprüchlich bleiben mußte.

IV

Für unser Thema relativ unergiebig scheinen dabei zunächst die ersten fünf Jahre Hörspielgeschichte, über die wir bisher — trotz mancher Bemühung[41] — noch nicht genug wissen. Dennoch fallen auf Schwitzkes verdienstvoller »Zeittafel«[42] drei Titel ins Auge, denen selbst dort, wo man nur auf Ver-

---

[39] Vgl. dazu im einzelnen: Friedemann Enke, Die Soap Opera (Radio daytime serial — Hörspiel in Fortsetzungen), in: Rufer und Hörer, Jg. 6, 1951/52, S. 493—499. — Peter Zylmann, Zum niederdeutschen Hörspiel, in: Rufer und Hörer, Jg. 5, 1950/51, S. 572—574; Eberhard Freudenberg, Plattdeutsch im Rundfunk von 1954?, in: Rufer und Hörer, Jg. 8, 1953/54, S. 551—556; Josef Bergenthal, Westfälische Hörspiele des Westdeutschen Rundfunks, 1957.

[40] Vgl. dazu Johann M. Kamps: »Die Sender der BRD strahlen täglich etwa drei Hörspiele aus. Jeden zweiten Tag dürfte ein deutschsprachiges Hörspiel Ursendung haben. Fast alle Termine sind am Abend, zur Nacht, allenfalls noch am Sonntagnachmittag. Damit ist eine lückenlose Versorgung gewährleistet, und zwar zu einer Zeit, in der der ›statistische Hörer‹ den Kunstgenuß erwartet. Im übrigen gilt als Faustregel: je spezieller das Hörspiel, desto entlegener sein Platz im Programm. Das Geschick des Programmgestalters besteht darin, zwischen den Grenzen des Verträglichen, des eigenen Kunstverstandes und der kulturellen Marktlage zu taktieren.« (Aspekte des Hörspiels)

[41] Vor allem: Ulrich Lauterbach (Hrsg.), Zauberei auf dem Sender und andere Hörspiele, Frankfurt/Main (Waldemar Kramer) 1962; Heinz Schwitzke (Hrsg.), Frühe Hörspiele. Sprich damit ich dich sehe, Bd. II, München (Paul List) 1962, (List-Bücher 217); ferner die schon genannten Arbeiten Franks, Schwitzkes, Fischers; Reinhard Döhl, Versuch einer Geschichte und Typologie des Hörspiels in Lektionen, WDR 1970 ff.

[42] Heinz Schwitzke, Das Hörspiel, S. 443—461.

mutungen angewiesen ist, für unseren Zusammenhang einige Bedeutung zukommt. Ich meine: »Spuk« von Rolf Gunold (1925), den Roman in Fortsetzungen (!), »Die Katastrophe«, von Gramatzki (1925) und »Michael Kohlhaas« von Arnolt Bronnen (1927). Entgegen einer Korrespondentennotiz Ulrich Lauterbachs[43] ist das Manuskript Gunolds bisher nicht aufgefunden worden[44]. Aber schon der bekannte Untertitel ist aufschlußreich, weil er als »Gespenstersonate nach Motiven E. T. A. Hoffmanns« auf eine bestimmte Prosa-Vorlage und — mit allen Vorbehalten — wohl auch auf eine bestimmte Erzählhaltung verweist. Über den Roman in Fortsetzungen »Die Katastrophe« konnte ich ebenso wenig ermitteln wie über seinen Autor Grammatzki[45]. Daß hier allerdings ein Roman in Fortsetzungen über den Funk ausgestrahlt wurde — ob vom Autor, von einem Sprecher gelesen oder auf mehrere Sprecher verteilt, spielt dabei im Moment keine Rolle — signalisiert eine Sendegepflogenheit, die bis heute ihre Tradition bewahrt hat[46]. Wo Sendungen dieser Art von Hörspieldramaturgien (mit) betreut werden, wird man zumeist mit Recht von adaptierter Epik, in vielen Fällen von »adaptierter Epik als dramatischem Hörspiel« sprechen können, die Fischer als »Hörspiel als Reproduktion« vom »Originalhörspiel« unterschieden wissen will. Solche Sendungen haben, soweit es sich um kulturhistorisch wichtige Vorlagen handelt, bei einer äußerst pluralistischen Zuhörerschaft durchaus einen Sinn als Vermittlung musealen Bildungsgutes, als »Kulturübertragungsdienst«, wie Knilli etwas hochmütig abwertet[47]. »Die Adaptionen von Prosa und Schauspiel halten sich immer noch weitgehend an das Prinzip größtmöglicher Originaltreue, geht es doch darum, dem Unkundigen Kulturgüter nahezubringen oder ins Gedächtnis zurückzurufen, die Lektüre des Buches oder den Besuch der Aufführung zu ersetzen, nicht ohne dabei auf den Erfolg der Vorlage zu vertrauen und damit den Erfolg der eigenen Sendung sicherzustellen.«[48] Eine in diesem Zusammenhang literatursoziologisch interessante Beobachtung teilt

---

[43] Ebd., S. 60, Fußnote.

[44] Telefonische Auskunft Ulrich Lauterbachs.

[45] Nicht unwahrscheinlich ist, daß der Name ein Pseudonym darstellt.

[46] So kündigt der Westdeutsche Rundfunk in einer Gemeinschaftsproduktion mit dem Hessischen Rundfunk für das 2. Halbjahr 1970 in der »Literarischen Reihe« (II. Programm) eine Funkbearbeitung von Honoré des Balzacs »Verlorenen Illusionen« an (14., 21., 28. November, 5., 12., 19. Dezember).

[47] Friedrich Knilli, Das Hörspiel, S. 46.

[48] Johann M. Kamps, Aspekte des Hörspiels. — In Parenthese muß man hier auf die Verfilmung epischer Vorlagen ebenso hinweisen wie auf die Fernsehadaptionen von Theaterstücken, da es sich in einer Vielzahl der Fälle um eine ähnliche Problematik handelt.

Klaus Peter Lischka mit: »Vor einiger Zeit habe ich mich an einer Diskussion über Hemingways Roman *For whom the bell tolls* beteiligt (...) Nachher saß ich dann noch mit sieben Beteiligten in einem kleinen Lokal zusammen. Während der Unterhaltung machte ich eine verblüffende Feststellung. Von den sieben Studenten hatte nur ein einziger den Roman von Hemingway gelesen; drei hatten den Film gesehen, einer das Hörspiel gehört, und die restlichen zwei kannten sowohl das Hörspiel wie den Film. Soeben aber hatten sie alle sieben über den Roman eingehend diskutiert.«[49]

Auf die Schwierigkeiten derartiger Adaptionen geht Fischer ausführlicher ein: Anders als beim »dramatischen Hörspiel als adaptiertem Bühnenstück«, wo der Bearbeiter »ein Kunstwerk, das bereits im Hinblick auf ein vermitteln-des szenisches Medium, das Theater, geschaffen wurde, den Gestaltungs-bedingungen eines anderen Vermittlungsinstrumentes anpassen« muß, habe es der Bearbeiter epischer Vorlagen leichter. Seine wesentliche Aufgabe bestehe »in der taktvollen Kürzung der Vorlage auf eine der erkundbaren Hörbereitschaft eines Teilnehmerdurchschnitts angepaßte Spieldauer«. Schwie-rigkeiten sieht Fischer vor allem in der möglichen Gefahr, »die gattungs-bedingte epische Breite völlig einzubüßen, und nur noch ein Handlungsskelett übrig zu behalten, das fast nur noch aus Dialogen besteht«, bzw. bei »Erzäh-lungen mit wenig Dialog, also ausgesprochen epischen Gebilden ohne nennenswerten dramatischen Gehalt«, da der Bearbeiter« in den meisten Fällen ganz erheblich kürzen« muß, »es sei denn, er schaffe eine Funkerzählung, die in mehreren Fortsetzungen dargeboten wird und möglichst viel vom Original-werk in unveränderter Form bieten will«[50]. Fischer verweist in diesem Zu-sammenhang auf die erfolgreichen Fortsetzungssendungen deutscher, fran-zösischer, englischer und schweizer Rundfunkanstalten, in denen Roman-

---

[49] Hörspiele, und wie sie entstehen. In: Rufer und Hörer. Jg. 7, 1952/53, S. 335.

[50] Eugen Kurt Fischer, Das Hörspiel, S. 64, — Auf eine weitere Gefahr, nämlich die Ableitung eines Hörspielverständnisses aus solchen Sendungen durch das Publikum, verweist Johann M. Kamps (Aspekte des Hörspiels): »Der als Spiel aufbereitete Lehrstoff im Schulfunk, das Märchen des Kinderfunks, der Krimi und das Science-Fiction-Stück, oftmals auch die Hörspielbearbeitung eines Schauspiels oder einer Prosa — sie alle heißen Hörspiel und werden vom Hörer als solche verstanden. Der Wortgebrauch spiegelt die Gewohnheit vieler Hörer, ihre Erwartungen vom abendlichen Originalhörspiel aus derartigen Sendungen abzuleiten. Sie sind — abgesehen von einigen schwierigen Adaptionsvorlagen — weniger exklusiv in Anspruch und Sendezeit, erfüllen die eingeübten und daher erwünschten Spielklischees und wirken auch dann noch unterhaltend im Sinne von Ablenkung, wenn sie entsprechend ihrer Aufgabe Information belehrend vermitteln sollen, eine Mischung, in der sich der Rundfunk als kultureller Dienstleistungsbetrieb bewährt«.

bearbeitungen des 19. und 20. Jahrhunderts ausgestrahlt worden seien: »Die deutschsprachige Schweiz hat Jeremias Gotthelf zu neuem Leben erweckt, und bei uns hat man sogar Cervantes' ›Don Quijote‹ in wohldosierten Abschnitten ohne allzu gravierende Kürzungen gesendet.«[51]

Einen ganzen Schritt weiter scheinen mir aber schon die von Fischer ebenfalls in diesem Zusammenhang aufgeführten Adaptionen von Heinrich von Kleists »Michael Kohlhaas« durch Bronnen, von Johann Wolfgang von Goethes »Novelle« durch Max Ophüls und von Theodor Fontanes »Unterm Birnbaum« durch Günter Eich zu gehen. Fischer wertet sie als einen »gangbaren Mittelweg (...) zwischen Dienst am älteren Kunstwerk, Wirkungssteigerung durch behutsamen Gebrauch radiophonischer Möglichkeiten und eigener Gestaltung mit dichterischen Mitteln«[52]. Was allerdings Fischer als »gangbarer Mittelweg« gilt, ist Schwitzke bereits Sakrileg:

> »So wurde gar Goethes ›Novelle‹ zum Hörspiel; was als klassisches Beispiel eines ganz bestimmten Typus' und recht eigentlich um der Demonstration reiner Form willen von einer Autorität erfunden worden war, konnte, ohne daß eine literarische Polizei eingriff, zu einem ganz anderen Typus umgebogen und — um eine Wortprägung aus verwandter Gesinnung zu gebrauchen — ›zweckentfremdet‹ werden. Selbst ein so bedeutender Lyriker und Rundfunkintendant wie Friedrich Bischoff, ließ sich von dieser ›Doppelpunktdramatik‹ verwirren, selbst ein so großer Regisseur wie Max Ophüls gab sich dafür her. Besonderer Scherz des Regisseurs: an der Stelle, wo die einsam zurückgelassene Fürstin dem davonreitenden Jagdzug mit dem Teleskop nachblickt, wird die Vortrefflichkeit des Okulars dadurch angedeutet, daß man plötzlich das zuvor schon entrückte, kilometerferne Pferdegetrapp wieder so nahe wie unmittelbar vor der Haustür hört.«[53]

Nun ist jener »besondere Scherz« zum einen ein wenn vielleicht auch etwas drastisches Beispiel für das, was Fischer »behutsamen Gebrauch radiophonischer Möglichkeiten« nennt, das Ersetzen von etwas Visuellem durch etwas

---

[51] Eugen Kurt Fischer, Das Hörspiel, S. 64f. — Zur Adaption epischer Vorlagen vgl. ferner: Emil Merker, Buch und Hörspiel, in: Rufer und Hörer, Jg. 6, 1951/52, S. 549—551; Klaus Peter Lischka, Hörspiele, und wie sie entstehen. Vgl. Fußn. 49; Edgar Stern-Rubarth, Der dramatisierte Roman im Rundfunk, in: Rundfunk und Fernsehen, Jg. 1, 1953, S. 38—44; Jan Brockmann, Roman- und Novellenbearbeitung für das Hörspiel, in: Rundfunk und Fernsehen, Jg. 5, 1957, S. 11—15; Gerhard Niezoldi, Die Hörspielbearbeitung epischer Vorlagen und ihre dramaturgischen Voraussetzungen, in: Der Deutschunterricht, Jg. 12, 1960, H. 6, S. 44—61.

[52] Eugen Kurt Fischer, Das Hörspiel, S. 64. — Vgl. dazu auch Ulrich Lauterbach: »Auf ganz andere Weise hat Max Ophüls in der ›Novelle‹ und vor allem in der ›Bertha Garlan‹ mit genialer Unbekümmertheit Geräusch und Musik als Ausdrucksmittel in die Handlung einbezogen und damit eine Renaissance des unbeschnittenen Klangbildes eingeleitet.« (Zauberei auf dem Sender, S. 17).

[53] Heinz Schwitzke, Das Hörspiel. S. 38.

Akustisches. Zum anderen übersehen — meine ich — beide Autoren einen nicht unwesentlichen Punkt. Könnte man bei Ophüls noch darüber streiten, bei Bronnen und Eich sollte man sicher annehmen können, daß das Aufgreifen und die Adaption einer literarischen Vorlage anders gewertet werden muß als zum Spiel aufgearbeiteter Bildungsstoff, als die Bearbeitung einer epischen Vorlage für Lesefaule. Schwitzke teilt an anderer Stelle selbst mit, daß Eich die Fontane-Erzählung »besonders« liebe, »weil in ihr die Menschen seiner Heimat auftreten«. Im weitesten Sinne vielleicht dem Forschungsproblem des Zitierens im Sinne von Centonen zuzurechnen, ließe sich bei den Adaptionen Ophüls, Bronnens und Eichs von Reproduktionen literarischer Vor-Bilder (in einem wörtlichen Sinne) sprechen, vom Verfügbar- oder Zugänglichmachen jeweils subjektiv geschätzter, vorbildlicher Literatur, wobei die Adaptionen durchlässig bleiben auf das davorliegende Original. Ohne mich hier auf eine Einzelanalyse einlassen zu können[54], läßt sich — meine ich — die Behauptung aufstellen, daß hier ein spezieller Hörspieltyp vorliegt, der in seiner subjektiven Adaption und Filterung einer subjektiv vorbildlichen epischen Vorlage sehr wohl Rückschlüsse über den Bearbeiter als Autor zuläßt, ohne ihn gegenüber seiner Vorlage qualitativ ins Recht zu setzen. Wie sehr Fontane übrigens zur Bearbeitung herauszufordern scheint, mag Emil Merkers Aufsatz »Buch und Hörspiel« andeuten, in dem er beschreibt, wie eine Hörspielbearbeitung der »Effi Briest« ihn überzeugt habe, daß man sehr wohl ein Buch sinnvoll zu einem Hörspiel umformen könne[55].

---

[54] Vgl. hier z. B. Ulrich Wildenhof, Von der ›Novelle‹ zum Hörspiel. Eine Untersuchung an einem Meisterbeispiel, in: Der Deutschunterricht, Jg. 18, 1966, H. 1, S. 79—89.

[55] »(...) ich schwankte, ob ich mir die *Effi Briest*, das *Halsband, Pan, Gösta Berling* anhören sollte. Eben deshalb, weil ich Fontane, den immer wieder Gelesenen, Maupassant, Hamsun, die Lagerlöf so liebe. Nun, ich tat es doch und habe es nicht bereut. Ich hatte voll Vorbehalts angedreht, aber schon nach wenigen Minuten war ich besiegt: durch Effis Lachen. Ich sah hinterher nach, wie es der Autor sagt: ›Alle drei lachten‹, ›Effi lachte‹. Ja, freilich, wie sollte er es auch anders sagen. Aber was ist dieses arme Wort gegen das Lachen selbst, das aus dem Radio gekommen war? Gegen dies quellensprudelnde, übermütige, mit fortreißende Lachen, in dem es doch schon wie eine Ahnung des Kommenden zittert. Und das Lachen, vor allem das Lachen war es auch bei der jungen Frau, die von der Freundin das Halsband leiht und es verliert. Welch bebender Lebenshunger in der Stimme, die im Ballsaal vor Glück in Schluchzen umzuschlagen droht (...). Liegt darin nicht bereits eine Rechtfertigung des Hörspiels? *Es lehrt hören.* Kein bloß dem Buche Verschworener kann über die unzähligen phonetischen und seelischen Abschattierungen Bescheid wissen, mit denen sich ein Wort sprechen läßt; kann erfahren, wie sehr ein Wort, ein Laut selbständige Vermittler des künstlerischen Erlebnisses zu werden vermögen. Der einsame Leser erlebt nicht die Stimme, ihre Klangfarbe, ihre Modulation; nicht die Durchformung jedes Wortes, jedes seiner Konsonanten, die farbige

Auch in diesem Fall müssen wir übrigens wiederum von einer Tradition sprechen, die etwa mit der Bronnenschen Adaption von Kleists »Michael Kohlhaas« einsetzt — das Manuskript ist erfreulicherweise wieder aufgefunden und als Neuproduktion des Hessischen Rundfunks 1953 noch einmal gesendet worden — und der nach 1945 Eichs »Unterm Birnbaum« (1950) ebenso zuzuzählen ist wie Friedrich Dürrenmatts frühes Hörspiel »Der Prozeß um des Esels Schatten« (1952)[56], wobei für Eich seit spätestens 1933 Bearbeitungen von Vorlagen nachweisbar sind, u. a. Hebels, Ljeskows (zweimal), Maupassants, Mérimées.

Nach der »Michael Kohlhaas«-Adaption von 1927 folgen mit Kessers »Schwester Henriette« (1929)[57], mit Kessers »Straßenmann«[58] und Alfred Döblins »Die Geschichte von Franz Biberkopf«[59] (beide 1930) drei weitere, für unseren Zusammenhang in vielfacher Hinsicht aufschlußreiche Hörspiele. Zum Alexanderplatz-Hörspiel gibt es eine etwa gleichzeitige Filmversion[60], und zur alten Fassung von 1930 eine neuere, ausdrücklich als »Bearbeitung«, als »Hörspiel nach dem Roman von Alfred Döblin« angekündigte Fassung von Wolfgang Weyrauch[61], zu der er möglicherweise durch seinen Versuch angeregt wurde, die stenographische Nachschrift des einzig erhaltenen Plattensatzes der alten Aufnahme zu überprüfen. Bevor ich jedoch auf diese Hörspiele eingehe, ist es aus methodischen Gründen notwendig, sich ausführlicher mit der Hörspieldiskussion der Jahre 1927/1929 zu beschäftigen, die also genau zu jener Zeit erfolgte, in der nach Meinung Schwitzkes ein erster, vor allem durch mehr oder weniger dilettantische Begeisterung charakterisierter Abschnitt der Hörspielgeschichte endet, mit der »der neue, endgültige Anfang« eigentlich erst gemacht wird.

Nuancierung seiner Vokale; erlebt nicht das Tempo, die Verhaltenheit, die Dynamik von zärtlichstem Flüstern bis zum Entsetzensschrei. Das gedruckte Wort, das nur von der Phantasie des Lesers lebt, erfährt im Hörspiel die Versinnlichung wenigstens durch die Stimme.« (Buch und Hörspiel, S. 550).

[56] Erstdruck u. d. T. Der Prozeß um des Esels Schatten. Ein Hörspiel nach Wieland — aber nicht sehr, Zürich (Verlag der Arche) 1958. (Die kleinen Bücher der Arche 267).

[57] Druck in: Heinz Schwitzke (Hrsg.), Frühe Hörspiele, S. 129—156.

[58] Ungedruckt. Vom »Straßenmann« ist allerdings ein alter Plattensatz erhalten.

[59] Druck u. d. T. »Berlin Alexanderplatz« in: Heinz Schwitzke (Hrsg.), Frühe Hörspiele, S. 22—58. Auch hier ist ein alter Plattensatz erhalten.

[60] Wenn man so will, könnte man die Filmfassung als Adaption in das zweite, damals sehr interessierende Medium auffassen. Und ein Vergleich dieser beiden Realisationen, eine Analyse der durch die verschiedenen Medien bedingten Veränderungen zur Vorlage wäre fraglos äußerst ergiebig. — Eine Neusendung des Filmes erfolgte 1970 im ZDF.

[61] Ungedruckt. Gesendet als Produktion des Hessischen Rundfunks 1958.

V

Diese Hörspieldiskussion liefert nämlich interessante Aufschlüsse über das literarische Selbstverständnis von Produzenten, Dramaturgen und Autoren, macht Probleme und Fragestellungen einsichtig, die aus einer reinen Hörspielanalyse nicht so ohne weiteres, falls überhaupt, abgeleitet werden können. Ich meine hier vor allem Bertolt Brechts »Vorschläge für den Intendanten des Rundfunks«[62], das Referat Friedrich W. Bischoffs über »Die Dramaturgie des Hörspiels«[63] auf der Sitzung des Programmausschusses der deutschen Rundfunkgesellschaften in Wiesbaden, 1928, und die Berichte und Aussprachen der Arbeitstagung »Dichtung und Rundfunk« in Kassel, 1929[64]. Alle drei machen bereits beim Anlesen deutlich, daß von keiner Seite nach nun immerhin rund drei- bis fünfjähriger Hörspielpraxis die Kluft bzw. die Spannung zwischen Literatur und technischem Medium völlig übersprungen bzw. abgebaut werden konnte. Und sie bestätigen, was eine bis ins einzelne gehende Analyse früher Hörspielbeispiele erweist: daß jede neue Sendung gleichsam so etwas wie eine neue Versuchsanordnung war, deren Ergebnisse im günstigsten Falle Teilergebnisse blieben, ohne daß man diese Teilergebnisse zu einer übergeordneten Theorie zusammenzubringen vermochte[65].

Nahezu folgenlos blieben Brechts gesellschaftstheoretische Forderungen gegenüber dem Rundfunk, z. B. »aus dem Radio eine wirklich demokratische Sache zu machen. In dieser Hinsicht würden Sie zum Beispiel schon allerhand erreichen, wenn Sie es aufgäben, für die wunderbaren Verbreitungsapparate, die Sie zur Verfügung haben, immerfort nur selbst zu produzieren, anstatt durch ihre bloße Aufstellung und in besonderen Fällen noch durch ein geschicktes zeitsparendes Management die aktuellen Ereignisse produktiv zu machen«[66]. Wir können für unseren Zusammenhang diesen Aspekt, dem sich

---

[62] Berliner Börsen-Courier vom 25. Dezember 1927. Jetzt leicht zugänglich in: Gesammelte Werke, Bd. 18, Schriften zur Literatur und Kunst I, Frankfurt a. M. (Suhrkamp), 1967 (Werkausgabe edition suhrkamp), S. 121–123.

[63] Abdruck in: Hans Bredow, Aus meinem Archiv. Probleme des Rundfunks, Heidelberg (Kurt Vowinkel) 1950, S. 260–265.

[64] Berichte und Aussprachen sind u. d. T. »Dichter sprechen mit Rundfunkleitern« abgedruckt in Bredow, Aus meinem Archiv, S. 311–366.

[65] Wobei man anmerken sollte, daß ein äußerst vielschichtiges Publikum mit seinen z. T. sehr speziellen Programmwünschen eine zusammenfassende übergeordnete Theorienbildung fraglos sehr erschwert, ja bis heute eigentlich unmöglich gemacht hat. Die Plazierung der Hörspiele in den verschiedenen Programmen zu den unterschiedlichsten Programmzeiten hat diese Tatsache bisher allerdings ein wenig verschleiert.

[66] Vorschläge für den Intendanten des Rundfunks, S. 121.

wesentlich noch die Frage, »wie man Kunst und Radio überhaupt verwerten kann« (»Über Verwertungen«), die Forderung, den »Rundfunk nicht zu beliefern, sondern zu verändern« (»Erläuterungen zum ›Ozeanflug‹«) zuordnen, ausklammern und uns auf Brechts Interesse an der »Produktion für das Radio« beschränken: »Was die Produktion für das Radio betrifft, so sollte sie, wie gesagt, erst an zweiter Stelle kommen, aber dafür sehr intensiviert werden. Man hört selten etwas von Arbeiten bedeutender Musiker für Ihr Institut. (...) Was die Hörspiele betrifft, so sind hier ja tatsächlich von Alfred Braun interessante Versuche unternommen worden. Der akustische Roman, den Arnolt Bronnen versucht, muß ausprobiert und diese Versuche müssen von mehreren fortgesetzt werden. Dazu dürfen auch weiterhin nur die allerbesten Leute herangezogen werden. Der große Epiker Alfred Döblin wohnt Frankfurter Allee 244 (Berlin). (...) Mit der Zeit müssen Sie doch auch endlich eine Art Repertoire schaffen können, das heißt, Sie müssen Stücke in bestimmten Intervallen, sagen wir alljährlich, aufführen.

Sie müssen ein Studio einrichten. Es ist ohne Experimente einfach nicht möglich, Ihre Apparate oder das, was für sie gemacht werden wird, voll auszuwerten«[67].

Ein Jahr später summiert Bischoff: »Der Begriff der Dramaturgie als Bezeichnung für die theoretische und praktische Wissenschaft, wie ein Drama szenisch aufzubauen ist, setzt, auf das Hörspiel angewandt, voraus, daß das Wesen des Hörspiels, seine Form und Gestalt, bereits eindeutig umschrieben und ästhetisch festgelegt ist. Das ist aber keineswegs der Fall, und so kommt es, daß noch keines der eigens für den Rundfunk geschriebenen Spiele, gemessen an den bisher aufgestellten Theorien über das Wesen des Hörspiels, rückhaltlos zu überzeugen vermochte. Daraus kann gefolgert werden, daß entweder alle bisher aufgestellten Theorien falsch sind und, selbstherrlich wuchernd, das reine Hörspiel erstickt haben oder die Form des Hörspiels ebenso wie seine Ästhetik erst in den Ansätzen vorhanden ist. Der Widerstreit der Meinungen beweist, daß alles noch im Werden ist.«[68]

Zwei Gedankengänge Bischoffs sind dann vor allem von Interesse. Zunächst

---

[67] Ebd., S. 122 f. — Zu den Versuchen Alfred Brauns, vgl. Anm. 76 und 83. Zum akustischen Roman Arnolt Bronnens vgl. z. B. die Adaption des »Michael Kohlhaas«. Brechts Forderung einer Art Repertoire war völlig in den Wind gesprochen. Erst 1954 wurde von der Hamburger Hörspieldramaturgie in Unkenntnis der Brechtschen »Vorschläge (...)« der Begriff des »Hörspielrepertoires« gleichsam noch einmal neu entdeckt. Zu Studio und Experiment vgl. das Kasack-Zitat, Fußnote 88.

[68] Friedrich W. Bischoff, Die Dramaturgie des Hörspiels, S. 260.

die Überlegung, daß sich aus der Tatsache, daß »Rede und Widerrede im Hörspiel möglichst reine Ausdrucksbewegungen sein müssen, um vom Hörer unmittelbar gefühlsmäßig erlebt werden zu können«, ergebe, »daß das Wort funkdramaturgisch in die ursprüngliche Ausdrucksbewegung der Hörsprache aus der Schriftsprache zurückgeleitet werden muß«[69]. Dieser Gedankengang kehrt bezeichnenderweise in der Folgezeit immer wieder, auf der Kasseler Tagung z. B., wovon noch zu reden sein wird, oder bei Kühner — der, bewußt oder unbewußt an die Ausführungen Arnold Zweigs anknüpfend, für die »Sprache der Funkerzählung« festhält: »Sie ist nicht wie die geschriebene oder gedruckte Sprache vorgedacht und vorgeformt. Während die Lesenovelle sich kunstvoll gliedern kann und von Gedanken durchwoben sein darf — der Leser kann ja bei der Lektüre verweilen — muß die Funkerzählung unmittelbar begriffen werden. (...) Im gesprochenen Wort des Funks kehrt man heute wieder zu den Urformen der Dichtung, zum Ursprung des Erzählens zurück, in die Zeit der Rhapsoden, der orientalischen Märchenerzähler und der fahrenden Sänger.«[70] In ähnlichem Sinne greift Hasselblatt einen Satz Tania Blixens auf: »Im Anfang war das Erzählen«, um zu pointieren: »In der Funkerzählung manifestiert sich eine eigene Weise des Erzählens, die ohne den Funk kaum in der heute feststellbaren Gestalt aufgetreten wäre.«[71]

Die zweite Überlegung Bischoffs zielt auf das, was ich Versuchsanordnung genannt habe, und nennt das Hörspiel ein »akustisches Experiment«, das — so meint Bischoff allerdings — »von der vorhandenen dramatischen Dichtung ausgehen« müsse, »das Schauspiel als Rohstoff behandeln und einen völligen Umformungsprozeß mit ihm vornehmen, aus dem mit oder ohne Schlacken die Gestalt des Hörspiels hervorzugehen vermag«[72]. Bischoff faßt schließlich seine beiden Gedankengänge zusammen, wenn er glaubt, »im Umriß dargelegt zu haben, daß« die Dramaturgie des Hörspiels »beim heutigen Stand funkischer Entwicklung ihre Erkenntnisse aus dem szenischen Aufbau des Schauspiels zu gewinnen hat und insbesondere eine Dramaturgie beseelender Technik und beseelten Sprachklanges sein muß. Die Bescheidung ist nutzbringend, denn wir müssen das Wort, das im Schrifttum erstarrt ist, erst wieder als reinen, seelische Kräfte enthaltenden Klangkörper empfinden lernen.«[73]

---

[69] Ebd., S. 261.

[70] Otto Heinrich Kühner, Mein Zimmer grenzt an Babylon, S. 233.

[71] Günter Rüber, Dieter Hasselblatt, Funkerzählungen, S. 162, 163.

[72] Friedrich W. Bischoff, Die Dramaturgie des Hörspiels, S. 261.

[73] Ebd., S. 264f.

Aus solchen Überlegungen abzuleiten, daß »das Hörspiel (...) sich in seinen Anfängen als eingeschränkte, gedrosselte Fortführung des Schauspiels« verstanden habe[74], scheint mir jedoch etwas kurzsichtig zu sein. Zum einen existieren ja bereits für die Anfänge der Hörspielgeschichte eine Reihe von Prosa-Adaptionen, verweist Brecht in seinen »Vorschlägen« vor allem auf den »akustischen Roman« und namentlich auf den »großen Epiker Alfred Döblin«; zum anderen betont Bischoff 1929: »daß sich ganz deutlich seit 1927/1928 zwei Richtungen in der Hörspielentwicklung des deutschen Rundfunks erkennen lassen. Die eine sucht das Hörspiel aus dem gültigen Gehalt der poetisch dramatischen Äußerung funkgemäß aufzubauen und weiter zu entwickeln. Der anderen Richtung ist das Wort, die Dichtung nur Mittel zum Zwecke einer völlig neuen in Tempo und Rhythmus dem Filmischen sich angleichenden akustischen Szenik.«[75] Bischoff spielt hier wie Brecht auf die sogenannten akustischen Filme an, die aber für unseren Zusammenhang keine wesentliche Bedeutung haben[76]. Schließlich hat 1929 Döblin mit dem Vorurteil der Prädominanz des Dramas für das Hörspiel und seine künftige Entwicklung gebrochen. In seinem Vortrag über »Literatur und Rundfunk« auf der Kasseler Arbeitstagung[77] sieht Döblin, ähnlich wie Bischoff, im Rundfunk die Möglichkeit des Gewinns, bzw. des Wiedergewinns der »ursprünglichen Ausdrucksbewegung der Hörsprache« (Bischoff): »In einer Hinsicht kommt der Rundfunk der Literatur weit entgegen. Die Literatur baut mit der Sprache, welche an sich ja noch immer ein akustisches Element ist. Wenn seit der Erfindung der Buchdruckerkunst fortschreitend die Literatur in unserer Zeit zu einem stummen Gebiet geworden ist, so braucht das nicht unbedingt ein Vorteil zu sein. (...) Die lebende Sprache ist in ungenügender Weise in die geschriebene eingedrungen. (...) Da tritt nun im ersten Viertel des 20. Jahrhunderts

---

[74] Günter Rüber, Dieter Hasselblatt, Funkerzählungen, S. 165.

[75] Friedrich W. Bischoff, Das literarische Problem im Rundfunk, in: Hans Bredow, Aus meinem Archiv, S. 144.

[76] Ausführlicher über den akustischen Film spricht Alfred Braun 1929 in: Hörspiel, in: Bredow, Aus meinem Archiv, S. 149f. Vgl. Fußnote 83. Vgl. ferner Bischoffs spätere Versuche mit der Funkform der sogenannten Hörfolge (Die Hörfolge, eine Funkform, in: Rundfunkjahrbuch, Jg. 2, 1930, S. 160—176).

[77] Auf der Kasseler Arbeitstagung waren folgende Themengruppen mit folgenden Bericht- und Mitberichterstattern besetzt: Literatur und Rundfunk (Berichterstatter: Dr. Döblin, Mitberichterstatter: Dr. von Boeckmann); Epik (Berichterstatter: Arnold Zweig, Mitberichterstatter: Dr. Hans Roeseler); Essay und Dialog (Berichterstatter: Dr. Hans Flesch, Mitberichterstatter: Herbert Ihering); Drama (Berichterstatter: Ernst Hardt, Mitberichterstatter: Hermann Kasack) und Lyrik (Berichterstatter: Friedrich Schnack, Mitberichterstatter: Dr. Bofinger).

überraschend der Rundfunk auf und bietet uns, die wir mit Haut und Haaren Schriftsteller sind, aber nicht Sprachsteller, — und bietet uns wieder das akustische Medium, den eigentlichen Mutterboden jeder Literatur.«[78] Allerdings schränkt Döblin — hier z. B. erheblich weitsichtiger als später Kühner oder Hasselblatt — zugleich ein, daß das Radio ein »sehr künstliches technisches Mittel ist«, betont er, daß »unsere mündliche Sprache (...) vom Kontakt zwischen Redner und Hörer« lebt, daß ferner »die lebende Sprache (...) immer begleitet« ist »von Mimik, von wechselnden Gebärden, von Blicken. Diese Situation kann der Rundfunk nicht erneuern«[79]. In seinen weiteren Ausführungen untersucht Döblin dann, wieweit die vorhandenen literarischen Gattungen im Rundfunk verwendbar sind, und sieht hier für Essayistik und Lyrik keine besonderen Schwierigkeiten. Dagegen fallen seiner Meinung nach Epik und Dramatik aus den verschiedensten Gründen aus. Im Zusammenhang mit der Epik weist Döblin darauf hin, daß »unser heutiger Roman (...) mit von der Buchform erzeugt« sei. »Er ist stumm und mehr oder weniger lang, zu schweigen davon, ob er schwer ist. Jetzt tritt das Radio auf, Sprechen wird gefordert, Kürze, plastische Einfachheit. Es sieht so aus, als ob die Sprache ein Vorteil sei (...). Aber das gilt nur für die kommende Epik. (...) Der heutige Roman ist ein Buchroman, und für ihn ist der mündliche Vortrag ein Fehler. Die heutigen epischen Werke vom Don Quichote bis zum Hintertreppenroman würden am mündlichen Vortrag zugrunde gehen, denn er verstößt gegen die Grundintentionen und damit gegen die Natur dieser Werke. Romanen und epischen Werken ist die Breite, Ausdehnung und Fluß wesentlich. Für die Breite, diese Ausdehnung und den Fluß haben wir zur Verfügung die Augen, die über die Seiten weggleiten und die es ermöglichen, innerhalb weniger Stunden zu passieren, wofür ein eventueller Hörer viele Tage braucht, wenn er es überhaupt aushalten kann. (...) Das ist das eine. Und nun das andere ist nicht weniger wichtig. (...) Die mündliche Sprache ist überhaupt schlecht für das bisherige epische Werk. Die tönende Sprache tut nichts Positives hinzu, nämlich das Tönen zum Roman, sondern sie engt die Phantasie ein durch den Stimmklang, die besondere Art der Stimme, ihren Tonfall, der vom Autor nicht vorgesehen ist[80]. Der eigentliche Ort des Romans ist unstreitig die Phantasie, das geistig sinnliche Mitphantasieren, und darin führt unendlich besser das Lesen; die Konzentration wird hier tiefer, die Ablenkung ist geringer, es erfolgt leichter die notwendige Selbsthypnose, die unter An-

---

[78] Dichter sprechen mit Rundfunkleitern, S. 313.
[79] Ebd.
[80] Vgl. dazu die gegensätzliche Auffassung Merkers (Fußnote 55).

leitung des Autors des Romans geschieht.«[81] Und Döblin zieht als Summe: »Danach fällt die überaus wichtige und große epische Gattung jedenfalls in ihrer heutigen Form für den Rundfunk aus. Ich sehe von gelegentlichen Kurzgeschichten ab, sie bilden keinen wichtigen Bestandteil unserer Literatur.«[82]

Kann nun der Rundfunk zwar nicht — wie Döblin ausgewiesen hat — die »Epik und Dramatik der Literatur« übernehmen, kann er sich aber »Epik und Dramatik auf eigene Weise assimilieren und (...) eine spezifische, volkstümliche Rundfunkkunst, eine besondere, große, interessante Kunstgattung entwickeln. Diese Gattung hat den Merkmalen des Radio — Hörbarkeit, Kürze, Prägnanz, Einfachheit — Rechnung zu tragen. Der Rundfunk hat sein Hörspiel, das bisher mit Ausnahmen fast ganz in den Händen von Dramaturgen liegt[83], durchaus mit Hilfe der wirklichen Literatur zu entwickeln, denn es ist Sprache und dichterische Phantasie dazu nötig. Er bemüht sich schon, er möge aber und mit ihm der Produzent solcher Werke, mehr als bisher bedenken, daß im Rundfunk jener alte Unterschied zwischen Epik und Dramatik aufhört. Das sind Trennungen der Literatur, welche das Buch und das Theater kennen. Es ist mir sicher, daß nur auf ganz freie Weise, unter Benutzung lyrischer und epischer Elemente, auch essayistischer, in Zukunft wirkliche Hörspiele möglich werden, die sich zugleich die anderen Möglichkeiten des Rundfunks, Musik und Geräusche, für ihren Zweck nutzbar machen.«[84]

Nun hat es in der Folgezeit trotz Döblins Zweifel und Verdikt Sendungen epischer Werke und Großwerke durchaus im Rundfunk gegeben. Aber es hat sie — und damit entziehen sie sich wenigstens zum Teil auch seinem Zweifel und Verdikt — in der Form von Adaptionen epischer Vorlagen einschließlich des Don Quichotte und von Kriminal- und Science-Fiction-Romanen gegeben[85].

---

[81] Dichter sprechen mit Rundfunkleitern, S. 315f. [82] Ebd., S. 316.

[83] Vgl. dazu die Äußerungen Brauns über die Entstehung bzw. Produktion akustischer Filme: »Akustischer Film — so nannten wir in Berlin in einer Zeit, in der ein Funkregisseur nicht nur das Regiebuch zu besorgen hatte, sondern sich auch seine Manuskripte mehr schlecht als recht schreiben mußte, ein Funkspiel, das in schnellster Folge traummäßig bunt und schnell vorübergleitender und spingender Bilder, in Verkürzungen, in Überschneidungen — im Tempo — im Wechsel von Großaufnahmen und Gesamtbild mit Aufblendungen, Abblendungen, Überblendungen bewußt die Technik des Films auf den Funk übertrug. (...) Warum nicht, — uns handelte es sich ja nur um die Form; füllen sollten und sollen sie andere, nämlich die Herren von der Dichterakademie und ihre Herren Kollegen.« (Hörspiel, S. 149).

[84] Dichter sprechen mit Rundfunkleitern, S. 317.

[85] Abgesehen von der Aufnahme von Elementen der Science-Fiction- und der Kriminalliteratur im literarischen Hörspiel, betreut die Hörspieldramaturgie des Westdeutschen Rundfunks auch eine »Science-Fiction-Reihe« und eine »Kriminalreihe«, die mit ihren Bearbeitungen im zweiten Halbjahr 1970 5 bzw. 3 Sendetermine besetzte.

Und schließlich ließe sich ja auch Döblins »Berlin Alexanderplatz« in der Hörspielfassung von Döblin und Max Bing (dem Regisseur der Erstsendung), und in der Bearbeitung von Weyrauch in diesem Zusammenhang hören. Die Kurzgeschichte, von der Döblin noch absehen zu können glaubt, gilt Hasselblatt eine Generation später unter Anspielung auf die Goethesche Novellen-Definition in Wesentlichem vergleichbar: »Alle Funkspiele ... haben, im Gegensatz zu Roman, Drama und Gedicht, etwas Episodisches. Darin ähneln sie mehr der short story mit ihrer Inklination zur schlagenden Situation, zur kennzeichnenden Geschehensphase, zur kulminierend stellvertretenden Spannungslage (vielleicht gar zum ›unerhörten Begebnis‹.«[86] Wobei ich in Parenthese noch hinzufügen möchte, daß sich, ausgehend von Hasselblatts Vergleich und Anspielung, ja leicht der Bogen schlagen ließe zu Bronnens Interesse an Kleists »Michael Kohlhaas«, zu Ophüls Versuch, Goethes »Novelle« zu bearbeiten. Aber bereits auf der Kasseler Tagung ist unüberhörbar auf die Kurzgeschichte als funkgeeignete Prosa hingewiesen worden. In der an die Berichte »Epik« und »Essay und Dialog« anschließenden Aussprache erwähnte nämlich Ernst Hardt »die kurze Epik«, »weil sie mir für den Rundfunk wie geschaffen erscheint und noch ausgebildet werden muß. (...) Zweig hat vom Märchenerzähler gesprochen. Gewiß ist das Märchen die Urform aller Epik. Aber gerade das Märchen ist kurz (...) Ebenso gibt es eine Epik, die man in England und Amerika weit mehr pflegt und weit mehr als Kunstform ausgebildet hat, und die die Bezeichnung ›Short Story‹ führt, die heitere oder ernste Erzählung in knappster Form, die kleine Novelle, die kleine Skizze. Hier scheint mir ein ganz besonderes Gebiet für den Rundfunk zu sein. Gewiß ist hier noch viel zu leisten, und gerade unsere ersten epischen Dichter würden nach meiner Meinung hier ein Feld finden, wenn sie versuchten, nicht mehr in breit ausgesponnenen epischen Gedichten (!), sondern auch in ganz knapper, gedrängter epischer Form sich auszuleben und damit gerade dem Rundfunk etwas zu geben, was ihm gehört.«[87]

---

[86] Günter Rüber, Dieter Hasselblatt, Funkerzählungen, S. 170.

[87] Dichter sprechen mit Rundfunkteilnehmern, S. 334f. — Allerdings zielt Hardt hier nicht auf jene von Döblin propagierte Mischform, oder auf das, was später einmal den Namen Funkerzählung bekommen sollte, nicht einmal auf adaptierte Epik. Dennoch hat auch sein Hinweis inzwischen Befolger gefunden; so strahlt z. B. der Süddeutsche Rundfunk Monat für Monat ca. sechsmal »Erzählende Prosa« aus und befriedigt hiermit augenscheinlich eine ganz bestimmte Literaturerwartung seiner Hörer.

VI

Die Kasseler Hörspieltagung verrät in Bericht und Aussprache merkwürdige Unsicherheiten auf beiden Seiten, ja gelegentlich könnte sogar fast der Eindruck entstehen, man wolle sich gegenseitig nicht so recht in die Karten sehen lassen. Zwar fordern die Rundfunkleiter und Dramaturgen immer wieder die Mitarbeit der Dichter, aber noch ein Jahr zuvor hatte Bischoff diese Forderung eingeschränkt: »Die Forderung, die oft erhoben wurde, den Dichtern, die sich um die Form des Hörspiels bemühen, Einblick in die technisch-künstlerische Rüstkammer des Rundfunks zu gewähren, ist meines Erachtens als unwichtig zu bezeichnen gegenüber der Forderung an den Autor, an Hand der vorhandenen dramatischen Literatur vorerst zu studieren, wieweit sie im dreidimensionalen Raum der Schaubühne verankert ist, und welche dramaturgischen Mittel notwendig anzuwenden sind, das auf optisch-visuelle Reize bezogene Sprachgebilde in ein rein phonetisch-akustisches Gesamtkunstwerk umzuwandeln. Gewiß ein Umweg. Aber nur die dramaturgische Bemühung führt zur reinen Hörspieldichtung.«[88] Auf der anderen Seite zeigen sich die Autoren gerne zur Mitarbeit bereit — wie etwa die Kasseler Tagung zeigt —, wenn sie auch gelegentlich dem neuen Medium gegenüber nicht so recht zu wissen scheinen, wie sie sich verhalten sollen. Einig sind sich Rundfunkleiter und Autoren in ihrem Interesse am Publikum, in der Einschätzung, daß man es mit einem vielschichtigen Hörerkreis zu tun habe. Dabei formuliert Kasacks Unterscheidung zwischen »ihrem Wesen nach dramatischen Dichtungen« und »Stücken, die ihrer Art nach Unterhaltungs-, besser Gesellschaftsliteratur, Konversationsstücke sind«, die — nur als »Textunterlage« geltend — »mit aller nur möglichen Freiheit und Konsequenz in eine funkgemäße, hörspielgemäße Montage einzurichten«[89] seien, nur die Kehrseite einer Medaille, deren andere Seite sich bei Roeseler so liest: »Es liegt in der Tat so, daß wir durch die Erfindung der Buchdruckerkunst neben anderem

---

[88] Friedrich W. Bischoff: Die Dramaturgie des Hörspiels, S. 265. — Ganz anders fordert Kasack ein Jahr später die »Einrichtung einer lebendigen Hörbühne für die konsumierende Jugend und einer Studiobühne von der produzierenden Jugend, und zwar eines Studios, das unabhängig von der notwendigen Versuchsbühne für akustische Experimente auf dem Gebiete der werdenden Hörspielkunst besteht, sich also jener jungen Dramenliteratur annimmt, die, als Experiment wichtig, nicht in ausschließlicher Absicht auf die Funkbühne geschrieben ist. Der Rundfunk ist nicht nur der durch ihn geschaffenen Hörspielgattung etwas schuldig, sondern er ist auch der Dichtung vieles schuldig.« (Dichter sprechen mit Rundfunkleitern, S. 352)

[89] Ebd., S. 350.

den Schnitt erzeugt haben zwischen denjenigen, die durch feinere und höhere Vorbildung aufnahmefähig geworden sind für das ungemessene Anschwellen der Dichtung der Jahrhunderte, und denjenigen, die es nicht in diesem Maße sind, für die wir aber in der Hauptsache werben müssen.«[90]

Entsprechend konnte im gleichen Jahr »Die Werag«[91] in einer Diskussion über das »mannigfache und zusammengesetzte Publikum« als Ergebnis von Hörerzuschriften und »persönlicher Aussprache mit Vertretern der verschiedenen Bildungskreise der Funkhörer« zusammenfassen, »daß die sogenannte werktätige Bevölkerung nach dem künstlerisch-kulturellen Gut (...) am hungrigsten verlangt, ja, daß sie schlechtweg eine kulturelle Haltung des Rundfunks fordert«[92]. Auf der Kasseler Tagung warnt aber Kasack gleichzeitig: »So sehr ich davon überzeugt bin, daß der Rundfunk eine Kulturinstanz sein soll, so sehr glaube ich auch, daß er, abgesehen vom reinen Unterrichtsfunk, kein Apparat für sogenannte Bildungsvermittlung sein darf. Gerade in Hinsicht auf die Funkwiedergabe von Dramen wäre es ganz verkehrt, in den alten Fehler zu verfallen und Kunstwerke, Dichtungen, zu Bildungswerten zu mißbrauchen. Literatur, die lediglich aus Bildungsgründen vermittelt wird, ist tot.«[93] Im Gegensatz dazu spricht Roeseler davon, daß man »vielleicht in stillen Nebenstunden den mutigen Versuch« wird »machen müssen, große und bleibende Dichtungen epischer Natur in Abständen, trotz allen Geschreies, den Hörern nahezubringen. Ich weiß nicht, ob es radiohaft ist, wenn man größere Dichtungen vergangener Jahrhunderte, größere Romane, biographische Romane, Romane von Gottfried Keller — Grüner Heinrich — oder von Raabe in wesentlichen Strichen, aber in zurechtgemachter Form, in besonders gearteten und gesprochenen Formen den Hörern nahebringt, um wieder den Hörsinn eines bestimmten Teiles des Volkes, den es noch gibt, zu wecken und zu schulen, und ihm ein wirkliches Erlebnis charakteristischer Art zu bieten. Wir sind in den Sendegesellschaften durch allerhand Umstände mehr oder weniger von der stilleren Menge des Volkes entfernt, sind großstädtisch gesonnene Menschen geworden und haben vergessen, daß in der ›Provinz‹ eine große Fülle von Pflichten ruft und aufnahmebereite Menschen leben, die den Rundfunk begrüßen und nicht allein die Verherr-

---

[90] Ebd., S. 324.
[91] Die Werag — Ansageblatt der Westdeutschen Rundfunk A.-G., Köln.
[92] Zitiert nach Klaus Schöning, 40 Jahre Hörspiel im Westdeutschen Rundfunk, I (1927 bis 1923), Versuch einer Rekonstruktion, WDR, 7. 12. 1967, III. Programm.
[93] Dichter sprechen mit Rundfunkleitern, S. 351.

lichung des Tempos der Zeit erwarten, sondern auch meinen, daß ihnen größere Bildungserlebnisse des deutschen Volkes wiedergeschenkt werden.«[94]

Die große Aufgabe des Rundfunks sei es deshalb, neben der »bleibenden großen Dichtung der Vergangenheit auch die zeitgenössische Literatur zu pflegen«, und das heißt für Roeseler, nach Mitteln und Wegen zu suchen, »um den Dichter unserer Zeit wieder anzulocken, wirklich vom Schriftsteller zum Sprachsteller sich zu entwickeln, um einen neuen Erzähler aus ihm zu machen«, wozu es nötig sei, »neue Romane, neue Erzählungen, neue Kurzgeschichten in Auftrag zu geben und Urerzählungen im Rundfunk zu veranstalten.«[95] Allerdings denkt Roeseler dabei nicht an abendfüllende Sendungen, möchte aber dieser neuen Epik neben der Rundfunkdichtung im Sinne der Döblinschen Mischform eine Nebenrolle zuweisen. Neben dem von Döblin propagierten Hörspiel schwebt also den Teilnehmern der Kasseler Tagung auch so etwas wie eine neue, rundfunkgemäße Epik vor, deren Hersteller ein neuer Erzähler, der Sprachsteller (wie Döblin ihn genannt hatte) sein soll. Und diesem Erzähler muß für eine Weile die Aufmerksamkeit gelten, weil manche Eigenschaften von ihm, wie sie Arnold Zweig in seinem Bericht beschreibt, in Kühners Charakterisierung der Funkerzählung, bzw. ihres Erzählers wiederkehren. Wie Kühner geht nämlich schon Zweig gleichsam vor die schriftlich fixierte Literatur zurück:

> Nun haben sich auf der Basis des Hörens zwei große Künste entwickelt, die Musik und die Epik. Das Epische ist in der Geschichte der Menschheit die Kunstgestaltung, die ununterbrochen befruchtet wurde vom Aufnehmen der Welt und ihrer Wiedergabe oder besser Aussprache, Befreiung durch gehörte Sätze. Der Märchenerzähler, der große Rhapsode, hat den Sinn für das Epische geschaffen, lange bevor das Niederschreiben der literarischen Werke jenes Übermaß von Intellektualität hinzufügte, das aus dem Dichterischen das Literarische herausgezüchtet hat. Der Unterschied zwischen Rundfunk und Buch nun stellt die Frage nach dem Plus von Kopfarbeit und Intellektualität, das verlangt wird von dem Leser, aber nicht geleistet werden kann vom Hörer. Wer die Dinge sieht, wie ich sie hier zu betrachten versuche, wird sich auch nebenbei erinnern müssen, daß das lyrische Gedicht ursprünglich von rhythmischen Körperbewegungen durchdrungen, ein Stück gesungenen Tanzes enthält. Das Erzählen einer Geschichte nun ist dasjenige, was dem heutigen Rundfunk die Möglichkeit gibt, gerade wieder auf die hörende, vom Hören, vom Ohr her angeregte Phantasie des Aufnehmenden zu wirken; sich dem Urquell der Erzählungen, dem Epischen, wieder zu nähern; kurz in einem unerhört starken Sinne fruchtbar und anregend vom Ohr her zu wirken.[96]

---

94 Ebd., S. 324 f.

95 Ebd., S. 325.

96 Ebd., S. 321 f. Vgl. auch Alfred Döblin: »Wir müssen wieder hin zum frischen Urkern des epischen Kunstwerkes, wo das Epische noch nicht erstarrt ist zu der heutigen Spezial-

Und Zweig kommt dabei zugleich auf einen weiteren, während der Kasseler Tagung wiederholt angeschnittenen Punkt, nämlich die Frage nach der Qualität[97], zu sprechen: »Es handelt sich dabei nicht um die Frage, wie sehr das einzelne Wort bewußt geschliffen oder gewählt wird, das im Epischen ja den gehörten Eindruck der Erzählung durchaus nicht ausmacht, sondern das vielmehr mit dem leidenschaftlichen Rhythmus des gesprochenen Dichtersatzes als Teilchen eines Ganzen in das Epische strömt.«[98] Und Zweig beginnt schließlich den letzten Abschnitt seines Vortrags mit der zentralen Feststellung: »Das von mir angeführte Erzählen kann nicht anders als improvisierend erfolgen.«[99]

In der folgenden Aussprache hat vor allem Hardt Zweigs improvisierendes Erzählen, den Vorschlag einer »improvisierten Erzählung als einer möglichen Kunstform«[100] energisch in Frage gestellt und als »künstlerischen Irrtum« bezeichnet. Er hat darauf hingewiesen, daß zum improvisierenden Erzählen ein anwesendes Publikum gehöre, daß der »Anreiz der Geselligkeit« vorausgesetzt werden müsse. Er hat ferner in Erinnerung gebracht, daß bei scheinbar

---

haltung, die wir ganz irrig die Normhaltung des Epikers nennen. Es heißt meines Erachtens noch hinter Homer gehen.« (Ausgewählte Werke in Einzelbänden (...) hrsg. von Walter Muschg. Aufsätze zur Literatur, Olten und Freiburg i. Brsg. (Walter) 1963, S. 114f.)

[97] Döblin hatte in seinem Vortrag die Frage indirekt angedeutet mit dem Hinweis auf die »spezifische volkstümliche Rundfunkkunst«. Sie mußte dann beim Versuch, das vielschichtige Publikum zu differenzieren, direkter zur Sprache kommen. Ein wenig kurios mutet in diesem Zusammenhang die Einstellung von Boeckmanns an: »Der Rundfunkhörer, diese Masse gibt es nur als Zahl, niemals als geistige Einheit. Sie ist gesellschaftlich, weltanschaulich, politisch und sonstwie derart zerteilt, daß man ihr nur noch von der psychologischen Seite her nahekommen kann. Wichtiger als sozialer Rang oder Schulabgangszeugnis erscheint mir die geistige Beschaffenheit dieser Menschen. Und hier, im Geistigen, gibt es eigentlich nur drei große Gruppen: geistig regsame, laue und stumpfe Hörer. Die regsamen und durch ihre Bildung mit der Literatur bereits vertrauten Hörer werden richtig gewählte und gut gesprochene Literatur auch im Rundfunk gern anhören und verstehen.« Die lauen Hörer sind für Boeckmann die Leser von »Tarzan der Affe, Detektivgeschichten, Zeitungsromanen und ähnlichem«. »Literarisch aktiviert werden diese Hörer natürlich nur selten. Aber ein klein wenig disponiert werden sie doch. Aus dieser oberflächlichen Disposition erwächst nun etwas anderes, nämlich eine wohlwollende Neutralität gegenüber der Literatur.« Die stumpfen Hörer aber »schalten ab (...). Aber das ist ja gerade das Gute! Da wir genau wissen, daß dieser Hörerteil für ernste Literatur überhaupt nicht in Betracht kommt, brauchen wir auch keine Rücksicht auf ihn zu nehmen. Das Abschalten der Empfangsanlage durch die geistig stumpfe Hörermasse bei einer ernsten Literatursendung ist ein sicheres Ventil gegen eine etwaige Massenverkitschung der Literatur.« (Dichter sprechen mit Rundfunkleitern, S. 319f.)

[98] Ebd., S. 322.

[99] Ebd., S. 323.

[100] Ebd., S. 334.

improvisierter Dichtung der Anschein der Improvisation in der Regel ein-
studiert, vom Künstler erarbeitet sei. Auf der anderen Seite zeigt die Aussprache aber auch, wie ernst man die Funktion des von Zweig vorgeschlagenen
Erzählers genommen hat. So greift Hans Kyser Zweigs Rückverweis auf den
Märchenerzähler auf: »Arnold Zweig spricht von Märchenerzählern. Für den
Rundfunk gibt es nur einen Märchenerzähler: das ist der Reporter. Der erzählt
uns wirklich das große Märchen unserer Zeit.«[101]

Es ist hier nicht der Ort, den wohl mehr umgangssprachlichen Märchen-
begriff Kysers zu diskutieren, wichtig ist mir aber seine Funktionsbestimmung
des Erzählers als eines Reporters. Ihr ordnet sich nämlich auf merkwürdige
Weise der letzte Abschnitt des »Epik«-Berichts Roeselers zu: »Dazu kommt
noch etwas Drittes: der Dichter als epischer Gestalter von Zeitereignissen. So
Alfred Braun, der es in besonderer Form verstanden hat, zu Zeitereignissen
Stellung zu nehmen und sie vor dem Ohr des Hörers lebendig zu gestalten.
Ich möchte diese Reportage von Zeitereignissen als eine epische Kunstform
innerhalb des Rundfunks werten, die besonders gepflegt und für die ein
besonders befähigter Gestalter gefunden werden muß.«[102]

Ich gehe sicher nicht fehl in der Annahme, daß sich Roeseler hier auf
Sendungen bezieht, die in Berlin »Aufriß« genannt wurden. In diesen »Aufrissen« ging es wie in den »Hörfolgen« Bischoffs[103] »nicht um mehr oder
minder dramatisch empfundene und gestaltete Einzelschicksale, sondern um
Zeitkritik, Situationsanalysen, Querschnitte, die das Neben- und Ineinander
aufbauender und zerstörender Kräfte erkennbar machen sollten.«[104] Braun
selbst beschreibt den »Aufriß« als »Versuch, ein Thema der Geschichte oder
des Zeitgeschehens, eine Erscheinung des äußeren oder ein Problem des
inneren Lebens in Variationen zu behandeln. Dokumentarische Zeugnisse
standen neben Spielszenen, realistische Diskussionen neben literarischen Spiegelungen, scheinbar ungeordnet, wie einem Zettelkasten entnommen, und
doch innerlich gebunden und die Totalität anstrebend. Vielleicht wird man

---

[101] Ebd., S. 335.
[102] Ebd., S. 326.
[103] Zum Unterschied der »Hörfolgen« von den »Aufrissen« vgl. Fischer, Das Hörspiel,
S. 82: »Die eigenen Arbeiten Bischoffs und Schirokauers unterschieden sich vom ›Aufriß‹
eines Edlef Koeppen nur durch den Verzicht auf den Einbau von Fremdkörpern in der Form
von Dokumenten aller Art und durch eine dem Dichterischen sich nähernde sprachliche
Durchformung, die Herbert Iherings damals für das Theater eifrig propagierter ›Einfrostung
der Gefühle‹ ebenso entsprach wie Brechts Verfremdungstendenz.«
[104] Ebd., S. 82.

392

heute darin das erste Experimentieren an der Form des ›Feature‹ sehen dürfen.«[105]

Der Hinweis auf das Feature wird später noch einmal aufzugreifen sein, weil in einer Vielzahl so genannter Hörspiele — z. B. in Ernst Schnabels »Ein Tag wie morgen« — Stimmen ausdrücklich als Erzählerstimmen ausgewiesen werden. Der »Aufriß«, bzw. die »Hörfolge«, ist überdies der erste mir bekannte Beleg für eine gezogene Verbindung »von der grundsätzlichen Aufgabe der Information zum illusionären Spiel«, für eine »Hörspielform, die unmittelbar ins Feature übergeht und literarisch ästhetische Kriterien nur als grob handwerkliche Regeln anerkennen kann« und damit für die »erste legitime Form, die sich aus dem Medium entwickelt«[106]. Schließlich schlägt sich von der kurzen Beschreibung des »Aufrisses« jetzt leicht der Bogen zu dem von Döblin entworfenen Hörspielkonzept, von dessen Richtigkeit auf der Kasseler Tagung auch Roeseler völlig überzeugt ist: »Welcher Art voraussichtlich die künstlerische Gestaltung der Rundfunkdichtung sein wird, das hat Dr. Döblin richtig angedeutet: eine episch-lyrische, balladistisch-dramatische Mischform mit musikalischer Untermalung, wie Sie sie von der musikalischen Seite her kennen und wie sie, glaube ich, auch von der literarischen Seite her in einigen Darbietungen gerade der letzten Zeit schon Wirklichkeit geworden ist. Ich möchte an den ›Lindbergh-Flug‹, an ›Michael Kohlhaas‹ erinnern und an eine Darbietung, die auch hier zu nennen ist, an die von Herrn Bischoff angekündigte Abenddarbietung[107]. Ich glaube, daß von der Epik und von der Ballade[108] her eine gewisse Befruchtung dieser neu zu schaffenden Rundfunkkunst erfolgen kann, daß gewisse Anregungen von dort aus zu geben sind. Daß aber aus all

---

[105] Zit. nach Eugen Kurt Fischer, Das Hörspiel, S. 83.

[106] Vgl. das vollständige Heißenbüttelzitat, oben S. 373. Von einer Vorwegnahme des Features, bzw. von den »Anfängen der Features« spricht auch Schwitzke, allerdings in anderem Zusammenhang, nämlich bei Walter Erich Schäfers »Malmgreen« (1929). Dadurch, daß Schäfer die Figuren »ganz in der Fläche« lasse, »die Gestalten sozusagen nur als Zitate aus der Berichtform hervortreten« lasse, werde hier »überraschend (...) die fünfundzwanzig Jahre später von Ernst Schnabel und Alfred Andersch praktizierte Sprache des Features vorweggenommen« (Das Hörspiel, S. 132).

[107] Sehr wahrscheinlich gemeint ist hier Friedrich W. Bischoffs/Franz Joseph Engels »Hörspiel vom Hörspiel« (1930). Von dieser »Demonstrationssendung« ist ein kurzes Fragment »Menschheitsdämmerung« als Platte erhalten und läßt auch akustisch einen Eindruck zu. Vgl. dazu: Friedrich W. Bischoff, Die Hörfolge, eine Funkform (s. o. Fußnote 76).

[108] Auch die Ballade ist ja schließlich eine Mischform aus lyrischen, epischen und dramatischen Elementen. — Interessant ist hier vielleicht noch, daß Schwitzke in einer Typologie des Hörspiels um 1930 als dritten den Typ des »oratorisch-balledesken Hörspiels« beobachtet, den er mit Brechts »Flug der Lindberghs« belegt (Das Hörspiel, S. 75).

den Gebieten der Dichtkunst, aus Epik, Lyrik, Ballade und Drama die neue Mischform — nennen Sie sie Singspiel, Fabel, Hörspiel — kommen muß, mit der uns die Möglichkeit gegeben wird, wirklich Abend für Abend eine geschlossene große Darbietung für den Hörerkreis zu bringen, das scheint mir die Aufgabe der Zeit zu sein.«[109]

VII

Die Kasseler Arbeitstagung trennt — von einigen in der Aussprache sich andeutenden Querverbindungen zunächst einmal abgesehen — in Bericht und Aussprache deutlich zwischen der Mischform Hörspiel, wo »jener alte Unterschied zwischen Epik und Dramatik« (Döblin) aufhöre, und »Epik« als jeweils eigenständiger Programmsparte und hält damit auseinander, was bis heute noch in den Rundfunkprogrammen getrennt erscheint, im Januar-Programm 1971 des Süddeutschen Rundfunks z. B. in einem Verhältnis von 9 Sendeterminen für »Erzählende Prosa«[110] gegenüber 10 Sendeterminen für Hörspiele, von denen 2 der Funkerzählung vorbehalten sind[111]. Demnach scheint

---

[109] Dichter sprechen mit Rundfunkleitern, S. 325 f. — Vgl. dazu die auch für die Musik ausgesprochen weitsichtige Bemerkung Hans Fleschs ein Jahr zuvor auf der Programmausschußsitzung der Deutschen Rundfunkgesellschaften in Wiesbaden: »Auf einem ganz anderen Blatt steht die Frage des musikalischen Rundfunk-Eigenkunstwerkes. (...) Wir können uns heute noch keinen Begriff machen, wie diese noch ungeborene Schöpfung aussehen kann. Vielleicht wird einmal aus der Eigenart der elektrischen Schwingungen, aus ihrem Umwandlungsprozeß in akustische Wellen etwas Neues geschaffen, das wohl mit Tönen, aber nichts mit Musik zu tun hat; ebenso wie wir davon überzeugt sind, daß das Hörspiel weder Theaterstück, noch Epos, noch Lyrik sein wird« (Rundfunkmusik, in: Hans Bredow, Aus meinem Archiv, S. 239).

[110] In der Reihenfolge des Programms Jeremias Gotthelf: Wie Käthi die Weihnacht feiert und an Neujahr sich labt; Siegfried Lenz: Jäger des Spotts; Paul Gallico: Die verzauberte Puppe; Jan Parandowski: Der Gruß der Drei Könige; Heinrich Böll: Nicht nur zur Weihnachtszeit; Katherine Mansfield: Geschichte einer Ehe; Alberto Moravia: Die Hochzeitsreise; Marie Luise Kaschnitz: Schiffsgeschichte; Rudyard Kipling: Eine Tatsache.

[111] Hörspielursendungen; bzw. -erstsendungen: Severo Sarduy: Medina Azahara; Dieter Wellershoff: Das Schreien der Katze im Sack; Hörspielübernahmen bzw. -wiederholungen: Friedrich Dürrenmatt: Der Prozeß um des Esels Schatten; Benno Meyer-Wehlack: Kreidestriche ins Ungewisse; Prosper Mérimée: Die Staatskarosse; Urs Widmer: Henry Chicago; Shinichirô Nakamura: Der dreieckige Traum; Hörspiel im »Studio für Neue Literatur«: Helmut Heißenbüttel: Was sollen wir überhaupt senden? (Ursendung); Funkerzählungen: Michael Scharang: Geschichte zum Schauen — über ein Hörspiel zum Schauen (Ursendung); Christa Carvajal: Kain (Ursendung).

eine Unterscheidung von Funkerzählung und erzählender Prosa im Rundfunk im Sinne der Unterscheidung Jedeles von Produktivität und Reproduktivität möglich. Daß das nicht ganz einfach ist, deutete schon die Tatsache an, daß Kühners »Dramaturgie« in der Charakterisierung der Funkerzählung dem »Epik«-Bericht Zweigs in manchem verpflichtet ist. Sie ist aber vermutlich mit Werner Brinks »Die Funkerzählung« noch einer weiteren Quelle verpflichtet, in der meines Wissens zum ersten Mal die Bezeichnung »Funkerzählung« verwendet und versucht wird, die Funkerzählung — hier durchaus noch in der Nachfolge der »Epik«-Diskussion der Kasseler Arbeitstagung — vom Hörspiel abzuheben, dem sie sich allerdings in einigen Punkten sehr nähere. In diesem Aufsatz bedauert Brink, daß die »Pflege der funkeigenen Erzählung« weit »hinter der Anteilnahme am Hörspiel« zurückliege. Und er sucht die Schuld einmal in der mangelnden Erkenntnis der Autoren, daß »auch die Erzählung« »vor dem Mikrophon (...) besonderen Gesetzen« unterliege, zum anderen in einer mangelhaften Förderung »funkeigener Epik« durch die Sendegesellschaften. »Ein Beispiel sei angeführt. Eine Zeitlang gab es im Berliner Programm die sogenannte Erzählung der Woche. Hier wurden Erzählungen gesprochen, die eigens für diesen Punkt des Programms geschrieben wurden. Das aber war es: sie wurden für das Programm des Funks, nicht aber für das Wesen des Funks geschrieben. Es war in diesem Sinne keine funkkünstlerische Schöpfung, sondern vielmehr eine programmtechnische Angelegenheit. Der Erzähler hätte seine Arbeit in der gleichen Form auch drucken lassen, lediglich vielleicht die Erkenntnis, daß man beim mündlichen Erzählen mehr auflockern kann oder sollte, hat ihn dann veranlaßt, weniger sogenanntes Schriftdeutsch zu gestalten, als er es sonst vielleicht tun würde. Aber von der Auswertung wesentlicherer funkischer Gesetze, die nicht etwa aufgestellt, sondern einfach gegeben sind, wurde kaum Gebrauch gemacht.«[112]

Gerade die Auswertung wesentlicher funkischer Gesetze bringt aber interessanterweise die Funkerzählung in die Nähe des Hörspiels:

Durch den Verzicht auf belastende sprachliche Schilderung und die Beschränkung auf den sprecherischen Ausdruck kann natürlich unter Umständen die Bedeutung der Gespräche zwischen den Gestalten der Erzählung für die Klarheit der Handlung so gesteigert werden, daß diese Form der Funkerzählung sich in manchen Punkt sehr dem Hörspiel — dem im Wort gestalteten Hörspiel — nähert. *Man kann* sogar noch weiter gehen und die Funkerzählung *sehr funkwirksam ganz auf die Form* des Gesprächs[113], und dabei *besonders des Selbstgesprächs*,

---

[112] Die Funkerzählung, S. 173.

[113] Hasselblatt weist für das »originäre hörfunkgerechte Erzählen« im heutigen Rundfunkprogramm u. a. auf »das von Günter Giefer betreute und an der Rashomon-Struktur orientierte ›Erzählen für drei Stimmen‹ in Radio Bremen« hin. (Funkerzählungen, S. 164.)

aufbauen, aber auch dann wird sie noch durch einen starken Unterschied gegenüber der Form des Hörspiels gekennzeichnet sein. *Das Geschehen in der Umgebung ebenso wie die unmittelbare Handlung spiegeln sich* in dieser Form der Funkerzählung *wider in den Worten eines* oder nur ganz weniger *Menschen,* während im Hörspiel das gesamte Geschehen und die Beschreibung der Geschehnisorte gewissermaßen von allen vorhandenen Gestalten des Spiels getragen werden. also die einzelnen Gestalten im Grunde ihre eigene Handlung in eigenen Worten ausdrücken, *Bei der auf das Selbstgespräch aufgebauten Form* der Funkerzählung *wird uns ein Geschehen übermittelt durch das Belauschen eines Menschen, in dessen Worten es sich wiederspiegelt,* beim Hörspiel hören wir das Geschehen selbst vor uns abrollen.[114]

Die von mir durch Kursivsatz herausgehobenen Charakteristika lassen sich zur Gänze mit Kessers 1929 in der Funkstunde Berlin erstgesendeten »Schwester Henriette«[115] belegen, die Hasselblatt als früher Beleg dafür gilt, daß es die Funkerzählung eigentlich schon »längst und recht eigenständig« gegeben habe, während sie für Schwitzke eine »sehr frühe, aber zugleich bis heute exemplarische Ausprägung einer bestimmten formalen Möglichkeit des Hörspiels« darstellt, den »wahrscheinlich (...) für immer gültigen Formtypus« des Monologhörspiels[116]. Für Schwitzke ist »Schwester Henriette« »deshalb so wichtig, weil daran zum erstenmal klar wurde, daß der Innere Monolog im Hörspiel eine eigene Funktion besitzt, ein zusätzliches Spezifikum gegenüber der sonstigen literarischen Anwendung. Man kann an diesem Beispiel erkennen, daß es nicht die Kategorie der ›Innerlichkeit‹ allein ist, nicht eine sozusagen abstrakte Innerlichkeit, die sich am Mikrophon bewährt, sondern eine auf Konkretes bezogene, mit konkreter Wirklichkeit und konkreten Handlungsvorgängen in Spannung befindliche Innerlichkeit.«[117]

Bei Einigkeit in wesentlichen Punkten — wie Schwitzke vom Inneren Monolog spricht Hasselblatt von einer »unverkennbaren Fortführung der von Arthur Schnitzler mit ›Leutnant Gustl‹ oder ›Fräulein Julie‹ eingeschlagenen Richtung des monologue intérieur«; an »Grenzfälle zwischen Erzählung und psychodramatischer Selbstdarstellung einer erfundenen Figur wie Schnitzlers ›Fräulein Else‹« erinnert Schwitzke, »psychologische Monologerzählung« charakterisiert Hasselblatt — bei Einigkeit also in wesentlichen Punkten scheint eine Differenzierung zwischen Funkerzählung und Monologhörspiel recht spitzfindig, scheint, bei Aufhebung »jenes alten Unterschieds zwischen Epik und Dramatik«, die typologische Behauptung der Funkerzählung mir

---

[114] Die Funkerzählung, S. 172.
[115] Im gleichen Jahr von der BBC gesendet, Drucknachweis vgl. Fußnote 56.
[116] Das Hörspiel, S. 166.
[117] Ebd., S. 166f.

vielmehr so etwas wie eine künstliche, im Grunde wenig besagende Gattungskrücke zu sein. Statt dessen würde ich Kessers »Schwester Henriette«, schon
wegen der Doppelung von Druck- und späterer Funkfassung, als ein Hörspiel
charakterisieren, das näher an seiner epischen Vorlage zu hören ist — darin
gar nicht so unähnlich den Adaptionen Goethes, Kleists, Fontanes durch
Ophüls, Bronnen, Eich —, und allgemein als ein Hörspiel, das als Mischform
verschiedenster Herkunftsbereiche mehr ›epische‹ als ›dramatische‹ Züge
trägt. Wobei natürlich — und im Gegensatz zur Kasseler Arbeitstagung, wo
gelegentlich recht freizügig und wenig differenziert mit den traditionellen
Gattungsbezeichnungen umgegangen wird — sehr genau angegeben werden
müßte, was hier unter ›episch‹ und ›dramatisch‹ gemeint ist.

Eine solche Auffassung unterstellt die Döblinsche These vom Hörspiel als
Mischform aus allen Gebieten der Dichtkunst als richtig, und damit, daß dann
natürlich jedes dieser Gebiete im Hörspiel seine erkennbaren Spuren hinterlassen hat. Bezogen auf den durch das ganze 19. Jahrhundert zu beobachtenden
Prozeß der Auflösung der klassischen Gattungen wäre das Hörspiel dann eine
der daraus resultierenden möglichen Mischformen, gebunden allerdings an
ein — wie Döblin richtig gesehen hat — »sehr künstliches technisches Mittel«:
»Für die Literatur aber ist der Rundfunk ein verändertes Medium. Formen-
veränderung muß oder müßte die Literatur annehmen, um rundfunkgemäß
zu werden«[118]; wobei eine der auch von Döblin und auf der Kasseler Arbeitstagung immer wieder genannten Bedingungen die Sprechbarkeit an Stelle der
Lesbarkeit, der »Sprachsteller« (Döblin) an Stelle des Schriftstellers wäre.

Der Innere Monolog wäre dann etwas, das das Hörspiel der erzählenden
Prosa verdankt und sich auf seine Weise zu nutze gemacht hat. Der Erzähler
wäre ein Zweites, wenn er — ursprünglich als Erzähler in lauschendem
Hörerkreis Vorbild für Roman und Novelle[119] — jetzt aus seinem stummen
Dasein wieder heraustritt und im Hörspiel Stimme wird. Nicht allerdings in
Umkehrung einer literarischen Entwicklung, im Rückgriff vor eine schriftlich
fixierte Literatur — wie es in der Literatur über das Hörspiel manchmal
anzuklingen scheint — sondern durch das Medium geprägt. Das wird schnell
deutlich, wenn man die Rollen der Erzählerstimme im Hörspiel einmal genauer
untersucht, ihre verschiedenen Spielfunktionen überprüft und katalogisiert.
Und hier läßt sich an Kessers »Straßenmann« einiges zeigen, einem Hörspiel

---

[118] Dichter sprechen mit Rundfunkleitern, S. 313.

[119] Vgl. diesen Hinweis auch bei Arno Schmidt als modernem Romanautor in Berech-
nungen I, in: »Rosen & Porree«, Karlsruhe (Stahlberg) 1959, S. 283.

— oder »Funkdrama«, wie es im alten Funkmanuskript lautet[120] —, das ebenfalls ursprünglich Erzählung war und als solche bereits 1926 veröffentlicht wurde[121].

Auch in der Hörspielfassung — einen hier aufschlußreichen Vergleich mit der Buchfassung muß ich aus Raumgründen aussparen — verleugnet sich Kesser nämlich nicht als Erzähler. In der Ansage wird unter den »Stimmen« als erste der »Autor« genannt, den Kesser in einer dem Manuskript vorgehefteten »funkszenischen Einführung« als »erzählendes Instrument«, als »sprechendes Auge« charakterisiert. Nach einem gereimten und dadurch vom eigentlichen »Funkdrama« abgesetzten Vorspiel erteilt der Ansager ausdrücklich dem Autor-Erzähler das Wort: »Aufgepaßt! Herman Kesser beginnt zu erzählen.« Auf den ersten Blick tragen Kessers Erzählung, die ein Jahr vor der Hörspielsendung am 24. März 1929 in besonderer Bearbeitung vom Autor selbst im Kölner Sender gelesen wurde, und die Hörspielfassung von 1930 durchaus noch Züge der Novelle des 19. Jahrhunderts. Sowohl das tragisch überhöhte Ende Fritz Straßenmanns wie die Tatsache, daß der Novelle ein Ereignis in Berlin zugrunde liegt, dessen Zeuge Kesser im Winter 1923 gewesen ist[122], erinnern ja an die Goethesche Definition der Novelle »als einer sich ereigneten, unerhörten Begebenheit«. Aber bei genauerem Hinsehen trägt der Autor-Erzähler zugleich medientypische Züge. Er ist eben nicht nur »erzählendes Instrument«, sondern auch »sprechendes Auge«, was nichts anderes als metaphorische Umschreibung von Reporter ist. Und diese Personalunion von Autor-Erzähler-Reporter hatten wir ja bereits auf der Kasseler Arbeitstagung vorformuliert gefunden in der Bemerkung Kysers vom Reporter, der »das große Märchen unserer Zeit« erzählt, bzw. in dem Hinweis und in der Wertung der »Reportage von Zeitereignissen als einer epischen Kunstform innerhalb des Rundfunks« durch Roeseler[123]. Mit dieser Personalunion

---

[120] Gleichlautend in zwei verschiedenen Funkmanuskripten von 1930 (?) im Archiv des NDR und 1931 (?) im Archiv des WDR.

[121] Straßenmann, Frankfurt/Main (Rütten u. Loening) 1926.

[122] Diesen Hinweis verdanke ich einer Notiz in »Die Werag«.

[123] Dem geht natürlich eine Aufwertung des Reporters, der Reportage voraus, die wir — wenn ich es richtig sehe — wesentlich der Entwicklung des Rundfunks und seiner diesbezüglichen Ambitionen verdanken. Aufschlußreich ist hier ein Bericht »Reportage« Hans Bodenstedts von 1930: »Ich werde ein Gebiet der Programmgestaltung behandeln, das von meinem Kollegen und auch vom Hörer von ganz verschiedenen Standpunkten aus betrachtet und gewertet wird. Journalistisch gesehen war Reportage bis vor wenigen Jahrzehnten noch ein zwar stark verlangter, aber doch mit halber Mißachtung behandelter Zweig der Berichterstattung. Der Reporter selbst war ein Stiefkind der Redaktion, ein notwendiges, in den

von Autor-Erzähler-Reporter, die gleichzeitig *eine* mögliche Funktion des Erzählers im Hörspiel darstellt, hat Kesser einen gleichsam funkeigenen Erzählertyp in die Hörspielgeschichte eingeführt, dem man eigentlich bis heute unter den verschiedenartigsten Voraussetzungen in den verschiedenartigsten Hörspielen begegnet, in Ernst Schnabels Feature »Ein Tag wie morgen« mit den Stimmen »1. Sprecher«, »2. Sprecher«[124] ebenso wie in Ludwig Harigs Hörcollage »Staatsbegräbnis«[125] im Tonzitat von Reporterstimmen, wobei diese Reihenfolge gleichzeitig ein sich veränderndes Verhältnis der Autoren zum Erzählen und damit zum Erzähler andeutet, das zu beschreiben mir sinnvoller scheint als ein Beharren auf der künstlichen Gattungskrücke der Funkerzählung.

VIII

Kessers »Straßenmann« stellt in der Tat eine — wie Hasselblatt allgemein für die Funkerzählung festhält — »eigene Weise des Erzählens« vor, »die ohne den Funk kaum in der heute feststellbaren Gestalt aufgetreten wäre«[126], bzw. Kesser stellt — wie ich lieber sagen würde — mit seinem Autor-Erzähler-Reporter einen Erzählertyp im Hörspiel vor, den es ohne den Funk kaum in der heute feststellbaren variantenreichen Form geben würde. Mit »Schwester Henriette« hat Kesser überdies nachdrücklich auf die Brauchbarkeit des Inneren Monologs im Hörspiel hingewiesen und damit einen Hörspieltyp populär gemacht, der bereits ganz zu Anfang der Hörspielgeschichte mit dem

---

Vorzimmern herumsitzendes Übel, armselig, zur Karikatur reizend — bis der Begriff der künstlerischen Reportage geschaffen und zur Eigenform entwickelt wurde. Daß der Rundfunk an der künstlerisch belebten, psychologisch vertieften Berichterstattung nicht vorübergehen konnte, sondern sie zu einem Teil seines Programms machen mußte, war bei der Aktualität des Instruments selbstverstandllich. Der Rundfunk hat ja alle Möglichkeiten der eindrucks-frischen, unmittelbaren Schilderung. Die Reportage verliert durch ihn den Charakter der Reproduktion, sie stellt sich neben, nicht hinter das Geschehen, sie wird durch den künst-lerisch mitschaffenden Reporter selbst zum Erlebnis.« (Zit. nach Hans Bredow, Aus meinem Archiv, S. 164.)

[124] Frankfurt (Frankfurter Verlagsanstalt) 1952. — Interessant ist, daß Schnabel die neutralen Bezeichnungen »1. Sprecher«, »2. Sprecher« in einem späteren Druck durch »Der neue Charon« bzw. »Der neue Vergil« ersetzt. (Ein Tag wie morgen. Zwei Collagen, Stuttgart (Reclam) 1971, (Reclams Universal-Bibliothek Nr. 8383/84)).

[125] In: Ludwig Harig, Ein Blumenstück. Texte zu Hörspielen, Wiesbaden (Limes Verlag) 1969, S. 201—238.

[126] Funkerzählungen, S. 163.

in Vergessenheit geratenen »Agonie« M. Paul Camilles[127] begegnet und nach 1945 mit zahlreichen Beispielen wie der der »Schwester Henriette« verwandten »Sekretärin« Dieter Wellerhoffs[128], mit Jan Rys' »Interview mit einer bedeutenden Persönlichkeit«[129], Wolfgang Hildesheimers »Monolog«[130] oder Samuel Becketts »Embers«[131] belegt werden kann, wobei die genannten Beispiele — nimmt man Kasacks »Stimmen im Kampf« und Peter Hirches »Seltsamste Liebesgeschichte der Welt«[132] als Beispiele für den sogenannten verschränkten Monolog hinzu — die Vielzahl der Möglichkeiten des Monologhörspiels wenigstens andeuten sollen.

Eine von Knilli vorgeschlagene Unterscheidung von »unpersönlichem Erzähler«, »präsentierendem Erzählen«, »unpersönlicher Aussageweise« in der Er-Form und persönlichem Erzähler, »referierendem Erzählen«, »persönlicher Aussageweise« in der Ich-Form reicht zwar als Oberflächenunterscheidung der von ihm hier genannten Hörspiele Ingeborg Bachmanns und Hildesheimers aus[133], scheint mir aber keinesfalls hinreichend, »die vielen unvermeidlichen Reporter, Berichterstatter, Conferenciers, Blindenführer, Chronisten«[134] zu katalogisieren. Dazu ist ihre Stimmenfunktion im Hörspiel jeweils zu verschieden. Erfolgversprechender scheint mir ein Weg zu sein, den Fischer in dem Kapitel »Funktion der Stimmen im Spiel«[135] andeutet. Mit Recht weist er darauf hin, daß sich »der Stimme des Autors« »besonders

---

[127] Dieses preisgekrönte, dann aber zugunsten des »funkgeeigneter« erscheinenden »Maremoto« Pierre Cusys, Gabriel Germinets zurückgestellte Hörspiel wird erstaunlicherweise nicht von Schwitzke erwähnt. Auch Knilli und Fischer kennen es scheinbar nicht. Einige Hinweise gibt Ulrich Lauterbach in: Zauberei auf dem Sender und andere Hörspiele, S. 10.

[128] Ungedruckt, Erstsendung 1956 NDR. Zur Verwandtschaft dieser beiden Hörspiele vgl. Schwitzke, Das Hörspiel, S. 168ff.

[129] Ungedruckt, Erstsendung 1969 NDR/SDR/SFB.

[130] Das Opfer Helena. Monolog. Zwei Hörspiele, Frankfurt/Main (Suhrkamp) 1965. (edition suhrkamp 118).

[131] Jetzt leicht zugänglich in einer zweisprachigen Ausgabe: Embers. Aschenglut, Stuttgart (Reclam) 1970, (Reclams Universalbibliothek Nr. 7904).

[132] Mehrfach gedruckt. Leicht zugänglich in: Die Heimkehr. Die seltsamste Liebesgeschichte der Welt. Zwei Hörspiele, Stuttgart (Reclam) 1967, (Reclams Universalbibliothek Nr. 8782).

[133] Auch die weitergehende Unterscheidung für die Ich-Erzählung zwischen zeitlichem und unzeitlichem Verlauf scheint mir zunächst nur für die genannten Hörspiele ausreichend. Das Hörspiel, S. 78.

[134] Gerhard Mehnert, Kritik des Hörspiels. Zu Situation und Prozeß eines modernen Aussageproblems, Leipzig phil. Diss. 1948, S. 179. Zit. nach Knilli, Das Hörspiel, S. 78.

[135] Fischer, Das Hörspiel, vor allem S. 200ff.

viele Möglichkeiten erschließen«[136], z. B. in der Funktion »des Fragers, der diejenigen Fragen ins Spiel hinein und als Mitspieler zu stellen hat, die möglicherweise vom Hörer gestellt werden«[137], in der Rolle des Kommentators, verbunden »mit derjenigen des weiterführenden Reporters«[138]. »Der Plauderer kann zum Moralisten, zum Ankläger, aber auch zum nüchternen Chronisten werden.«[139] Während sich hinter allen Masken des »Tiger Jussuff«[140] Günter Eich verbirgt, tritt gliedernd und kommentierend in Max Frischs »Herr Biedermann und die Brandstifter«[141] der »Verfasser« selbst auf, gleich einleitend — und darin gar nicht so unähnlich dem Autor-Erzähler-Reporter in Kessers »Straßenmann« — sein Publikum mit »Liebe Hörerinnen und Hörer« anredend[142]. In Friedrich Dürrenmatts »Der Doppelgänger«[143] erzählt der Hörspielautor dem Hörspielregisseur eine Parabel, zu der sich der Regisseur äußert. In dieses Gespräch sind die Spielsequenzen der Parabel eingeblendet. Hildesheimer schickt seinem »Opfer Helena«[144] die Anmerkung voraus: »Das Hörspiel hat zwei akustische Ebenen. Die erste: Helena als Erzählerin, raumlos. Die zweite: das Spiel, mit dem jeweils entsprechenden Hintergrund«. Anders ist der Korrespondent Stein in Heinz Hubers »Früher Schnee am Fluß«[145] zunächst teichoskopischer Beobachter, der, seinen Beobachterposten verlas-

---

[136] Ebd., S. 200.   [137] Ebd., S. 202.   [138] Ebd.   [139] Ebd.

[140] In: Träume. Vier Spiele, Berlin und Frankfurt/Main (Suhrkamp) 1953, S. 59—98. (Bibliothek Suhrkamp 16).

[141] U. a. in: Hansjörg Schmitthenner (Hrsg.), Dreizehn Europäische Hörspiele, München (Piper) 1962, S. 281—321. — Vgl. dazu die Theaterfassung, die die Stimme bzw. Rolle des Verfassers nicht hat. Überdies scheint mir diese Doppelung ein guter Beleg für die Feststellung Kamps' zu sein, daß sich »in der Programmpraxis die Frage nach dem Verhältnis von Adaption und Originalstück als äußerst problematisch« erweise. »Manche Autoren wie Friedrich Dürrenmatt und Max Frisch benutzten das Hörspiel als Übungsfeld für ihre Theaterarbeit und modifizierten dabei die Bühnendramaturgie durch Hörspielerfahrungen. Umgekehrt können unaufgeführte oder als unaufführbar geltende Schauspiele erst im Rundfunk ihre Premiere haben. (...) Die ganze Komplexität des Problems wird sichtbar, seitdem — um ein halbes Jahrhundert verspätet — auch im Hörspiel die Gattungsunsicherheit dazu geführt hat, Anregungen aus allen Bereichen der Kunst auf den Herstellungsprozeß einwirken zu lassen und Mischformen zu entwickeln, die in verschiedenen Medien produzierbar sind.« (Aspekte des Hörspiels.)

[142] »Wissen Sie, was Existenzangst ist? Existenzangst ist überall. Bei Ihnen, meine Damen und Herren! Bei mir! In allen Häusern!« heißt es Autor und Hörer einschließend in »Straßenmann« (zit. nach dem Funkmanuskript).

[143] Gesammelte Hörspiele, Zürich (Arche) 1961.

[144] Mehrfach gedruckt. U. a. vgl. Fußnote 130.

[145] In: Süddeutscher Rundfunk (Hrsg.), Hörspielbuch 4, Frankfurt/Main (Europäische Verlagsanstalt) 1953.

send, sich allerdings erfolglos an der Handlung zu beteiligen versucht, um dann wieder in seine Funktion des Beobachters zurückzukehren.

Von einer »Mannigfaltigkeit der Erzählstimmen«[146], von den »vielfältigsten Erzählmitteln« läßt sich bei Döblins »Berlin Alexanderplatz« sprechen. Leider haben die Hamburger Neuinszenierung von 1962 und der von Heinz Schwitzke besorgte Druck[147] hier mehrfach korrigierend, um nicht zu sagen: ver-

---

[146] »Zum ersten Male wählte Döblin die auktoriale Erzählform — eine kommentierende, didaktische, vorausdeutende und steuernde, oft kritisch-ironische Anwesenheit des Erzählers, fast ›Bänkelsängers‹, die zu der erzählten Figur Distanz hält, so deren Allein-Sein akzentuiert. Und er schaltet in Texten verschiedenster Herkunft und Artung gleichsam die Stimmen der Großstadt ein, die sich selbst demonstriert und erzählt. Es entsteht eine Mannigfaltigkeit der Erzählstimmen, die sich in virtuos präziser Korrelation und Resonanz verknüpfen, gegenseitig ineinanderschichten. Döblin brachte die vielfältigsten Erzählmittel ins Spiel: die Reportage und Montage, die dadaistische Collage, den inneren Monolog, das Zitat, die Simultanität, die filmische Technik der Überblendungen, die Polyperspektive, die szenische Parataxe, die Auflösungen der Regelsyntax, die extreme Sprachmischung und anderes mehr. Er erzählte ›entschlossen lyrisch, dramatisch, ja reflexiv‹« (Fritz Martini, Alfred Döblin, in: Deutsche Dichter der Moderne. Ihr Leben und Werk. Unter Mitarbeit zahlreicher Fachgelehrter hrsg. von Benno von Wiese, Berlin (Schmidt) 1965, S. 342f.) — Die aufgezählten »Erzählmittel« lassen bereits erkennen, daß eine Umsetzung ins Hörspiel nur mit Verlusten erkauft werden konnte, aber auch, wie sehr die Komposition des Romans einer Hörspieladaption entgegenkam im Spiel mit den verschiedensten sprachlichen Ebenen, in der »Mannigfaltigkeit der Erzählstimmen«.

[147] Frühe Hörspiele. S. 21—58. — Ebd., S. 12, begründet Schwitzke den Erstdruck: »Der Text wurde zweifellos — in Anlehnung an das Buch, aber auch mit neuen Passagen — von Döblin zusammen mit Max Bing (...) gemeinsam erarbeitet. Über das Manuskript wäre vom heutigen Standpunkt aus viel, auch Kritisches, zu sagen. Damit das am geeigneten Ort geschehen kann, wird es hier zum ersten Mal publiziert. Die Publikation hat ihre Geschichte: Der Wortlaut ist nicht aufgeschrieben, sondern nur auf einer alten, äußerst abgespielten und zerkratzten Schallplattenserie des Berliner Rundfunks erhalten. Er wurde stenographisch nachgeschrieben, und Wolfgang Weyrauch hat sich der Mühe unterzogen, Wort für Wort mit philologischer Akribie zu überprüfen. Da es sich damals um Life-Sendungen handelte, bei denen Versprecher, Auslassungen und Fehler aller Art unvermeidlich, ja fast selbstverständlich waren, und da auch auf Proben an den Texten viel herumexperimentiert und herumimprovisiert zu werden pflegte (...) ist gewiß auch jetzt noch einiges Zufällige und Ungenaue in der Druckfassung enthalten. Dennoch ist das Werk auch in dieser Form von großer Wirksamkeit, vor allem gibt der Text eine gute Vorstellung von der Aufführungspraxis jener Jahre an einem so komplizierten und vielfigurigen Hörspiel.« Ergänzend dazu führt Schwitzke in: Das Hörspiel, S. 148, aus: »Vermutlich (sic) hat Döblin darüber hinaus noch eine weitere Maßnahme vorgeschwebt, die in der Weyrauchschen Rekonstruktion (...) dann bei Verteilung der Sprecherrepliken konsequenter (und gegen die Regie Bings) durchgeführt wurde. Eine Reihe der Stimmen, die zum Teil wohl auch in Döblins Phantasie nie zu konkreten Personen gehört haben, sind zweifellos Todesstimmen, sie werden mit ihrer Ironie, ihren

fälschend eingegriffen, vor allem in der Zusammenfassung zahlreicher Sprecherrepliken der einzig erhaltenen historischen Aufnahme zur Stimme des Todes, dem überdies von Fall zu Fall von Döblin wohl kaum gewollte eindeutige Qualitäten zugewiesen werden, zum Teil mit kurzen, aber wesentlichen Textverlusten. So tritt der Tod in der Druckfassung abwechselnd als Aufrufer, als Warner, als Fragesteller, als Freund, als Erzähler auf und sagt u. a. in seiner grob gereimten, geknittelten Sprache: »Weil er aber Franz Biberkopf ist, so wollen wir ihn nicht so vor die Hunde gehen lassen«[148], oder: »Die Geschichte von Franz Biberkopf ist bald vorbei. Sie verlief mit fürchterlichem Geschrei«[149] oder: »Die Augen sind ihm weit aufgegangen. Wach ist er wieder aufgestanden und ist nach Berlin hineingegangen. Damit ist unsere Geschichte zu Ende«[150]. Ich weiß nicht, ob ich das im Kontext dieser Zitate mehrfach begegnende »wir« überinterpretiere, wenn ich es als ein den Autor-Erzähler und den Hörer einschließendes wir verstehe, das den Franz Biberkopf so für beide als erzählte, fiktive Figur ausweist. Wie immer dem sei, so ist der Tod nur eine der Stimmen, hinter denen sich der Erzähler verbergen kann; er kann aber auch eine Art ›Moritatenerzähler‹, »fast Bänkelsänger« (Martini) sein oder eine Frauenstimme, die an zentraler Stelle des Hörspiels die Lebensgeschichte der ermordeten Mieze erzählt und sich selbst vorstellt als »eine einfache Frau, die diese Geschichte hört«[151]. Bereits diese Beispiele zeigen, daß der Hörer auf mindestens zweifache Weise an der »Geschichte von Franz Biberkopf« teilhat, an der gespielten Geschichte und an ihrer Brechung und Distanzierung durch die Erzählerstimme(n). Ganz anders und eigentlich gegen die Intentionen Döblins[152] erzählt und spielt in der Adaption Weyrauchs Franz Biberkopf seine Geschichte selbst, wird dem Tod nur ein Dialogstimmenpart unter

---

Herausforderungen, ihrem Wissen um die dunkle Zukunft dem lebensstrotzenden Biberkopf gegenübergestellt. Weyrauch hat sie — darin Döblin vielleicht gemäßer als Bing und Döblin bei der Berliner Inszenierung — alle dem ›Tod‹ zugeteilt. So erhält das Ganze als wiedergewonnener geschriebener Text eine Mitte, die es in der ersten erhaltenen Verwirklichung noch nicht hatte.«

[148] Heinz Schwitzke, Frühe Hörspiele, S. 28.

[149] Ebd., S. 55.

[150] Ebd., S. 57.

[151] In dem von Schwitzke veranstalteten Druck gestrichen, um die Geschichte der Mieze der Stimme des »Todes« zuweisen zu können!

[152] Vgl. dazu etwa Döblins Bemerkung: »Ich bin ein Feind des Persönlichen. Es ist nichts als Schwindel und Lyrik damit. Zum Epischen taugen Einzelpersonen und ihre sogenannten Schicksale nicht. Hier werden sie Stimmen der Masse, die die eigentliche wie natürliche so epische Person ist.« (Aufsätze zur Literatur, S. 352.)

anderen zugewiesen: »Ich bin der Franz Biberkopf. Damals, 1928, war ich Transportarbeiter und gewesener Häftling. Heute, 1956, bin ich Hilfsportier und Rentenempfänger. Ich bin ein alter Mann. Aber damals wußte ich, daß das Leben schön ist, schön, alles ist schön. Eines Tages stand ich vor dem Tor des Tegeler Gefängnisses und war frei.«[153] Eine ähnlich einleitende, verbindende und abschließende Funktion (allerdings geringeren Umfangs) hat der »Sprecher« in Ernst Johannsens »Brigadevermittlung«[154], wo die Erinnerung des einzig überlebenden Mitglieds einer Brigadevermittlung, das nach dem Kriege als Besucher auf das ehemalige Schlachtfeld zurückkehrt, das Stimmenspiel auslöst[155].

Das mag als zufällige, die von Fischer nicht immer geschickt ausgewählten Titel ergänzende Beispielsammlung ausreichen. Ein Versuch, die Rolle und Funktion des Erzählers im Hörspiel möglichst genau zu katalogisieren und zu bestimmen, wird wesentlich vollständiger sein müssen, nicht zuletzt, weil es sich bei den Unterschieden oft nur um Nuancen handelt. Einer solchen Untersuchung, die ich hier aus Raumgründen nicht anstellen will und auch aus Zeitgründen nicht vornehmen kann, steht dabei überdies erschwerend entgegen, daß eine Vielzahl der zu analysierenden Hörspiele nicht im Druck vorliegt und in vielen Fällen auch als vervielfältigtes Funkmanuskript infolge oft reger Hörernachfrage längst nicht mehr greifbar ist. Die Bänder (also Tondokumente) werden nach kurzer Zeit der Magazinierung aus Platzgründen häufig gelöscht, und mancher aus der Frühzeit des Hörspiels für diesen Zusammenhang interessante Titel ist oft nur noch dem Namen nach bekannt[156].

Dennoch läßt sich schon anhand dieser zufälligen Beispielsammlung einiges — wenn auch nur hypothetisch — anmerken. Neben dem ausdrücklich als Autor oder Verfasser auftretenden Erzähler (»Straßenmann«, »Herr Biedermann und die Brandstifter«, »Der Doppelgänger«) kann der Autor die Maske

---

[153] Zitiert nach dem Funkmanuskript des Hessischen Rundfunks.

[154] Leicht zugänglich als Einzelausgabe, Stuttgart (Reclam) 1967, (Universal-Bibliothek Nr. 8778). Vgl. diesen Druck auch wegen mehrerer Textvarianten mit dem von Heinz Schwitzke besorgten Druck in: Frühe Hörspiele, S. 157—188. Vgl. auch Fußn. 155.

[155] Eine Neuinszenierung nach dem Zweiten Weltkriege, 1958, läßt Vater und Sohn auf das Schlachtfeld zurückkehren und doppelt so gleichsam die Perspektive. Ob dieser Einfall auf Konto der Regie (Kurt Reiß) oder der Hamburger Hörspieldramaturgie geht, konnte ich nicht ermitteln. Druck dieser Fassung in Heinz Schwitzke (Hrsg.): Frühe Hörspiele, S. 157 bis 188.

[156] Für ein stets hilfsbereites Entgegenkommen möchte ich mich an dieser Stelle bedanken bei Heinz Hostnig (SR, jetzt NDR), Johann M. Kamps (WDR), Ulrich Lauterbach (HR), Jochen Schale (SDR) und Klaus Schöning (WDR).

einer Spielfigur tragen (»Berlin Alexanderplatz«, »Der Tiger Jussuff«) oder
eine Spielfigur als Erzähler auftreten lassen (»Früher Schnee am Fluß«, Franz
Biberkopf in Weyrauchs »Berlin Alexanderplatz«). Die beiden letzten Beispiele
zeigen zudem, wie nahtlos erzählender Bericht in szenisches Erzählen übergehen kann. Der Erzähler kann einzige Stimme des Hörspiels sein (»Schwester
Henriette«), nur gelegentlich durch Einschub kleiner Spielsequenzen unterbrochen (»Die Sekretärin«); die anfangs dominante Erzählerstimme kann
zunehmend in ein Stimmenspiel überleiten (»Früher Schnee am Fluß«; und
interessant hier wiederum wegen der Behandlung der Stimmen als Chor-
stimmen: »Straßenmann«[157]), sie kann gleichsam kontrapunktisch immer
wieder in das Stimmenspiel eingeblendet werden und das eigentliche Spiel
kommentierend begleiten (»Opfer Helena«). Sie kann aber auch nur kurz
ein-, aus- oder überleitend in Erscheinung treten, durchaus dabei der klassischen Rahmenerzählung vergleichbar (etwa in dem die beiden Spielsequenzen
der »Brigadevermittlung« verklammernden »Sprecher«). Der Autor als Erzähler und die erzählende Spielstimme können die medientypischen Züge des
Reporters, aber auch des Ansagers tragen (bei Frischs »Herr Biedermann und
die Brandstifter« könnte man gleichsam von einer durch die Ansagerrolle des
»Verfassers« ermöglichten Parodie einer Selbstinterpretation sprechen[158]).
Allgemein zwischen »präsentierendem« und »referierendem« Erzählen
unterscheidet Knilli, zwischen »präsentierendem und reflektierendem Erzählen« Hasselblatt[159]. Zwischen »zeitlichem« und »unzeitlichem« Verlauf der
Erzählung unterscheidet Knilli zwei Erzählweisen, die Eberhardt Lämmert
in seinen »Bauformen des Erzählens«[160] als »zeitliche (primäre)« von einer
»zeitlosen (sekundären) Erzählweise«[161] abhebt. Überhaupt lassen sich eine

---

[157] »Das Hörspiel beginnt mit der Stimme des erzählenden Autors und geht, vom Erzähler
in der Art eines Chorführers immer begleitet, in Dialog und Massenszenen über« — charakterisiert z. B. Die Werag. Zu Massenszenen und der fast konzertanten Funktion der
Passantenstimmen, Treppenhausstimmen und Stimmen aus einem Fenster vgl. auch Schwitzke,
Das Hörspiel, S. 145f.

[158] »Anders als beim Theaterstück tritt dabei zwischen den Szenen (!) ›Der Verfasser‹ selbst
als Conférencier und psychologisch-ironischer Interviewer Biedermanns auf. So enthält das
Hörspiel zusätzlich die Persiflage einer Selbstinterpretation und eine weitere interessante
Dimension: Vom ›Biedermann in uns selbst ist die Rede‹.« — führt u. a. der von Schwitzke
hrsg. »Hörspielführer«, Stuttgart (Reclam) 1969, (Universal-Bibliothek Nr. 10 161—68),
S. 216, aus. — Vgl. dazu auch Fischer, Das Hörspiel, S. 201.

[159] Das Monologisch-Erzählerische im Hörspiel, S. 357 u. a.

[160] Stuttgart (Metzlersche Verlagsbuchhandlung) 1955.

[161] Zit. nach der 2., durchgesehenen Auflage S. 91—93, bzw. 89—91.

Vielzahl der von Lämmert beobachteten »Bauformen« auch an den durch
Erzähler oder Erzählen wie auch immer ganz oder z. T. charakterisierten
Hörspielen beobachten. Eine Vermutung, die sich hier aufdrängt, läßt sich
stellvertretend an Kühners vielgelobter und vielzitierter »Übungspatrone«
beweisen. In ihr ist nämlich ein Erzähler zu beobachten, der noch deutlich
Spuren des allwissenden Erzählers und damit einer in der Erzählprosa längst
nicht mehr möglichen Erzählhaltung des 19. Jahrhunderts aufweist. Der Frage,
wieweit ein Medium, das seinem pluralistischen Massenpublikum Rechnung
tragen muß, hier möglicherweise dem traditionellen Erzähler so etwas wie ein
letztes Refugium bietet, kann ich nicht weiter nachgehen. Sie sei aber wenigstens angedeutet mit dem gleichzeitigen Hinweis auf eine dazu parallel zu
wertende Beobachtung: daß sich nämlich auf das ähnlich populäre Hörspiel
Fred Hoerschelmanns, »Das Schiff Esperanza«[162], sehr gut die Freytagsche
»Dramenpyramide« aufstülpen läßt.

Ich habe eingangs betont, daß bei einer Hörspielanalyse neben der Auftragssituation und dem Stellenwert im Programm auch der literarische Stellenwert betrachtet werden muß[163]. Und ich habe in dem Zusammenhang schon
angedeutet, daß man z. B. die Hörspiele des Nouveau roman[163a], soweit sie in
unserem Zusammenhang eine Rolle spielen, auch an den theoretischen Überlegungen dieser literarischen Gruppierung, etwa Nathalie Sarrautes »L'Ere
du Soupçon«[164], dem dort von ihr und an anderer Stelle von Alain Robbe-
Grillet[165] behaupteten Tod des Helden wird messen müssen. So ist es gewiß
kein Zufall, wenn das 1966 in Stuttgart urgesendete erste Hörspiel des zur
Ursprungsgruppe der Nouveaux romanciers gehörenden Claude Olliers »Der
Tod des Helden«[166] lautet, ein Hörspiel, das in einem Dialog zwischen
Lektor (A) und Autor (B) die Konsequenzen des aus der Literatur verschwun-
denen Helden durchspielt. Gemäß der Theorie, daß an einem bestimmten
Punkt in der literarischen Entwicklung Hauptperson des Romans, Autor und

---

[162] Leicht zugänglich: Das Schiff Esperanza, Stuttgart (Reclam 1967), (Universal-Bibliothek Nr. 8762).

[163] S. o. S. 375.

[163a] Ausführlicher handelt darüber Werner Spies, Der nouveau roman und das Hörspiel, in: Klaus Schöning (Hrsg.), Neues Hörspiel, S. 71—87.

[164] Paris 1956, dt. u. d. T. Das Zeitalter des Mißtrauens, Köln (Kiepenheuer und Witsch) 1963.

[165] Bemerkungen über einige Wesenszüge des herkömmlichen Romans, in: Akzente, H. 1, Februar 1958, S. 25—33.

[166] Ungedruckt, Erstsendung 1966 SDR.

Leser zusammenfallen[167], wird nach einem am Lektor inszenierten Mord auch am Autor das Todesurteil vollstreckt. In der ein Jahr später gesendeten Funkerzählung »Die Verwandlung« desselben Autors[168] löst sich der Erzähler aus der Ich-Geschichte, um sich mit den von ihm erfundenen Personen zu identifizieren, bis schließlich innerhalb des fiktiven Falles der Erzähler der wahre Schuldige scheint.

Auf das literarische Panorama der Zeit beziehen sich auch Schwitzke, Fischer und Hasselblatt mit ihrem Hinweis auf die Monolognovelle Schnitzlers. Dieser Hinweis auf Schnitzler einerseits, auf die Hörspiele des Nouveau roman andererseits und schließlich, in Harigs »Staatsbegräbnis« z. B., statt des Autor-Erzähler-Reporters bei Kesser nun nur noch der vom Autor zitierte Reporter, deuten an drei Punkten der Hörspielgeschichte an, daß man auch bei der Untersuchung des Aspekts des Erzählers im Hörspiel den Gesichtspunkt der literarischen Entwicklung wird berücksichtigen müssen, daß Literatur als Prozeß auch im Hörspiel seine deutlich faßbaren Spuren hinterläßt.

IX

Ich möchte damit meinen vorläufigen und fraglos recht unvollständigen Bericht abbrechen. Ich hoffe, deutlich gemacht zu haben, daß die Frage nach dem Aspekt des Erzählers im Rundfunk allgemein und nach dem Erzähler speziell im Hörspiel die Vielschichtigkeit des Programmangebots, die unterschiedlichen Programmsparten besser in den Griff bekommt als die doch sehr enge und, wie mir scheint, ein wenig künstliche, wenn nicht sogar — gemessen an der literarischen Entwicklung — ein wenig anachronistische Frage nach einer Funkerzählung, die es — wie der historische Exkurs erkennen ließ — eigentlich nie überzeugend gegeben hat. Statt dessen wird man von erzählender Prosa im Rundfunk sprechen können, die entweder der Autor selbst oder ein Sprecher liest bzw. spricht. Und man hat es dabei mit Reproduktion zu tun. Man wird von der Adaption epischer Vorlagen durch Bearbeitung an einer

---

[167] Vgl. dazu u. a. Nathalie Sarraute: »Da liegt das Problem: dem Leser sein ganzes Gut zu entreißen und ihn, koste es was es wolle, auf das Terrain des Autors zu ziehen. Um das zu erreichen, bedeutet das Verfahren, das darin besteht, den Haupthelden mit ›ich‹ zu bezeichnen, ein sowohl leichtes als auch wirksames Mittel, das zweifelsohne aus diesem Grunde so häufig angewendet wird. Bei dieser Form ist der Leser sofort im Inneren, an der gleichen Stelle, an der sich der Autor befindet, in einer Tiefe, in der nichts mehr von diesen bequemen Anhaltspunkten besteht, mit Hilfe derer er sich seine Gestalten konstruiert.« (Zit. nach Akzente, H. 1, Februar 1958, S. 43.)

[168] Ungedruckt, Erstsendung 1967 SDR.

Grenze zwischen Reproduktion und Produktion sprechen können. Diese Bearbeitungen erfolgen aus den unterschiedlichsten Gründen und sind entsprechend im Schulfunk, im Kinderfunk, aber auch in den Hörspielprogrammen aufzufinden. Zusammenhänge zwischen Stellenwert und Qualität der Bearbeitung lassen sich hier auf jeden Fall vermuten. Von diesen Bearbeitungen möchte ich die aufgeführten Bearbeitungen Bronnens, Ophüls' und Eichs aus den genannten Gründen abheben, die ich überdies auf dem Wege zu Hörspielen sehe, bei denen epische Vorlage und Hörspielfassung vom gleichen Autor stammen. Eine gelegentliche und mögliche Annäherung zwischen erzählender Prosa im Rundfunk und Hörspiel (im Sinne der Döblinschen Mischform), die Brink 1933 konstatiert, scheint mir schon 1929 mit »Schwester Henriette« (also im gleichen Jahr, als die Kasseler Arbeitstagung noch deutlich zwischen Hörspiel und Epik schied) und 1930 mit »Straßenmann« gegeben, und zwar so sehr, daß Schwitzke als leidenschaftlicher Verfechter des dialogischen Hörspiels, für das das Monologhörspiel dann eine Sonderform darstellt, sie ebenso als Kronzeugnis benutzen kann wie Hasselblatt bei seinem Versuch der Rekonstruktion einer Vorgeschichte der Funkerzählung. Diese Doppelung von epischer Vorlage und Hörspiel läßt sich bis auf die Gegenwart beobachten. Sowohl bei ihr wie bei den originär als Spiel geschriebenen Hörspielen hat das Epische als Teilaspekt mehr oder weniger starke Spuren hinterlassen. Hier faßt die Frage nach dem Erzähler im Hörspiel die Vielfalt des Angebots so ein, daß sie eine sinnvolle Aufarbeitung eher zu ermöglichen scheint als eine von vornherein vorgenommene Unterscheidung von Hörspiel, Funkerzählung und Feature oder auch eine dies weiter differenzierende Unterscheidung von dramatischem Hörspiel, hörszenischer Reportage, epischem Hörspiel, lyrischem Hörspiel, Mischformen aus dramatischen, epischen und lyrischen Elementen und dem Feature.

»Der Rundfunk«, sah Döblin 1929 völlig zu Recht voraus, »hat sein Hörspiel, das bisher mit Ausnahmen fast ganz in den Händen der Dramaturgen liegt, durchaus mit Hilfe der wirklichen Literatur zu entwickeln, denn es ist Sprache und dichterische Phantasie dazu nötig. Er bemüht sich schon, er möge aber, und mit ihm der Produzent solcher Werke, mehr als bisher bedenken, daß im Rundfunk jener alte Unterschied zwischen Epik und Dramatik aufhört. Das sind Trennungen der Literatur, welche das Buch und das Theater kennen. Es ist mir sicher, daß nur auf ganz freie Weise, unter Benutzung lyrischer und epischer Elemente, auch essayistischer, in Zukunft wirkliche Hörspiele möglich werden, die sich zugleich die anderen Möglichkeiten des Rundfunks, Musik und Geräusche, für ihre Zwecke nutzbar machen.«

GERHARD STORZ

ZUSAMMENSPIEL ZWISCHEN ERZÄHLER UND LESER

MARGINALIEN ZU KÄTE HAMBURGERS »LOGIK DER DICHTUNG«

Vom »Leseerlebnis« spricht Käte Hamburger einige Male in ihrer »Logik der Dichtung«. Vielleicht hat sie das Wort sogar gebildet: ergibt es sich doch notwendig aus ihrer Betrachtungsweise. Deren Blickpunkt ist freilich nicht der Leser, auch nicht eigentlich der Dichter, sondern die Bedingtheit des dichterischen Erzählens durch Gegebenheiten der Sprache und des Vorstellens. Aber ihr Bemühen, die »epische Fiktion« zu ergründen, führt sie immer wieder auf die Wirkung, die im Teilnehmer an der »epischen Fiktion«, also im Leser, entsteht. Eigens mit diesem beschäftigen sich die folgenden Beobachtungen und Bemerkungen, die sich jedoch keineswegs zur Systematik einer Theorie zusammenschließen wollen. Sie werden unter wechselnden Gesichtspunkten gemacht und wollen nicht mehr geben als weiterführenden Nachhall auf Käte Hamburgers so bedeutenden, fruchtbaren Beginn.

In der Diskussion über die dichterischen Gattungen ist seit Aristoteles nicht nur vom Hervorbringen der Dichter, sondern immer wieder einmal auch von der spezifischen Weise des Aufnehmens die Rede gewesen, die der epischen, der dramatischen, der lyrischen Dichtung zugeordnet ist. Am nachdrücklichsten wohl geschah es in Goethes und Schillers Briefen über die Verschiedenheit von Epos und Drama. Auf diese Briefe haben denn auch die neueren Versuche einer Poetik seit Emil Staiger immer wieder zurückgegriffen, wenn die Frage der Rezeption des Epischen, des Dramatischen, des Lyrischen erörtert wurde. Vom Lesen sprechen Goethe und Schiller freilich nicht: haben sie doch in jenen Briefen das homerische Epos als Archetypus erzählender Dichtung vor Augen: ihm gesellen sie die Figuren des Rhapsoden und des Hörers. Das Lesen erzählender Dichtung müßte freilich zunächst verglichen werden mit dem Lesen lyrischer Gedichte und dem von Dramentexten. Aber alsbald, ohne nähere Untersuchung leuchtet es ein, daß nur gegenüber erzählender Dichtung das Lesen eine spezifische Funktion erlangt: das lyrische Gedicht will gesprochen werden, so auch dramatische Dichtung, gesprochen freilich in der Fiktion des mimetischen Vollzugs. Hier soll jedoch geradewegs und ausschließlich vom Lesen *erzählender* Dichtung gehandelt werden, in der Absicht, eben die besondere Weise dieses Lesens in einem ersten, flüchtigen Durchgang zu beschreiben. Das hat zur Folge, daß Kunstmittel, Stilzüge, die man zumeist als Intention des Autors betrachtet, hier aus der Sicht des Lesers gesehen werden müssen. Dabei wird sich beständige Wechselwirkung darstellen: zwischen der Fiktion des erzählenden Dichters und der Illusion des Lesers scheint ein Zusammenhang spezifischer Art zu bestehen, deutlicher gesagt, zwischen diesem und jenem zeigt sich, von beiden unbemerkt, ein beständiges Zusammenspiel an.

Von der nicht erkannten Verbundenheit zwischen Autor und Leser scheint sich jedoch eine ganz offenbare, ausdrücklich bekannte, grundlegend zu unterscheiden: sie spricht sich in der unmittelbaren Zuwendung des Erzählers zum Lesen aus. Sie geht bisweilen über die bloße Anrede von der Art »Du wirst, lieber Leser, bemerkt haben ...« hinaus und wendet sich — Wieland verfährt nicht selten so — mit Fragen nach der künftig einzuschlagenden Bahn der Erzählung an den Leser. Ob eine solche Zuwendung zum Leser auf das Erzählen einwirke und in welcher Weise — diese Frage sei fürs erste zurückgestellt. Denn zunächst muß es sich um eine andere handeln: Worauf kann sich denn die geheime Beziehung zwischen Erzähler und Leser gründen? Die Antwort habe ich insofern schon vorweggenommen, als ich bereits von der Entsprechung zwischen Fiktion des Erzählers und Illusion des Lesers sprach. Mag diese Entsprechung im einzelnen Fall vollkommen sein oder nicht, so begegnen sich doch Absicht des Autors und Erwartung des Lesers darin: ein Schein wirklichen Daseins soll entstehen, in welcher Gestalt dieses auch immer erscheinen mag. Sie kann, aber sie muß nicht phantastisch oder idealisch sein, sie kann ebensogut der Erfahrungswirklichkeit des Lesers gleichen, sie mag heiter oder düster, einfach oder verwickelt, harmonisch oder durch Dissonanzen bestimmt sein — immer ist es der Schein wirklichen Lebens, eines stattfindenden Daseins, ein Schein, dessen Entstehen die Absicht des Erzählers, die Erwartung des Lesers gelten. Demgegenüber steht die an und für sich so bedeutsame Verschiedenheit nach dem Gehalt des Erzählten, nach der Gesinnung, nach dem dichterischen Rang des Erzählers an zweiter Stelle: das Trachten von Autor und Leser nach jenem Schein ist ebenso im Spiel beim Kriminalroman der Chesterton, Christie, Simémon wie bei den Wahlverwandtschaften und den Josefs-Romanen. Der erste Gesichtspunkt, nach welchem der Leser unterscheidet und urteilt, ist vielmehr die Dichte oder das Gegenteil, die intermittierende Schwäche jenes Scheines, oder, anders gesagt, der Unterschied einerseits nach Dringlichkeit, andererseits nach Dauerhaftigkeit, welche

der vom Erzähler erweckte Schein in ihm, dem Leser, gewinnt. In die Einheit-
lichkeit dieser Erwartung ist jedoch bereits Differenzierung eingeschlossen:
Die Bereitschaft der Leser zum Mitwirken an der Entstehung der »epischen
Fiktion« ist von verschiedener Art, ihr Vermögen zum Zusammenspiel mit
den Erzählern von verschiedenem Grad. Daraus entspringt die Verschiedenheit der Ansprüche an Art und Kunst des Erzählens.

Die Mitwirkung des Lesers findet zuerst und zuletzt als Reagieren auf gewisse Sprachformen statt. Denn vornehmlich die Sprache ist es, die es dem
Erzähler ermöglicht, den Schein von Wirklichkeit zu erwecken. Käte Hamburger hat das Verdienst, die Subtilität dieses ersten und grundlegenden Mittels
der Erzählung ergründet zu haben: Wie immer der Erzähler sich gibt — als
Autobiograph, als Herausgeber eines Briefwechsels oder eines Nachlasses —
immer berichtet er Vergangenes, jedenfalls solange er erzählt und nicht etwa
reflektiert. Das Vergangene ist bekannter, faßbarer als das Gegenwärtige und
das Künftige, zugleich aber auch gewisser. Deshalb kommt dem Vergangenen
seltsamerweise mehr an Tatsächlichkeit zu. Darauf, sowohl auf das Vergangen-
sein wie auf seine Tatsächlichkeit, geht die Perspektive des Zeitworts im
Präteritum. Im Präteritum spricht aber auch der Erzähler von den Begebenheiten, die er erfindet, von der Scheinwelt überhaupt, die er herzustellen im
Begriff ist. Als Vergangenheit erlangt sie jedoch für den Leser Gegenwärtigkeit: das Präteritum wird denn in der erzählenden Dichtung zum Modus des
Wirklichkeitsscheines, darin zeigt sich das »Raunen« an, das Thomas Mann
dem Imperfekt abhört. Daß das Präteritum des Erzählers kein echtes ist, daß
es vor der Grammatik nicht Stich hält, wird an Unstimmigkeit seiner Verbindung mit gewissen Adverbialien des Ortes und namentlich der Zeit offenbar. Käte Hamburger geht Widersprüchlichkeiten solcher Art aufs genaueste
nach[1], hier genügt es auf den von ihr zitierten Satz aus einem keineswegs
ausnahmehaften Roman[2] zu verweisen: »Morgen war Weihnachten«. Das sagt
allerdings weniger der Erzähler selbst, als die stumme Reflexion einer Roman-
figur: der Satz ist ein Stück aus einem »monologue intérieur«. Aber die Entschiedenheit des nicht temporalen Sinnes, die am Präteritum dieser, erst seit
dem Ende des vorigen Jahrhunderts etablierten Weise des Erzählens zu Tage
tritt, zeugt für die von allem Anfang an bestehende Entfernung des dichterischen Präteritums vom eigentlichen, nur temporalen: anders wäre das
völlige Aussetzen der temporalen Funktion im Präteritum des *monologue*

---

[1] Die Logik der Dichtung, S. 27 ff.
[2] Alice Berend, Die Bräutigame der Babette Bomberling, S. 33.

intérieur gar nicht möglich gewesen. Indessen der Vergangenheitsschein hängt dem Romanpräteritum an: darauf beruht ja eben die fiktive Wirkung. Deshalb wird dem erzählenden Dichter das Spiel mit der Opposition einer ebenso fiktiven Gegenwart möglich: der zeitweilige Übergang in das »historische Präsens«. Zweifellos bleibt der Wechsel oft ohne perspektivische Verschiebung — wie beispielsweise Goethes späte Romane zeigen —, aber es gibt Beispiele genug dafür, daß von dem Sprung aus dem Präteritum in jene Gegenwartsform einige Dynamik ausgehen kann[3]. All diese Verschiebungen der *tempora verbi* von ihrem primären Gebrauch in einen sekundären, sozusagen metaphorischen, muß der Leser nachvollziehen und zugleich deuten. Das ist keineswegs selbstverständlich, wie aus dem Beispiel kindlicher Leser zu entnehmen ist: sie halten die Vergangenheitsform der Märchenerzählung für echt und setzen das Gelesene gleich mit Historie. Die Fiktion wird also so total vollzogen, daß für die ästhetische Wirkung kein Spielraum mehr bleibt.

Aber der Leser leistet noch mehr, vornehmlich dadurch, daß er vervollständigt, was der Erzähler nur andeutet. Ein eindrucksvolles Beispiel dafür hat Richard Alewyn aufgefunden: Sein Aufsatz »Eine Landschaft Eichendorffs«[4] macht offenbar, daß es der Leser ist, der Eichendorffs Schilderung Räumlichkeit, Fülle und Atmosphäre verleiht. Denn der Text gibt nur knappe, freilich höchst prägnante Anweisung. Dieser Umstand steht im Widerspruch mit der Erinnerung des Lesers, die im Hinblick auf Eichendorffs Romane und Novellen starke Eindrücke von Landschaft aufbewahrt. Der Leser erinnert sich aber nicht an sein Ergänzen, weil er es unbewußt vorgenommen hat. In der prüfenden Begegnung mit dem Text — mit den Beispielen, die Alewyn gibt — zeigt sich nun dem Leser, was er beim ersten, beim wiederholten Lesen aus Andeutungen wie diesen gemacht hat:

> Ein leichter Wind ging rauschend durch die Wipfel des einsamen Gartens, hin und wieder bellten Hunde aus entfernten Dörfern über das stille Feld.

> ... Draußen aber ging der herrlichste Sommermorgen funkelnd an allen Fenstern des Pallastes vorüber, alle Vögel sangen in der stillen Einsamkeit, während von fern aus den Tälern die Morgenglocken über den Garten herauf klangen.

In beiden Beispielen wie in den vielen anderen, die Alewyn untersucht, sind es Klänge, die »von fern« in den Raum der Erzählung hereindringen, oder es ist das Licht von Sonne oder Mond, das triumphal hereinscheint, dem Hier

---

[3] Vgl. dazu mein Buch Sprache und Dichtung, München 1957, S. 226 ff.
[4] Euphorion, NF 51, 1957, S. 42 ff.

der erzählten Situation steht ein nicht faßbares Dort, dem bekannten, begrenzten Innen ein weites, unbestimmtes Draußen gegenüber (meist besteht es in Tälern, den Bahnen der fern rauschenden oder glänzenden Wasserläufe). Eben durch die Gegenüberstellung von Nähe und Ferne, Helligkeit und Dunkelheit, so knapp sie angegeben wird, entsteht Perspektive, durch das hereindringende Licht, durch die hereinklingenden Töne Bewegung. Beides, Perspektive und Bewegung, nimmt der Leser auf, führt sie weiter und fügt sie zusammen zum Raum. Diesen erfüllt er mit den Farben und den Gestalten, in welche er Eichendorffs Stimmungsdominanten — »herrlichster Sommermorgen«, »stille Einsamkeit« — umsetzt.

Von ganz anderer Art als Eichendorffs Landschaftsdarstellung ist bekanntlich die Stifters: sie fügt zahlreiche, genau beschriebene Teilansichten zusammen zum Ganzen eines Landschaftspanoramas. Stifters Landschaftsbilder sind jedoch keineswegs topographische Einlagen, welche die Erzählung unterbrechen, sondern auch sie entstehen im Laufe des Erzählens, es geht Stimmung von ihnen aus, und sie hängen bald enger, bald lose mit den Begebenheiten und Figuren der Erzählung zusammen. Jedoch vom Leser werden sie erfahrungsgemäß meist nicht spontan, mit geringer Intensität aufgenommen: Stifter gibt einerseits zu viel an Einzelheiten, als daß die Imagination des Lesers sie zusammenbringen und festhalten könnte, andererseits ist es wohl die gleichmäßige Vollständigkeit seines Landschaftstableaus, die der Imaginationskraft des Lesers nicht den Anreiz, nicht das Stichwort liefert, wie sie von Eichendorffs Andeutungen ausgehen. So ergibt sich denn das Paradoxon, auf das wir auch in anderem Zusammenhang stoßen werden, daß das genau und vollständig Ausgeführte für den Leser undeutlicher, weniger gegenwärtig wird, als das flüchtig Skizzierte, — vorausgesetzt allerdings, daß die Skizze Dominanten für die imaginierende Aktivität des Lesers setzt, wie das Eichendorff tut.

In noch größerem Maß ist das Zustandekommen der Zeitillusion[5] in der Erzählung auf die Mitwirkung des Lesers angewiesen. Es scheint sich damit ähnlich zu verhalten wie mit seiner Imagination von Örtlichkeit, von Raum überhaupt: Die Zeit als Daseinselement nimmt der Leser beim stetigen Fortschreiten der Erzählung nicht auf, mögen noch so oft ausdrückliche Zeitangaben gemacht werden, wie beispielsweise in der *Madame Bovary* oder, der Gattung entsprechend, im historischen Roman, sowie in der *biographie romancée*.

---

[5] Das Begriffspaar »Erzählzeit« — »erzählte Zeit« hat sich als wenig ergiebiges Instrument erwiesen: beide Begriffe sind, jeder auf seine Weise, zu unscharf.

Der Leser bedarf offenbar auch gegenüber der Zeit, wenn sie als solche von ihm verspürt werden soll, der perspektivischen Blickführung durch den Autor. Sie wird in Wilhelm Meisters Lehrjahren auf besonders eigentümliche Weise gegeben. Wilhelm begegnet im Anfangsteil des Romans Personen, welche in dessen Schlußteil entscheidende Bedeutung für ihn erlangen: der Abbé, Jarno, Lothario treffen einer um den anderen jeweils zufällig, gleichsam vermummt und nur für Augenblicke mit ihm zusammen. Erst nach ziemlich langem Fortgang der Erzählung sieht Wilhelm sie wieder, erst jetzt lernt er sie in ihrer eigenen Umwelt und in ihrer eigentlichen Existenz kennen. Von anderen Personen, die Wilhelms Weg durch die Theaterwelt gekreuzt haben — dem blonden Friedrich, der schönen Gräfin, Nathalie zusammen mit ihrem Oheim —, erfährt der Leser, nicht Wilhelm, Herkunft und geschwisterliche Zusammengehörigkeit: Der Leser blickt jetzt in eine Zeit zurück, die vor Wilhelms Erlebnissen liegt. Das wird ihm in der ungefähren Mitte des Romans möglich, am Ende des VI. Buches, der »Bekenntnisse einer schönen Seele«. In jene frühere Zeitstufe fügt er nun das Spätere ein, beispielsweise das Eintreffen der »schönen Amazone« und ihres älteren Begleiters in der Waldlichtung, wo der im Kampf verwundete Wilhelm halb ohnmächtig liegt: Die Unbekannten von damals stellen sich jetzt dem Leser als Oheim und Nathalie dar, von denen er soeben in ganz anderem Zusammenhang gehört hat. Zugleich führt ihn aber die Erwartung Wilhelm vorwärts, der Begegnung mit jener schönen Unbekannten entgegen, die Wilhelm so dringlich ersehnt. Der Blick des Lesers wird also unablässig rückwärts und vorwärts, von einem fiktiven »Jetzt« zu einem fiktiven »Früher« gelenkt, vom Engeren zum Weiteren, vom Unbekannten zu seiner Enthüllung als eines längst Bekannten. Dieses Schweben zwischen imaginierter Vergangenheit und imaginierter Zukunft vermag im Leser die Intuition von intensiver Gegenwärtigkeit zu erzeugen: gerade durch die Aufhebung der Zeit wird sie ihm als Essenz des Daseins spürbar. Dem ersten Leser der Lehrjahre, Schiller, ist diese Eigentümlichkeit des Romans aufgefallen und er hat sie auch zu deuten gewußt: »Wie trefflich sich dieses achte Buch an das sechste anschließt und wieviel überhaupt durch die Anticipation des letztern gewonnen worden ist, sehe ich klar ein. Ich möchte durchaus keine andere Stellung der Geschichte« (Bekenntnisse einer schönen Seele) »als gerade diese. Man kennt die Familie schon so lange ehe sie eigentlich kommt, man glaubt in eine ganz anfang slose Bekanntschaft zu blicken; es ist eine Art von optischem Kunstgriff der eine treffliche Wirkung macht.« (28. Juni 1796)

Welch bestimmtes Bild der Leser von manchen Romanfiguren besitzt, das wird ihm erst offenbar, wenn er lange nach seiner ersten Lektüre auf Buchillustrationen trifft: kaum je stimmt sein Inbild mit der Darstellung des Illustrators zusammen. Die Deutlichkeit seiner Erinnerung führt der Leser auf die Einprägsamkeit des Bildes zurück, das, wie er glaubt, der Autor entworfen habe. So will er sich beispielsweise im Text der Lehrjahre der Schilderung von Philines äußerer Erscheinung vergewissern. Zu seinem Erstaunen findet er nur wenige, recht allgemeine Angaben: »wohlgebildetes Frauenzimmer« — »blonde Haare nachläßig aufgelöst«, einige Seiten später »ihr kurzes Röckchen ließ die niedlichsten Füßchen der Welt sehen«. Das ist alles. Erst sehr viel später — Philines Bild ist inzwischen im Leser längst zustande gekommen, deutlicher und individueller geprägt als das der anderen Frauengestalten im Roman — erfährt er von der Schramme auf Philines Stirn, von der einen brünetten Augenwimper, die mit dem blonden Haar kontrastiert: diese detaillierten Eigenheiten liefert ihm Aurelies höchst abschätzige Äußerung über Philine sozusagen als Nachtrag. Daraus entnimmt er denn auch mehr für sein Bild von der Tadlerin als für das der Getadelten, das ihm längst schon gegenwärtig ist. Seine so lebendige Erinnerung an Philines Gestalt enthält, wie ihm erst spätere Reflexion zeigt, weniger physiognomische Momente als vielmehr Elemente von Stimmung, die sich auf nicht faßbare Weise übersetzen in bildhaftes Erscheinen und sich zum Ganzen einer Person zusammenfügen. Philines Bild *entsteht* also innerhalb der Erzählung und durch das Erzählen, angefangen von der reizenden Einführung — Philine sieht vom Fenster Wilhelms Blumenkauf zu und läßt den ihr noch völlig Unbekannten um einen Anteil an der Erwerbung bitten — bis zu bloßen Gesten und Pantomimen, dem Nüsseknacken der Gutgelaunten inmitten ihrer aufgebrachten Ankläger, dem Schlag mit dem Pantöffelchen gegen den zudringlichen Serlo. Aber dieses Entstehen bedarf der Mitwirkung des Lesers.

Den entstehenden Bildern von Personen sind die statischen gegenüberzustellen, die dem Leser in fertiger Ausführung präsentiert werden: »Beide (Mädchen) schienen nicht über achtzehn Jahre alt zu sein. Die eine, größere war zart gebaut, reiches braunes Haar zog sich um eine freie Stirne, die gewölbten Bogen ihrer dunklen Brauen, das ruhige blaue Auge, der fein geschnittene Mund, die zarten Farben der Wangen —«[6]. Dieser Art der Darstellung begegnet man in älteren Romanen, bisweilen noch in solchen Goethes, insbesondere aber in den historischen von *Scott, Cooper, Hugo*. Man subsumiert sie unter dem Terminus »direkte Charakterisierung«, im Gegensatz zu der »indirekten«, die ich soeben als »entstehend« bezeichnet habe. Bisweilen wer-

---

[6] W. Hauff, Lichtenstein, 1. Kap.

den die beiden Begriffe mit der Unterscheidung der Erzählweise verbunden:
der »direkten Charakterisierung« gesellt man den außerhalb des Erzählten
stehenden, »allwissenden« Autor, mit der »indirekten Charakterisierung«
verbindet man das Sprechen des Erzählers durch Masken hindurch — beispielsweise durch fiktive Teilnehmer an den erzählten Vorgängen — oder die
Übersetzung des Erzählens in Dialoge der Figuren. Diese Unterscheidung
trifft aber an der hier zur Rede stehenden Verschiedenheit vorbei: statische,
komplette Personenbeschreibungen können auch vom fiktiven Erzähler
stammen — beispielsweise in C. F. Meyers Novelle »Der Heilige« —, die
entstehende wird bisweilen auch vom sogenannten auktorialen Erzähler
gegeben, wie Philines Beispiel zeigt. Man hat der »direkten« Personen- oder
Landschaftsschilderung nicht selten Unlebendigkeit vorgeworfen, aber dieses
Urteil — das Moment der Lebendigkeit — bleibt, wie so oft, auch in unserem
Zusammenhang weniger bestimmt, in seinem Werten undeutlicher, als man es
zunächst glaubt. Größere Klarheit läßt sich wohl nur vom Verhalten des
Lesers her gewinnen: er neigt dazu, detaillierte, ihm fertig angebotene
Personen- und Landschaftsschilderungen zu überspringen. Er hält sie also
für überflüssig: offenbar erwartet er, daß das eine wie das andere ihm ohnehin
gegenwärtig werden müsse durch den Fortgang der Erzählung, durch ihr
dichter sich schlingendes Gewebe —, eine Erwartung, die sich ebenso an die
Kunst des Erzählers wie an das Wesen des Erzählens wendet. Zu diesem scheint
eben auch die nachvollziehende Aktivität der Einbildungskraft des Lesers zu
gehören: sein intuitives Vermögen findet gegenüber der Statik kompletter
Beschreibung keinen Ansatz, keine Möglichkeit, zu erraten, zu verknüpfen,
zu ergänzen. Seine Aktivität muß vielmehr pausieren, wie auch die produ-
zierende Fiktion des Erzählers zwar nicht pausiert, aber sich transformiert,
dadurch, daß sie die Perspektive wechselt: indem sie beschreibt, spricht sie
von einem Standpunkt aus, der außerhalb der Erzählung, genauer gesagt,
außerhalb des durch das Erzählen fortschreitend entstehenden Raumes liegt.
Bisweilen werden solche Standpunkte ausdrücklich angegeben, beispielsweise
wird die soeben zitierte Personenschilderung Hauffs folgendermaßen eingeleitet: »Das anmutigste Bild gewährtn wohl ein Erkerfenster am Hause des Herrn
Hans von Besserer. Dort standen zwei Mädchen, so verschieden an Gesicht,
Gestalt und Kleidung . . ., daß, wer sie von der Straße betrachtete, eine Weile
zweifelhaft war, welcher er wohl den Vorzug geben möchte.« Was den Leser
stört, ist weniger die Umständlichkeit des Rahmens, der um die folgende
Personenbeschreibung gelegt wird — das Erkerfenster —, weniger auch die
Einführung eines Betrachters von der Straße her, endlich nicht die Un-

416

stimmigkeit, daß sich mit dem Betrachten aus solcher Distanz die punktuelle Genauigkeit der vorhin zitierten Personenbeschreibung verbindet, sondern das Schwinden des Leserinteresses wird vielmehr in der Unterbrechung seines imaginativen Mitwirkens ihren Grund haben.

Auf einem überraschenden Weg ist Schiller dazu gekommen, das Mitwirken des Lesers als konstituierenden Faktor für das Zustandekommen der »epischen Fiktion« zu betrachten. Im vierzehnten der Ästhetischen Briefe findet er das Gleichgewicht und die Wechselwirkung von Stofftrieb und Formtrieb im Spieltrieb: »Der sinnliche Trieb will bestimmt *werden*, er will sein Objekt empfangen; der Formtrieb will *selbst* bestimmen, er will sein Objekt hervorbringen: der Spieltrieb wird also bestrebt sein, so zu empfangen, wie er selbst hervorgebracht hätte, und so zu empfangen, wie der Sinn zu empfangen trachtet.« Diese kategoriale Festlegung spezifiert er auf die Dichtung in der Rezension von Matthissons Gedichten, die während der abschließenden Arbeit an den Ästhetischen Briefen entstand. Dort heißt es: »Er (der Dichter) muß fürs erste unsere (der Leser) Einbildungskraft frei spielen und *selbst handeln* lassen, und zweitens muß er nichts destoweniger seiner Wirkung *gewiß* sein und eine *bestimmte* Empfindung erzeugen. Diese Forderungen scheinen einander anfänglich ganz widersprechend zu sein, denn nach der ersten müßte unsere Einbildungskraft herrschen und keinem anderen als ihrem eigenen Gesetz gehorchen, nach der andern müßte sie dienen und dem Gesetz des Dichters gehorchen. Wie hebt der Dichter nun diesen Widerspruch? Dadurch, daß er der Einbildungskraft keinen andern Gang vorschreibt, als den sie in ihrer vollen Freiheit und nach ihren eigenen Gesetzen nehmen müßte.«[7] Zwei Jahre später findet Schiller ein konkretes Beispiel für die Erfüllung seines Postulats vom Zusammenspiel der beiderseitigen Freiheit von Autor und Leser, und zwar trifft er es im Feld der erzählenden Dichtung an. In den Briefen an Goethe über die Lehrjahre sagt er von der Figur des Lothario: »Lothario hebt sich unter allen Hauptcharakteren am wenigstens heraus, aber aus ganz objektiven Gründen. Ein Charakter wie dieser kann in dem Medium, durch welches der Dichter wirkt, nie ganz erscheinen. Keine einzelne Handlung oder Rede stellt ihn dar; man muß ihn sehen, man muß ihn selbst hören, man muß mit ihm leben. Deswegen ist es genug ..., daß alle Weiber ihn lieben, die immer nach dem Totaleindruck richten ... Es ist bei diesem Charakter der Imagination des Lesers weit mehr überlassen als bei den andern, und mit dem vollkommensten Rechte; denn er ist aesthetisch, er muß also von dem Leser

---

[7] Die Hervorhebungen in beiden Zitaten stammen von Schiller.

selbst produziert werden, aber nicht willkürlich, sondern nach Gesetzen, die Sie auch bestimmt genug gegeben haben ...« (An Goethe, 3. Juli 1796) Das Prädikat »aesthetisch« für Lothario begründet sich durch das an ihm erscheinende Gleichgewicht zwischen Geist und Tatkraft, Schwung und Nüchternheit, auch durch sein unbefangenes, souveränes Urteil (beispielsweise im Rückblick auf Aurelie: »sie war nicht liebenswürdig, wenn sie liebte ...«). Die Figur des Lothario entbehrt also der verengernden Eigentümlichkeiten, einzelner hervorstechender Züge, »besonderer Kennzeichen« überhaupt: ihr fehlen die bestimmten Konturen, sie »hebt sich am wenigsten heraus«. Deshalb muß ihr gegenüber die »Imagination des Lesers weit mehr« leisten, als gegenüber den anderen Romangestalten: Weil Schiller von der »Imagination des Lesers« keine geringe Meinung hat, mutet er ihrer Mitwirkung auch nicht wenig zu. Zur schwachen Zeichnung der Gestalt des Lothario scheinen die vom Autor angeblich so bestimmt angegebenen »Gesetze« im Widerspruch zu stehen. Aber wir werden »Gesetze« wohl im Sinn von Leitlinien zu verstehen haben, die, ausgehend von prägnanten Einzelheiten, von Dominanten, wie ich im Vorigen sagte, die ergänzende Einbildungskraft des Lesers führen: solche Momente sind wohl in Lotharios erstem Auftreten als verwundeter Duellant, in der abendlichen Einkehr bei seiner Jugendgebliebten auf dem Pachthof, in seiner amerikanischen Vergangenheit, endlich in Äußerungen wie der eben zitierten über Aurelie zu erblicken. Sie sollen den Leser davon abhalten, Lothario zu idealisieren, eine Gefahr, die gerade durch den Mangel an kräftigen Konturen gegeben ist.

Wie immer man Schillers etwas unbestimmte Äußerung auslegen mag, fest steht die Figur des Lothario als Sonderfall, welcher die mitwirkende und ergänzende Imaginationskraft des Lesers in besonders hohem Grad erfordert, aber eben nur in einem höheren als die übrigen Romanfiguren: für sie alle gilt, was Schiller in der Rezension von Matthissons Gedichten ja in der Tat auch prinzipiell ausgesprochen hat. Im übrigen kommt die Mehrzahl von Schillers sicher treffenden Bemerkungen über Eigentümlichkeit der Komposition, über die Figuren, über Einzelheiten des Romans aus der klaren, stets festgehaltenen Perspektive des Lesers, aus dem stärksten »Leseerlebnis«, das Schiller gehabt hat.

Hier ist der Ort, auf die eingangs gestellte Frage zurückzukommen, ob die ausdrückliche Wendung des Erzählers zum Leser auf das Erzählen einwirke. Geht man von Romanen des 17. Jahrhunderts aus, beispielsweise von denen Grimmelshausens, so wird man aus den Apostrophierungen des Lesers zunächst die Absicht des Autors heraushören, die Anziehungskraft seiner

Romane zu verstärken. Folgt doch der Anrede an den Leser früher oder
später das Pochen auf die Wahrheit des Berichteten. Das Wahrsein steigert,
keineswegs nur für unliterarische, naive Leser, freilich vornehmlich für sie, das
Interesse an Erzählungen: Geschichten werden nun einmal bemerkenswerter,
wenn sie Geschichte sind. Diese Erfahrung, was das Reagieren von Hörern
und Lesern angeht, ist die Ursache der Wahrheitsversicherung, mit welcher
der erzählende Dichter nicht nur in grauer Vorzeit sein Werk beginnt.
Schließlich mag man in der Ich-Form des Erzählens eine unausgesprochene,
dafür aber beständige und intensive Wahrheitsversicherung sehen, desgleichen
in der Verkleidung des Erzählers zum Herausgeber. Aber auch schon in der
Frühe wendet sich dieser Wahrheits-Topos ins Spaßhafte, beispielsweise in der
Finalfloskel des Märchens »und wenn sie nicht gestorben sind, so leben sie
heute noch«. Mit der Lügenerzählung verbunden, etwa mit dem Schel-
muffsky oder mit Münchhausens Abenteuern, gewinnt die Wahrheitsbeteue-
rung ironischen Sinn: Der Leser durchschaut den Widerspruch, und dies
belustigt ihn. Indessen dieser Reiz steht dem Zustandekommen der Illusion
nicht im Wege: auch im Leser der Schicksale Schelmuffskys stellt sie sich ein.

Sodann erneuert sich in der Anrede des Autors an den Leser die Erinnerung
an das mündliche Erzählen und an die damit verbundene Geselligkeit. Erinnerung solcher Art scheint sich mir in dem Gebrauch auszuwirken, den
Wieland von der Wendung zu den Lesern macht: er erweitert die Anrede zur
Andeutung eines Gesprächs mit den Lesern. Denn nicht allein der Erzähler
Wieland fragt seine Leser, sondern auch diese unterbrechen seine Erzählung
mit Zwischenfragen:

> Sagt, Freunde, wenn mit einer solchen Miene
> Im wilden Hain ein Mädchen Euch erschiene,
> Die Hand aufs Herz! Sagt, liefet Ihr davon?
> »So lief denn Phanias?« — Das konntet Ihr erraten!
> Er tat, was wenige in seinem Falle taten ... (Musarion)

In dieser Art verfährt Wieland auch in erzählender Prosa, etwa im Agathon:
er erzählt und erweckt zugleich den Anschein einer geselligen Situation. In
knapper Andeutung verzweigt sich also die Illusion: den Gestalten der
Erzählung wird die Figur des Lesers gesellt. Ausführlicher wird diese doppelte
Fiktion in der Rahmenerzählung gegeben, aber dabei werden die Hörer und
die Erzähler zwangsläufig wieder getrennt und einander gegenübergestellt, das
witzige Moment des flinken Hin- und Hergleitens von der einen zur anderen
Seite, das Wieland so bezaubernd meistert, geht dabei verloren. Aber auch das
perspektivische Spiel solcher Art, ob es ironisch glitzert oder sich ernsthaft

um Verdoppelung der Illusion bemüht, hebt weder das Trachten des Erzählers nach Fiktion noch das Verlangen des Lesers nach Illusion auf. Auch der romantischen Ironie gelingt das nicht, sie will das auch gar nicht, wie Käte Hamburger überzeugend darlegt[8]. Was durch die Wendung zum Leser, durch den angelegentlichen Hinweis auf den fiktiven Charakter des Erzählten beeinflußt wird, das ist allein der Ton oder die Stimmung des erzählenden Vortrags. Sodann betrifft die Apostrophierung des Lesers dessen Verhalten. Denn das Spiel des Autors mit der Illusion steigert den Anspruch an die Bereitschaft und das Vermögen des Lesers zur nachvollziehenden Imagination: der Liebhaber von durchschnittlichen Kriminalromanen ist nicht ohne weiteres auch ein solcher der Romane von Jean Paul oder von Thomas Mann.

Aber nicht in jedem Fall ist es der Leser, der versagt, nicht immer liegt es an ihm, daß das Zusammenspiel zwischen dem Autor und ihm nicht in Gang kommt, die Ursache ist bisweilen auf der Seite des Autors zu suchen, der zwar mancherlei mitzuteilen hat, sogar Begebenheiten, vielleicht sogar interessante, nicht nur aparte Gedanken, der aber eben eines nicht kann — erzählen. Wie man sieht, beschränkt sich der Mangel an dieser kardinalen Fähigkeit durchaus nicht auf den niederen Bereich der Kolportage. Deren Untersuchung unter dem Gesichtspunkt der *vis narrativa* wäre wohl so interessant wie lohnend: an der Handfestigkeit und Eindeutigkeit ihrer Absicht, nämlich den Leser zu fesseln, ließen sich wahrscheinlich am ehesten die Gründe des Versagens, und das hieße die Voraussetzungen für die Kunst der Erzählens fassen. — Endlich ist einer grundlegenden Veränderung des Verhältnisses zwischen Autor und Leser zu gedenken, das sich von langer Hand schon angebahnt, in neuester Zeit aber ganz deutlich ausgeprägt hat: der Autor rechnet gar nicht mehr mit Lesern, jedenfalls nicht mehr mit solchen, welche das Entstehen des Scheines von Wirklichkeit erwarten. Denn auf ihn, den Autor, übt die Wirklichkeit selbst keine Anziehung mehr aus, das Wirklichsein ist für ihn oder soll für ihn ohne Geheimnis sein: es hat sich ihm aufgelöst, verwandelt in Bewußtsein. Dessen Funktionieren, dessen Labyrinthe ziehen ihn an, und so ist aus dem erzählenden Dichter ein Forscher geworden, der ebenso die Darstellungskraft der Sprache wie die leiblose Innenwelt der Vorstellungen erkundet. Dem Romancier solcher Art — sonderbarerweise will er das immer noch sein, ein Romancier — ist es deshalb weniger um Erzählen, als um Experimentieren mit dem Erzählen zu tun, und das bedeutet, daß er nicht mehr an Leser denkt, die so sehr in das Wirklichsein verliebt sind, daß noch dessen entstehender Schein

---

[8] Ebd., S. 86 ff.

sie fesselt, entzückt oder erregt. Der zum Experimentator gewordene Erzähler hat einen anderen Partner, den Leser vom Fach, der nicht eigentlich Leser ist, sondern etwas anderes, nämlich Literaturkritiker. So tritt denn an die Stelle des Zusammenspiels zwischen Autor und Leser ein anderes Verhältnis — die Kontrolle.

INTERPRETATION — EIN SEMIOTISCHES PHÄNOMEN

Jede Sprache (im weitesten Sinne des Wortes) kann als ein System aus Einzelzeichen und ihren Kombinationen zu komplexen Zeichen verstanden werden, und jede Sprache bildet als Ganzes ein solches komplexes Zeichen. Es ist dabei gleichgültig, ob wir in einer natürlichen Sprache zum Beispiel von Wörtern als Grundzeichen und ihren Kombinationen zu Phrasen, Sätzen, usw., oder ob wir von Phonemen als Basis für Morpheme, Lexeme und Syntagmen ausgehen. Betrachten wir jedenfalls eine Sprache als ein Zeichensystem, so sollten wir unserer Untersuchung eine Semiotik, und zwar eine allgemeine Semiotik, zugrunde legen, die die Zeichennatur der Sprache behandelt. Nicht nur viele Linguisten fordern heute eine Semiotik als Basis ihrer speziellen Untersuchungen, auch in der Literaturwissenschaft, deren Material — die Literatur — als »ästhetische Zeichen« verstanden werden, wäre eine solche allgemeine Semiotik von großem Vorteil. Hindernd stand der semiotischen Fundierung von Linguistik und Literaturwissenschaft bisher die mangelnde einheitliche semiotische Theorie im Wege; denn alles, was zu semiotischen Problemen publiziert wurde, leidet an der Uneinheitlichkeit der Formulierungen und theoretischen Vorstellungen. Wir haben aber in der Semiotik des amerikanischen Philosophen und Mathematikers Ch. S. Peirce eine Zeichentheorie vor uns, die trotz aller Dunkelheiten und Schwierigkeiten sowohl in den Begriffen wie in der Sache selbst brauchbare Methoden und Klassifikationen verfügbar macht. Ich möchte daher im folgenden auf einige wichtige Punkte dieser Semiotik eingehen.

Wir verstehen mit Peirce ein Zeichen (beliebiger Art) als eine dreistellige Relation, die aus Mittel-, Objekt- und Interpretantenbezug besteht. Jedes Zeichen ist durch diesen relationalen Charakter gekennzeichnet, und etwas, das einen dieser Bezüge nicht aufweist, kann nicht Zeichen genannt werden. Das heißt aber, daß ein Zeichen immer zu einem Mittel-Repertoire (z. B. linguistische Mittel) gehört, auf einen Objektbereich eine Bezeichnungsfunktion ausübt (einen Inhalt, einen »Gehalt« hat) und eine Bedeutung in einem Interpretantenfeld gewinnt. Selbstverständlich kann man bei der Zeichenanalyse jeden Bezug einzeln untersuchen, indem man von den jeweils unberücksichtigten absieht. Wenn man festhält, daß ein beliebiges Einzelzeichen, das als Mittel aus einem Repertoire selektiert wird, etwas bezeichnet und für jemanden etwas bedeutet, so muß man auch ein komplexes Zeichen, zum Beispiel die Sprache als Ganzes oder einen bestimmten Text, einen Abschnitt, einen Satz oder eine Phrase, als etwas verstehen, das Bezeichnungs- und Bedeutungsfunktion aufweist. Dabei ist es wichtig festzuhalten, daß die Bezeichnungsfunktion stets der Bedeutungsfunktion vorangeht oder, anders ausgedrückt, daß Mittel- und Objektbezug die Grundlage des Interpretantenbezugs bilden.

Daß vor allem der Interpretantenbezug eine Reihe schwieriger Fragen aufwirft, entdeckte Peirce schon sehr frühzeitig. Daß der Interpretant selbst ein »etwas verändertes Zeichen« oder ein »interpretierendes Denken, das selbst ein Zeichen ist« darstellt, würde einige nähere Ausführungen rechtfertigen. In einem Brief an Lady Welby vom 12. Oktober 1904 gibt Peirce eine noch breitere Erläuterung des Interpretanten: »Nimmt man das Zeichen im weitesten Sinne des Wortes, ist sein Interpretant nicht notwendig ein Zeichen. Jeder Begriff ist natürlich ein Zeichen. Ockham, Hobbes und Leibniz haben das zur Genüge gesagt. Aber wir werden ein Zeichen in einem so weiten Sinne nehmen, daß sein Interpretant nicht nur ein Gedanke, sondern eine Wirkung (action) oder Erfahrung ist, oder wir werden die Bedeutung von Zeichen so erweitern, daß sein Interpretant eine reine Empfindungsqualität ist.«[1] Unter Interpretant muß man demnach etwas verstehen, das auch bei Peirce schon mit Ausdrücken wie »Interpretantenfeld« oder »Bedeutungsfeld« bezeichnet wurde, um die Breite der Interpretationsmöglichkeiten von Zeichen anzudeuten.

In einem nichtpublizierten Brief an den Herausgeber der »Nation«, von dem zwei Entwürfe erhalten sind, die von M. Fisch mit dem Jahr 1907 datiert wurden, und von denen eine Fassung unter dem Titel »A Survey of Pragmaticism« in den Collected Papers veröffentlicht wurde[2], geht Peirce diesen Überlegungen noch weiter nach. Er stellt zunächst fest, daß Interpretanten die »eigentlich bedeutungsvollen Wirkungen von Zeichen« sind. Weiter heißt es dort:

Die erste eigentlich bedeutungsvolle Wirkung eines Zeichens ist eine Empfindung, die durch es hervorgerufen wird. Es handelt sich dabei fast immer um eine Empfindung, die wir als die Gewißheit, die eigentliche Wirkung des Zeichens zu verstehen, interpretieren, obgleich

---

[1] Ch. S. Peirce, Über Zeichen, Stuttgart 1965, S. 12.
[2] Ch. S. Peirce, Collected Papers, Cambridge Mass. 1960, Band 5, § 464.

wir häufig keine ausreichende Begründung für die Wahrheit dieser Annahme haben. Dieser ›emotionale Interpretant‹, wie ich ihn nenne, mag weit mehr als diese Empfindung des Erkennens in sich bergen, und in manchen Fällen ist er die einzige eigentlich bedeutungsvolle Wirkung, die das Zeichen hervorbringt. So ist auch die Aufführung eines Musikstücks ein Zeichen. Es übermittelt die musikalischen Absichten des Komponisten und soll diese auch übermitteln; diese bestehen jedoch im allgemeinen nur aus einer Folge von Empfindungen. Wenn ein Zeichen eine weitere eigentlich bedeutungsvolle Wirkung hat, so geschieht dies durch die Vermittlung des emotionalen Interpretanten, und eine solche weitere Wirkung schließt immer eine Anstrengung in sich. Diese weitere Wirkung bezeichne ich als den energetischen Interpretanten. Es kann sich um eine Muskelanstrengung handeln, wie es bei dem Befehl, die Gewehre niederzulegen, der Fall ist, meistens handelt es sich jedoch um eine Anstrengung innerhalb der inneren Welt, das heißt um eine geistige Anstrengung.

Die Wirkung eines »intellektuellen Begriffs« wird, da er allgemeiner Natur ist, von Peirce schließlich »logischer Interpretant« genannt. »Sollen wir sagen, daß diese Wirkung ein Gedanke, das heißt ein geistiges Zeichen sein kann? . . ., wenn dieses Zeichen intellektueller Art ist . . ., muß es selbst einen logischen Interpretanten haben, daher kann es nicht der letzte logische Interpretant des Begriffes sein. Es kann nachgewiesen werden, daß die einzige geistige Wirkung, die auf diese Weise erzeugt wird und kein Zeichen ist, die jedoch allgemein angewendet werden kann, ein *Gewohnheitswechsel* ist.«

Fassen wir zusammen: Peirce unterscheidet drei bedeutungsvolle Wirkungen von Zeichen, die er »emotionaler«, »energetischer« und »logischer« Interpretant nennt. Da aber die Interpretation als solche iterierbar ist, da jede Interpretation weitere Interpretationen nach sich ziehen, jede Erklärung weitere Erklärungen zur Folge haben kann, ist ein Abschluß dieser Kette von Interpretationen oder Erklärungen nur dadurch zu erreichen, daß eine »Denkgewohnheit« durch eine neue Denkgewohnheit abgelöst wird, daß ein Gewohnheitswechsel im Denken eintritt. Wir werden auf diesen Punkt nicht näher eingehen, da wir genötigt wären, verschiedene wichtige Einzelheiten des pragmatischen Ansatzes von Peirce ausführlicher darzulegen, das heißt wir müßten die Gewinnung und Festigung von Überzeugungen, das Bilden einer Denkgewohnheit, die Erschütterung dieser Denkgewohnheit durch den Zweifel und den Gewohnheitswechsel, der damit eingeleitet wird, diskutieren.

Es ist aber wohl deutlich geworden, daß durch den Begriff »Interpretant« oder »Interpretantenfeld« etwas charakterisiert wird, das einerseits »Bewußtsein« genannt werden könnte, andererseits aber als »Zeichen« oder »Zeichenfeld« apostrophiert wird, und man könnte daraus schließen, daß der Bewußtseinsbegriff bei Peirce ebenso funktional oder relational verstanden wird wie der Bedeutungsbegriff, der Begriff des »Interpretanten«, oder allgemein der

Begriff des Zeichens. Bewußtsein ist bei Peirce tatsächlich nicht auf Denken beschränkt, sondern umgreift Empfindung, Erfahrung (Urteil) und Denken (reines, logisches Denken). Damit entgeht Peirce einer Einschränkung des Bewußtseinsbegriffs ebenso wie des Bedeutungsbegriffs. Letzterer führte vor allem in der linguistischen Semantik zu gewissen Schwierigkeiten, die meines Wissens noch nicht behoben worden sind und in der unzulänglichen Erläuterung der Wortbedeutung und der Satzbedeutung zum Ausdruck kommen. Ich verweise hier auf die Bemerkung von Stephen Ullmann: »Tatsache ist, daß wir uns einer Vielzahl von Definitionen (des Wortes) gegenübersehen, die zwar weit weniger erdrückend als die zweihundert Definitionsversuche für den Satz, aber doch auch verwirrend genug sind.«[3] Erschwerend für eine Klärung des Bedeutungsbegriffs der Linguistik ist die verschiedentlich anzutreffende Gleichsetzung von Bezeichnung und Bedeutung oder jedenfalls die ungenügende Unterscheidung dieser beiden Funktionen der Zeichen, gleichgültig ob es sich dabei um Wörter oder Sätze handelt. Hinsichtlich der Bedeutung sagt Ullmann im gleichen Werk: »Die moderne Sprachwissenschaft rühmt sich ihrer wissenschaftlichen Genauigkeit, und die kann sehr viel leichter an den klarumrissenen Problemen der Phonologie und Morphologie erprobt werden als an der Semantik und der Syntax, bei denen alles im Fluß ist. . . . aus naheliegenden Gründen eignen sich Lautlehre und Grammatik viel besser für eine strukturalistische Beschreibung als die vage strukturierte und praktisch unbegrenzte Welt der Bedeutungen.«[4]

Diese »praktisch unbegrenzte Welt der Bedeutungen« hängt einerseits mit dem auch von Peirce aufgezeigten iterativen Charakter der Bedeutungen bzw. der Interpretationen zusammen, andererseits aber auch mit Aspekten, die Peirce zu Überlegungen hinsichtlich der weiteren Differenzierung des Objektbereichs und des Interpretantenfeldes führten. Diese Überlegungen, die ich hier nur skizzieren kann, verdeutlichen die Vielschichtigkeit von Zeichenprozessen überhaupt.

Mittel-, Objekt- und Interpretantenbezug wurden als die drei Grundbezüge der triadischen Zeichenrelation eingeführt. Jeder dieser Bezüge kann nach Peirce in Trichotomien unterteilt werden, die gewissermaßen als Feineinteilungen fungieren und als Stufen verstanden werden, die generativ bzw. degenerativ aufeinander folgen. Vom Objektbezug ist diese Aufspaltung bereits allgemeiner bekannt, da Charles W. Morris vorwiegend diesen Bezug mit den

---

[3] Stephen Ullmann, Grundzüge der Semantik, Berlin 1967, S. 43.
[4] Ebd., S. 294.

Unterteilungen in Ikon, Index und Symbol von Peirce übernahm und diskutierte. Man hat damit die Möglichkeit, die Bezeichnungsfunktion eines Zeichens ikonisch, indexikalisch oder symbolisch zu verstehen. Das Symbol, als höchste Bezeichnungsstufe, kann durch einen Index oder ein Ikon erläutert werden. Wenn ich zum Beispiel das Wort »Rose« erklären will, so kann ich auf eine wirkliche Rose zeigen (was indexikalisch ist) oder ich kann sie mit etwas Ähnlichem vergleichen, indem ich einige ihrer Eigenschaften beschreibe (was ikonisch ist). Trotz dieser Differenzierung ist aber nur die Bezeichnungsweise erfaßt, nicht hingegen das bezeichnete Objekt, das heißt, man weiß nicht, wie man sich das bezeichnete Objekt denken soll, ob es real gegeben sein muß, ob es wahrnehmbar ist, ob es erinnert oder in der Phantasie erzeugt wird, ob es erzählt oder bezeugt wird, oder wie auch immer es beschaffen ist. Peirce stellte nun fest, daß man mindestens zwei bezeichnete Objekte unterscheiden müsse, die er »Unmittelbares Objekt« und »Dynamisches Objekt« nannte. In dem Brief an Lady Welby[5] schreibt er: »Angesichts seines Unmittelbaren Objektes kann ein Zeichen entweder ein Zeichen einer Qualität, eines Seienden oder eines Gesetzes sein.« Er nennt es auch »deskriptives«, »designatives« und »kopulatives« Zeichen. Deskriptive Zeichen determinieren ihre Objekte, indem sie deren Eigenschaften feststellen; designative Zeichen lenken die Aufmerksamkeit des Interpreten direkt auf das Objekt hin; kopulative Zeichen drücken die logischen Relationen zwischen Objekten aus, zum Beispiel ». . . ist . . .«, »wenn . . . so«, usw. Das Unmittelbare Objekt ist also dasjenige, das unabhängig von direkter Wahrnehmung als Objekt der Vorstellung, als vorgestelltes Objekt, gegeben ist; wenn ich zum Beispiel jemandem eine Mitteilung mache, die er versteht, weil er meine Worte mit Unmittelbaren Objekten seiner Vorstellung verbindet, ohne die Gegebenheiten, von denen ich ihm Mitteilung mache, selbst wahrnehmen zu können. Für mich handelt es sich bei der Formulierung der Mitteilung jedoch meistens nicht um Unmittelbare Objekte, sondern um die sogenannten Dynamischen Objekte, das heißt um Objekte, die mir in irgendeiner Weise real gegeben und meiner Wahrnehmung zugänglich sind. Zeichen für Dynamische Objekte unterteilt Peirce in »abstraktive«, »konkretive« und »kollektive« oder »distributive« Zeichen. (Er hat die Begriffe, die er ja neu schaffen mußte, immer wieder geändert, um das, was er sagen wollte, zu präzisieren, so daß es gelegentlich zu begrifflichen Überschneidungen kam. Nach einer Weiterentwicklung seiner Theorie müßte man sich für eine eindeutige Formulierung entscheiden.) Abstraktive Zeichen sind

---

[5] Ch. S. Peirce, Über Zeichen, S. 14.

Zeichen von Farbe, Masse, usw., kurz von Qualitäten; konkretive Zeichen sind Zeichen von wirklichen konkreten Gegenständen oder Ereignissen; kollektive oder distributive Zeichen sind Zeichen von Kollektionen wie Menschheit, Studentenschaft, u. ä., wobei die Anzahl oder Anordnung der Elemente solcher Kollektionen unberücksichtigt bleibt.

Was nun den Interpretanten betrifft, so haben wir den Interpretantenbezug der triadischen Zeichenrelation, aber auch ein weites Interpretantenfeld, das durch die Begriffe »emotionaler«, »energetischer« und »logischer« Interpretant bezeichnet wurde, kennengelernt. Im Verlauf seiner semiotischen Forschungen stieß Peirce auf die sehr unterschiedlichen Aspekte der Interpretationen, die er zu beschreiben und zu ordnen versuchte. Es handelt sich bei den Ergebnissen dieser Forschungen wahrscheinlich um versuchsweise Annahmen, deren Tragweite und Brauchbarkeit erst nach intensiven weiteren Forschungen geklärt werden können. Vielleicht gibt es auch noch zu viele terminologische Schwierigkeiten und Unebenheiten, die behoben werden müßten, bevor man diese Unterscheidungen bei Analysen sinnvoll verwenden kann. Um die weiteren Ausführungen nicht zu sehr zu belasten, stelle ich im wesentlichen nur die Ziele, nicht die Resultate der Begriffsbildungen dar. Die erst seit wenigen Jahren begonnene Herauspräparierung der Peirceschen Semiotik, die ja nicht als Lehrbuch oder zusammenhängende Abhandlung vorliegt, sondern eine noch ungeordnete Menge verschiedenster Ausführungen von unterschiedlicher Deutlichkeit und Strenge darstellt, die erst allmählich in einen Zusammenhang gebracht werden, läßt eine umfassendere Darlegung noch nicht zu.

Der Interpretantenbezug der triadischen Relation wird in Rhema, Dicent und Argument unterteilt, was den alten logischen Termini Begriff, Satz (Urteil) und Schluß nachgebildet ist, aber nicht nur auf logische Zeichen, sondern Zeichen im allgemeinen bezogen werden soll. Eine logische Charakteristik der Ausdrücke kennzeichnet das Rhema »— ist rot« oder ein anderes Einzelzeichen als weder wahr noch falsch, das Dicent »etwas der Behauptung fähiges« als wahr oder falsch und das Argument, z. B. eine Schlußfigur oder ein anderer gesetzmäßiger Zusammenhang, als notwendig wahr oder widerspruchsfrei. Eine noch allgemeinere Charakteristik dieser Begriffe gab Max Bense, indem er — topologisch — das Rhema als »offenen Konnex«, das Dicent als »abgeschlossenen Konnex« und das Argument als »vollständigen Konnex« beschrieb[6]. Zeichen, die im Mittelbezug zum Beispiel linguistische Elemente sind, im Objektbezug eine Bezeichnungsfunktion ausüben, gewinnen im

---

[6] Max Bense, Einführung in die informationstheoretische Ästhetik, Hamburg 1969, S. 25 ff.

Interpretantenbezug ihren Sinn oder ihre Bedeutung als Konnexe (oder logische bzw. sonstige Zusammenhänge). Eine ähnliche Auffassung vertritt übrigens auch Bernard Bolzano in seiner »Wissenschaftslehre« von 1837, wenn er zwischen dem linguistischen Ausdruck, dem bezeichneten Gegenstand und der Bedeutung des Ausdrucks, der für ihn eine Vorstellung an sich, ein Satz an sich oder eine Wahrheit an sich ist, unterscheidet. Auch Edmund Husserl äußert in seinen »Logischen Untersuchungen« von 1900 ähnliche Ansichten, wenn er Begriff, Satz und Schluß als Bedeutungskategorien versteht.

Neben diesem so unterteilten Interpretantenbezug unterscheidet Peirce weitere Interpretanten, die er mit »Unmittelbarer Interpretant«, »Dynamischer Interpretant« und »Finaler Interpretant« (oder »Normaler Interpretant«) bezeichnet[7]. Selbstverständlich hat er auch diese Interpretanten als Trichotomien gegeben, aber ich möchte hier von ihren Unterteilungen absehen.

Der Unmittelbare Interpretant ist derjenige, der unmittelbar aus dem Zeichen selbst, also ohne Rekursion auf irgendwelche sonstigen Zusammenhänge, Umgebungen, Situationen oder Kontexte verständlich oder interpretierbar ist. Sind zum Beispiel gewisse Geräusche als das Rattern eines Zuges identifiziert, so ist das Lauterwerden dieser Geräusche als das Näherkommen des Zuges interpretierbar. Als weitere Beispiele könnten hier eine kontextfreie Grammatik oder der in der Literaturwissenschaft wichtige Begriff der »immanenten Interpretation« dienen.

Der Dynamische Interpretant wird im Sinne einer aktualen Wirkung des Zeichens auf ein Bewußtsein verstanden. Ein Dynamischer Interpretant wäre zum Beispiel das Mitleid mit dem Leid eines anderen, die Betroffenheit von einer Ermahnung, die Reaktion auf einen Befehl, auch die von Aristoteles mit »Katharsis« bezeichnete Wirkung des Dramas oder die »Verfremdung« des Brechtschen Dramas.

Der Finale Interpretant ist die »Wirkung eines Zeichens auf ein Bewußtsein nach ausreichender Entwicklung des Denkens«. Es handelt sich hier um Interpretation auf dem Hintergrund eines umfassenden Interpretantenfeldes, in das ein Zeichen in größter Allgemeinheit eingeordnet wird; wenn man zum Beispiel von einer Frage sagt, sie sei eine »praktische« Frage, oder es handele sich bei einem Problem um ein »theoretisches Problem«, oder eine Ästhetik sei eine »Interpretationsästhetik« oder »Befriedigungsästhetik«, und dergleichen.

Vergleichen wir diese drei Interpretanten nun mit dem vorher beschriebenen Interpretantenbezug, so sehen wir, daß dieser Bezug neben diesen Inter-

---

[7] Peirce, Über Zeichen, S. 14ff.

pretanten bestehen bleibt. Peirce gab ihm daher auch eine besondere Stellung als Beziehung zwischen dem Zeichen (als Bezeichnung) und dem Finalen Interpretanten und nannte ihn »Bezeichneter Interpretant«. Es ergibt sich dann die Frage, ob noch weitere Bezüge zu unterscheiden sind. Peirce fand noch die Beziehung zwischen Zeichen und Dynamischem Interpretanten, die Beziehung zwischen Zeichen und Unmittelbarem Interpretanten und die umfassende Beziehung zwischen Mittel, Dynamischem Objekt und Finalem Interpretanten.

Peirce hat nicht gesagt, daß diese Interpretanten alle berücksichtigt werden müssen, auch nicht, daß sie die einzig möglichen sind. Er war sich nicht sicher, wie viele Trichotomien im Mittel-, Objekt- und Interpretantenbezug in einer allgemeinen Semiotik zugrunde gelegt werden müssen, um aus ihnen Zeichenklassen bilden zu können. Geht man von der triadischen Relation mit je einem Bezug aus, so lassen sich unter der Bedingung, daß die Triade und die einzelnen Trichotomien generative Folgen darstellen, zehn Zeichenklassen bilden. Geht man hingegen von zehn Trichotomien aus, so hat man die Möglichkeit, 66 generativ geordnete Zeichenklassen zu bilden, was Paul Weiss und Arthur Burks nachgewiesen haben[8]. Peirce selbst spricht davon, daß man bei zehn Trichotomien schon 3^{10} oder 59 049 schwierige Aspekte zu untersuchen habe[9]. Bis jetzt kann man nur sagen, daß es den Anschein hat, als seien Zeichenklassen, die nicht aus drei, sondern aus zehn Aspekten bestehen, zu komplex, um mit ihnen Zeichenanalysen machen zu können. Solange man jedoch nicht gezeigt hat, wie das Interpretantenfeld methodisch gegliedert werden muß, welche Operationen und Voraussetzungen benötigt werden, ob bei einer Analyse tatsächlich immer von Zeichenklassen ausgegangen werden muß, oder ob das nicht in jedem Fall erforderlich bzw. zweckmäßig ist, werden die von Peirce beschriebenen Interpretanten zwar interessante Aspekte der möglichen Strukturierung des Interpretantenfeldes darstellen, müßten aber durch weitere Forschungen eine Einordnung und Begründung erfahren. Da die Interpretation in allen Zeichenbereichen als der dunkelste, aber interessanteste Teil betrachtet wird, wäre es erforderlich, die Forschungen weiterzuführen, um auf diesem Wege schließlich auch einer »generativen Semantik« im Rahmen der heutigen Linguistik zu nützen. Dies wiederum wäre vorteilhaft für eine dringend erwünschte kontrollierbare und exakte Interpretationstheorie der Literaturwissenschaft.

---

[8] Peirce's Sixty-Six Signs, in: Journal of Philosophy, 42, 1946, S. 383—388.

[9] Peirce, Über Zeichen, S. 20.